2026年度版

裁判所

一般職／大卒程度

科目別・テーマ別過去問題集

TAC出版編集部 編著

TAC出版
TAC PUBLISHING Group

はじめに

近年就職環境が大きく変化している中で、まだまだ多くの若者が「やりがい」や「安定」を求めて公務員試験に挑戦しています。出題科目が非常に広範な公務員試験で効率的に学習を進めるためには、志望試験種の出題形式を的確に捉え、近年の出題傾向をつかむ必要があります。

このシリーズは、受験先ごとに公務員試験の過去問演習を十分に行うために作られた問題集です。

公務員試験対策は「過去問演習」なしに語ることはできません。試験ごとの出題傾向が劇的に変化することは稀であり、その試験の過去の出題を参考にすることで、試験本番に向けた対策をほぼカバーすることができるためです。

また、過去問を眺めると、試験ごとに過去の出題分布がだいぶ異なっていることに気づきます。公務員試験対策を始めたばかりのころは、なるべく多くの受験先に対応できるよう幅広い範囲の知識をインプットしていくことが多いですが、ある程度念頭においた受験先が見えてきたら、その受験先の出題傾向を意識した対策が有効になります。

本シリーズは、択一試験の出題を科目ごと、出題テーマごとに分類して配列した過去問題集です。このため、インプット学習と並行しながら少しずつ取り組むことができます。また、1冊取り組むことによって、受験先ごとの出題傾向を大まかにつかむことができるでしょう。

公務員試験はいうまでもなく就職試験です。就職試験に臨む者は皆、人生における大きな岐路に立ち、その目的地であるゴールを目指しています。公務員として輝かしい一歩を踏み出すためには、合格というスタートラインが必要です。本シリーズを十分に活用された方々が、合格という人生のスタートラインに立ち、公務員として各方面で活躍されることを願ってやみません。

2024年10月　TAC出版編集部

本書の特長と活用法

本書の特長　～　試験別学習の決定版書籍です！

科目別・テーマ別に演習できる！

本書は裁判所（一般職／大卒程度）採用試験における択一試験の過去問（2020～2023年度）から精選し、学習しやすいよう科目別・テーマ別に収載しています。科目学習中の受験生が、試験ごとの出題傾向をつかむのに最適な構成となっています。

TAC生の選択率・正答率つき！　丁寧でわかりやすい解説！

TAC生が受験した際のデータをもとに選択率・正答率を掲載しました。また、解答に加えて、初学者の方でもわかりやすい、丁寧な解説を掲載しています。実際に問題を解き、間違ったときはもちろん、正解だったときでも、しっかりと解説を確認することで、知識を確固たるものにすることができます。

最新年度の問題も巻末に収録！　抜き取り式冊子なので使いやすい！

最新の2024年度の問題・解説は巻末にまとめて収録しており、抜き取って使用することができます。本試験の制限時間を参考にチャレンジすることで、本試験を意識した実戦形式でのトレーニングが可能です。

受験ガイド・合格者の体験記を掲載！

受験資格や受験手続の概要をまとめた「受験ガイド」を掲載しています。過去の採用予定数や受験者数、最終合格者数といった受験データもまとめています。また、合格者に取材して得た合格体験記も掲載していますので、直前期の学習の参考にしてください（合格者の氏名は仮名で掲載していることがあります）。

記述式試験の模範答案も閲覧可能！

2015～2024年度の記述式試験について、問題と答案例をWeb上でダウンロード利用できます。詳しくはご案内ページをご確認ください。

問題・解説ページの見方

問題

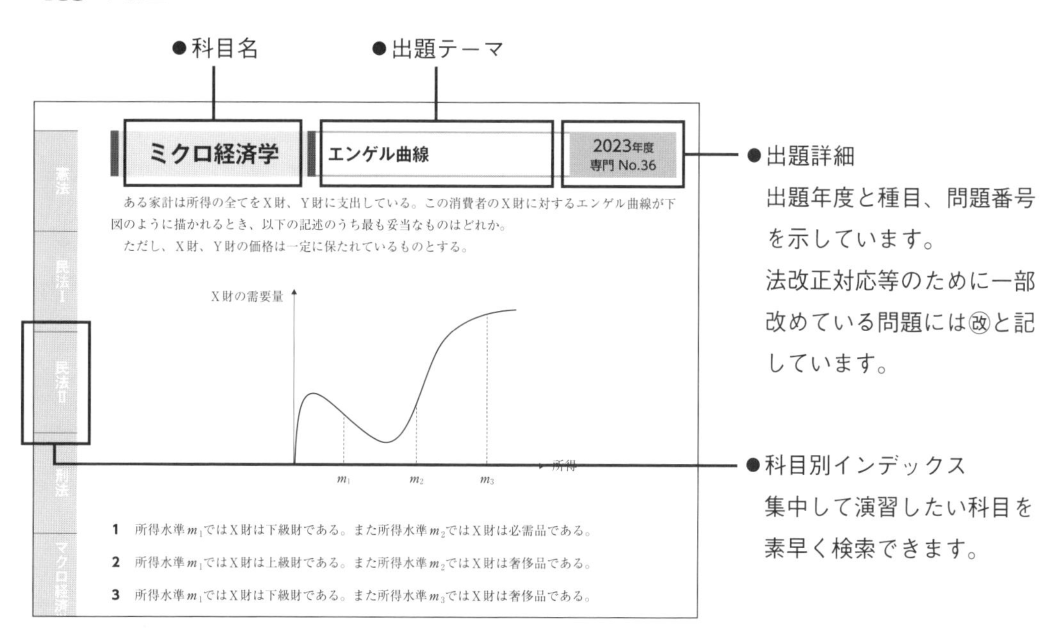

解説

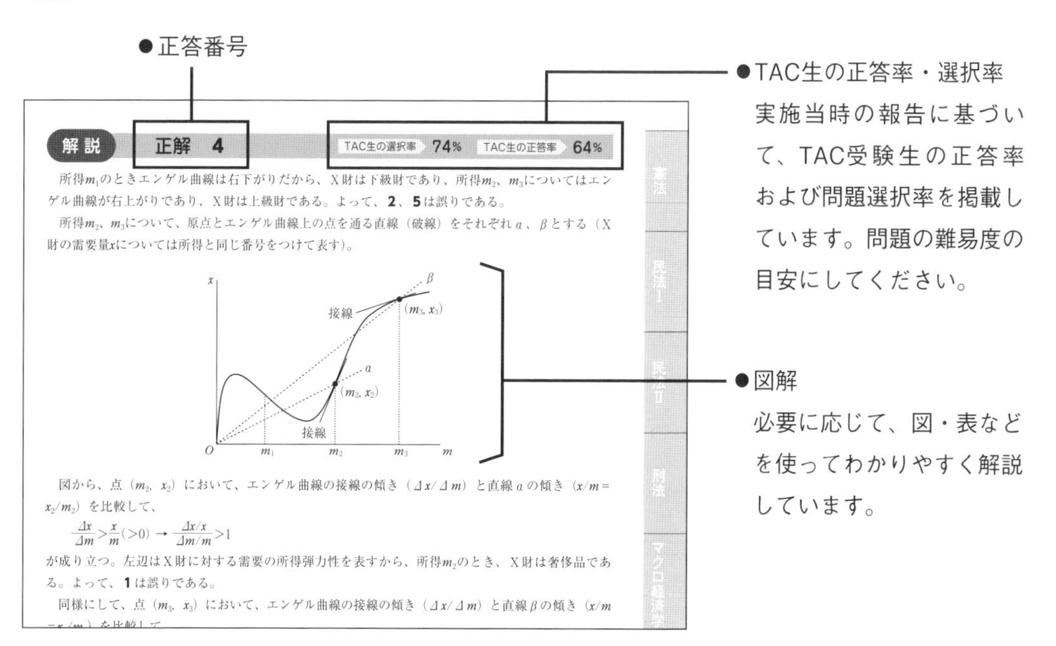

裁判所（一般職／大卒程度） 受験ガイド

(1) 裁判所（一般職／大卒程度）試験とは

裁判所（一般職／大卒程度）で採用された職員は、各裁判所の裁判部門または司法行政部門に配属されます。裁判部門は、各種の事件を法的に解決することを目的とした機構で、裁判所書記官・家庭裁判所調査官・裁判所事務官・裁判所速記官などが働いています。ここでは裁判所書記官のもとで各種裁判事務を担当します。司法行政部門は、事務局と呼ばれていることからもわかるとおり、裁判部門が適正、迅速に裁判を進めることができるように、裁判に必要な人的・物的な面をサポートするセクションです。総務課、人事課、会計課、資料課などがあり、一般企業や行政省庁と基本的に同様の事務を担当します。

(2) 受験資格＆申込み方法

2024年度の試験では、1994年４月２日から2003年４月１日までに生まれた方が受験可能でした。

募集要項、申込用紙の請求先は高等・地方・家庭裁判所です。申込みはインターネットで行います。

(3) 試験日程

2024年度の裁判所職員一般職試験（裁判所事務官、大卒程度区分）の試験は以下の日程で実施されました。

申込期間	３月15日(金)～４月８日(月)
第１次試験日	５月11日(土)
第１次合格発表日	５月30日(木)
第２次試験日	筆記：５月11日(土) 人物：６月10日(月)～７月８日(月)
最終合格	７月31日(水)

(4) 試験内容

第1次試験は筆記試験で、基礎能力試験（択一式・140分）、専門試験（択一式・90分）が行われます。なお、専門試験の出題について、2025年度より内容の変更が発表されています。

●基礎能力試験（択一式）

一般知能分野						一般知識分野		
文章理解		数的処理						
現代文	英文	判断推理	数的推理	空間把握	資料解釈	政治	経済	社会
5	4	6	6	2	1	2	1	3

●専門試験（択一式）［2024年度］

憲法	民法Ⅰ	民法Ⅱ	刑法	マクロ経済学	ミクロ経済学
7	6	7	10	5	5

●専門試験（択一式）［2025年度］

憲法	民法	刑法	経済理論	行政法
10	10	10	10	10

第2次試験は、論文試験（60分）、人物試験（個別面接）が行われます。このほか、2024年度までは専門試験（記述式：憲法・60分）が実施されていましたが、2025年度より廃止となりました。

以上の受験についての情報は、必ず受験要項等により確認してください。

(5) 競争倍率

	申込者数	有効受験者数	1次合格者数	最終合格者数	競争倍率	採用予定数
2024年度	10,945	8,355	4,942	1,979	4.2	約375
2023年度	11,469	8,575	5,292	2,351	3.6	約375
2022年度	11,454	8,773	4,571	1,588	5.5	約390
2021年度	10,275	7,802	3,274	1,080	7.2	約393
2020年度	12,784	2,135	1,638	970	2.2	約390

合格体験記

はまだ　けんたろう
濵田 健太郎 さん

2024年度　裁判所一般職（大卒程度）、裁判所総合職（院卒者）、
国家総合職（院卒者・行政）合格

司法を支える立場から国民が安心して生活できる社会の実現に寄与したい！

法科大学院を卒業していることもあって、学生生活を通じて学んだ法知識を活かして国民の生活を支える仕事に就きたいという強い想いがありました。

官公庁の中でも裁判所は、裁判という法的紛争解決サービスを日々提供していますが、中には人の人生を大きく左右するような裁判もあります。このように重要な司法の場を陰ながら支えることで、国民が安心して生活できる社会の実現に貢献できる裁判所事務官の仕事に魅力を感じ、受験を決意しました。

択一試験対策はスピード重視

2024年度から採用試験の見直しがあり、裁判所の択一試験においては、基礎能力試験の出題科目分布が他の試験に比べて狭くなり、対策しやすくなりました。そのため、出題の比重がより大きくなった数的推理や判断推理を重点的に対策するようにしました。

択一試験対策は、科目分野別の問題集を５周した後、裁判所の過去問や国家一般職の過去問数年分を４～６周していました。何度も過去問を解くのは大変そうに感じるかもしれませんが、逆にいえばこれ以外はほとんどしていません。

過去問を解く際工夫した点は、問題集を１周するスピードを最も重視して、学習計画を構築したことです。具体的には、問題集を解き進める手順を、分野の解説→問題→解答・解説という通常の順番ではなく、解答→問題の解説→問題→分野の解説の順で学習し、３周し終えたタイミングで、通常の順番通りに問題を解くようにしていました。

素早く３周してその分野の全体像を把握することで、分野の中での位置づけがわかったり、解き方のパターンなどを理解したりすることができ、効率よく対策することができました。数的推理や判断推理に関しては、特に効果的でした。

小論文対策は最低限でOK

裁判所の小論文は幅広い分野から出題されるため出題を予想しにくく、対策に時間を割くのは非効率です。ですが、小論文にも基準点があり、これを下回るとそれだけで不合格になってしまうので、最低限基準点を超える程度の文章は書けるようにしましょう。

文章を書くのが苦手な方は、受験生どうしで答案を交換して添削し合い、客観的な意見をもらうことをおすすめします。添削してもらうことで自分の答案の改善点を知ることができますし、他人の答案を添削することで、評価される答案とは何かについて知っていくことができると思います。

直前期の過ごし方

直前期は、なるべく規則正しい生活を心がけ、朝起きる時刻と夜寝る時刻が毎日同じくらいになるようにしていました。

朝の最も元気な時間帯に、一番苦手だった数的推理・判断推理に取り組むようにしていました。昼食と民法2時間の後はいつも眠くなっていたので、30分以内の昼寝をしていました。こうすることで眠気を解消し、勉強のやる気を回復していました。

その後、得意科目であった憲法と刑法を割と自由にこなし、夕食を摂って時事問題の対策をしていました。直前期より前から習慣的に文章理解か英文理解の問題を就寝前に解いていました。

■直前期の1日のスケジュール例

8:00~9:00	起床
9:00~10:00	数的推理
10:15~12:15	判断推理
12:15~13:00	昼食
13:00~15:00	民法
15:00~15:30	自由時間
15:30~17:00	憲法（記述も含む）
17:15~18:00	刑法
18:00~19:00	夕食
19:00~20:00	時事
20:00~22:00	自由時間
22:00~23:00	文章理解or英文理解
24:00頃	就寝

直前期は体調を崩さないことが最も大切だと考えているので、自由時間も多めに確保していました。

面接試験こそ対策を！！

裁判所の試験では他の公務員試験に比べて面接の比重がとても大きいです。したがって、択一試験で高得点を取れたとしても油断できません。ですが、逆をいえば、択一試験で振るわなかった分、面接で取り返せるということです。ですから、面接こそしっかり対策すべきだと思います。

個人的な意見になりますが、面接の際は、ルールや手続きを軽んじる話をしないことと、適切な笑顔を心がけることの2点に気をつけるといいと思います。

裁判所は、司法機関として法に従って判断を下します。そのためルールを軽んじる発言をすると一発不合格のD評価になるなど、高評価が得られないように思います。例えば、「他人のためにルールを破って、その人を助けました」というエピソードは、行動力を示すようで、ルールを守れない印象を与えます。

次に、裁判所の職員の方は他の組織と比べて非常に物腰柔らかで親しみやすい方が多かったため、お堅い真面目くんでは裁判所の雰囲気に合わないと感じました。ですので、笑顔でコミュニケーションがとれることはとても大切だと思います。

私は、面接練習の様子をスマートフォンで撮影し、その映像を見ながら話し方や内容、表情の改善点を見つけていました。

おわりに

公務員試験は科目数が多く、どうしてもその勉強に多くの時間が割かれてしまいます。もちろん、試験を突破するためには、基礎能力科目・専門科目の勉強は欠かせません。ですが、公務員試験は長丁場であり、モチベーションを維持することも同じくらい大切です。ですので、自分の志望先について研究して理解を深め、志望先で仕事をしたいという気持ちをより強く持つことが大切です。これは一見当たり前のことのように思えるかもしれませんが、実は多くの受験生が不十分な部分なのでしっかりとこれをやることで大きく周りと差をつけることができると思います。また、志望先について深く知ることで、面接試験でも、明確な志望動機に基づく筋の通った発言ができ、好印象を与えられると思います。

皆さんが本番で全力を発揮できるようお祈りしています。

合格体験記

佐野 日向子（さの ひなこ） さん

2023年度　裁判所一般職、国家一般職、国税専門官、特別区Ｉ類　合格

長く続けられる仕事を求めて公務員志望に

大学３年生になって卒業後の進路を真剣に考え始めたころに、多くの人の生活を支える仕事がしたいという気持ちから公務員という選択肢を検討するようになりました。何より職務内容や働き方が自分に合っていると感じましたし、出産後も復帰する人が多いこと、職種によっては転勤範囲が限られていること等、ライフイベント後も同じ職場で働き続けるための環境が整っていることも魅力的だと感じていました。

裁判所職員を志望した理由は、公務員の中でも法律に関わる仕事がしたいと思ったからです。法律に関わる仕事は裁判所職員以外にもありますが、さまざまな種類の事件に関われるという点で、裁判所を選びました。

基礎能力は数的処理中心、専門の法律科目は発展レベルまで押さえると安心

私は国家、地方の両方を含む複数の公務員試験を併願したのですが、公務員の筆記試験は、一部の試験で問題が独特なものもあるものの、各科目の基本をしっかりと理解できていれば合格できる試験だと思います。そのため、基本を定着させることに集中して勉強しました。

専門科目はTACで支給された『過去問攻略Ｖテキスト』というテキストを何回も復習しました。各単元の後ろに、過去問を選択肢ごとにばらして一問一答式で確認する「過去問チェック」というページがあり、これを間違えなくなるまで復習していました。また、直前期はこれに加えて過去問も解いていました。時間を計って解くことで、時間配分の練習をするとともに、知識に抜けがないか最終チェックをすることができました。

裁判所の択一試験は、基礎能力試験（文章理解・数的処理等の教養試験）と専門試験に分かれています。基礎能力試験の対策は、数的処理を中心に行っていました。数的処理は短期間で成績を上げることが難しい反面、一度得意になると安定して得点できる科目です。そのため、集中しやすい午前中に、１日最低30分は数的処理の問題を解く時間を作っていました。数的処理の中でも分野ごとに得意・不得意がありましたが、不得意分野でも本当に基礎的な問題だけは解けるようにしていました。不得意分野があるのは仕方ないですが、それでも「公式さえ知っていたら解ける」というような問題は取りこぼさないようにしましょう。

専門科目では憲法と民法が必須解答で、経済学と刑法の中から１科目選択となっています。他の公務員試験と比べて科目数が少ないものの、法律科目の難易度が少し高めです。そのため、憲法・民法に関しては発展的な内容（前述の『過去問攻略Ｖテキスト』であれば「発展」のマークがついているところ）も学んでおくと、高得点が狙えると思います。選択科目は最初から経済学のみ対策していたのですが、勉強を始めたばかりの頃は苦手な科目でした。でも、問題演習をたくさんする

ことで自然と公式を覚えることができました。同じように経済学に苦手意識を持っている人も、諦めずにとにかく問題演習を重ねてみてください。

記述試験、最低限の対策はしておこう

裁判所の記述試験は、憲法の専門記述と小論文の２種類です。専門記述は、過去問等から主要な論点を抽出し、それについて書くべきことをまとめたノートを作成しました。試験の約２か月前から、そのノートを毎日15分程度確認して暗記しました。国税専門官などの専門記述のある併願先対策にもなるので、記述問題の書き方などを学んでおいて損はしないと思います。

小論文は、過去問をもとにいくつか答案を作成してみて模範解答と見比べることで、書き方を覚えました。裁判所では記述試験の配点が高くありませんが、基準点を下回ると不合格になってしまうので、最低限の対策はしたほうがよいと思います。また、ボールペンで解答することになるので、実際にボールペンを使って答案を書く練習を何度かしておくと、本番で焦らずに済みます。

直前期の過ごし方

私は、大学３年生の春から公務員試験対策を始めたのですが、夏ごろまでは憲法と数的処理に軽く取り組む程度でした。本格的に勉強を開始したのは10月ごろです。試験の年の２月ごろからは学習時間を増やし、例えば右のようなスケジュールで過ごしていました。途中、細かい休憩も入れていたので、実質的な学習時間は１日６～７時間程度だったかなと思います。

■直前期の１日のスケジュール例

8:00	起床
9:30～10:00	現代文・英文
10:00～12:00	数的処理
12:00～13:00	経済学
13:00～14:00	昼食
15:00～16:30	民法
16:30～17:00	学系科目（併願先対策）
17:00～18:00	憲法
18:00～19:00	民法
19:00～21:00	夕食・休憩
21:00～22:30	専門記述・教養論文
22:30～	入浴・自由時間

裁判所は特に専門科目が少ないですが、併願先も含めると学習すべき科目はそれなりに多くなります。直前期には併願先で必要なものも含め、どの科目も３日に１回は学習するようにし、毎日違う単元に取り組むように気をつけていました。このようにすることで、知識に抜けがある単元を作らないようにしていました。

これから公務員試験を受験する皆様へ

公務員試験は、これまで述べてきた筆記試験に加え、面接試験もあります。裁判所は、国家系の試験の中では面接の配点が高く、筆記試験と同じくらい面接も重要です。また、筆記試験の直前期は、面接の対策に時間を割くことが難しいです。そのため、勉強の息抜きもかねて自己分析などをして、自己PRや志望動機を考えておくことをオススメします。

特に裁判所を志望されている方は、直前期前や１次試験後に裁判の傍聴に行くのもいいと思います。傍聴席からは、書記官が資料を裁判官や裁判員に渡したり、休憩時間に検察官に段取りについて説明したりしているのが見えました。こんなちょっとした気づきでも、実際に人が仕事をしている姿や雰囲気を見たことがあれば、例えば面接で仕事に対する思いを問われたときの回答に、リアリティが加わることがあると思います。

公務員試験は、筆記試験の対策に時間がかかる上、民間企業に比べて内定が出る時期が遅いため、辛くなってしまうことや、焦ってしまうことがあると思います。適度に息抜きをしながら、まわりを気にしすぎずに、公務員になりたいという気持ちを持って、頑張ってください。皆様の合格を心よりお祈りしています。

合格体験記

田中(たなか) 英佑(えいすけ) さん

2023年度　裁判所一般職、国家一般職、特別区Ⅰ類、国税専門官　合格

書記官へのステップアップも望める裁判所で、法律の知識を活かして働きたい！

就職先を検討するころ、何か明確な目的を持って働くことができる職業を選びたいと考えていました。公務員という仕事には、国や地域をより過ごしやすい場所にすることで人々の生活を支える、という明確な目的があり、社会にとって欠かせない仕事であることに魅力を感じました。

なかでも、大学で学んだ法律の知識を社会人になっても活かしたいと考えていたため、裁判所を第一志望として考えるようになりました。当初事務官として採用されますが、仕事を続けていく中で研鑽を積むことによって、裁判所書記官への道が開かれており、向上心を持って自分自身も成長できる点が魅力です。

また、残業が少なく土日の休日が確保されているため、ワークライフバランスを確保しやすい労働環境であることも、自分自身の人生設計をする上でとても魅力的だと考えました。

全科目をまんべんなく、とにかくアウトプットを繰り返す

裁判所の試験は、特に専門科目で必要となる科目が少ないという特徴があります。ただ、私は複数の併願を予定していたため、裁判所の受験には必要ないものの併願先で必要なものを含めると、相当な科目数を準備しました。また、どの科目でもある程度均等に点数が取れるように、まんべんなく学習時間を割く必要がありました。

TACで支給された教材は、１回分の講義と、その講義回に対応する問題集の範囲が対応した構成になっていました。例えば「今日は講義１回目の範囲の問題集を全科目解く」、「明日は講義２回目の範囲の問題集を全科目解く」などと決めると、必ず毎日すべての科目に触れられ、一部の科目が手薄になるようなことを防げます。つまり、科目ごとに集中して取り組むのではなく、すべての科目の問題演習を同時進行させるような方法ということです。

この方法だとだいたいの科目は７日くらいで一巡して問題集を解き終わるため、１週間後にはもう一度最初に戻って記憶の定着を確認することができます。この際に再び間違えた問題には付箋をつけるようにしました。付箋をつけた問題は試験直前まで再確認をし、点数を重ねることができたように感じます。最終的には問題集で問題を見ただけで答えがわかってしまうくらいまで解くことができ、最後の１か月は模擬試験や他の演習教材の解き直しを行い、知識が定着しているかどうかの確認をしていました。

基礎能力試験（教養試験）の一般知識科目は１科目当たりの出題数が少ないため、地理や生物などに絞って対策を行いました。

憲法の記述対策では自作のノートを作成

憲法の記述対策は試験１か月前から本腰を入れました。教材に掲載されている模範解答を確認しながら新しくノートに必要な部分だけを書き写し、教材の簡略版を作成しました。出題のありそう

なたくさんのテーマについて、模範解答を一言一句暗記するのは無理があります。そうではなく、答案の骨子をノートに書き出しておいて、答案の流れをつかむよう意識することで、答案構成を覚えやすくなりました。こうして自分で作成したノートは試験直前の休み時間にも確認することができたので、作った甲斐がありました。

記述試験の対策はとても大変で諦めたくなる時もありますが、記述対策で得た知識が択一試験の憲法に生かされる場面もあったので、記述だけではなく択一の憲法のためでもあるんだと考えて学習していました。

小論文のほうはどちらかというと併願先の対策として年明けごろから始めました。例えば子育てや環境問題といったテーマについて国家と特別区の取組みを調べ、まとめノートを作っていました。

直前期の過ごし方

実際の試験は基礎能力試験から始まるので、直前期は数的処理から1日の問題演習を始めるようにしました。その後、憲法・民法の問題集に午前中取り組み、昼休みを挟んで18：00まで専門科目のメイン教科の学習に充てました。

その後18：00から20：00ごろまで一般知識科目の生物や地理、歴史の問題集やテキストの確認をしました。その後は、専門記述の対策や時事、論文対策を行い、21：30ごろまで間違えた問題の解き直しや公開模試、その他の演習教材の問題を解いていました。

■直前期の１日のスケジュール例

6:00	起床・自習室へ移動
8:00～9:00	数的処理
9:00～12:00	憲法・民法
12:00～13:00	昼食
13:00～15:00	行政法・行政学
15:00～18:00	経済学・社会学
18:00～20:00	一般知識科目
20:00～20:30	専門記述対策
20:30～21:00	時事、論文
21:00～21:30	１日の問題やり直し
23:00	帰宅

このように、直前期は８：00から21：30まで、だいたい12時間前後学習していたことになると思います。

採用先の情報を読み込み、自分の話し方も録音して確認

人物試験対策は筆記試験が終わる前後で対策を始めました。それぞれの志望先のHPや採用案内を読みこみ、自分の志望動機と相手が求める人物像のすり合わせを行いました。また、業務内容や部署についてもしっかり頭に入れておいたので、実際面接で働きたい部署を聞かれた時にも自信を持って答えることができました。ただ一方でアルバイトの経験についてとても深く質問されたので、しっかり簡潔に話すことができているのかどうか、不安になる場面もありました。

志望動機などメインの質問回答は、録音して自分の話す声のトーンやスピードを確認するようにしました。

受験生へのメッセージ

公務員試験は科目数が多く、結果が出るのも民間に比べて遅いため、とても不安になることが多いかと思います。そのような中で、私は同じ自習室で切磋琢磨する公務員志望の友人達に救われました。不安や悩み、わからない問題を相談しあうことで一緒に合格に向けて励むことができました。また、公務員試験では「時間」ではなく「質」が大事です。多くの科目を効率よく頭に入れ、自分の苦手な分野や得意な分野を把握し、適切な配分を行うことが重要だと感じました。

とても長い公務員試験ではありますが、終わった後の達成感や爽快感は１年間頑張ってよかったと感じられるものでした。皆さんが笑顔で公務員試験を終えることができますよう願っております。

合格体験記

大柿 拓己（おおがき たくみ） さん

2022年度　裁判所一般職（大卒）、国家一般職（大卒行政・大阪税関）合格

分け隔てなくサービスを提供し、さまざまな経験を積めることに惹かれた公務員志望

民間企業のサービスは利用するのに金銭という対価が必要なものが大半ですが、その金銭面が理由でサービスを利用できず残念な思いをしたことがあります。この経験から、すべての希望者に対してサービスを提供できるような仕事に従事したいと考え、公務員という職業を志望しました。業務内容が多岐にわたる多くの官公庁では２、３年という比較的短いスパンで異動があり、若いうちから様々な経験を積むことができます。幅広い分野に興味関心を持って仕事をしていきたい、という私の希望とこうした人事システムがマッチすると考えたのも公務員を目指した理由です。

同時に、これまでさまざまな勉強をしてきたなかで、「法律」を学ぶことの楽しさを感じました。より一層法律に触れたいという思いが強くなり、法律を扱うフィールドである裁判所という受験先が視野に入ってきました。裁判所は他と比較して能力主義の色が濃く、正しく努力すればしっかりと結果がついてくるというのが魅力的でした。加えて労働環境が整備されていて安心して働ける点もありがたいと思いました。業務をうまくこなせば定時退勤できて土日祝日の残業がなく、将来を考えたときに育児のための制度が充実しており、かつ利用状況がよい点などが挙げられます。

短期学習では優先すべき科目を定め、過去問の反復学習が重要

受験前年の10月という比較的遅い時期に対策をスタートしたこともあり、効率よく得点力を伸ばす学習が必要でした。そこでまず受験プラン全体を考えたときに、複数の受験先で出題される科目を優先することにしました。そのため、裁判所で出題があるものの刑法は学習しませんでした。また、基礎能力試験のうち人文科学はインプットすべき量に比べて出題数が少ないので、思想と地理の一部に限定して学習しました。

日々の具体的な学習方針として、時間で区切るのではなく、例えば「今日は数的処理の過去問を５問解く」といった目標を設定することをおすすめします。公務員試験は対策した時間ではなく質で勝負が決まるので、かけた時間に囚われすぎないようにしてください。

そのようにして数的処理、憲法、民法という主要科目については11月の終わりまでにはひととおりのインプットを終えました。年内には科目ごとの過去問集を２周解き終え、さらに間違えた問題や知識がなかった問題をもう１周しました。併願先の受験で必要になる政治学系科目については、ほとんどの試験種で必要となる学習効率のよいものを行うだけにとどめました。

最終的には問題集を、法律系科目は７周、数的処理は６周、経済学は４周、自然科学は３周しました。このように、公務員試験は過去問の反復が合格へのカギになると思います。ただし、受験までの期間にもよりますが、やみくもに全科目まんべんなく対策するのではなく、優先順位を考えて学習時間を割り当てることが大事だと思います。

答案構成を声に出すことで定着力アップ

憲法の記述対策は試験直前の２週間で集中的に行いました。答案構成を頭に入れるコツと言えるかはわかりませんが、教材に掲載されている模範解答を見てテーマごとの流れを把握したあと、解答の要だけをとりあえず暗記しました。詳しい内容については択一対策で頭に入っているはずなので、「重要なキーワードをどの順番で並べるか」だけに焦点を当て、19テーマ書けるように準備しました。

また、「人間は多くの感覚を同時に使うと物覚えがよくなる」という科学的な根拠をヒントに、答案構成を覚える際には「歩き回りながら音読する」という方法をとりました。ちなみに、何かノートに書きながら覚えようとすると、無駄に時間がかかるのでおすすめしません。

同じく記述試験の小論文ですが、こちらは裁判所を特別意識した対策をしてはいません。ただ、裁判所は論理性を重視して評価しているという話を聞いていたので、論理性と一貫性を持った答案になるよう注意し、自分がその答えに行き着いた過程をしっかりと示すようにしていました。

直前期の過ごし方

朝起きるとまず数的処理から学習を始めます。その後午前中には民法をこなし、「憲法・行政法」のペアか経済学に取り組みました。

午後は一般知識科目を挟んだ後、14:30から18:50までは、間に短い休憩を設けつつ、１時間ごとに科目を切り替えて専門科目を３科目行います。これは裁判所以外の併願先も含めて必要な科目の学習です。そして、１日の締めくくりの時間を憲法の専門記述対策に充てていました。

■直前期の１日のスケジュール例

8:00	起床
9:00〜10:00	数的処理
10:10〜11:10	民法
11:20〜12:20	憲法・行政法または経済学
13:20〜14:20	自然科学・思想
14:30〜15:30 15:40〜16:40 17:50〜18:50	併願先対策も含め、行政学、政治学、社会学、経営学、財政学から3つ
19:50〜21:20	憲法記述

このように、合計で8.5時間ほどを学習に割いていたことになると思います。

適度に休みながら、モチベーションを維持することが大事

ここまで述べてきたように、科目数が多く、対策にそれなりに時間がかかる筆記試験とは別に、２次試験では面接もあります。１次試験が終わった段階でようやく面接試験対策を始めるようでは間に合いませんので、筆記試験対策をしながら面接対策も意識しなければなりません。

このため学習期間中は、自身の実力や性格、進捗状況などを随時、正確に把握することが大切です。そのときどきで何が足りないかを考え、ときには他者に相談することで、無駄な回り道だけはしないように注意しましょう。自分自身では気づかない点を誰かに指摘してもらえることもあるので、迷ったら誰か信頼できる人に相談するとよいでしょう。

また、公務員試験は面接試験なども含めると、長丁場な試験です。そのため、モチベーション維持も大切なことです。途中でだれてしまわないように、適度に休息日を作り、好きなことをすることでメンタルコントロールをしっかりしていきましょう。皆さんが笑顔で公務員試験を終えられることを願っております。

CONTENTS

基礎能力科目

現代文 内容合致

2023年度
基礎能力 No.1

次の文章の内容に合致するものとして最も妥当なものはどれか。

私たちは、そもそも問うことに慣れていない。私たちがもっぱらやってきたのは、与えられた問いについて考えることだけである。典型的なのは、やはり学校である。

学校で使う教科書には、たくさん「問い」がのっている。それらは、望んでもいないのにいきなり目の前に突き出される。だがそうした教科書の問いは、テストも成績評価もなかったら、まして学校から離れたら、誰も「面白そう！」とか「解きたい！」などと思わないだろう。それでも問答無用で「解け！」と言われる。それで仕方なく解く。

このような問いは、決められた手続きが分かっていれば、答えにたどり着くことができるが、それが分からなければ、答えは出ない。正解以外は答えではなく、自分の思うように考えて自分なりの答えを出すことは許されていない。それを解くプロセスを「考える」と呼び、「考えて解け！」と言われる。

だが、教科書に出てくる問いを見て、「これこそ私が考えたかったことだ！」と思う人は、おそらくただの一人もいないだろう。そのように押しつけられた、興味もない問いを「解く」ことは、考えることではない。考えさせられているだけで、強いられた受け身の姿勢を身につけるだけである。

しかも、いやいや解いているので、答えが出てしまえば、さらに問い、考えることにはつながらない。それで終わってしまう。自ら問わなければ、考えることはないのだ。では自ら問うとはどういうことか。

考えるには、考える動機と力がいる。自分自身が日ごろ、疑問に思っていることはつい考えたくなる。考えずにはいられない。こういう考える力をくれる問い、つい考えたくなる問い、考えずにはいられない問い、それが自分の問いであり、そうした問いを問うのが、自ら問うことである。

私たちは誰しも、年齢や境遇によって、いろんな自分の問いをもっているはずだ。小さい子どもであれば小さい子の、思春期なら思春期の、社会人なら社会人の、子育てをしていれば子育て中の、年をとったらそれなりの、介護されていれば介護されているからこその問いがある。

そこまで生活に密着していなくてもいい。哲学対話のイベントや授業では、（テーマは決まっていることも決まっていないこともあるが）参加者が自ら考えて問いを出すことを大切にしている。自分たちが問いたいことを問うため、自ら問うことに慣れるためである。

参加者がいろんな問いを出して、他の人がどんなことを疑問に思っているのかを共有する。それは、自分がまったく疑問に思わない、とても個性的な問いであったり、「たしかにそれって分かんないよね」と共感する問いであったりする。

そして問いそのものについて話し合い、問いについてさらに問うていく。「何でそれが疑問なのか？」「他にこういうことも問えるんじゃないか？」と、問いじたいをさらに深めていく。

（梶谷真司『考えるとはどういうことか　0歳から100歳までの哲学入門』より）

1　自ら問う問いは正解にたどり着かないものであり、それこそが考えずにいられない、考える力をくれる問いである。

2　与えられた問いに答えを出すのではなく、自分自身が日ごろ疑問に思っていることを問うことが、考えることにつながる。

3　問うこと、考えることに慣れていない私たちが考えを深めるために、学校の教科書には自らが問うことができるようになる工夫が必要である。

4　正解以外は答えではないような、決められた手続きで解く問いは、単に与えられた問いであって、本当の問いとはいえない。

5　考えるには動機と力が必要であり、年齢や境遇によってその立場が違うのだから、人が日ごろ持つ疑問はつい考えたくなる問いでなければならない。

解説　正解　2

TAC生の正答率　82%

1　×　選択肢前半が明らかに誤り。自ら問う問いについては、本文後半で述べられているが、そのことが「正解にたどり着かないもの」だとは述べていない。

2　○　第3～6段落の内容と合致する。

3　×　選択肢後半が明らかに誤り。教科書については第2段落で触れられているものの、教科書自体に工夫が必要だとは述べていない。

4　×　選択肢後半が明らかに誤り。「本当の問い」については本文で述べていない。本文後半は本当の問いについて述べているのではなく、自ら問うことについて述べている。

5　×　選択肢後半が明らかに誤り。「考えたくなる問いでなければならない」とは述べていないし、「年齢や境遇によってその立場が違う」とも述べていない。第7段落では「年齢や境遇によって、いろんな自分の問いをもっているはず」と述べているだけである。

現代文　内容合致

2023年度
基礎能力 No.2

次の文章の内容に合致するものとして最も妥当なものはどれか。

民俗学とは常民の学問である、ということはすでに申しましたが、常民とは何かということになりますと、私の考えでは自然的人間である。

しからば、自然的人間とは何かと言いますと、これは自然界の生物の一員としての人間である。民俗学は人間を自然界のメンバーの一員として見ていくという考え方が根底にあります。人間とほかの生物の間に優劣をつけません。

ただ一つ違うところは、すでに「常民とは何か」のところで申しましたが、人間は死後を考えうる動物である。死後の世界を夢見ることもできれば、恐れることも可能である。あるいは、死後の世界を観念することができる。その観念のうえに、壮麗な哲学や神学を打ち立ててきた、という点です。

人間はほかの生物とまったく同じである。誕生から死まで他の動物と同じような過程を通っていく。しかしながら、我々はさまざまな想像を死後の世界に加える。とくに自分の最期が近づくにつれて、死後の世界をあれこれと思うことが多くなります。死後の世界を夢見る動物としての人間が自然的な人間であり、常民であるというのが私の考えです。

人間がほかの生物と手を切って、人間の生活を営み始めた何万年も前から、人間はすでに死後の観念を持っていただろうと思います。ネアンデルタール人の頭骸骨のかたわらに朱の塊が置いてあるのが発見されたことがありますが、この朱の塊は魔除けだと思います。

日本の石棺なども朱で内部を塗った場合がありますが、これもおそらく赤い色が魔除けに使われたのだと思います。ネアンデルタールの時代から死者を葬るときには、悪霊が死後の生活を脅かさないようにという配慮がなされていた、と思われます。

先ほど自然的な人間はほかの動物と優劣がないと申し上げましたが、それはとりもなおさず、人間とほかの動物とは共存可能であるということを意味します。ヨーロッパのキリスト教神学では、神・人間・動物というはっきりした区分がありまして、そこには越えがたい一線があることは、すでにご存じだと思います。それに比べまして、日本の常民の世界では動物と人間との間に越えがたい一線はない。また、上下の関係もない。さらには、人間と神の間でも上下の関係、越えがたい一線がない。日本の神は、人間の生死を司る絶対的で普遍的な全能の神ではないということになるのです。

そうした神と人間と動物の三者の関係が一つの世界を構成するのですが、その三者の交渉の学が民俗学であるといえると思います。「民俗学とは何か」といいますと、神と自然的人間と動物のコミュニケーションの学問であるといえるだろうと思います。

（谷川健一『わたしの民俗学』より）

1　人間は哲学や神学を打ち立てたことによって、死後の観念を確立していった。

2　民俗学は、常民という動物と人間との区別ができない自然的人間の学問である。

3　キリスト教神学は自然的人間を認めないから、人間と動物との共存ができない。

4　常民にとっての神は、人間の生死を司る絶対的で普遍的な全能の存在ではない。

5　死後の世界を想像できる点において、人間はほかの生物よりも優位にあるといえる。

解説　正解　4

TAC生の正答率　80%

1　×　因果関係がおかしい選択肢。第３段落では「死後の世界を観念」し、その上に「壮麗な哲学や神学を打ち立ててきた」と述べられている。

2　×　第１～２段落で「常民」とは「自然的人間」、「自然的人間」とは「自然界の生物の一員としての人間」だと述べているが、「動物と人間との区別ができない」とは述べられていない。「優劣」をつけないと述べているだけである。

3　×「人間と動物との共存ができない」とは本文で述べていない。第７段落で「人間とほかの動物とは共存可能」だと述べている。

4　○　第７段落の内容と合致する。

5　×　選択肢後半が明らかに誤り。「人間はほかの生物よりも優位にある」とは本文で述べていない。第２～３段落で人間とほかの生物の「ただ一つ違うところ」を述べているだけである。

現代文　内容合致　2023年度 基礎能力 No.3

次の文章の内容に合致するものとして最も妥当なものはどれか。

絵のなにが面白いのだろうか。興味のある人には楽しい美術鑑賞でも、なかなかきっかけがつかめない人も多いだろう。

世界的に有名な錯視アーティストであり心理学者でもある北岡明佳（あきよし）によれば、作品に寄せられるファンレターに日本特有の文化的な特徴があるという。

海外からのファンレターはとても純粋だそうだ。「面白いね！」「きれいだね！」と純粋に錯視を楽しんでいるような手紙が多いという。一方で日本人から寄せられるファンレターには「自分にはこれこれこのように見えるのだけど、こう見えていいのでしょうか？」といった調子のものが目立つという。

「こう見えて、いいのでしょうか？」という質問は、授業で錯視を見せた時にも出てくるものだ。心理学では錯視の「メカニズム」を教えるが、「自分が見たこと」に対しては「正解・不正解」はない。「正しい答え」はないともいえる。

「こう見えて、いいのでしょうか？」にあえて答えるとするならば、その質問をした「態度」そのものが「ちょっと不正解」ということになろう。

逆に言えば「面白いね！」「きれいだね！」といった外国人の感想、これは単純であるにしてもアートを鑑賞する態度としては正解といえる。

子どものときに花火をきれいだと思ったり、海を広いなと驚いたりしたようなあの感覚。こうした感覚に素直な態度が芸術鑑賞には必要で、感覚に素直に従えば「きれいだなあ」と思えることができるはずなのだ。

そのように素直に感じる過程こそが面白いのであって、すぐ中身を知るというのは味気のないことなのだ。

とはいっても、「答え」を知りたがるのは、日本人の特性だ。ひょっとすると今まで受けてきた教育に原因があるのかもしれない。そうであればこの「態度」はなかなか改まらないであろうから、その性質を逆手に取って、中身を知る楽しみから始めてみてはどうだろう。

さまざまな芸術作品の中で「現代アート」に属するものは、知覚に関するたくさんの規則をわざと壊してみたり利用したりしている。知覚に関するいろいろな実験を作品の中で行っているのだ。

作品の中に使われている規則を探す楽しみがある。現代アートは具体的なものを表現していないものが多いためにとっつきにくい側面もあるが、むしろこうした斬新なものから始めてみるのもいいだろう。

現代アートと比べるとおとなしい感のある印象派も、心理的な印象を強めるために、わざと表現を歪（ゆが）ませていることがある。たとえば有名なところでは、ゴッホの絵。「なんだか気分が悪いな」という感じがあるかもしれない。これは空間を極端に歪ませているのである。

これまで説明してきた空間や色に関する規則をどのように強調し歪めているか、そんな表現のトリックを作品の中に探し出すという楽しみ方もあるかもしれない。

（山口真美『正面を向いた鳥の絵が描けますか？』より）

1 美術鑑賞に正解を求めたがるという日本特有の文化的特徴は、それまでに受けてきた教育によって形成される。

2 現代アートを楽しむには、「答え」を求めるために中身を知ろうとしないことが肝心である。

3 日本人よりも外国人の芸術鑑賞態度の方が、純粋に芸術を楽しむことができるものであるから、まずは考えずに感じることから始めるべきである。

4 美術作品の中に、知覚に関する規則や表現のトリックを探し出す楽しみ方という芸術鑑賞の仕方もある。

5 「現代アート」は、個人の感覚に素直に従うことで、作品にある表現のレトリックに気づくことができるものである。

解説　正解 4

TAC生の正答率 91%

1 × 選択肢後半が明らかに誤り。第9段落には「教育に原因があるのかもしれない」と述べられているだけで「教育によって形成される」とは述べていない。

2 × 「中身を知ろうとしないことが肝心」という選択肢後半が明らかに誤り。第9段落に「中身を知る楽しみから始めてみてはどうだろう」と述べている。

3 × 選択肢後半が明らかに誤り。第9段落で日本人の特性について述べ、「その性質を逆手に取って、中身を知る楽しみから始めてみてはどうだろう」と主張している。選択肢の「考えずに感じる」という内容とは食い違う。

4 ○ 最終段落の内容と合致する。

5 × 「個人の感覚に素直に従う」という部分が誤り。第10、11段落で現代アートについて、作品の中に使われている規則を探す楽しみがあると述べられていて、「感覚に素直に従う」とは述べていない。

現代文　内容合致　2022年度 基礎能力 No.1

次の文章の内容に合致するものとして最も妥当なものはどれか。

すでに見ましたように、農耕社会であれば、人間はかなりな程度自然に手を加え、管理しようとしています。無論、キリスト教社会ばかりではありません。そしてメソポタミア平原などでは、農業が自然を破壊したことは明白な事実です。しかし、近代科学・技術文明が、農業とは異なった形で、自然破壊を齎(もたら)していることもまた、明白な事実でありましょう。このへんをどのように読み解いていったらよいのか。

一つには、ヨーロッパで十八世紀以降に生まれた「文明」という概念が、鍵を握っているように思います。〈civilization〉という語は十八世紀に誕生したのですが、言葉としては「〈civil〉化する」という意味ですね。〈civil〉とは何か。「都会」あるいは「都会の人間」(市民)というような意味があります。では〈civil〉化されるべきものは何か。何よりも先ず、人間の管理の手が行き届いていない「野生」の自然でしょう。それまでは、なるほど神によって管理を託されたとは言っても、人間の上に常に神という存在が君臨していました。しかし、十八世紀啓蒙主義は、この構造を破壊し、人間理性が至高の位置を占める、と宣言し、人間の上位にあるという神を否定し去りました。もはや人間を制御するものは、人間理性以外にはない。これが、啓蒙主義の中心的思想でありました。だからこそ、人間の手の入っていない野生の自然は「悪」になったのです。

しかし、〈civil〉化すべきものは、まだほかにもありました。一つは社会的存在としての人間です。この時期は、いわゆる「市民社会」に移行する兆しが顕著になった時代です。貴族でもなく、農奴でもなく、また職人でもない、一人一人が平等の権利を持った市民層が勃興する時代です。ジョン・ロックの『統治二論』(加藤節訳、岩波文庫)は一六八九年に出版されていますが、まさしくそのなかで説かれているような市民の存在が、一つの理想として掲げられるようになったのが、この時代です。そして、そうした意識を持たず、近代社会の担い手として充分な力を備えていないような人々もまた、〈civil〉化されるべきものとして措定されたように思います。

さらに哲学的な領域に入れば、人間の持つ「自然的要因」、つまり性欲、食欲、あるいは征服欲のような、動物的、あるいは本能的な要素もまた、人間の理性によって、手なずけられ、管理され、つまりは〈civil〉化されなければならないものでした。

つまり、幾重にも重なる対象に対する、こうした人間理性による徹底的な管理が行き届くことが、「文明」なのであり、文明社会であることになります。言い換えれば、人間を束縛するものは、人間理性以外にはあり得ない。だからこそ、カントは、宗教や神の命令には頼らない、人間理性が自ら生みだした倫理的配慮について、どうしても語らなければならなかったのです。

自然に対しても、人間自身に対しても、主人たり得るのは、人間(理性)のみである、というテーゼこそが、近代ヨーロッパ社会を基礎づける根源的理念になりました。近代科学・技術文明が、自然管理を徹底しようとして、かえって自然の破壊に進んでいってしまった理由も、そこにあるのでは、と私は思っています。

(村上陽一郎『あらためて学問のすすめ　知るを学ぶ』より)

1　近代科学・技術文明が自然破壊をした要因の一つに、複数の対象が〈civil〉化されていったことがあげられる。

2　ヨーロッパで十八世紀以降に生まれた「文明」という概念によって、神が自然を制御できなくなったことが明らかになった。

3　人間の手の入っていない野生の自然が「悪」であるとされるようになったことにより、神が人間の上位にあることが否定された。

4　ヨーロッパで十八世紀以降に生まれた「文明」という概念の文明社会は、人間理性以外に人間を束縛するものを考える社会である。

5　神の存在を否定してしまった文明社会においては、宗教や神の命令の扱い方に対しての倫理的配慮について語らなければならなくなった。

解説　正解 1

TAC生の正答率 83%

1　○　第２～４段落の〈civil〉化の説明と本文末尾のまとめの内容に合致する。

2　×　「神が自然を制御できなくなったことが明らかになった」という部分が誤り。第２段落に「人間の上位にあるという神を否定し去りました」とはあるが、自然を制御できなくなったとは述べていない。

3　×　因果関係がおかしい選択肢。野生の自然が「悪」であるとされるようになったこと、神が人間の上位にあることが否定されたのは、人間理性が至高の位置を占めるようになったから（第２段落）である。

4　×　本文で述べていない内容の選択肢。第５段落に「人間を束縛するものは、人間理性以外にはあり得ない」とはあるが、選択肢の「人間理性以外に人間を束縛するもの」については述べていない。

5　×　カントが倫理的配慮について語らなければならなくなったとされるのは、宗教や神の命令の扱い方ではなく、「宗教や神の命令には頼らない、人間理性が自ら生みだした倫理的配慮」（第５段落）についてである。

現代文 内容合致

2022年度
基礎能力 No.2

次の文章の内容に合致するものとして最も妥当なものはどれか。

西洋哲学の文脈において触覚がどのように理解されてきたかを知るうえで、まずおさえておきたいのは、そもそも触覚が伝統的に「劣った感覚」として位置づけられてきた、ということです。

視覚、聴覚、嗅覚（きゅうかく）、味覚、触覚。人間は五つの感覚を持つと言われています。もっとも、目で見るだけでも物の質感を感じることはできますし、一部の人は音に色を感じる（共感覚）など、五つの区別はそれほど明確ではありません。ですが、その問題にはひとまずここでは立ち入らないことにしましょう。便宜的に五つに分けるとして、しかし、これらは決して対等ではなかったのです。

感覚のヒエラルキーの最上位に位置するのは、ご想像のとおり、視覚です。視覚が優位に立つのは、私たちが視覚に頼りがちだからではなく、視覚がより精神的な感覚だと考えられたから。それぞれの感覚が持つ（と人々が考えた）特性にしたがって、ヒエラルキーが与えられていたのです。

視覚が精神的な感覚であり、それゆえ最上位に位置すると考えられていたことは、たとえばプラトンの「イデア」論を見ればあきらかです。イデアという語はギリシャ語「イデイン」、すなわち「見る」に由来しています。認識の本質は、とりもなおさず「見る」ことにあると考えられていたのです。

ただし、イデアを見るのは生理的な目ではありません。それは魂が霊界にいるときに見ていたものであって、体を持った人間の認識は、不完全ながらそれを想起することによって成立している、とされるのです。プラトンは逆に、敵対するソフィストたちを「抵抗感とか接触感とかいったものを与えてくれるものしかありはしないのだと言い張」ると、触覚に結び付けて批判しています。

なぜ、触覚は劣っているのか。まずあげられるのは、「距離のなさ」です。視覚であれば、対象から離れているので、対象から自己を切り離して、理性的に分析したり、判断したりすることが可能です。ところが触覚にはそうした距離がない。触覚は、対象に物理的に接触することなしには、認知が成立しないのです。ゆえに自己の欲望や快不快に直結してしまう。感覚のヒエラルキーは、大きく分けて視覚と聴覚が上位、嗅覚、味覚、触覚が下位に分けられますが、この二つのグループの線引きとなっているのが、まさにこの距離の問題なのです。

図式的にまとめるなら、視覚は人間の精神的な部分に、触覚は逆に動物的な部分に関わる感覚である、と考えられていました。

（伊藤亜紗『手の倫理』より）

1　五つあるとされる感覚の中で視覚が優位に立つのは、感覚の中で人間が一番頼りがちになるものだからである。

2　人間の認知は、魂が霊界にいるときに見聞きしていたものを不完全ながら想起することによって成立しているとされる。

3　視覚や聴覚は、対象に物理的に接触することなく認知が成立するので、自己の欲望や快不快に結びつくことはない。

4　人間が持つ五つの感覚が対等でないのは、それぞれの感覚が持つ（と人々が考えた）特性によって上下関係が形成されていたからである。

5　触覚が「劣った感覚」として位置づけられたのは、プラトンが「イデア」論において敵対するソフィストたちを批判したことの影響が大きい。

解説　正解　4

TAC生の正答率　74%

1　×　「頼りがち」が明らかに誤り。第3段落には「視覚に頼りがちだからではなく、視覚がより精神的な感覚だと考えられたから」とある。

2　×　第5段落の内容と似ているが、これはプラトンの「イデア」論についての説明であって、「人間の認知」そのものについての説明ではない。

3　×　選択肢前半は第6段落の内容に合致するものの、「自己の欲望や快不快に結びつくことはない」の内容は本文にない。

4　○　本文全体のそれぞれの感覚の説明に合致し、特に第6段落の内容と合致する。

5　×　因果関係がおかしい選択肢。ソフィストたちを批判したことで触覚を劣った感覚だと位置づけたわけではない。第5段落で述べられているのは、ソフィストたちを触覚（＝劣ったもの）に結び付けて批判していることのみである。

次の文章の内容に合致するものとして最も妥当なものはどれか。

現状をより確かに認識するというのは、現状を歴史的に把握するということである。では、歴史的なものの見かたとはどのようなものか。いったい、私たちが物事を把握しようとするとき、その方法は、大別すれば二つしかない。第一は類型的把握であり、第二は発展的（段階的）把握である。歴史的な見かたは、もちろん後者である。それは時の流れに即して物を見るということである。永遠の過去から永遠の未来に向かって流れる、この「時の流れ」にしたがって人間社会を見るということである。「歴史学は時の学問である」といわれるのは、こうした意味である。

歴史的な見かたとは、物ごとを発展的に見るということである。時と場所によって規定された事物が相互に必然的な関係によって結ばれてひとつの系列をつくって配列されるとき、それらの事物は発展的関係にあるという。発展は進歩とは異なる。進歩とは価値の増加を意味するが、発展とは、進歩・退歩に関わらず、幾多の事象が史的推移の関係において整理された姿を指している。

発展的にものを見るというのは、雑多な事象を時の流れに沿って系統的に見ることといえる。永遠の過去から永遠の未来に至る時の流れのうえに、相互に有機的関連を有する事象を並べてみるということである。これが歴史的な見かただといえる。換言すれば、現在が発展の全系列のなかの一点にすぎないということを頭に入れた物の見かたである。すなわち、現在という時点が一瞬といえども、そのままで静止していないということ、「動いている」（万物流転）という認識である。

（阿部猛『歴史の見方考え方』より）

1 歴史的なものの見かたとは、幾多の雑多な事象について価値の増減の推移を系統的に見ることである。

2 事物が発展的関係にあるとは、価値の増減に関わらず、それらの事物が時の流れに沿って系統的に配列されている状態をいう。

3 歴史的なものの見かたにおける物事の把握の仕方は、類型的把握であったものが発展的把握へと変化し、現在に至っている。

4 「歴史学は時の学問である」といわれる意味の理解は、発展と進歩がどのように相違するかの理解にもつながっていく。

5 歴史的なものの見かたである発展的なものの見かたは、過去から現在ではなく、現在から過去へという流れのうえに事象を並べることである。

解説　正解　2

TAC生の正答率　92%

1　×　「価値の増減の推移を系統的に見る」とは述べていない。第２段落には「歴史的な見かたとは、物ごとを発展的に見るということ」であり、「発展とは、進歩・退歩に関わらず、幾多の事象が史的推移の関係において整理された姿」だと述べられている。

2　○　第２段落後半～第３段落にかけての内容と合致する。

3　×　「類型的把握であったものが発展的把握へと変化し」の部分が明らかに誤り。物事の把握の仕方の二つが「類型的把握」と「発展的把握」であり、この二つの繋がりについては、特に述べられていない。

4　×　「発展と進歩がどのように相違するかの理解にもつながっていく」とは述べていない。発展と進歩の違いについては第２段落で説明されているものの、違いが述べられているだけである。

5　×　「現在から過去へという流れ」が明らかに誤り。第１段落には「永遠の過去から永遠の未来に向かって流れる」と述べられている。

現代文 内容合致

2021年度 基礎能力 No.1

次の文章の内容に合致するものとして最も妥当なものはどれか。

社会心理学の考えとは異なりますが、人間の心の進化を研究する進化心理学の分野では、ヒトがよそ者に冷たい理由は、「怒り」の進化と関連しているという考えがあります。その考えにもとづいたある説によれば、よそ者に対する攻撃や冷たい仕打ちの起源は、なわばりを守ろうとする行動にあります。

サカナや多くの動物は自分のなわばりを持ち、そこで得られるモノで日々の糧を得ています。そこに同種の他個体が侵入すれば、当然ながら自分の食いぶちが減ることになります。これは死活問題なので、侵入者を排除しようとします。この緊急事態に対する生理的、身体的に活性化した状態が「怒り」の起源と考えられています。つまり、怒りの起源はよそ者に対するなわばり争いにあるのです。

サルをはじめとした霊長類やウシ、ヒツジなど、社会を形成する動物にとっては、なわばりは個々のものではなく、集団全体のものなので、なわばりの維持も集団全体でおこないます。

これらの動物は、ほかの集団のなわばりに侵入するときも、個体ではなく集団でおこないます。そのため、侵入を排除しようとする動機（怒り）は侵入した個々の動物ではなく、その集団に向けられることになります。

このような集団間の抗争は動物だけでなく、ヒトでも頻繁におこなわれてきました。さらにヒトの場合は、やっかいなことに「エピソード記憶」、つまり「いつ、だれが、なにを」したか、という記憶があります。さまざまな議論がありますが、一回だけ起きた事象について、ありありと思い出せるエピソード記憶（過去へのタイムトラベル）の能力があるのは、いまのところヒトだけだと考えられています。動物なら侵入者を排除してしまえばそれで終わりですが、ヒトはエピソード記憶の能力があるために、怒り（恨み）が蓄積することがあり、その結果として憎しみが生まれます。

ヒトは食物や内集団のメンバーを略奪しようとする「よそ者」を排除しようとしてきました。たとえ内集団のメンバーであっても、食物や伴侶を掠奪しようとする人も内集団から排除されて、よそ者（仲間はずれ）にされたはずです。

社会を安定させようとする進化の過程でつちかわれた「身内」と「よそ者」の区別。この区別は、私たちの心に深く根づいています。

（川合伸幸『ヒトの本性―なぜ殺し、なぜ助け合うのか』より）

1 ヒトがよそ者に冷たくする理由も、動物が侵入者を排除しようとする理由も、その起源は異ならないと考えられる。

2 ヒトが内集団のメンバーをよそ者として排除することがあるのは、動物に比べて集団間の抗争が頻繁におこなわれたことによるものである。

3 サカナや多くの動物にとって、同種の他個体は自分の食べ物を奪う「怒り」の対象であり、その侵入を防ぐためになわばりを持つようになった。

4 社会心理学の考えによれば、ヒトがよそ者に冷たいのは、なわばりを守ろうとするからである。

5 動物やヒトは「エピソード記憶」をもっているので、怒り（恨み）が蓄積して集団間の争いが激しくなることがある。

解説　正解　1　　TAC生の正答率 84%

1 ○　第1、2段落の内容と合致する。

2 ×　「内集団のメンバーをよそ者として排除する」という記述が明らかに誤り。本文末尾にあるように、内集団のメンバーはよそ者ではない。また「動物に比べて」という記述も誤り。第5段落冒頭に「集団間の抗争は動物だけでなく、ヒトでも頻繁におこなわれてきました」とある。動物と比較してどちらが頻繁に行われたかどうかは述べられていない。

3 ×　因果関係のおかしい選択肢。「侵入を防ぐためになわばりを持つようになった」のではなく、なわばりを荒らされないようにするために侵入者を排除しようとするということが、第2段落で述べられている。

4 ×　「社会心理学の考えによれば」という記述が明らかに誤り。本文冒頭に「社会心理学の考えとは異なりますが」と述べられている。

5 ×　「動物やヒトは」という主語が明らかに誤り。第5段落にあるように、「エピソード記憶」をもっているのは「いまのところヒトだけ」である。

現代文　内容合致　2021年度 基礎能力 No.2

次の文章の内容に合致するものとして最も妥当なものはどれか。

今日(こんにち)の日本では、政教分離（祭政分離）が憲法に定められています。一方、世界を見渡すと、宗教と政治が緊密に結びついている国は珍しくありません。特に古代の国家は、祭祀と政治とが不可分の関係にありました。政事を意味する「マツリゴト」は、祭事を意味する「マツリゴト」でもあり、宗教指導者は政治指導者でもあったのです。多くの為政者は、神に仕えながら神の言葉を聴き、その言葉を人々に伝えることによって、人々を支配しました。このような政治形態は「祭政一致」と呼ばれます。

古代の日本も祭政一致の政治形態をとっていました。弥生時代、祭祀をつかさどった卑弥呼が、邪馬台国の女王に立てられたのも、この祭政一致に基づくものです。さらに古墳時代の大王も、祭祀権を保持することによって、政治的権力も掌握していました。政治体制が成熟するにつれて、宗教の専門者と、政治の専門者に分離していきましたが、それでも祭政一致を基盤とすることに変わりはありませんでした。平安時代の朝廷において、神事や儀礼が重視された背景は、ここにあります。

また稲作に支えられた日本では、いつの時代も毎年の米の生育が大きな関心事でした。科学技術の進歩した現代においても、農業は自然の影響を避けることはできません。古い時代になるほど、農業に対する自然の影響は多大でした。技術が未発達であった古代の農作は、ほとんど自然任せであったといってもよいでしょう。日本人は自然を神として崇拝してきた歴史があります。人々は、稲作の成功を祈り、収穫後は感謝の祈りを捧げる「まつり」が欠かせないと考えました。

稲作は一年周期で、ほぼ決まった時期に決まった作業を行い、決まった時期に収穫を行います。そのため稲作の成功祈願も、やはり決まった時期に、決まった形式で行われることになります。その繰り返しが、年中行事となっていきます。年中行事は、実際に農作を行う人々だけでなく、祭祀権を掌握する為政者にとっても大きな関心事でした。ここに大陸より暦が渡来し、政治制度とともに儀礼制度が入ってくると、朝廷の年中行事もより複雑化していくことになります。

（中本真人『宮廷の御神楽　王朝びとの芸能』より）

1　古代の農作はほとんど自然任せで、人々は農作業を行う代わりに「まつり」を行い、稲作の成功を祈った。

2　年中行事は、農作を行う人々や為政者にとって大きな関心事だったが、大陸より暦が渡来し、儀礼制度が入ってくると次第に行われなくなった。

3　かつて政治と祭事は不可分の関係にあり、政治指導者は宗教指導者の言葉を人々に伝えることによって、人々を支配した。

4　稲作の成功を願う「まつり」の繰り返しがやがて年中行事となり、時代が経つにつれて複雑化していくこととなった。

5　日本では政治体制が成熟するにつれて宗教と政治は分離していき、平安時代の朝廷においてはすでに神事や儀礼は重要視されなくなっていた。

解説　正解　4

TAC生の正答率　90%

1　×　選択肢前半は第３段落と合致するが、後半は本文で述べていない内容である。「農作業を行う代わりに『まつり』を」行っていたのではなく、農作業もまつりも決まった時期に行っていたということが最終段落で確認できる。

2　×　「大陸より暦が渡来し、儀礼制度が入ってくると次第に行われなくなった」という記述が明らかに誤り。最終段落には「儀礼制度が入ってくると、朝廷の年中行事もより複雑化していく」と述べられている。

3　×　「政治指導者は宗教指導者の言葉を人々に伝える」という記述が明らかに誤り。第２段落には「祭祀権を保持することによって、政治的権力も掌握」していったことが述べられている。祭政一致していたということである。

4　○　最終段落の内容と合致する。

5　×　本文と反対の内容の選択肢。選択肢では「平安時代…重要視されなくなっていた」とあるが、第２段落末尾には「神事や儀礼が重視された」とある。

現代文　内容合致　2020年度 基礎能力 No.1

次の文章の内容に合致するものとして最も妥当なものはどれか。

人類はおよそ七〇〇万年前に誕生しましたが、現在まで生き残っているのは「ホモ・サピエンス」ただ一種類だけです。現生人類であるホモ・サピエンスは二〇万年前に誕生したと言われていますが、それ以外にもネアンデルタール人と呼ばれる「ホモ・ネアンデルターレンシス」や、北京原人として知られる「ホモ・エレクトゥス」など、私たちとよく似たヒトが多数存在していました。

類人猿にはチンパンジーやゴリラ、ボノボ、オランウータンと複数の種が存在しているのに、なぜか人類の場合はホモ・サピエンスしか生き残れませんでした。我々と類縁の他の種はすべて絶滅してしまったという人類学的な現実があります。

現生人類が言語能力を獲得したのは、今から五万年前とも七万五〇〇〇年前とも言われています。これには諸説あり、さらに考古学という分野は新しい発見があるとこれまでの記述ががらりと変わってしまうので、絶対的な真実とは言えませんが、ここではひとまず七万五〇〇〇年前としておきましょう。

人類の言語獲得を証明するのは、地層から出土した遺物です。七万五〇〇〇年前よりも古い地層から出てきた出土品と、それより新しい地層から出てきたものとでは、明らかに違っていました。その違いをもたらしたのが言語を獲得するための能力だと考えられています。七万五〇〇〇年前よりも古い地層からは、狩りのために使った矢じりや、肉を切るための石器といった、一目見て用途がわかるものしか出土していません。

ところが、七万五〇〇〇年前に現生人類が住んでいたとされる南アフリカのブロンボス洞窟からは、何に使っていたのかすぐにはわからない幾何学模様が刻まれた土片（オーカー）が二〇〇〇年に発見されています。さらに二〇〇四年には、同じ洞窟の地層からアクセサリーのようなビーズ状になった巻貝が多数発見されました。用途のわからないもの、それらはひと口に言えば、「アート」としか呼びようのないものでした。

人が会話を行うには複雑な文節言語を使いこなさなければならず、そのためには物事を象徴化・抽象化する能力が必要です。実用的ではないものを作製したことは、人類が「象徴機能」を身に着けた証(あかし)とされています。

言葉とは、すなわち「現実にはないもの」を記号に置き換えて表現することです。そのような働きを「象徴機能」と言います。この能力がなければ、単純な感情伝達はできるかもしれませんが、複雑な会話を行うことは不可能です。

（島田雅彦『深読み日本文学』より）

1　現生人類は言語を獲得したことによって、類人猿にはないと思われる象徴化、抽象化する能力を持つようになった。

2　人類が「象徴機能」という能力を獲得したのを七万五〇〇〇年前と考えることについては、地層から出土した遺物が証明してくれる。

3　人類がなぜ言語を獲得できたかに諸説あるのは、地層から出土した遺物についての考古学での解釈が複数あることによる。

4　現生人類が言語を獲得したのは、使用用途がわかりにくいものから、使用用途がわかる実用性のあるものを作製することができたからである。

5　ホモ・サピエンスによく似たヒトが多く存在していた中で、現生人類であるホモ・サピエンスだけが生き残れたのは、言語能力を獲得できたからである。

解説　正解　2

TAC生の正答率　79%

1　×　「類人猿にはない」という部分が明らかに誤り。現生人類が言語能力を獲得したことは、第３段落以降で繰り返し述べられているが、猿人類がどうなのかについては述べていない。

2　○　第４段落以降の内容と合致する。

3　×　「人類がなぜ言語を獲得できたかに諸説ある」という部分が明らかに誤り。本文では、言語獲得を証明するのが地層から出土した遺物だと述べているが、「なぜ言語を獲得できたか」については述べていない。

4　×　選択肢後半が明らかに誤り。「使用用途がわかる実用性のあるもの」は、七万五〇〇〇年前よりも古い地層から出土したものであり、言語を獲得する以前のものである。「使用用途がわかりにくい」ものはそれよりも新しい地層から出土したものであって、新しい地層から出土したものから言語獲得が証明できることが、本文後半で説明されている。

5　×　因果関係がおかしい選択肢。言語能力を獲得できたからホモ・サピエンスだけが生き残れたとは述べていない。第２段落には「なぜか人類の場合はホモ・サピエンスしか生き残れませんでした」と述べられている。

次の文章の内容に合致するものとして最も妥当なものはどれか。

触覚は意識を実在世界とつなぐへその緒である。視覚は先に突進するドン・キホーテ、触覚は後からダメ押しをするサンチョ・パンサである。この二つの感覚が貼り合わせになっているので、ヒトの経験は両方の利点を生かすことができる。

私が前方三メートルの木の枝にアシナガバチの巣を見つけたとする。その感覚には、「歩いたら五、六歩で手がとどく」、「触るとカサカサと乾いた感じがする」、「巣の向こう側にも近づくための余地がある」等の触覚情報が含まれている。立体感のあるなしにかかわらず空間意識と、硬い柔らかいにかかわりなく実在感は、本質的に触覚的なのである。しかし視覚と触覚の統一には、継ぎ目とか貼り合わせを感じさせるところが何もない。複合体でありながら、単純・不可分という印象を見せている。普通の経験では、この印象はそのまま真実である。この不可分性を「複合体の単純性」と呼ぶことにしよう。

感覚についての哲学的な見方で代表的な間違いは、「根源的な感覚は単純な要素である」という要素主義である。経験の宇宙の最初の姿は、視覚印象や聴覚印象などが、点描の絵のように分散しているという考え方である。これは「究極の存在は単純体である」という「パラダイム」（形而上学的な前提）にもとづいている。宇宙の材料は、それが物質であろうと、感覚与件であろうと、いずれにせよツブツブみたいなものだというイメージが前提になっている。

これに対して、「究極の存在は関係である」という観点を対置する関係主義という立場もありうる。これには「AとBの関係がCであるとすると、CよりもAとBの方がもとになることになるので、究極のものが関係（C）であることは不可能だ」という反論がでる。すると関係主義者は、究極のものは後から考えるとAとBの未分化の段階だったのだと言い訳をする。見る主観と見られる客体、触るものと触られるもの、見える姿と語りかける表情、知性と感情などなど、「根源的なものは未分化である」という形而上学的前提、すなわち「パラダイム」を持ち出す。現実には視覚と触覚のような分離が存在するではないかと反論すると、「分化されたものはもはや根源ではない」と言い逃れをする。関係主義者は、現実をとらえることよりも、「未分化から分化へ」という形而上学的イメージに忠実であろうとする。

（加藤尚武『「かたち」の哲学』より）

1　視覚と触覚は、継ぎ目とか貼り合わせを感じさせるところが何もなく、その不可分性を著者は「複合体の単純性」と呼んでいる。

2　「巣の向こう側にも近づくための余地がある」という情報の空間意識は、その立体感ゆえに、本質的に触覚的である。

3　視覚と触覚の統一は複合体でありながら、単純・不可分という印象を見せている点で、「究極の存在は単純体である」といえる。

4　「触るとカサカサと乾いた感じがする」という感覚には、感覚与件はツブツブみたいなものだというイメージが前提になっている。

5　「ＡとＢの関係がＣであるとすると、ＣよりもＡとＢの方がもとになる」という認識は、「未分化から分化へ」という形而上学的イメージに忠実なものである。

解説　正解　1　TAC生の正答率 87%

1　○　第２段落後半の内容と合致する。

2　×　「立体感ゆえに、本質的に触覚的」が明らかに誤り。第２段落には「立体感のあるなしにかかわらず…本質的に触覚的」とある。

3　×　前半と後半の繋がりがおかしい選択肢。第２段落には「視覚と触覚の統一には…単純・不可分という印象を見せている」とあり、選択肢前半と一致するものの、その点から「究極の存在は単純体である」とは述べていない。

4　×　前半と後半の繋がりがおかしい選択肢。「触るとカサカサと乾いた感じがする」というのは、感覚に触覚情報が含まれていることを説明した例である。「ツブツブみたいなもの」は、第３段落にあるように「感覚についての哲学的な見方で代表的な間違い」の例である。

5　×　前半と後半の繋がりがおかしい選択肢。「ＡとＢの関係…」は第４段落にあるように、関係主義的な論への反論である。「未分化から分化へ」という考えは、本文末尾にあるように関係主義者の主張である。

次の文章の内容に合致するものとして最も妥当なものはどれか。

日本古典にたいする朔太郎の関わりかたはアムビヴァラントという一言につきる。もともと抑揚と韻律にとぼしい日本語で、しかも文語の詩的品格をもたず野卑で洗練されていない口語で近代詩を書くことなど到底不可能という、詩人にとっては自殺にひとしい見解を固守した倫理的な彼のことである。幻想の「日本近代」へのはかない憧憬さえ断念すればおまえは楽になれるとささやきかけている古典とりわけ和歌と俳句の世界は、彼にとって、誘惑が強ければ強いほど激しく拒否しなければならぬ対象でもあった。ただしその拒否はけっして古典の無視を意味していない。彼は詩心を失い退屈きわまる日常の写生に没頭する当時の歌人俳人の、ヨーロッパ自然主義を曲解した作品をこそ徹底的に非難したが、『詩の未来』（『純正詩論』所収）などで力説しているように、古典詩歌のすぐれた遺産に対しては、それを来るべき近代の詩の踏み台として生かそうとするきわめて正当な方法的態度で接したのである。

では朔太郎が日本の古典から掬いあげようとしたものは何か。それはイデアへのロマンティックな情熱だったと言ってよいと思われる。現実とは別次元の理念的実在とされるイデアへの関心と渇望は周知のようにギリシャ精神に源泉のひとつを持つ西洋の思想的伝統の核心にあるものだが、彼はこれと類似するものを日本の伝統の中にも見出せると考えた。たとえば空間的な別世界への憧憬や時間的な過去への郷愁がそれだ、というのである。彼が挙げたその具体的な一例としては、たとえば芭蕉と蕪村がある。『郷愁の詩人与謝蕪村』中の「春風馬堤曲」で彼は次のように述べている。

> まことに蕪村の俳句に於ては、すべてが魂の家郷を恋ひ、火の燃える炉辺を恋ひ、古き昔の子守歌と、母の懐袍（ふところ）を忍び泣くところの哀歌であつた。(……)
> かうした同じ「心の家郷」を、芭蕉は空間の所在に求め、雲水の如く生涯を旅に暮した。然るにその同じ家郷をひとへに時間の所在に求めて、追懐のノスタルジアに耽つた蕪村は、いつも冬の炬燵にもぐり込んで炭団法師と共に丸くなつて暮して居た。(新潮社版萩原朔太郎全集第三巻五一二頁。以下引用は同全集に拠る)

ここに見られる「子守歌」への郷愁という朔太郎の鋭い着想は、蕪村論を越えて一般的な展開にも堪えうるものだろう。

（百川敬仁『「物語」としての異界』より）

1　朔太郎は、芭蕉に時間的な過去への郷愁を、蕪村に空間的な別世界への憧憬を見出していた。

2　朔太郎は、空間的な別世界への憧憬や時間的な過去への郷愁を、芭蕉や蕪村の近代的先人の中に見出した。

3　朔太郎にとって、古典の世界は拒絶すべき対象であるのと同時に、近代の詩に生かすべき対象でもあった。

4　朔太郎はヨーロッパ自然主義の、詩心を失い退屈きわまる日常の写生を徹底的に非難した。

5　朔太郎は現実とは別次元の理念的実在とされるイデアへの憧憬を断念しろという誘惑を拒否した。

解説　正解　3

TAC生の正答率　56%

1　×　第2段落では「空間的な別世界への憧憬や時間的な過去への郷愁」と述べているが、芭蕉や蕪村に特定して述べているわけではない。また「心の家郷」について引用文を見ると、芭蕉は「空間の所在」に求め、蕪村は「時間の所在」に求めていると朔太郎が考えていることが読み取れる。

2　×　選択肢後半が明らかに誤り。芭蕉や蕪村は「近代的先人」とは述べられていない。芭蕉や蕪村は古典の例として示されている。

3　○　第1段落および第2段落の内容に合致する。

4　×　「ヨーロッパの自然主義…非難した」が明らかに誤り。第1段落にあるように、朔太郎はヨーロッパの自然主義自体を非難しているのではなく、ヨーロッパの自然主義を曲解した作品を非難しただけである。

5　×　選択肢末尾が明らかに誤り。第2段落に「現実とは別次元の…」という記述はあるものの、それが誘惑だとも述べていないし、拒否したとも述べていない。

現代文　空欄補充

2023年度 基礎能力 No.4

次の文章中の空欄に入る文として最も妥当なものはどれか。

寓意をふくんだ実話から始めたい。

人気の高いある大規模書店の経営者にとって最大の悩みは「万引き」であるという。確かにその被害総額は推測をはるかに上回るレベルだ。経営者としては当然、「万引き」という犯罪の撲滅に取り組まねばならない。その対策として、いくつかの選択肢があるものの、いずれも単一では納得できる防止策とはなりえないこともわかってきたそうだ。

まず直截な方法として、書店内に警備員を張り付け、すべての客の一挙手一投足を監視するという対策がある。ただこれでは客は常に警備員に見張られることになり、自由なブック・ハンティングができなくなる。つまり市民としての自由が侵されるのだ。さらに、大きな書店に来る多数の客を見張るためには、これまた多数の警備員を雇い入れねばならず、人件費は膨らみ、万引きの被害総額を上回るようなことになりかねない。したがって、「多少の被害は致し方ない」とあきらめて妥協策を採らざるを得なくなる。万引きゼロの社会は実現できないと考えて目をつむるという妥協である。

妥協策として、監視カメラを設置するという方法が考えられる。監視カメラには死角があるから、万引きを完全にゼロにすることはできないが、監視カメラの費用は警備員の人件費より少なくて済む。こうして、犯罪ゼロ（安全という価値）、低費用（経済的価値）、精神的自由という三つの「価値」目標を「ほどほどに」満たしてくれる対策が選ばれる。これら三つを同時にすべて、かつ完全に満たしてくれる方法はないのだ。

このエピソードは、自由社会でのいくつかの価値が互いに衝突し、両立困難なことを示すわかりやすい例だ。書店内で誰からも「監視されずに」本を見て回れるのは、われわれの持つ精神的欲求としての自由の具体例だ。また、万引きは「ちっぽけな犯罪」ととられがちだが、刑法235条の窃盗罪にあたり、さらに重大な犯罪にもつながる危険性を持つ。重い犯罪には見えなくても、その撲滅は安全な社会の必要条件であろう。さらには有限な資源の浪費を避け、可能な限り経済的に負荷のかからない方法で自由と安全を実現したいと考える。ただ経済・安全・自由に優先順位かウェイトを付けない限りこの問題は解決しない。このような難問は国家レベルの政策にも現れる。現代社会では、（　　　　）。

この大規模書店の店主の悩みは、自由をめぐるひとつのディレンマ（あるいはトリレンマ）を具体的に教えてくれると同時に、自由はわれわれにとって大切な価値であるが、いくつかの価値のひとつにすぎないという事実も語っている。

（猪木武徳『自由の思想史　市場とデモクラシーは擁護できるか』より）

1　われわれが持ついかなる自由も平等に扱おうとする考え方を放棄するしかないのである

2　われわれが持つ価値そのものの概念を見直すことがやはり必要とされているのである

3　われわれがいかなる価値をどの程度守ろうとしているのかが常に問われているのである

4　われわれがいかにして複数の価値を衝突させないようにできるかが問われているのである

5　われわれの守るべき価値をわれわれが選ぶということはもはや不可能といえるのである

解説　正解　3

TAC生の正答率　72%

1 ×「いかなる自由も平等に扱おうとする考え方を放棄する」ことについては、本文で述べていない。本文では経済・安全・自由という三つの価値の在り方について述べている。

2 ×「われわれが持つ価値そのものの概念を見直すこと」については、本文で述べていない。

3 ○ 書店を例にして経済・安全・自由という三つの価値について述べている文章である。空欄の直前で「経済・安全・自由に優先順位かウェイトを付けない限りこの問題は解決しない。このような難問は国家レベルの政策にも現れる」と述べているので、その言い換えになっていて、本文全体の趣旨にもあたる本肢が最も妥当である。

4 ×「複数の価値を衝突させないようにできるか」ということについては、本文で述べられていない。第５段落冒頭で「いくつかの価値が互いに衝突し、両立困難なことを示すわかりやすい例」だと述べられている。「衝突させない」ようにすることを筆者は求めているわけではない。

5 ×「守るべき価値をわれわれが選ぶということはもはや不可能」だとは、本文で述べていない。本文ではいくつかの価値について述べているだけで、我々が選べないとは述べていない。

現代文　空欄補充　2022年度 基礎能力 No.4

次の文章中のA、Bの空欄に入る語句の組合せとして最も妥当なものはどれか。

プナン*は、後悔はたまにするが、反省はたぶんしない。なぜ反省しないのか。いや、その問い自体が変なのかもしれない。実は、私たち現代人こそ、なぜそんなに反省するのか、反省をするようになったのかと自らに問わなければならないのかもしれない。しかし、とりあえず今、プナンがなぜ反省をしないのか、しないように見えるのかについて考えてみれば、以下のふたつのことが考えられる。

ひとつは、プナンが「状況主義」だということである。彼らは、過度に状況判断的である。その時々に起きている事柄を参照点として行動を決めるということをつねとしていて、万事うまくいくこともあれば、場合によっては、うまくいかないこともあると承知している。そのため、くよくよと後悔したり、それを反省へと段階を上げたりしても、何も始まらないことをよく知っているのである。

もうひとつは、反省しないことは、プナンの時間の観念のありように深く関わっているのではないかという点である。直線的な時間軸の中で、将来的に向上することを動機づけられている私たちの社会では、よりよき未来の姿を描いて、反省することをつねに求められる。そのような倫理的精神が、学校教育や家庭教育において、徹底的に、私たちの内面の深くに植えつけられている。私たちは、よりよき未来に向かう過去の反省を、自分自身の外側から求められるのである。しかし、プナンには、そういった時間感覚とそれをベースとする精神性はどうやらない。狩猟民的な時間感覚は、我々の近代的な「　A　」という理念ではなく、「　B　」という実践に基づいて組み立てられている。

（奥野克巳『ありがとうもごめんなさいもいらない森の民と暮らして人類学者が考えたこと』より）

*…プナン　マレーシアのボルネオ島に住む狩猟採集民

1　A　反省を求める
　　B　反省してしまう

2　A　よりよき未来のために生きる
　　B　今を生きる

3　A　生きていることを実感する
　　B　生きることを楽しむ

4　A　過去は未来のためにある
　　B　過去などはないこととする

5　A　よりよき未来にするために反省する
　　B　よりよき未来にするために努力する

解説　**正解　2**　TAC生の正答率　86%

1　×　Aは「反省」だけであると何を主張したいのかわからないため、文脈に合わない。Bは本文冒頭に「プナンは、後悔はたまにするが、反省はたぶんしない」とあるため、当てはまらない。

2　○　Aの直前には「我々の近代的な」とあるので、私たちの社会の時間感覚として当てはまる表現を考えると良い。第3段落に「将来的に向上することを動機づけられている私たちの社会では、よりよき未来の姿を描いて、反省することをつねに求められる」とある。この内容に合致する。Bは狩猟民的な時間感覚について述べている部分をヒントにすると良い。第2段落「プナンが「状況主義」だということ」、「その時々に起きて…行動を決めるということ」、第3段落「プナンには、そういった時間感覚とそれをベースと…どうやらない」という記述から、未来ではなく現在を重視することが読み取れる。これに当てはまるのは、**2**のB「今を生きる」のみである。

3　×　Aは私たちの社会の特徴としては述べられていない。Bの「楽しむ」ことについては、本文から読み取れない。

4　×　A「過去」についての言及は本文にない。Bは第2段落に「くよくよと後悔したり…何も始まらない」とはあるものの、「過去などはない」とは述べていない。

5　×　Aは当てはまらなくはないが、Bが明らかに誤り。B「よりよき未来」という考え方は、狩猟民ではなく、私たちの社会の感覚である。

現代文　空欄補充

2020年度 基礎能力 No.4

次の文章中のA～Dの空欄に入る語句の組合せとして最も妥当なものはどれか。

「思考の自然化」とでも呼ぶべき事態の進行の下で、人間の思考はブラックボックスから出された。このような人間の思考の基礎に関する考え方の変化を前にして、思考の曖昧さは自明のことではなく、むしろ一つの［　A　］であることをこそ見てとるべきである。脳内過程の厳密なる進行に支えられているにもかかわらず、人間の思考がいかにして「曖昧」たりうるのかということ自体が、大変な問題を提起しているのである。

そもそも、人間の思考作用において、「曖昧」ということは本当に可能なのか？もし可能だとしたら、その思考における「曖昧さ」は、それを支える脳の厳密なる因果的進行と、どのように関係するのか？

世界を因果的に見れば、そこには曖昧なものは一つもない。その曖昧さのない自然のプロセスを通して生み出された私たちの思考もまた、この世界にある精緻さの［　B　］でなければならないはずである。

それにもかかわらず、私たちは、確かに、曖昧な自然言語の用法があるように感じる。もし、自然言語が、［　C　］因果的進行が支配する世界の中に「曖昧」な要素を持ち込むということを可能にしているのだとすれば、それ自体が一つの奇跡だというしかない。

この奇跡をもたらしている事情を突きつめていけば、物質である脳にいかに私たちの心が宿るかという［　D　］問題に論理的に行き着くことはいうまでもない。

そして、この、私たちの心の存在がもたらす奇跡は、単なる「厳密さの喪失」という問題では片づけられない、仮想空間の豊饒(ほうじょう)をもたらしているのである。

言葉の持っている不思議な性質の一つは、それが数学的形式の基準からいえば曖昧であるからこそ、そこにある種の無視できない力が宿る、という点にある。

（茂木健一郎『思考の補助線』より）

	A	B	C	D
1	驚異	顕れ	厳密な	心脳
2	脅威	起源	自然な	存在論的
3	驚異	起源	厳密な	存在論的
4	脅威	起源	自然な	心脳
5	驚異	顕れ	厳密な	存在論的

解説　正解　1

TAC生の正答率　41％

A 「驚異」が該当する。Aの直前には、「思考の曖昧さは自明のことではなく」とあるので、当然ではないという表現を当てはめればよい。また「脅威」は「勢い、強い力でおびやかす」という意味であり、この文章に該当する内容がないため、除外することができる。

B 「顕れ」が該当する。Bの直前で述べられている「曖昧さのない…私たちの思考」によって何が生まれるのかを考えて空欄を当てはめればよい。そうすると、「この世界にある精緻（注意が細かな点まで行き届いていること）さの[顕れ]」となるだろう。「起源」は物事の起こりという意味であり、文脈に合わない。

C 「厳密な」が該当する。Cの直後には「『曖昧』な要素を持ち込むということ…一つの奇跡」とある。曖昧さが奇跡なのであれば、本来曖昧さが許されない状況を表すものをCに当てはめればよい。

D 「心脳」が該当する。直前には「物質である脳にいかに私たちの心が宿るか」とあるので、この表現に近いものを選べば良い。「存在論的」とは、存在そのものの根拠について追究することを意味するので、Dには当てはまらない。

現代文　文章整序

2023年度
基礎能力 No.5

次の文章Aと文章Ｉの間に、Ｂ～Ｈの文章を並べ替えてつなげると意味の通る文章となる。その順序として最も妥当なものはどれか。

Ａ　なぜ人間は体を洗いたくなるのでしょうか？

Ｂ　つまり、生き物は原則として、健康を守るために体の清潔を保ちたいという欲求があります。

Ｃ　それは、病気を防ぎ、自分や仲間の命を守るためです。

Ｄ　このような、生き物に備わった病気や汚染を避けようとする意識や行動のセットを、行動免疫系と呼びます。

Ｅ　この理由は一見すると命と直結していないように見えますが、動植物では、不潔さが病気を、美しさが健康を示す目印として機能することがあり、病気を持つ個体は群れから歓迎されず、健康な個体がより魅力的な繁殖のパートナーとなるため、やはり長寿や繁殖といった命の問題が根源にあります。

Ｆ　もちろん、お風呂が面倒臭い夜もあるでしょうし、小さい子供に歯磨きを教えるのは一苦労です。ただしこういった面倒な印象は、私たちが普段は衛生的に安全な環境の中で過ごしていることや、洗う行動の頻度と方法が格段に増えたことにも起因しています。

Ｇ　また、美しくなりたいから、不潔さを理由に嫌われたくないからと、周りの人の評価を気にして体を洗うという人もいるでしょう。

Ｈ　行動免疫系は、病気を引き起こす病原体を環境の中から見つけて、それを嫌い、避けるように、生き物に行動を起こさせます。問題となるのは、病原体が小さすぎて目に見えないということや、医学が発展する前には、病原体の存在そのものが知られていなかったということです。

Ｉ　そのために人間は、「有害そうに感じられるもの」や「経験的に有害だったもの」を嫌うようになりました。

（国立歴史民俗博物館・花王株式会社『〈洗う〉文化史「きれい」とは何か』より）

1　B→F→C→G→E→H→D

2　C→F→G→E→B→D→H

3　C→G→E→F→D→B→H

4　F→B→C→G→E→H→D

5　F→E→G→D→C→H→B

解説　正解　2　TAC生の正答率 73%

冒頭のAは「なぜ…？」という問いかけになっている。それに率直に答えているのはC「それは、病気を防ぎ、自分や仲間の命を守るため」である。よってCが冒頭文につながることがわかる。

次にそれぞれの内容で注目すると良いのがE「この理由は」である。「命と直結していない」と述べているので、Eの前には命に関わらない理由が当てはまることがわかる。Gは「美しくなりたいから、不潔さを理由に嫌われたくないから」という一見命と直結していない理由を述べている。そのためG→Eとなることがわかる。

加えてDとHにも注目すると良い。Dは「行動免疫系」について定義している。Hはその行動免疫系について説明をしている内容である。先に定義がなければ説明の意図が伝わらない文章になってしまうので、D→Hとなることがわかる。この段階で**2**が残る。

現代文　文章整序

2022年度
基礎能力 No.5

次の文章Aと文章Hの間に、B～Gの文章を並べ替えてつなげると意味の通る文章となる。その順序として最も妥当なものはどれか。

A　プラセボ（偽薬）の原義は、ラテン語で「私は喜ばす」です。プラセボ効果とは、本来効力のない物質や処置に対して、生体が効力があったように反応する事実をさします。

B　中味の薬の量は同一でも、大きい錠剤のほうが小さい錠剤よりも効果が出ます。とはいえ、極小の錠剤は、並の大きさの錠剤よりも薬効が大です。錠剤よりも、カプセルのほうが効果があったという報告も出されています。

C　入院中の患者に薬を飲ませるとき、ベッドの傍に看護師が来て手渡すよりも、主治医がわざわざやって来て飲ませたほうが、効果は大です。投与法は、注射のほうが錠剤よりも効き目があります。もちろん吸収率などの差をさし引いてもです。

D　一九八〇年代初頭に実施された実験では、八百三十五人の頭痛を訴える女性患者を四群に分けています。A群はただ単に〈鎮痛薬〉と書いたプラセボ、B群は鎮痛薬の有名ブランド名を記したプラセボ、C群は〈鎮痛薬〉とのみ記されたアスピリン、D群はB群同様に有名ブランド名を記したアスピリンを投与しました。

E　このプラセボ効果の研究が、本格的に始まったのは一九七〇年代です。まず薬剤の投与法、薬剤の色と大きさ、内服する錠剤の数によって、人の反応が異なる事実が明るみに出ました。

F　前述したメディシンマンの薬草も、大いにこのプラセボ効果をねらっていると考えられます。遠くて高い山の上にのみ生息する植物から作った薬ですから、貴重そのものであり、効かないはずはありません。そう思って煎じ薬を飲んだ病人は、絶対治ってやるという気持になり、実際に病状の好転を感じるものです。その効果が永続するかどうかは、不確実とはいえ、全く無効だとはとても考えられません。

G　薬剤の色に関してはどうでしょうか。これには、薬学部の学生を対象にした実験があります。何の成分もはいっていない錠剤で、青とピンクの二種を用意して、「これは気分を変える薬です」と前置きして服用させます。すると三割の学生が気分の変化を実感しました。青色の錠剤を飲んだ群は気分の落ち込みを感じ、ピンクの錠剤を試した群は、気分の高揚を報告したのです。しかも一錠飲んだ群よりも、二剤服用した群のほうが気分の変化が大きかったのです。

H　一時間後、頭痛がどのくらい軽くなったかを点数化して返答を集計すると、鎮痛効果はDCBAの順でした。プラセボよりもアスピリンの実薬のほうが効果があったのはいなめません。しかし有名ブランド名を記したほうが、偽薬、実薬ともに効果大だったのです。

（帚木蓬生『ネガティブ・ケイパビリティ　答えの出ない事態に耐える力』より）

1　E→C→F→G→B→D

2　E→C→B→F→G→D

3　F→E→C→B→G→D

4　F→D→E→C→B→G

5　F→D→B→G→E→C

解説　正解 3

TAC生の正答率　71％

Eには「このプラセボ効果の研究が、本格的に始まったのは一九七〇年代」だとある。Eの後にその研究内容が語られると考えると、B、C、D、GはEの後にくることがわかる。Fはプラセボの説明であるが、研究の内容ではない。そのため、冒頭文A、プラセボの説明の続きだということがわかる。冒頭文A→Fとなる。またEは「このプラセボ効果」とあり、プラセボ効果について説明しているのがFだと気づくとF→Eと繋ぐことができる。

次に注目すると良いのはDである。Dは実験について述べており、A群からD群までの説明となっている。この結果は末尾の文Hで述べられているため、D→末尾の文Hとなる。

この段階で正解は**3**に絞ることができる。確認してみると、冒頭文A「プラセボとは何か」→F「プラセボ効果」→E「プラセボ効果の研究（薬剤の投与法、色と大きさ、錠剤の数）」→C「投与法について」→B「薬剤の大きさや形状」→G「薬剤の色」→D「実験」→H「その実験の結果」となり、スムーズに繋がることがわかる。

現代文　文章整序

2021年度
基礎能力 No.5

次の文章Aと文章Hの間に、B～Gの文章を並べ替えてつなげると意味の通る文章となる。その順序として最も妥当なものはどれか。

A　ながらく不思議に思っているのだが、たった一冊の本をたぐりよせられないという日がある。たとえばどこか駅のそばの書店に入り、とりあえず電車の中で何か読むものをと思って眺めてみるが、どういうわけだかピンとくるものがひとつもなくて、うろうろした挙句に何も買わずに出てしまう。かと思えば次々と面白そうな本に出くわして、予定外に荷物を重くしてしまうこともあるから、一種のタイミングではあるのだろう。空振りしたときのことを改めて思い起こせば、そもそも自分のほうに本をつかまえるパワーが足りなかったような気もする。

B　本はなかなか厄介な品物で、複製品でありながらある種のオーラをまとっている。

C　だから、選ぶときにもある程度の気力と体力がないと、本のもつ磁力に負けてしまうのである。

D　それは作者や書かれた内容と背景、それに手触りや書体や綴じかたを含めて、本をかたちづくっているすべての何かであって、人は本を手に入れると同時に、それらを何もかも引き受けることになる。

E　だとすれば、人と本とのかかわりは、読む以前に出会う段階から始まっている。

F　そう考えてみると、本を選ぶということは、思いのほか大仕事なのかもしれない。

G　本を踏んではいけません、としつけられたのは、何か尊重すべきものがそこに宿ると無意識のうちに考えられているからだろう。

H　私自身は、仕事として日々大量の出版物に接してきたので、書物に対する特別な思い入れのようなものはできるだけ持たないようにしているが、それでもやはり「本に呼ばれている」とか、「棚に見透かされている」とか感じることがある。勤めをやめてからは、職業ではなく研究対象として、人が本に出会う構造や機会ということを調べたり考えたりしているのだが、人がどのようにして本に行きつくのかというテーマは、それほど単純ではないようだ。

（池澤夏樹編“本は、これから”柴野京子著『誰もすべての本を知らない』より）

1　C→F→B→G→E→D

2　C→F→G→B→D→E

3　E→F→B→D→G→C

4　F→B→G→D→C→E

5　F→E→C→D→G→B

解説　正解 **4**　TAC生の正答率 62%

G「何か尊重すべきものがそこに宿る」では、「宿る」という表現が用いられている。Gの前に繋がるものを考えると、B「ある種のオーラをまとっている」に注目することができ、オーラをまとった本のことだと考えることができる。よってB→Gとなる。

また、D「それは」という指示語にも注目することができる。Dでは「本をかたちづくっているすべての何か」、「それらを何もかも引き受ける」とあるため、オーラをまとった本のことを説明していることがわかり、B→G→Dとなる。この時点で**4**が妥当だということがわかる。

A（面白そうな本に出くわす日もあるが、自分にパワーが足りず、本をつかまえることができない場合もある）→F（そう考えると、本を選ぶのは大仕事）→B（本はオーラをまとっている）→G（本には尊重すべきものが宿る）→D（それは本をかたちづくるすべての何か）→C（だから気力と体力がないと、本に負ける）→E（本とのかかわりは読む以前に始まっている）、以上の順を確認しても**4**でよいだろう。

英文　内容合致　2023年度 基礎能力 No.7

次の英文の内容に合致するものとして最も妥当なものはどれか。

The world of professional sumo includes some quaint and — from a Western standpoint — somewhat odd traditional features, which are all part of its attraction as a unique cultural phenomenon. At the arenas, for example, the spectators still cannot watch replays on a big screen, and the most uncomfortable ‘seats’ — the cushions nearest the ring — are the most expensive. Then there is the continued use of topknots*1, with different styles for on-the-ring and off, kept in place by oodles*2 of that special aromatic pomade which makes every wrestler smell exactly the same. But that’s not just Trad Fashion*3; they serve a practical purpose, as a kind of crash helmet for head-banging initial charges*4. As for the referees, they still write out the *banzuke* and the next day’s bouts by hand, using special calligraphy, and the top men carry a dagger so that they can retire and commit *seppuku* if their decision is overruled — although, of course, they never do that these days. Another rare sporting feature is the winner-take-all system: even with an identical official record, the runner-up gets no mushrooms, beef, silver plate, or media interviews. He just retires to the showers to sulk*5. When I first saw sumo, unaware of the auspicious*6 qualities of the red sea bream*7, I was surprised that the tournament winner, instead of kissing the cup or showering everyone with champagne, has a celebratory photograph taken with his supporters holding up a large dead fish, rather like a statue of the deity Ebisu*8. I don’t think that happens anywhere else!

（Stuart Varnam-Atkin, *Trad Japan Snapshots*より）

＊1…topknot　まげ
＊2…oodles　多量
＊3…Trad Fashion　伝統的な風習
＊4…initial charge　立ち合い
＊5…sulk　むっつりする
＊6…auspicious　めでたい
＊7…red sea bream　真鯛
＊8…the deity Ebisu　恵比寿様

1　館内の大型スクリーンでは、終わった取り組みを再度見ることができる。

2　土俵に近い座り心地の良い席は値段が高く、外国人には入手困難である。

3　力士がまげにつける鬢付け油の匂いは、力士ごとに微妙に異なっている。

4　力士のまげは伝統的な風習であって、実用的な効用はない。

5　優勝力士が死んだ真鯛を手に写真に収まる光景に、筆者は驚いた。

解説　正解　5　　TAC生の正答率 92%

1 ×「At the arenas, for example, the spectators still cannot watch replays on a big screen ...」とあり、大きなスクリーンでリプレイを見ることができないと述べられている。

2 ×「座り心地の良い席は値段が高く」が明らかに誤り。「and the most uncomfortable 'seats' ...」では、最も不快な"席"である、土俵に一番近い座布団が最も値段が高いと述べられている。また「外国人には入手困難」だとは本文で述べていない。

3 ×「力士ごとに微妙に異なっている」が明らかに誤り。「Then there is the continued use of topknots ... every wrestler smell exactly the same」では、どの力士も全く同じ匂いになるような特別な鬢付け油を多量に使っていることが述べられている。

4 ×「実用的な効用はない」が明らかに誤り。「they serve a practical purpose, as a kind of crash helmet for head-banging initial charges」では、頭をぶつける立ち合いのためのヘルメットのような実用的な目的もあると述べている。

5 ○ 本文末尾「I was surprised that the tournament winner ...」の内容と合致する。

[訳　文]

プロの相撲の世界は古風な趣のある、西洋人の立場から見ると、やや奇妙ないくつかの伝統的特徴があるが、それらはユニークな文化現象としての魅力に満ちている。例えば、会場の観客はいまだに大きなスクリーンでリプレイを見ることができず、最も不快な「席」である、土俵に一番近い座布団席が最も値段が高い。そして、土俵の上と外で異なるスタイルの髷を結い続けている。どの力士も全く同じ匂いになるような特別な香気のある鬢付け油を多量に使って、その状態を維持している。しかし、それは単なる伝統的な風習なだけではなく、頭をぶつける立ち合いのためのヘルメットのような実用的な目的もある。行司は、いまだ番付や翌日の取組を手書きで特別な書体で書き、上位の行事は短刀を携帯し、自分の判定が覆ったら引退して切腹できるようにしているが、もちろん、最近はそんなことはしない。また、競技の珍しい特徴として、勝者総取りのシステムがある。たとえ公式記録が同じでも、準優勝者にはキノコも牛肉も銀盤もメディアのインタビューも与えられない。ただシャワー室でむっつりするだけだ。初めて相撲を見た時、鯛の縁起の良さを知らなかった私は、優勝者が優勝杯にキスしたりシャンパンを背に浴びせたりする代わりに、恵比寿像のように大きな死んだ魚を掲げて後援者と記念写真を撮ることに驚いた。他の国でこんなことが起こるとは思えない！

[語　句]

quaint：古風な趣の　　dagger：短刀、短剣

英文　内容合致

次の英文で筆者はアメリカの現在の状況を航海に例えている。筆者が今後の方向性を決めるのに特に必要だと考え、例えているものとして、最も妥当なものはどれか。

We are a nation adrift. We lack neither wind nor sail, we have no shortage of captains or gear, yet our mighty ship flounders in a sea of partisanship, corruption, and selfishness. Our discourse is coarse, young people are failing to form relationships, and our brightest seek individual glory at the expense of the commonwealth. Our institutions are decaying, and the connective tissue of society frays nearly beyond repair. On the horizon, darkness and thunder. To the west, China rises. In the east, Europe fades.

What will it take to turn this vessel before the wind and plot a course for peace and prosperity? OK, enough with the sailing metaphors. I can't tell a mainsail from a jib, but I do know how to read a chart. There's something powerful about the visual representation of data; it reaches our instinctive ability to assess by sight vs. the intellectual exercise of reading words and data. For years now, I've been talking to people on my podcasts, in business, and at NYU*, where I teach, about the state of America and where we're headed. Over and over, I find that data clarifies those conversations, helps me see things clearer. So when I decided to collect my views on this essential question of America's sputtering progress, it seemed natural to do it with charts front and center.

What the data tells me is not complicated: America is a work in progress, but it's made the most progress toward its ideals, it's become the most like itself, when it has invested in a strong middle class. There, that's my grand economic theory.

(Scott Galloway, *Adrift: America in 100 Charts*より)

*…NYU　ニューヨーク大学

1　船に吹き付けてくる風

2　船を前進させる強力な帆

3　船を操縦する優れた船長

4　船の航海を助ける優れた機器

5　船の航海を導く海図

解説　正解　5

TAC生の正答率 65%

1　×　本文冒頭で風も帆も不足していないのに、状況が良くないことが述べられているため、「風」ではないことがわかる。

2　×　第２段落前半で、主帆とジブの区別がつかないと述べていることから「帆」を重要視しているわけではないことがわかる。

3　×　本文冒頭で船長は不足していないことを述べているため、「船長」が特に必要なのではないことがわかる。

4　×　本文冒頭で装備が不足していないのに、状況が良くないことが述べられているため、「機器」ではないことがわかる。

5　○　第２段落では「chart」について触れており、データの重要性を述べている。「chart」には海図という意味があるので、この選択肢が最も妥当である。

[訳　文]

我々は、漂流する国である。風も帆も不足しておらず、船長も装備も不足していないのに、我々の強力な船は党派主義、腐敗、利己主義の海の中で低迷している。我々の言説は粗雑で、若者は人間関係を築くことができず、我々の中の最も優秀な人々は、連邦を犠牲にして個人の栄光を追い求めている。我々の制度は衰退しつつあり、社会の結合組織はほとんど修復不可能なほど擦り切れている。地平線には暗闇と雷が、西側では中国が台頭し、東側ではヨーロッパが衰退する。

この船を風に乗って向きを変え、平和と繁栄の道を切り開くには、何が必要なのだろうか。さて、航海の比喩はもう十分である。私は主帆とジブの区別がつかないが、チャート（海図）の読み方は知っている。データの視覚的表現には、いくらか力強いものがある。それは、文字やデータを読むという知的作業に対して、目で見て評価するという我々の本能的な能力に到達する。この数年、私はポッドキャストやビジネス界、そして私が教えているニューヨーク大学などで、アメリカの現状と我々の今後向かう先について話してきた。データによって会話が明確になり、物事をより明確に見ることができることに何度も気づいた。したがって、アメリカの進歩の失速という本質的な疑問について、私の意見をまとめようと決めた時、チャートを中心にしてそれを行うのは自然なことだと思えた。

データが私に教えてくれることは、複雑なことではない。アメリカは発展途上にあるが、強力な中流階級に投資したことで理想に向かって最も進歩し、最もアメリカらしくなった。これが、私の壮大な経済理論である。

[語　句]

partisanship：党派意識　　corruption：腐敗　　coarse：粗雑な、粗暴な
at the expense of：…を犠牲にして　　fray：擦り切れる　　sputter：失速する

英文　内容合致

2022年度
基礎能力 No.7

次の英文の内容に合致するものとして最も妥当なものはどれか。

Trying new things requires a willingness to take risks. However, risk taking is not binary. I'd bet that you're comfortable taking some types of risks and find other types quite uncomfortable. You might not even see the risks that are comfortable for you to take, discounting their riskiness, but are likely to amplify the risk of things that make you more anxious. For example, you might love flying down a ski slope at lightning speed or jumping out of airplanes, and don't view these activities as risky. If so, you're blind to the fact that you're taking on significant physical risk. Others, like me, who are not physical risk takers, would rather sip hot chocolate in the ski lodge or buckle themselves tightly into their airplane seats than strap on a pair of ski boots or a parachute. Alternatively, you might feel perfectly comfortable with social risks, such as giving a speech to a large crowd. This doesn't seem risky at all to me. But others, who might be perfectly happy jumping out of a plane, would never give a toast at a party.

On reflection, there appear to be five primary types of risks: physical, social, emotional, financial, and intellectual. For example, I know that I'm comfortable taking social risks but not physical risks. In short, I will readily start a conversation with a stranger, but please don't ask me to bungee jump off a bridge. I will also happily take intellectual risks that stretch my analytical abilities, but I'm not a big financial risk taker. On a trip to Las Vegas I would bring only a small amount of cash, to make sure I didn't lose too much.

I often ask people to map their own risk profile. With only a little bit of reflection, each person knows which types of risks he or she is willing to take. They realize pretty quickly that risk taking isn't uniform. It's interesting to note that most entrepreneurs don't see themselves as big risk takers. After analyzing the landscape, building a great team, and putting together a detailed plan, they feel as though they have squeezed as much risk out of the venture as they can. In fact, they spend most of their efforts working to reduce the risks for their business.

Elisabeth Pate Cornell, chair of the Department of Management Science and Engineering at Stanford, is an expert in the field of risk management. She explains that when analyzing a risky situation, it's important to define the possible outcomes and attempt to figure out the chances of each one. Once this is done, one needs to develop a full plan for each eventuality. Elisabeth says it makes sense to take the high risk/high reward path if you're willing to live with all the potential consequences. You should fully prepare for the downside and have a backup plan in place. I encourage you to read the last few sentences several times. Experts in risk management believe you should make decisions based upon the probability of all outcomes, including the best- and worst-case scenarios, and be willing to take big risks when you are fully prepared for all eventualities.

（Tina Seelig, *What I Wish I Knew When I Was 20* より）

1 リスクの感じ方は人それぞれであるので、自分が不安に思うことであっても、他人には安全なものとして勧めても構わない。

2 リスクは取るか取らないかの二者択一であり、一般的にリスクを取って挑戦したほうが後悔が少ない。

3 大勢の前でスピーチをしたり、パーティーで乾杯の音頭をとったりすることは、筆者にとってバンジージャンプと同じくらいのリスクに感じる。

4 ほとんどの起業家は、リスクに対する警戒感が高く、リスクを取っていると強く自覚している。

5 リスク管理の専門家は、不都合な事態に万全に備えたならば、大きなリスクを取ることをいとわなくてもよいとしている。

解説　正解　5　　TAC生の正答率 76%

1　×　第１段落では、それぞれのリスクの例が示されているが、「他人には安全なものとして勧めても構わない」という記述はない。

2　×　本文２文目には、リスクをとることは二者択一ではないと述べられている。

3　×　筆者は身体的リスクを負うことはしない（飛行機やバンジージャンプで飛ぶこと等）が、社会的リスク（大観衆の前のスピーチ）は平気だと考えていることが第１、第２段落で示されている。

4　×　第３段落「It's interesting to ...」では、起業家は自分がリスクを負う人間だと考えていないことが示されている。

5　○　本文末尾の内容と合致する。

［訳　文］

新しいことに挑戦するには、リスクを取る意思が必要である。しかし、リスクを取ることは二者択一ではない。あなたにとって快適な種類のリスクのもあれば、かなり不快な種類のリスクもあるだろう。自分にとって快適なリスクは、その危険性を割り引いてとらえ、リスクとして見てもいないが、自分をより不安にさせるリスクは、誇張しがちである。例えば、スキー場のゲレンデをすばやく滑ったり、飛行機から飛び降りたりするのが大好きであれば、これらの活動を危険だとは思わないだろう。もしそうなら、あなたは自分が大きな身体的リスクを背負っているという事実に気づいていないことになる。また、私のように身体的なリスクを負いたくない人は、スキーブーツやパラシュートを装着するよりも、スキーロッジでホットチョコレートを飲んだり、飛行機の座席のシートベルトをきつく締めたりする方を好むだろう。あるいは、大観衆の前でスピーチをするような社会的なリスクを心地よいと感じる人もいるだろう。このようなことを私は、全くリスクとは思わない。しかし、飛行機から飛び降りるのは平気でも、パーティーで乾杯の音頭をとるのは絶対にできないという人もいるだろう。

考えてみると、リスクには大きく分けて、身体的リスク、社会的リスク、感情的リスク、経済的リスク、知的リスクの５つの主なリスクがあるようだ。例えば、私は社会的なリスクを取るのは平気だが、身体的なリスクは取らない。つまり、見知らぬ人と気軽に会話を始めることはできても、橋からバンジージャンプをするように頼まないでほしい。また、自分の分析能力を伸ばすような知的リスクは喜んで取るが、大きな金銭的リスクはあまり取らない。ラスベガスに行くとしたら、あまり損をしないように少額の現金しか持っていかないだろう。

私はよく、自分のリスクプロファイルを描いてみるように勧めている。ほんの少し考えるだけで、その人は自分がどのようなリスクを進んで取ることができるのかがわかる。彼らは、リスクの取り方が一様でないことにすぐに気づく。興味深いことに、ほとんどの起業家は、自分がすごいリスクテイカーだとは思っていない。彼らは、事業環境を分析し、優れたチームを作り、綿密な計画を立てた後、その事業からリスクをできる限り取り除いたように感じる。実際、彼らは自分たちのビジネスにおけるリスクを減らすことにほとんどの労力を費やしている。

スタンフォード大学の経営工学科長であるエリザベス・ペイト・コーネルは、リスク管理の専門家である。彼女は、リスクのある状況を分析する際には、起こりうるいくつもの結果を明確にし、それぞれの確率を把握することが重要だと説明する。そのうえで、それぞれの事態を想定した完全な計画を立てる必要がある。起こりうる結果をすべて受け入れる覚悟があるなら、リスクが高くリターンの大きい道を選ぶのは意味があるとエリザベスは言う。マイナス面にも十分な備えをし、バックアッププランを用意しておくべきである。最後の文章を何度も読み返してほしい。リスク管理の専門家は、最善と最悪のシナリオを含むすべての結果の確率に基づいて意思決定を行い、すべての起こりうる事態に完全に備えてから大きなリスクを取るべきだと考えている。

［語　句］
give a toast：音頭をとる　　entrepreneurs：起業家

英文　内容合致　2022年度 基礎能力 No.8

次の英文の内容に合致するものとして最も妥当なものはどれか。

There were only two Americans stopping at the hotel. They did not know any of the people they passed on the stairs on their way to and from their room. Their room was on the second floor facing the sea. It also faced the public garden and the war monument. There were big palms and green benches in the public garden. In the good weather there was always an artist with his easel. Artists liked the way the palms grew and the bright colors of the hotels facing the gardens and the sea. Italians came from a long way off to look up at the war monument. It was made of bronze and glistened in the rain. It was raining. The rain dripped from the palm trees. Water stood in pools on the gravel paths. The sea broke in a long line in the rain and slipped back down the beach to come up and break again in a long line in the rain. The motor cars were gone from the square by the war monument. Across the square in the doorway of the café a waiter stood looking out at the empty square.

The American wife stood at the window looking out. Outside right under their window a cat was crouched under one of the dripping green tables. The cat was trying to make herself so compact that she would not be dripped on.

"I'm going down and get that kitty," the American wife said.

"I'll do it," her husband offered from the bed.

"No, I'll get it. The poor kitty out trying to keep dry under a table."

The husband went on reading, lying propped up with the two pillows at the foot of the bed.

"Don't get wet," he said.

The wife went downstairs and the hotel owner stood up and bowed to her as she passed the office. His desk was at the far end of the office. He was an old man and very tall.

"*Il piove*[*1]," the wife said. She liked the hotel-keeper.

"*Si, si, Signora, brutto tempo*[*2]. It's very bad weather."

He stood behind his desk in the far end of the dim room. The wife liked him. She liked the deadly serious way he received any complaints. She liked his dignity. She liked the way he wanted to serve her. She liked the way he felt about being a hotel-keeper. She liked his old, heavy face and big hands.

Liking him she opened the door and looked out. It was raining harder. A man in a rubber cape was crossing the empty square to the café. The cat would be around to the right. Perhaps she could go along under the eaves. As she stood in the doorway an umbrella opened behind her. It was the maid who looked after their room.

"You must not get wet," she smiled, speaking Italian. Of course, the hotel-keeper had sent her.

With the maid holding the umbrella over her, she walked along the gravel path until she was under their window. The table was there, washed bright green in the rain, but the cat was gone. She was suddenly disappointed. The maid looked up at her.

（Ernest Hemingway, Cat in the Rain より）

＊1…*Il piove*　雨が降っていますね。

＊2…*Si, si, Signora, brutto tempo*　ええ、奥様、とても天気が悪いですね。

1 アメリカ人の女性は飼い猫が逃げたので、階下に降りていった。

2 ホテルの支配人は、アメリカ人の女性が雨のなか外に出て行くのに気がついた。

3 アメリカ人夫妻は、戦争記念碑を見学するために海辺のホテルに滞在していた。

4 ホテルの支配人は、アメリカ人の女性が雨に濡れないように傘を差し掛けた。

5 アメリカ人の女性は階下のテーブルの下にいた猫を連れて部屋に戻った。

解説　正解　2

TAC生の正答率 47%

1 × 第２段落以降、猫についての描写はあるものの、「飼い猫」だとは述べられていない。

2 ○ 支配人は猫を捕まえにいこうと出ていくアメリカ人女性に気づき頭を下げているし、女性のために傘も準備していることが本文末尾に示されている。

3 × 第１段落に戦争記念碑の描写はあるが、それを見学するために滞在しているとは述べていない。

4 × 本文末尾でアメリカ人の女性に傘を差し掛けたのは、支配人ではなくメイドである。

5 × 猫がいて、それをアメリカ人女性が捕まえようとしていたことは述べられているが、「連れて部屋に戻った」とは述べられていない。本文末尾を見ると、猫がいなくなっていたことが読み取れる。

[訳　文]

ホテルに立ち寄ったアメリカ人は２人だけだった。彼らが部屋への行き帰りに階段ですれ違う人々のうち、誰一人として知らない人だった。彼らの部屋は２階で、海に面していた。また、公園や戦争記念碑にも面していた。公園には、大きなヤシの木と緑のベンチがあった。天気のいい日には、いつも画家がイーゼルを立てていた。芸術家たちは、ヤシの木の生え方と、公園と海に面したホテルの鮮やかな色彩を好んだ。イタリア人は、戦争記念碑を見に、遠くからやってきた。ブロンズ製のそれは、雨に濡れてきらきらと輝いていた。雨が降っていた。ヤシの木から雨が滴り落ちていた。砂利道には水が溜まっていた。海は雨の中で長い海岸線を崩し、海岸に寄せてきては、また雨の中で崩した。戦争記念碑のそばの広場から、車が消えていた。広場の向かいにあるカフェの出入り口で、ウェイターが誰もいない広場を眺めていた。

アメリカ人の妻は窓際に立って外を見ていた。窓の外のすぐ下に、水の滴る緑のテーブルの下で一匹の猫が身をかがめていた。猫は水滴を受けないように、小さくかがもうとしていた。

「あの子猫を捕まえてくるわ」とアメリカ人の妻が言った。

「私がやる」と夫がベッドの上から申し出た。

「いや、私がやるわ。かわいそうな子猫はテーブルの下で濡れないようにしているの」。

夫はベッドの足元にある２つの枕で体を支えて、読書を続けた。

「濡れないようにね」と彼は言った。

妻が階下に降りると、ホテルの支配人が立ち上がり、オフィスの前を通り過ぎる彼女に頭を下げた。彼のデスクはオフィスの一番奥にあった。彼は老人で背が高かった。

「雨が降っていますね」と妻は言った。彼女はそのホテルマンが好きだった。

「ええ、奥様、とても天気が悪いですね」。

彼は薄暗い部屋の一番奥にある机の後ろに立っていた。妻は彼が好きだった。彼女は、彼がどんな苦情でも真摯に受け止める姿勢が好きだった。彼女は彼の威厳が好きだった。彼女は、彼が彼女に仕えるやり方が好きだった。彼女は彼がホテルの支配人らしく感じていることが好きだった。彼の年老いた重みのある顔と大きな手が好きだった。

彼に好感を持っていたので彼女はドアを開けて外を眺めた。雨はさらに強くなっていた。ゴム製のケープを着た男が、カフェに向かって、誰もいない広場を横切っていた。猫は右のほうにいるはずだ。軒下を通ることができるかもしれない。彼女が玄関に立つと、背後で傘が開いた。部屋係のメイドだった。
「濡れてはいけませんよ」彼女は微笑みながらイタリア語で言った。もちろん、ホテルの支配人がよこしたのだ。
メイドに傘をさしてもらいながら、砂利道を歩いていくと、窓の下に出た。テーブルが雨に濡れて鮮やかな緑色になっているが、猫はいなかった。彼女は急にがっかりした。メイドが顔を上げた。

[語　句]

gravel path：砂利道　　crouch：しゃがむ　　dignity：威厳　　eaves：軒、ひさし

英文 内容合致

2021年度
基礎能力 No.6

次の英文の内容に合致するものとして最も妥当なものはどれか。

Washington's Birthday, also known unofficially as Presidents' Day, is a federal holiday. Falling on the third Monday in February, it celebrates the birth of George Washington, the first president of the United States. All government offices and schools, and most corporations, are closed for Washington's Birthday.

The United States Congress first voted to make Washington's Birthday a holiday in 1879, and the holiday was first observed in 1885. The holiday was originally celebrated on February 22, George Washington's actual birthday, but in 1971, it was legally changed to the third Monday in February in order to give employees a long weekend. It was also changed to this date because at the time, some members of U.S. Congress wanted the holiday not to honor just one president (Washington)、but the role of the presidency in general. Because of this, they chose a day that would fall between George Washington's birthday (February 22) and Abraham Lincoln's birthday (February 12).

Although the date of the holiday was officially changed, the attempt to honor all presidents was never officially accepted, so the holiday technically remains Washington's Birthday.

However, U.S. businesses have taken advantage of the idea of "Presidents' Day" to promote sales of their products. There are many "Presidents' Day" sales across the nation, especially at department stores and car dealers.

Whether it is called Washington's Birthday or Presidents' Day, the spirit of the holiday is focused on patriotism, honoring the nation's leaders and the work they do. It is also a time to recognize the men and women who have served in the U.S. military. Many cities host Presidents' Day parades and community events. The biggest celebration of Washington's Birthday, however, happens in Alexandria, Virginia, the town where George Washington was born.

(ニーナ・ウェグナー著、高橋早苗訳『アメリカ歳時記』より)

1 呼び方がワシントンの誕生日から大統領の日に変更された結果、祝日の主眼が愛国心と、国の指導者と彼らの仕事を称えることに置かれることとなった。

2 大統領の日は、大統領の任務全般を称える日にしようと２月22日に設定されていたが、労働者に長い週末休暇をとらせるために２月の第３月曜日に変更された。

3 大統領の日は、兵役を務める人びとに感謝する日でもあり、ワシントンの故郷で開催されるのと同規模の祝賀行事が多くの都市で開催される。

4 ２月の第３月曜日に当たるワシントンの誕生日は、大統領の日と定められ、学校や会社は休みとすることが義務付けられている。

5 大統領の日では、自社製品の販売促進を目的とするデパートや自動車のディーラーなどによる「大統領の日」セールが全国的に行われている。

解説　正解　5

TAC生の正答率　85%

1　×　「呼び方がワシントンの誕生日から大統領の日に変更された」という記述が明らかに誤り。本文冒頭にあるように、「大統領の日」は非公式なものであり、２月の第３月曜日はワシントンの誕生日として祝われている。

2　×　「大統領の任務全般を称える日にしようと２月22日に設定されていた」という記述が明らかに誤り。ワシントンの実際の誕生日が２月22日だったため、当初はこの日に祝われていた。

3　×　「ワシントンの故郷で開催されるのと同規模の祝賀行事が多くの都市で開催される」という記述が明らかに誤り。本文末尾には、ワシントンの誕生日を祝う最大のイベントは故郷のイベントであることが示されている。「同規模」ではない。

4　×　「ワシントンの誕生日は、大統領の日と定められ」という記述が明らかに誤り。**1**の解説同様、「大統領の日」は非公式なものである。また、第３段落にも同様の記述がある。

5　○　第４段落の内容と合致する。

[訳　文]

ワシントンの誕生日は、非公式に大統領の日としても知られている、連邦政府の祝日である。２月の第３月曜日であり、アメリカ初代大統領のジョージ・ワシントンの誕生を祝う。ワシントンの誕生日には、すべての政府機関や学校、ほとんどの企業が休業となる。

連邦議会がワシントンの誕生日を祝日にすることを1879年に初めて決議し、1885年に初めて祝日となった。当初はジョージ・ワシントンの実際の誕生日である２月22日に祝われていたが、労働者に長い週末の休みを与えるため、1971年に２月の第３月曜日とすることが、法律によって変更された。この日に変更された理由は、この祝日を一人の大統領（ワシントン）だけではなく、大統領職の役割全般を称えるものにしたいと考える当時の議会議員らがいたためでもある。このため、ジョージ・ワシントンの誕生日（２月22日）とエイブラハム・リンカーンの誕生日（２月12日）の間の日を選んだのである。

祝日の日付は公式に変更されたが、すべての大統領を称えるという試みは公式には受け入れられなかったため、祝日は厳密にはワシントンの誕生日のままである。

しかし、アメリカの企業は「大統領の日」のアイデアを利用して、自社製品の販売促進を図っている。特にデパートやカーディーラーを中心に、全米各地で「大統領の日」のセールが行われている。

ワシントン誕生日と呼ばれても、大統領の日と呼ばれても、祝日の主眼は愛国心であり、国の指導者や彼らの仕事を称えることである。また、兵役を務める人々を称える日でもある。多くの都市で大統領の日のパレードや地域イベントが開催される。しかし、ワシントンの誕生日を祝う最大のイベントは、ジョージ・ワシントンが生まれた町であるバージニア州のアレクサンドリアで行われる。

[語　句]

federal：連邦政府の　　vote：（投票で）決定する　　take advantage of：…を利用する

英文 内容合致

次の英文の内容に合致するものとして最も妥当なものはどれか。

The temperature at the center of the earth is somewhere around 6000 degrees Celsius. This is equivalent to the temperature of the sun's surface. Given that the temperature of the sun at its core is 15,700,000 degrees, the earth is a comparatively cold place. Still, if the earth's core reaches 6000 degrees, adjacent areas will also have a relatively high temperature.

When this extremely hot material lying below the earth's crust expands, it breaks through the crust and erupts onto the surface. This is how volcanoes are formed. Even before the period of meteor bombardment*, carbon dioxide, carbon monoxide, ammonia, nitrogen, and water vapor were most likely being spewed onto the earth's surface via volcanic eruptions.

The earth's atmosphere came to be formed from these materials. At the time, there was still no oxygen, an element necessary for human life. Some scientists hold that carbon dioxide etc. entered the atmosphere via meteors and other such bodies.

The atmospheric pressure on 1 square centimeter at zero sea level is considered to be 1 atm. At that time, it is thought that the atmospheric pressure on the earth surface exceeded 100 atm.

The large amounts of water vapor and other materials produced by volcanoes rose up into the atmosphere on air currents. Then, with atmospheric cooling, they fell back to the earth as rain.

As mentioned previously, this water produced the first primitive oceans over 4 billion years ago. Over long periods of time, the water kept accumulating and the oceans kept growing in size.

Oceans at that time were very acidic, having absorbed the sulfurous acid and hydrochloric acid replete in the atmosphere. Metallic ions then flowed into the ocean along with the rain and there became neutralized.

Thus, while being rigorously tested by the universe, the earth itself produced eruptions of viscous magma, fierce lightning, and hydrochloric acid rain, much like a child throwing a tantrum.

Most children are brought up by loving parents. That protective love is often warmhearted and tender. But in order for the child to grow up to be an upstanding adult, sometimes it has to be tough love.

Within the solar system the earth was raised by a stern parent who tested its offspring in countless ways. But each of these tests was part of a process necessary to produce a planet overflowing with life.

（西海コエン著、マイケル・ブレーズ英訳『地球の歴史 The History of the Earth』より）

* the period of meteor bombardment…隕石重爆撃期

1　地球の中心部の温度は6000度と太陽の中心部の1570万度と比べるとかなり低いが、地球の周辺の天体の中心部の温度と比べると比較的高めである。

2　隕石重爆撃期以前の地球では、二酸化炭素、一酸化炭素、アンモニアや酸素といった、のちに大気を形成する物質が火山の噴火によって地表に噴出していた可能性が高い。

3　大気中の二酸化炭素などは、隕石や他の天体が地球にぶつかることによってもたらされたと考える科学者もいる。

4　原始の海は強い酸性であり、大気中に亜硫酸や塩酸を放出し続けていた。

5　地球が宇宙からの数々の試練を受けて生命あふれる惑星へと成長したように、人間の子どもも、立派な大人になるためには常に厳しくしつけられるべきだ。

解説　正解　3　TAC生の正答率 35%

1　×　選択肢後半が明らかに誤り。選択肢前半は本文冒頭部分に合致するが、冒頭では「地球は比較的寒い場所」としか述べておらず、他の天体との比較はない。

2　×　「酸素」が明らかに誤り。第2段落「Even before the period of meteor bombardment ...」の内容とよく似ているが、ここで示されるのは「二酸化炭素、一酸化炭素、アンモニア、窒素、水蒸気等」であり、酸素は含まれていない。

3　○　第3段落「Some scientists hold that carbon dioxide etc. entered the atmosphere via meteors and other such bodies.」の内容と合致する。

4　×　本文と反対の内容の選択肢。第7段落「Oceans at that time were very acidic, having absorbed the sulfurous acid and hydrochloric acid replete in the atmosphere.」を見ると、「大気中に豊富にあった亜硫酸や塩酸を吸収して」と読み取れる。選択肢のように「大気中に亜硫酸や塩酸を放出し」たわけではない。

5　×　選択肢後半が明らかに誤り。前半の内容は本文末尾の内容と合致するが、選択肢後半の内容は本文にはない。

[訳　文]

地球の中心部の温度は6000度前後である。これは太陽の表面温度に相当する。太陽の中心部の温度が1570万度であることを考えると、地球は比較的寒い場所である。それでも、地球の核が6000度に達すれば、周辺も比較的高温になる。

この地殻の下にある非常に高温の物質が膨張すると、地殻を突き破って地表に噴出する。これが火山の成り立ちである。隕石重爆撃期以前から、二酸化炭素、一酸化炭素、アンモニア、窒素、水蒸気等が、火山の噴火によって地表に噴出していた可能性が高い。

これらの物質から地球の大気が形成されるようになった。当時はまだ人間が生存していくために必要な酸素が存在していなかった。二酸化炭素などは隕石などを経由して大気中に入ってきたと考える科学者もいる。

海抜ゼロにおける1平方センチメートルの気圧は1気圧とされている。当時、地表の気圧は100気圧を超えていたと考えられている。

火山によって生成された大量の水蒸気等は、気流に乗って大気中に上昇する。そして、大気の冷却によって雨となって地球に戻ってくる。

既に述べたように、この水が40億年以上前に最初の原始的な海を作り出した。長い時間をかけて水が溜まり続け、海は拡大していった。

当時の海は、大気中に豊富にあった亜硫酸や塩酸を吸収して強い酸性になっていた。金属イオンは雨と共に海に流れ込み、中和されていった。このように、宇宙によって厳密に検証されている間に、地球自体は子供がかんしゃくを起こすのと同じように、粘性のマグマを噴出させ、激しい稲妻と塩酸の雨を生み出した。

ほとんどの子供は、愛情深い両親に育てられる。その保護的な愛情は、しばしば心温まる優しいものである。しかし、子供が立派な大人に育つためには、時には厳しい愛情も必要である。

太陽系の中で地球は、無数の方法で子を試す厳しい親によって育てられた。しかし、その一つ一つの試練は、生命があふれる惑星を生み出すために必要なプロセスの一部だった。

［語　句］

comparatively：比較的　　monoxide：一酸化炭素　　nitrogen：窒素　　eruption：噴火
tantrum：かんしゃく

現代文
英文
判断推理
空間把握
数的推理
資料解釈
政治
経済
法律

英文 内容合致

2020年度
基礎能力 No.8

次の英文の内容に合致するものとして最も妥当なものはどれか。

The Japanese are said to be skillful with their hands. Of course there is no rule without exceptions, but it is true that even an elementary school child knows how to make a crane or a helmet by folding paper. A foreigner who does not know anything about Origami at all would be impressed by what can be made out of a single piece of paper.

Simple Origami originated in the era of Prince Shôtoku-taishi (574-622) when the method of paper production was introduced to Japan by Tan Zhi (a Korean priest). Traditionally, the actions of 'break,' 'fold' and 'tie' were closely related to religion or ceremony. The ancient people developed certain rules for paper folding because such folded paper was used on formal and sacred occasions. In the Muromachi period (1333-1568), when the Shogun family established the official manners, the Ogasawara family and the Ise family established the rules for ceremonial ornaments (made of folded paper) and gift-wrapping. They declared that the rules should be passed on as a family secret only by certain select people.

It was important that the gift-giver wrap the gift in such a way that its contents could be easily guessed. So he had to wrap the gift to show the shape of the thing inside, or wrap it with an opening so that the receiver could see it before removing the wrapping. When the gift inside was very small, the giver needed to write the name and the quantity of the gift on the wrapping paper.

According to the textbook of manners for the Emperor's palace, 'The paper used for the gift must be of high quality and made of *Kôzo* (mulberry paper). 'And at a wedding or any other special and important occasions, it must be two-layered. First fold the left side and then the right side. When the gift is cash or another small article, also fold the top and bottom to the backside. When it is an unfortunate occasion such as a funeral, use only one sheet of paper, and the left side must go over the top of the right side.

From the time of the Muromachi period, the material used for letters was also called Origami. This Origami was folded once in the middle, and then sideways along its length. This style was used for certificates of experts' valuation of goods. The expression, '*Origami-tsuki*' (with Origami) derives this use, and it means, 'If a thing comes with Origami, you can trust it.'

（山本素子『日本の伝統文化 Understanding Cultural Treasures of Japan』より）

1 日本人の小学生ならば、誰もがおりがみで鶴や兜を作ることができる。

2 日本に初めておりがみを紹介し、広めたのは、聖徳太子だという説がある。

3 紙を折る行為は宗教や儀式と深くかかわっていたため、その方法は秘伝とされ、礼法を司る家の長男だけが教えられた。

4 贈り物をするときは、相手に中身がわからないように、紙を二重にして包むことが求められた。

5 専門家が書いた品物の価値を証明する手紙にもおりがみが使用されており、この使用方法が「折紙付き」という表現の語源となった。

解説　正解　5　　TAC生の正答率 72%

1　×　極端な表現の選択肢。第１段落「Of course there is no rule without exceptions, ...」に小学生でもおりがみ鶴や兜を折ることができることは述べられているが、「誰もが」とまでは述べていない。

2　×　聖徳太子が広めたわけではない。第２段落は、おりがみの歴史は、聖徳太子の頃にまでさかのぼることができると述べているだけある。

3　×　「礼法を司る家の長男だけ」という点が明らかに誤り。第２段落の末尾には、「選ばれた人だけ」となっており、長男とは限定していない。

4　×　「相手に中身がわからないように」という点が明らかに誤り。第３段落の冒頭「It was important that the gift-giver wrap the gift in such a way that its contents could be easily guessed.」には、中身が容易にわかるように包むことが大切だと述べられている。

5　○　本文末尾の内容と合致する。

[訳　文]

日本人は手先が器用だと言われています。もちろん例外のないルールはありませんが、小学生でも紙を折って鶴を作ったり、兜を作ったりすることができるのは事実です。おりがみのことを全く知らない外国人は、一枚の紙から作られるどんなものも印象深く感じます。

簡単なおりがみの起源は、聖徳太子（574～622）の時代に、韓国（高麗）の僧侶である曇徴が日本に紙の製法を伝えたのが始まりとされています。伝統的に「折る」、「畳む」、「結ぶ」という行為は、宗教や儀式と密接に関係していました。古代の人々は、正式な儀式や神聖な場で使用されていたため、紙の折り方にも一定のルールを発展させていきました。室町時代になると、将軍家が公的な作法を確立し、小笠原家と伊勢家が儀式の装飾品（おりがみ）や贈答品の包装の作法を定めました。この作法は、特定の選ばれた者だけが一族の秘密として受け継ぐべきものであると宣言しました。

受け手に贈答品の中身が推測できるように包むことが重要で、中に入っているものの形がわかるように包むか、中身が見えるように開口部を設けてから包む必要がありました。中身が非常に小さい場合、贈り主は包装紙に名前と数量を書く必要がありました。

宮中の作法書によると、「贈答品に使う紙は楮（桑紙）でできた上質なものでなければならない」とあります。また、結婚式などの特別で大切な時には、二重にしなければなりません。まず左側を折り、次に右側を折ります。贈答品が現金やその他の小物の場合は、上下を裏側にも折ります。葬儀などの不幸な場面では、紙は１枚だけにして、左辺は右辺の上にかぶせるようにします。

室町時代から手紙用として使われていたものは、折紙とも呼ばれていました。この折紙は、中央で一度折った後、長さに沿って横向きに折ったものです。この様式は、専門家による物品の鑑定書などに使われていました。「折紙付き」という表現は、この用途に由来しており、「折紙が付いているものは信頼できる」という意味があります。

[語　句]

a family secret：先祖代々の秘法　　occasion：式典　　certificate：証明・鑑定書

英文 空欄補充

次の英文中のA～Cの空欄に入る語句の組合せとして最も妥当なものはどれか。

The first Wednesday in every month was a Perfectly Awful Day — a day to be awaited with dread, endured with courage, and forgotten with haste. Every floor must be spotless, every chair （　A　）, and every bed without a wrinkle. Ninety-seven squirming little orphans must be scrubbed and combed and buttoned into freshly starched ginghams; and all ninety-seven reminded of their manners, and told to say 'Yes, sir,' 'No, sir,' whenever a trustee spoke.

It was a distressing time; and poor Jerusha Abbott, being the oldest orphan, had to bear the brunt of it. But this particular first Wednesday, like its predecessors, finally dragged itself to a close. Jerusha escaped from the （　B　） where she had been making sandwiches for the asylum's guests, and turned upstairs to accomplish her regular work. Her special care was room F, where eleven little tots, from four to seven, occupied eleven little cots set in a row. Jerusha assembled her charges, straightened their rumpled frocks, wiped their noses, and started them in an orderly and willing line toward the dining room to engage themselves for a blessed half hour with bread and milk and prune pudding.

Then she dropped down on the window seat and leaned throbbing temples against the cool glass. She had been on her （　C　） since five that morning doing everybody's bidding, scolded and hurried by a nervous matron. Mrs Lippett, behind the scenes, did not always maintain that calm and pompous dignity with which she faced an audience of trustees and lady visitors. Jerusha gazed out across a broad stretch of frozen lawn, beyond the tall iron paling that marked the confines of the asylum, down undulating ridges sprinkled with country estates, to the spires of the village rising from the midst of bare trees.

（Jean Webster, *Daddy-Long-Legs*より）

	A	B	C
1	aimless	chemistry	teeth
2	breathless	entry	way
3	careless	country	face
4	dustless	pantry	feet
5	useless	ministry	business

解説　正解　4　TAC生の正答率　45%

A「dustless（ほこりのない）」が該当する。空欄直前には全ての床を汚れのないようにすること、直後には全てのベッドのしわをなくすことが述べられている。椅子についても同様に考えればよい。「aimless（目的のない）」、「breathless（息苦しい）」、「careless（不注意な）」、「useless（役に立たない）」はいずれも文脈に合わない。

B「pantry（食糧庫、配膳室）」が該当する。空欄の一文は「ジェルーシャは保護施設の客のためにサンドイッチを作っていた（　B　）から逃げ出し」となっている。サンドイッチを作るところだと考えれば良い。「chemistry（化学）」、「entry（入場・加入）」、「country（国）」、「ministry（内閣）」はいずれも文脈に合わない。

C「feet」が該当する。「on one's feet」で「立ち通し、立ちっぱなし」という意味になる。空欄の一文は「今朝５時から」と述べているため、feetが最も妥当である。「teeth（歯）」、「on one's way（…の途中）」、「on one's face（恥をさらす）」、「business（仕事）」はいずれも文脈に合わない。

［訳　文］

毎月最初の水曜日は、完璧に最悪の日で、恐れながら待ち、勇気をもって耐え、急いで忘れる日であった。全ての床を汚れのないようにして、全ての椅子をほこりのないようにし、全てのベッドのしわをなくさなければならなかった。97人のじっとしていない小さな孤児たちの、体をごしごし磨いて、櫛でとかし、糊をつけたばかりのギンガムチェックの服を着せてボタンを留めなければならなかった。そして97人みなマナーを思い出し、理事から話しかけられたら必ず「はい、そうです」「いいえ、違います」と話すように言い聞かされた。

苦痛な時間であった。そして哀れなジェルーシャ・アボットは、最年長の孤児であり、その苛酷な局面に耐えなければならなかった。しかし、この異常な最初の水曜日もほかの月と同じようにやっと終わりに近づいていた。ジェルーシャは保護施設の客のためにサンドイッチを作っていたパントリーから逃げ出し、いつもの仕事を遂行するために上の階に行った。彼女が時に面倒を見ているＦ号室では、４歳から７歳までの11人の小さな子供たちが、11個の小さなベッドを並べて使っていた。ジェルーシャは子供たちを集め、しわくちゃのスモッグを整え、鼻を拭き、パンとミルクとプルーンプリンのありがたい30分を過ごすために、整然と進んでダイニングルームに向かうようにした。

それから彼女は窓際の席に腰を下ろし、冷たいグラスにズキズキするこめかみを押しあてた。彼女は今朝５時から立ちっぱなしで、神経質な寮母に叱られ急かされながら、みんなの指示に従っていた。リペット夫人は、評議員や女性訪問者の前でいつも冷静で尊大な威厳を保っていたが、裏ではいつもそうであるわけではなかった。ジェルーシャは広く凍った芝生の向こうを見渡した。保護施設の封じ込めるような高い鉄柵を越えて、屋敷が点在するうねるような尾根を下り、葉のない木々の間から村の尖塔がそびえているのを見渡した。

［語　句］

wrinkle：しわ　trustee：役員　brunt：矛先、重荷　asylum：保護施設
pompous：尊大な　dignity：威厳　confine：封じ込める

英文　空欄補充

次の英文中のA～Dの空欄に入る語句の組合せとして最も妥当なものはどれか。

We're living in an age when many activities that used to occur only during the day, like shopping and banking, now take（　A　）at any time of the day or night. But the technological advances that have made such a 24-7* society possible, have also deprived us（　B　）what we really need: a good night's sleep. And that really hurts young people.

Since the Industrial Revolution and the invention of the light bulb, modern society has experienced increasingly（　C　）hours of continuous wakefulness. According to sleep and alertness expert Mark Rosekind, that affects how well people can think and act.

Rosekind :

"2 hours（　D　）sleep than you need is enough to impair your performance as if you've been drinking 2 to 3 beers and had .05 blood alcohol level. So not getting enough sleep can impair your performance. At the other end, we know that getting the optimal sleep you need could boost your performance by as much as 30% ."

（DHC出版事業部編集部編『サイエンスレポートのリスニング　VOA科学ニュースの英語』より）

＊…24-7　いつも、四六時中

	A	B	C	D
1	part	of	short	little
2	part	from	long	less
3	place	at	short	more
4	place	of	long	less
5	care	from	every	little

解説　正解　4　TAC生の正答率 60%

A 「place」が該当する。「take place」は「起こる、行われる」という意味である。空欄の一文は「買い物や銀行など、かつては日中だけだった多くの行動が、今や昼夜を問わず（　A　）時代になった」である。「行われる」を当てはめることができるだろう。

B 「of」が該当する。「deprive A of B」は「AからBを奪う」という意味である。空欄の一文は「しかし、このような四六時中の社会を可能にした技術の進歩は、本当に必要なものである、良い夜の睡眠を私たちから奪ってしまった」である。「私たちから良い夜の睡眠を奪う」という表現を成りたたせるために、「of」を当てはめると良い。

C 「long」が該当する。空欄の一文は「産業革命と電球の発明以来、現代社会はますます連続した（　C　）覚醒時間を経験するようになった」である。良い睡眠が奪われていて、それが人に悪影響を与えることが前段落で述べられている。よって、起きている時間が長くなっているという表現にすればよい。

D 「less」が該当する。空欄の一文は「必要な睡眠時間より２時間（　D　）と、ビールを２～３本飲んで血中アルコール濃度が0.05になった時のように、パフォーマンスが損なわれる」である。本文では、睡眠が短いことによって悪影響があることを述べている。よって「less」が当てはまる。直後に「than」があるので、比較級の表現だと判断でき、「little」は当てはまらないことがわかる。

[訳　文]

買い物や銀行に行くことなど、かつては日中だけだった多くの行動が、今や昼夜を問わずいつでも行われる時代に私たちは生きている。しかし、このような四六時中の社会を可能にした技術の進歩は、本当に必要なものである、健康的な夜の睡眠を私たちから奪ってしまった。そしてそれは、若者たちに大きなダメージを与えている。

産業革命と電球の発明以来、現代社会はますます連続した長い覚醒時間を経験するようになった。睡眠と覚醒の専門家であるマーク・ローズカインドによれば、このことは、人々がいかにしっかりとした思考や行動ができるかに影響を及ぼしているという。

ローズカインド：

「必要な睡眠時間より２時間少ないと、ビールを２～３本飲んで血中アルコール濃度が0.05になった時のように、パフォーマンスが損なわれます。つまり、十分な睡眠がとれていないと、パフォーマンスが低下してしまいます。その一方で、必要な、最適な睡眠をとることで、パフォーマンスを30%も高めることができることがわかっています」

[語　句]

continuous：連続した、途切れることのない　　impair：低下させる、損なう

optimal：最適な

現代文 英文 判断推理 空間把握 数的推理 資料解釈 政治 経済 法律

英文 空欄補充

2021年度 基礎能力 No.9

次の英文中のA～Dの空欄に入る語句の組合せとして最も妥当なものはどれか。

Before a star explodes, it fuses elements, producing energy. Its massive gravity leads to the formation of oxygen, silicon, phosphorus, and calcium, making all the heavy elements until it reaches iron, a cosmic dead end. Fusing iron into even heavier elements does not produce energy（ A ）requires energy. The star has nothing to burn, so its iron core continues to collapse into itself under the force of its own gravity. The most massive stars collapse into black holes. But slightly smaller stars, with masses five to eight times the size of our sun, simply explode.

A supernova（ B ）less than fifteen seconds to complete. The explosion is so bright that a supernova from a single star can outshine an entire galaxy for months. It generates enough heat to create even heavier elements：mercury, gold, and silver.

（ C ）to the big bang theory, life on earth exists because of supernovae. The theory holds that all the elements heavier than oxygen were created in the past explosions of giant stars. The potassium in your banana did not have its beginnings on an island in the Caribbean. It（ D ）have been created a long time ago in a supernova.

(DAVID S. KIDDER & NOAH D. OPPENHEIM,
THE INTELLECTUAL DEVOTIONAL より)

	A	B	C	D
1	for	spends	As	shouldn't
2	but	takes	According	may
3	and	costs	Thanks	must
4	or	wastes	Due	cannot
5	except	consumes	Contrary	needn't

解説　正解　2

TAC生の正答率 85%

A 「but」が該当する。空欄の１文は「鉄をさらに重い元素に融合させることは、エネルギーを生み出すのではなく、（　A　）エネルギーを必要とする」となる。空欄Aの前後を見ると「エネルギーを生み出す」と「エネルギーを必要とする」という反対の内容が対比されていることがわかる。よって、「not A　but B（AでなくB）」にすればよいので、「but」が当てはまる。

B 「takes」が該当する。空欄の１文は「超新星爆発は15秒以下（　B　）完了する」という意味である。15秒という時間がかかることが示されているため、（時間が）かかると表現できる「takes」が当てはまる。less thanの否定形に合わせると「超新星爆発は15秒も（かからずに）完了する」と訳せる。

C 「According」が該当する。空欄の１文は「ビッグバン理論（　C　）、地球上の生命は超新星のおかげで存在していると考えられている」という意味である。「ビッグバン理論」が「地球上の生命は超新星のおかげで存在していると考えられている」ことの情報源となっていることがわかるので、それを表す「According to …（…によると）」にすればよい。「As to …」は「…に関して」、「Thanks to …」は「…のおかげで」、「Due to …」は「…の結果、…のため」、「Contrary to …」は「…とは反対に」という意味であり、いずれも当てはまらない。

D 「may」が該当する。空欄の１文は「大昔の超新星爆発で生まれた（　D　）」という意味である。空欄前の文から、超新星爆発で地球上のものが生まれたことが読み取れる。超新星爆発で生まれたことを否定する表現になってしまう**1**や**4**、**5**は当てはまらない。「may have been」で「…だったのかもしれない」となるため、「may」が最も妥当である。なお、「must have been（…だったに違いない）」でも意味は通じる。

[訳　文]

星は爆発する前に元素を融合させ、エネルギーを生み出す。巨大な重力によって、酸素、ケイ素、リン、カルシウムなどが生成され、宇宙の終着点である鉄にたどり着くまで、すべての重い元素が作られる。鉄をさらに重い元素に融合させることは、エネルギーを生み出すのではなく、反対にエネルギーを必要とする。星は燃やすものがないので、その星の鉄の核は自らの重力で崩壊し続ける。最も巨大な星は、ブラックホールの中に崩壊する。しかし、太陽の５～８倍の質量を持つ少し小さな星は、単に爆発するだけである。

超新星爆発は15秒もかからずに完了する。超新星の爆発は非常に明るく、１つの星の超新星が銀河全体を何か月も照らすこともある。それは、水銀、金、銀等、より重い元素を生み出すのに十分な熱を発する。

ビッグバン理論によると、地球上の生命は超新星のおかげで存在していると考えられている。この理論では、酸素よりも重い元素はすべて、過去に巨大な星が爆発したときに作られたと考えられている。バナナに含まれるカリウムは、カリブ海の島でできたわけではない。大昔の超新星爆発で生まれたのかもしれない。

[語　句]

silicon：ケイ素　phosphorus：リン　fuse：融合させる　mercury：水銀
potassium：カリウム

英文 空欄補充

2020年度 基礎能力 No.10

次の英文中のA～Dの空欄に入る語句の組合せとして最も妥当なものはどれか。

We have no idea what the job market will look like in 2050. It is generally agreed that machine learning and robotics will change almost every line of work — from producing yoghurt to teaching yoga. (A)、there are conflicting views about the nature of the change and its imminence. Some believe that within a mere decade or two, billions of people will become economically redundant. Others maintain that even in the long run automation will keep generating new jobs and greater prosperity for all.

So are we on the verge of a terrifying upheaval, or are such forecasts yet another example of ill-founded Luddite hysteria? It is hard to say. Fears that automation will create massive unemployment go back to the nineteenth century, and so far they have never materialised. (B) the beginning of the Industrial Revolution, for every job lost to a machine at least one new job was created, and the average standard of living has increased dramatically. Yet there are good reasons to think that this time it is different, and that machine learning will be a real game changer.

Humans have two types of abilities — physical and cognitive. In the past, machines competed with humans mainly in raw physical abilities, (C) humans retained an immense edge over machines in cognition. Hence as manual jobs in agriculture and industry were automated, new service jobs emerged that required the kind of cognitive skills only humans possessed: learning, analysing, communicating and above all understanding human emotions. However, AI is now beginning to outperform humans in more and more of these skills, including in the understanding of human emotions. We don't know of any third field of activity — beyond the physical and the cognitive — (D) humans will always retain a secure edge.

(Yuval Noah Harari, 21 Lessons for the 21st Centuryより)

	A	B	C	D
1	However	Since	while	where
2	Consequently	In	throughout	why
3	Because	From	during	that
4	Therefore	At	meanwhile	which
5	Though	For	until	when

解説　正解　1

TAC生の正答率 48%

A 「However」が該当する。空欄Aの直前「It is generally agreed that ...」は、「機械学習とロボット工学が、ヨーグルトの製造からヨガの指導まで、ほぼすべての仕事のラインを変えるだろうということは、一般的には一致している」という内容である。空欄の一文は「(A) この変化の本質とその切迫した深刻さについては、意見が対立している」となっており、対比的になっているので、逆接表現を選べばよい。「Consequently（その結果）」、「Because（なぜなら）」、「Therefore（それゆえ）」は全て当てはまらない。「Though（けれども）」は当てはめることができる。

B 「Since」が該当する。空欄の一文は「産業革命が始まって（B）、機械によって失われた仕事ごとに、少なくとも１つの新しい仕事が生まれ、平均的な生活水準は劇的に上昇した」となっている。現状を含めた内容になっているので、「…以来」を意味する「since」が当てはまる。「In」、「At」、「For」だと「産業革命の初期に」という意味になる。「From」は一応当てはまる。

C 「while」が該当する。空欄の一文は「過去には、生身の身体能力を中心に機械が人間と競合していた（C）、認知能力では人間が機械に圧倒的な優位性を保っていた」という意味である。Cの前後で対比する内容になっていて、かつカンマが直前にあるので、「しかし一方で」という意味を持つ「while」を当てはめればよい。「throughout（…のはじめから終わりまで）」、「during（…の間）」、「meanwhile（…と…の間）」、「until（…まで）」はいずれも文脈的におかしい。

D 「where」が該当する。選択肢からDには関係詞が当てはまることがわかる。先行詞「third field」に当てはまるものを考えると、「where」を選択することができる。

［訳　文］

2050年に雇用市場がどうなっているか、私たちには想像もつかない。だが、機械学習とロボット工学によって、ヨーグルトの製造からヨガの指導まで、ほぼすべての種類の仕事が変化するだろうことに関しては、みんなの意見がおおむね一致している。とはいえ、その変化がどのような性質のものかや、どれほど差し迫っているかについては、見方が分かれる。わずか10年あるいは20年のうちに何十億もの人が、経済的な意味で余剰人員となると考えている人もいる。逆に、長期的に見ても、自動化は新たな雇用を生み出しながら、全員におおいなる繁栄をもたらし続けると主張する人もいる。

というわけで、私たちはぞっとするような大変動の瀬戸際にいるのか、それとも、そのような予想もまた、ろくな根拠のない機械化反対のヒステリーの再来なのか、いったいどちらだろう？　自動化が大量失業をもたらすという恐れは19世紀にさかのぼるが、これまでのところ、現実になってはいない。産業革命が始まって以来、機械に一つ仕事が奪われるたびに、新しい仕事が少なくとも一つ誕生し、平均的な生活水準は劇的に上昇してきた。それにもかかわらず、今回は違い、機械学習が本当に現状を根本から覆すだろうと考える、もっともな理由がある。

人間には二種類の能力がある。身体的な能力と認知的な能力だ。過去には機械は主にあくまで身体的な能力の面で人間と競い合い、人間は認知的な能力の面では圧倒的な優位を維持していた。だから、農業と工業で肉体労働が自動化されるなかで、人間だけが持っている種類の認知的技能、すなわち学習や分析、意思の疎通、そして何より人間の情動の理解を必要とする新しいサービス業の仕事が出現した。ところが今や人工知能（AI）が、人間の情動の理解を含め、こうした技能のしだいに多くで人間を凌ぎ始めている。人間がいつまでもしっかりと優位を保ち続けられるような、（身体的な分野と認知的な分野以外の）第三の分野を、私たちは知らない。

［語　句］

game changer：試合の流れを一気に変えてしまう選手　　cognitive：認識の
immense：計り知れない　　edge：優位性　　cognition：認知力

英文　文章整序

次の文章Aと文章Gの間に、B～Fの文章を並べ替えてつなげると意味の通る文章となる。その順序として最も妥当なものはどれか。

A　When you want to let someone know he has dropped something, or you want him to notice that you want to talk to him, or when you're meeting someone and approaching him from behind, tap the person on his shoulder two or three times to make him aware of your presence or to request his attention.

B　Here is a joke that was once popular.

C　As he does so your finger touches his cheeks.

D　You tap a person's shoulder with your index finger pointing towards his cheek; he turns his face towards you.

E　The same thing is done when you want to point something out to him, for example, "Look over there !"

F　You would tap the person on his shoulder before saying what you have to say.

G　"Ouch !" he says, and you both chuckle over it.

（ハミル・アキ『日本人のしぐさ』より）

1　D→E→C→B→F

2　E→F→B→D→C

3　E→B→F→C→D

4　F→E→D→C→B

5　F→D→E→B→C

解説　　正解　**2**　　TAC生の正答率 50%

まず、ペアになりそうな内容を探していくとよい。同じようなことについて述べているのが、C、Dである。相手の頬に人差し指を向けることについて述べている。Cは「彼の頬にあなたの指が触れる」ことを述べている。その状態になる前の段階を説明しているのが、D「あなたが人差し指を彼の頬に向けて、その人（彼）の肩をたたく。そして彼があなたの方に振り向く」である。よってD→Cとなる。また、頬に人差し指が当たった後の展開はG「『痛い！』と彼が言って、お互いにくすくすと笑う」である。D→C→末尾Gとなるので、この段階で**2**に絞りこむことができる。

また、Eは「例えば『あれを見て！』というように何かを指し示す時にも同じことをする」という意味である。相手に気付かせるためにすることを考えると、相手の肩をたたくことである。よって、冒頭Aの内容である相手に気付いてもらうために2、3回肩をたたくことにつながるので、冒頭A→Eとなる。やはり**2**が妥当である。

[訳　文]

A　ある人が何かを落としたことを知らせたい時、その人に話がしたいということを気づかせたい時、ある人に会って背後から近づく時、あなたの存在に気づかせたり、注意を向けてほしいことに気づかせるのに、2、3回その人の肩を軽くたたいてみなさい。

E　例えば「あれを見て！」というように何かを指し示す時にも同じことをするでしょう。

F　あなたが言いたいことを言う前に、その人の肩をたたくでしょう。

B　ここに一時期人気になったジョークがある。

D　あなたが人差し指を彼の頬に向けて、その人（彼）の肩をたたく。そして彼があなたの方に振り向く。

C　そうすると、彼の頬にあなたの指が触れる。

G「痛い！」と彼が言って、お互いにくすくすと笑う。

[語　句]

index finger：人差し指　　chuckle：くすくすと笑う

判断推理 | 集合

X大学とY大学の２つの大学からなるサークル内で、運転免許の取得状況について調査をした結果、次のア～エのことがわかった。

ア　サークルのメンバーは男女合計で90人であった。
イ　男子学生は48人であり、うち免許を取得している者は16人であった。
ウ　X大学の男子学生で免許を取得していない者の数は、Y大学の女子学生で免許を取得している者より７人多く、Y大学の女子学生で免許を取得していない者の半分であった。
エ　X大学の女子学生の数は、Y大学の男子学生で免許を取得していない者より５人少なかった。

このとき、Y大学の女子学生で免許を取得している者は何人か。

1　３人

2　４人

3　５人

4　６人

5　７人

解説　正解　2

TAC生の正答率 82%

条件ウより、Y大学の女子学生で免許を取得している者をa[人]とおくと、X大学の男子学生で免許を取得していない者は$(a+7)$[人]、Y大学の女子学生で免許を取得していない者は$2(a+7)$[人]と表すことができる。また、条件エより、Y大学の男子学生で免許を取得していない者をb[人]とおくと、X大学の女子学生は$(b-5)$[人]と表すことができる。これらの数値と条件アおよびイをキャロル表に整理すると表１（免許を取得している：○、取得していない：×）のようになる。

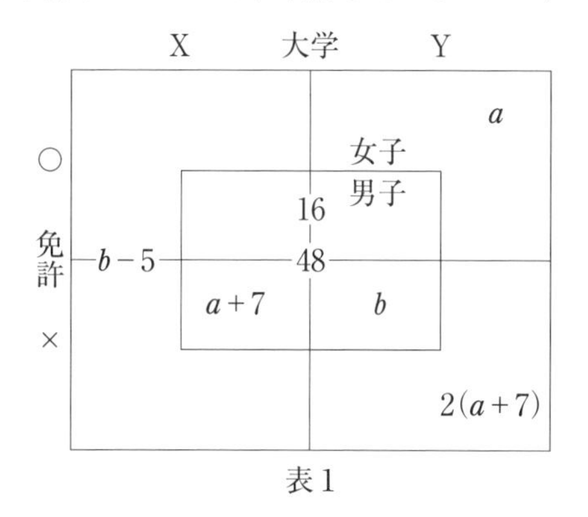

表１

表１より、男子学生で免許を取得していない者は$48-16=32$[人]である。また、女子学生は$90-48=42$[人]であるので、Y大学の女子学生は、$42-(b-5)=47-b$[人]である。これらの数値を表１に加えると表２となる。

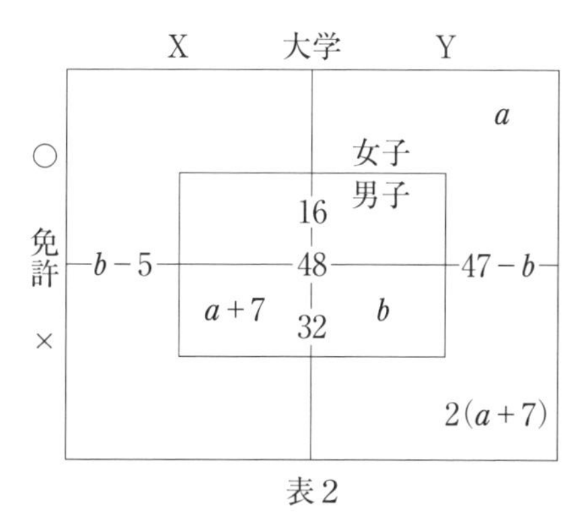

表２

表２より、$a+7+b=32 \Leftrightarrow a+b=25$…①、$a+2(a+7)=47-b \Leftrightarrow 3a+b=33$…②が成り立ち、連立すると、$a=4$、$b=21$となる。

Y大学の女子学生で免許を取得している者は４人であるので、正解は**2**である。

現代文
英文
判断推理
空間把握
数的推理
資料解釈
政治
経済
法律

判断推理　集合

2020年度
基礎能力 No.12

100人の外国人旅行者（以下、「旅行者」とする）を対象として、日本で寿司、カレーライス及びラーメンを食べたことがあるかについての調査を行ったところ、次の結果が得られた。

ア　寿司、カレーライス及びラーメンのうちいずれも食べたことがない旅行者は10人である。
イ　寿司またはラーメンを食べたことがある旅行者は85人である。
ウ　寿司を食べたことがある旅行者は55人である。
エ　ラーメンとカレーライスの両方を食べたことがある旅行者は８人である。
オ　寿司、カレーライス及びラーメンを全て食べたことがある旅行者は３人である。

このとき、ラーメンのみを食べたことがある旅行者の数として正しいものはどれか。

1　15人

2　18人

3　22人

4　25人

5　28人

解説　　正解　4

TAC生の正答率　73%

条件をベン図で整理する。条件アから条件オまでを書き入れると、図１のようになる。なお、太線内に条件イの85人がいることになる。

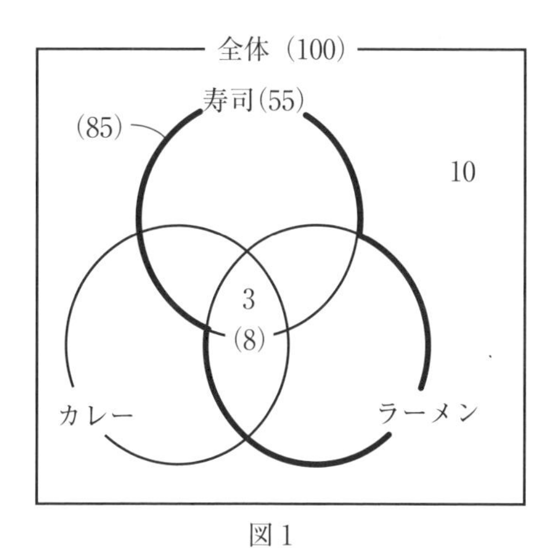

図１

図１より、カレーライスとラーメンの２つのみを食べたことがあるのは8－3＝5[人]である。また、条件イの85人が全体８エリア中６エリアを占めていることを利用すると、カレーライスのみ食べたことがあるのは100－(85＋10)＝5[人]となる（図２）。さらに、寿司を食べたことがある55人が条件イの６エリア中４エリアを占めていることを利用すると、ラーメンのみ食べたことがあるのは85－(55＋5)＝25[人]となる（図３）。

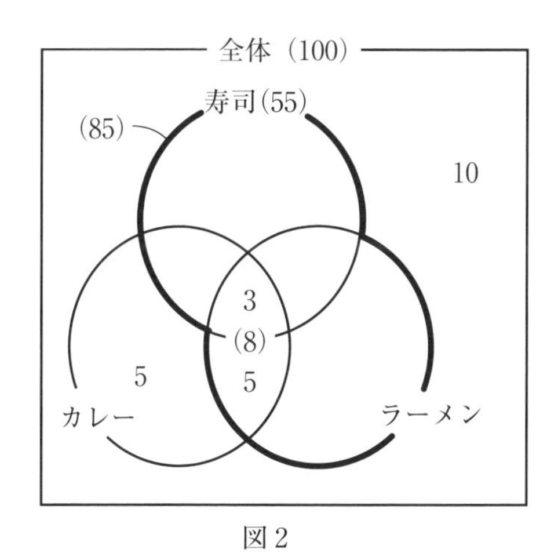

図２

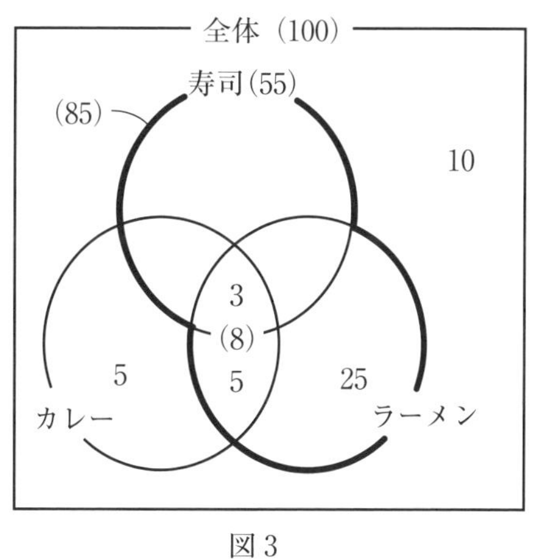

図３

よって、正解は**4**である。

判断推理 | 命題

2023年度
基礎能力 No.11

次のＡ～Ｃの３つの命題からＤの命題が導かれるとするとき、Ｃに当てはまる命題として最も妥当なものは次のうちどれか。

Ａ　温泉が好きな人は旅も好きである。
Ｂ　魚が好きでないか、または冬が好きでない人は海も好きでない。
Ｃ　（　　　　　　　　　　　　　　）
Ｄ　海が好きなら旅も好きである。

1　温泉が好きな人は魚も好きである。

2　温泉が好きでない人は魚が好きである。

3　温泉が好きでない人は冬も好きでない。

4　冬が好きな人は魚も好きである。

5　冬が好きでない人は温泉も好きでない。

解 説　正解　3

TAC生の正答率　82%

命題Ａ、Ｂを記号化し、Ｂについては並列化し、それぞれの命題の対偶を取ると、次のようになる。

	命題	対偶
Ａ	温泉→旅…①	$\overline{\text{旅}}$→$\overline{\text{温泉}}$
Ｂ	$\overline{\text{魚}}$∨$\overline{\text{冬}}$→$\overline{\text{海}}$	
	$\overline{\text{魚}}$→$\overline{\text{海}}$	海→魚…②
	$\overline{\text{冬}}$→$\overline{\text{海}}$	海→冬…③

命題Ｄ「海→旅」を導くためには、②または③で始まり、①で終わればよい。そのためには、②または③と①をつなぐ命題である「魚→温泉」または「冬→温泉」、さらには、それぞれの命題の対偶である「$\overline{\text{温泉}}$→$\overline{\text{魚}}$」または「$\overline{\text{温泉}}$→$\overline{\text{冬}}$」のいずれか１つがあればよい。

このことから選択肢を確認すると、**3**が「$\overline{\text{温泉}}$→$\overline{\text{冬}}$」であるので、この命題がＣとなる。

よって、正解は**3**である。

2つの要素AとBからなる集合を考えたとき、同値になる組合せとして正しいものはどれか。ただし、A^Cは要素Aの補集合、B^Cは要素Bの補集合を表すものとする。

1 $(A \cup B)^C \Leftrightarrow B^C \cup A^C$

2 $(A \cap B)^C \Leftrightarrow A \cup B$

3 $A \cap B^C \Leftrightarrow A^C \cap B$

4 $A \cap B \Leftrightarrow A^C \cup B^C$

5 $A^C \cap B^C \Leftrightarrow (A \cup B)^C$

解説　正解　5

TAC生の正答率　64%

「Aの補集合」とは、「Aの集合に含まれない部分」という意味である。次のベン図においては、Aに含まれるのが（①＋②）の部分になるので、Aの補集合にあたるのは、（③＋④）ということになる。

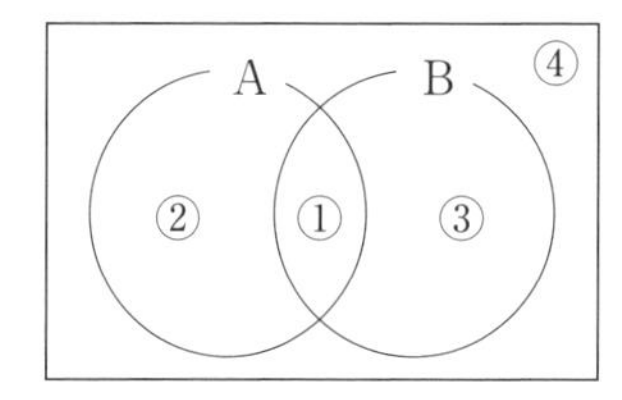

1 ×　$(A \cup B)^C$＝(①＋②＋③)^C＝④、$B^C \cup A^C$＝(②＋④)∪(③＋④)＝②＋③＋④となるので、$(A \cup B)^C \neq B^C \cup A^C$である。

2 ×　$(A \cap B)^C$＝①^C＝②＋③＋④、$A \cup B$＝①＋②＋③となるので、$(A \cap B)^C \neq A \cup B$である。

3 ×　$A \cap B^C$＝(①＋②)∩(②＋④)＝②、$A^C \cap B$＝(③＋④)∩(①＋③)＝③となるので、$A \cap B^C \neq A^C \cap B$である。

4 ×　$A \cap B$＝①、$A^C \cup B^C$＝(③＋④)∪(②＋④)＝②＋③＋④となるので、$A \cap B \neq A^C \cup B^C$である。

5 ○　$A^C \cap B^C$＝(③＋④)∩(②＋④)＝④、$(A \cup B)^C$＝(①＋②＋③)^C＝④となるので、$A^C \cap B^C = (A \cup B)^C$である。

判断推理 命題

2022年度
基礎能力 No.11

ある公園の広場を観察したところ、次のア～オのことがわかった。このとき、論理的に確実にいえるものはどれか。

ア　広場には、座っている人と立っている人がいる（そのどちらにも属さない人はいない）。
イ　話をしている人は、全員立っている。
ウ　立っている人の中に、何かを食べている人はいない。
エ　何かを食べている人は、全員帽子をかぶっている。
オ　帽子をかぶっている人の中には、立っている人もいる。

1　何かを食べている人の中に、話をしている人はいない。

2　帽子をかぶっていない人は、全員立っている。

3　帽子をかぶっている人の中に、話をしている人がいる。

4　話をしながら何かを食べている人がいる。

5　座っている人は、全員何かを食べている。

解説　正解　1

TAC生の正答率 83%

条件イ、ウ、エ、オをベン図で表すと、次のようになる（「立」＝立っている人、「話」＝話をしている人、「食」＝何かを食べている人、「帽」＝帽子をかぶっている人）。条件アより、$\overline{\text{立っている人}}$＝座っている人となる。

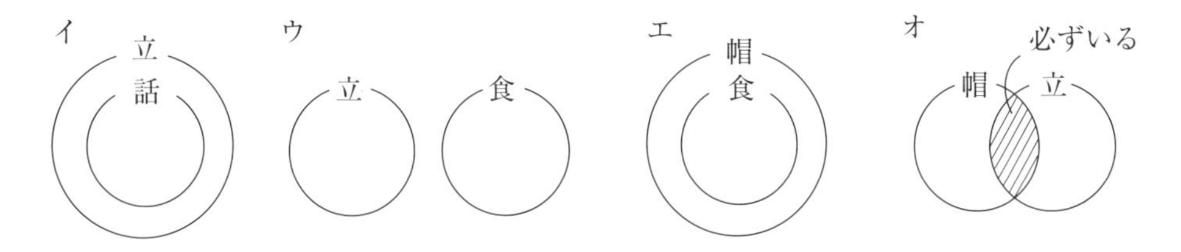

イ～オのベン図をまとめると、次のようになる。

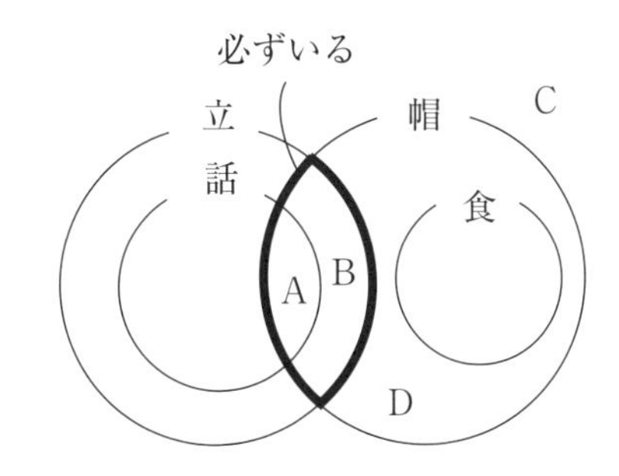

このベン図をもとに、選択肢を検討する。

1　○　ベン図より、食→$\overline{\text{話}}$は確実に言える。

2　×　Cの部分に存在する可能性があるので不適となる。

3　×　Aの部分に確実にいるとは言えないので不適となる。

4　×　話∧食は交わっていないので存在しない。

5　×　C、Dの部分に存在する可能性があるので不適となる。

判断推理　対応関係

A、B、C、D、Eの５人は、赤、青、黄、黒、白のうちいずれか１枚の異なるカードを持っている。５人全員が自分の持っているカードを自分以外の他者に送り、また自分も他者からカードを受け取った。さらに、次のア～エのことがわかっている。

ア　Bは青のカードを送ることも受け取ることもなかった。
イ　CはBにカードを送り、Dが送った相手からカードを受け取った。
ウ　Dは黒のカードを送ったが、赤のカードは受け取っていない。
エ　Eが送ったカードは青ではない。Eが受け取ったカードは白だった。

カードを送った相手からはカードを受け取っていないとすると、Aについて正しくいえるのは次のうちどれか。

1　AはCに青のカードを送った。

2　AはDに黄のカードを送った。

3　AはEに白のカードを送った。

4　AはEから白のカードを受け取った。

5　AはBが送った相手から受け取った。

解説　**正解　1**　TAC生の正答率　83%

5人全員が自分の持っている1枚のカードを自分以外の他者に送り、また、自分も他者からカードを受け取る。そして、カードを送った相手からはカードを受け取っていないという条件であるので、5人の関係は図1（矢印の元：カードを送った人、矢印の先：カードを受け取った人）のようになる。

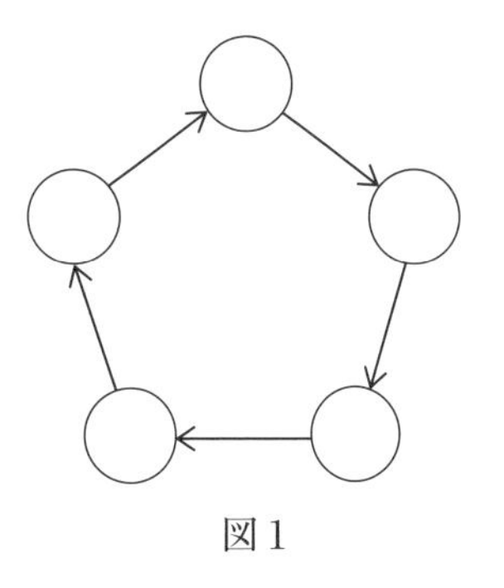
図1

条件イを図1に整理すると図2のようになり、条件アおよびウを図2に加えると図3のようになる。

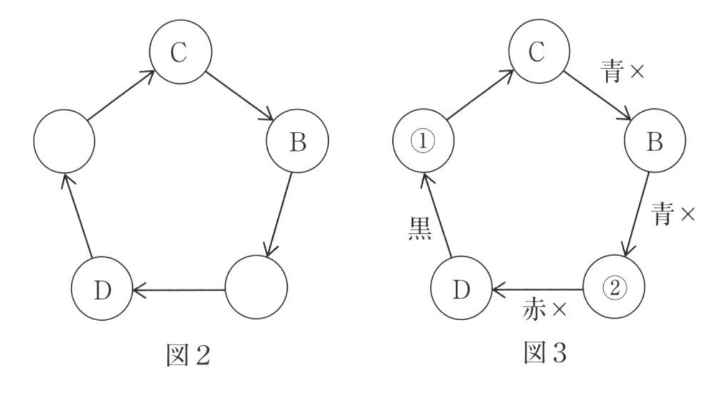

図2　図3

条件エを考えると、Eが受け取ったカードは白であるので、図3より、Eは①ではなく②となる。よって、①がAとなり、C、B、Eは青のカードを送っておらず、また、Dは黒のカードを送っているので、青のカードを送ったのはAとわかる（図4）。図4より、Eが送ったカードは赤ではないので、黄とわかり、このことからCが送ったカードは赤となる（図5）。

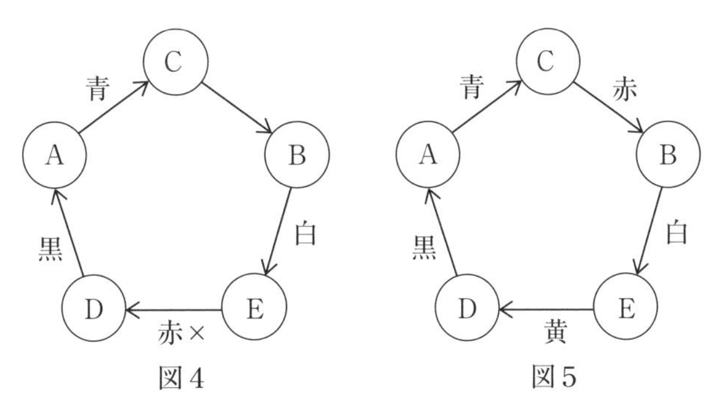

図4　図5

よって、正解は**1**である。

判断推理　対応関係

A、B、C、D、E、Fの６人は小学校１年生から６年生で、６人の年齢は異なるが、６人とも誕生日は10月31日である。

次のア～オのことがわかっているとき、Cは何年生か。ただし、うるう年は４年に一度あるものとする。

ア　６人の誕生した年の10月31日の曜日はすべて異なっていたが、火曜日はなかった。
イ　Aは６年生で、Aの誕生した年の10月31日は日曜日であった。
ウ　BはFより学年が２つ下である。
エ　Dの誕生した年は、元日と大みそかの曜日が異なっていた。
オ　Eの誕生した年の10月31日は土曜日であった。

1　１年生

2　２年生

3　３年生

4　４年生

5　５年生

解説　正解 2　TAC生の正答率 35%

うるう年以外の年の10月31日に生まれた者は、１つ前の年の10月31日に生まれた者から365日後に生まれることになる。１週間＝７日ごとに同じ曜日が巡って来るため、365÷7＝52…1より、１つ前の年に生まれた者より誕生日の曜日が１つ後（１つ前の年の10月31日に生まれた者の誕生日が月曜日であれば、火曜日）にずれることになる。これに対し、うるう年の10月31日に生まれた者は、１つ前の年の10月31日に生まれた者から366日後に生まれることになる。したがって、366÷7＝52…2より、１つ前の年に生まれた者より誕生日の曜日が２つ後（１つ前の年の10月31日に生まれた者の誕生日が月曜日であれば、水曜日）にずれることになる。

条件アより、６人の誕生日がすべて異なり、しかも火曜日の者がいないのであれば、日、月、水、木、金、土のパターンになるので、誕生日が水曜日の者が、うるう年に生まれた者に決まる。条件エについて、うるう年以外の年は、大みそかは元日の364日後であり、364÷7＝52…0より、元日と大みそかの曜日が一致する。よって、元日と大みそかの曜日が異なる年に生まれたＤがうるう年に生まれ、誕生日が水曜日の者に決まる。条件イより、誕生日が日曜日のＡが６年生、条件オより、誕生日が土曜日のＥが１年生に決まり、表１のようになる。

表１

学年	6	5	4	3	2	1
人物	A		D			E
誕生日	日	月	水	木	金	土

条件ウより、ＢはＦより学年が２つ下になるので、Ｆが５年生、Ｂが３年生となり、残ったＣは２年生に決まる（表２）。

表２

学年	6	5	4	3	2	1
人物	A	F	D	B	C	E
誕生日	日	月	水	木	金	土

したがって、表２より正解は**2**である。

リーグ戦

A、B、C、D、Eの5チームが、各チームが1回ずつ対戦する総当たり戦方式で野球の試合を行った。次のア～エのことがわかっているとき、確実にいえるものはどれか。

ア　勝つと3点、引き分けは1点、負けると0点が与えられる。
イ　Aの得点は7点、Bの得点は6点、Eの得点は10点であった。
ウ　AとDは引き分けだった。
エ　引き分けた試合が2試合以上のチームはなかった。

1　BはCに負けた。

2　CはEと引き分けた。

3　DはCに勝った。

4　AはEに勝った。

5　EはDと引き分けた。

解説　正解　**2**　TAC生の正答率 92%

条件イより、Aは7点だから$7=3\times2+1\times1$で2勝1分1敗、Eは10点だから$10=3\times3+1\times1$で3勝1分0敗となり、また、条件エより、各チームとも引き分けた試合は1試合以下なので、Bは6点だから$6=3\times2$で2勝0分2敗となる。さらに、条件ウより、AとDは引き分けており、条件エよりDの引分数は1試合となる（表1）。

表1	A	B	C	D	E	勝	分	敗	点
A	＼			△		2	1	1	7
B		＼				2	0	2	6
C			＼						
D	△			＼			1		
E					＼	3	1	0	10

EはAとの試合において、勝ちか引き分けのどちらかであるが、AはDと引き分けているので、EはAに勝ったことになる。同様に、Dとの試合においては、DはAと引き分けているので、EはDに勝ったことになり、Bとの試合においても、Bは引き分けがないので、EはBに勝ったことになる（表2）。

表2	A	B	C	D	E	勝	分	敗	点
A	＼			△	×	2	1	1	7
B		＼			×	2	0	2	6
C			＼						
D	△			＼	×		1		
E	○	○		○	＼	3	1	0	10

表2より、AはB、Cに勝っており、EはCと引き分けたことになる。さらに、Aに負けているBはC、Dに勝っていることになる（表3）。CとDの試合でどちらが勝ったのかは不明である。

表3	A	B	C	D	E	勝	分	敗	点
A	＼	○	○	△	×	2	1	1	7
B	×	＼	○	○	×	2	0	2	6
C	×	×	＼		△		1		
D	△	×		＼	×		1		
E	○	○	△	○	＼	3	1	0	10

よって、表3より、正解は**2**である。

判断推理　リーグ戦

2020年度
基礎能力 No.15

A、B、C、D、Eの５チームがラグビーのリーグ戦を行った。毎日５チームのうちの４チームが試合を行い、残る１チームは試合がないものとして、５日間で全ての試合を行った。

・Aは１日目にDと戦い、３日目は試合がなかった。
・Cは２日目にBに負け、３日目もあるチームに負けた。
・４日目にBとDはそれぞれ別のチームと対戦した。
・５日目、EはDに勝てば優勝が決まるところであったが、Dに負けて優勝を逃した。

その結果、どこのチームも引き分けはなく、同順位（同じ勝敗数）のチームもなかったとすると、正しくいえるのは次のどれか。

1　１日目、AはDに勝った。

2　２日目、Eは試合がなかった。

3　３日目、BはEに負けた。

4　４日目、Cは試合がなかった。

5　５日目、AはCと対戦した。

解説　正解　5

TAC生の正答率　72%

リーグ表を作って整理するが、まず対戦日程から考える。1つ目、2つ目、4つ目の条件を表に入れると、表1のようになる（数字は対戦日）。

表1	A	B	C	D	E	試合なし
A				1		3
B			2			
C		2				
D	1				5	
E				5		

3つ目の条件と表1より、Dが4日目に戦ったのはCとなる。2つ目の条件について、Aは3日目に試合がなかったから、Cが3日目に戦ったのはEである。Aは1日目にDと戦っているから、AとCが戦ったのは5日目で、Cは1日目に試合なしとなる（表2）。Bは2日目にCと戦っているから、BとDが戦ったのは3日目で、Dは2日目に試合なしとなる。Eは5日目にDと戦っているから、Eの試合がなかったのは4日目で、Bの試合がなかったのは5日目となる。残りの試合は、AとBが4日目、AとEが2日目、BとEが1日目に戦ったことになる（表3）。なお、この時点で正解は**5**である。

表2	A	B	C	D	E	試合なし
A			5	1		3
B			2			
C	5	2		4	3	1
D	1		4		5	
E			3	5		

表3	A	B	C	D	E	試合なし
A		4	5	1	2	3
B	4		2	3	1	5
C	5	2		4	3	1
D	1	3	4		5	2
E	2	1	3	5		4

次に、勝敗を表にする。4つ目の条件について、引き分けと同順位がないことから、5チームの成績は4勝0敗、3勝1敗、2勝2敗、1勝3敗、0勝4敗であり、5日目は3勝0敗どうしのDとEが戦ったことになる。これと2つ目の条件を表にすると、表4のようになる。これ以上のことはわからず、A、B、Cの勝敗については、①Aが2勝2敗、Bが1勝3敗、Cが0勝4敗、②Aが1勝3敗、Bが2勝2敗、Cが0勝4敗、③Aが0勝4敗、Bが2勝2敗、Cが1勝3敗、の3通りの可能性がある。

表4	A		B		C		D		E		勝敗
A			4		5		1	×	2	×	
B	4				2	○	3	×	1	×	
C	5		2	×			4	×	3	×	
D	1	○	3	○	4	○			5	○	4－0
E	2	○	1	○	3	○	5	×			3－1
											10－10

判断推理　トーナメント戦

A、B、C、D、E、F、G、H、Iの9人が剣道のトーナメント大会に出場し、抽選の結果、下図のような対戦組合せになった。A～Dは図に示されているとおりで、①、②、③、④、⑤にはE～Iのいずれかが入る。以下の5人の発言のうち1人だけがウソをついているとき、正しくいえるものはどれか。

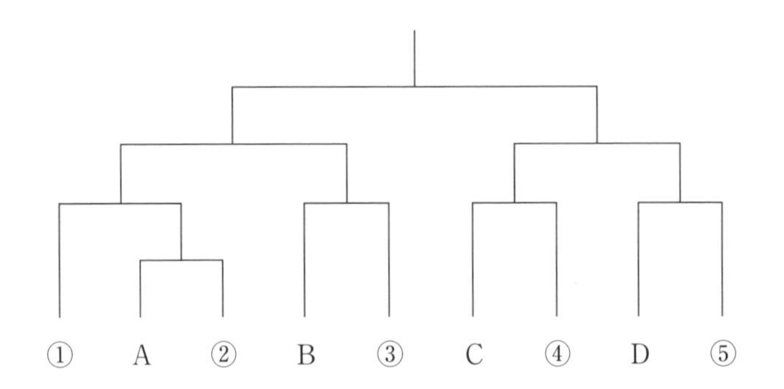

A「私は2回戦でFに負けてしまった」
C「私は1試合だけ勝った」
D「私は1試合だけ勝った」
E「組合せが決まった段階で、私は準決勝でHと、決勝でIと対戦する可能性があった」
G「私は決勝でDと対戦した」

1　Aは決勝戦で負けた。

2　Bは2回戦で負けた。

3　Cはウソをついている。

4　EはCとHに勝った。

5　Fは1試合だけ勝った。

解説　正解　5

TAC生の正答率　85%

Dと G の発言に着目する。Dが正しい発言をしている場合、決勝でDと対戦したと言っているGの発言はウソになり、Gが正しい発言をしている場合、1試合だけ勝ったと言っているDの発言はウソになる。よって、DとGのどちらかがウソをついていることになり、A、C、Eは正しい発言をしていることになる。Aの発言より、①＝Fとなり、勝ち上がりの線を描くと表1のようになる。Dの発言が正しい場合、Dは1試合だけ勝ったことになるが、正しい発言をしているCも1試合だけ勝っているので、右ブロックの準決勝で勝者がいなくなってしまう。よって、Dの発言がウソとなり、Gは正しい発言をしていることになる。Gの発言より、GがDと決勝で対戦するので、③＝Gとなり、勝ち上がりの線を描くと表2のようになる。

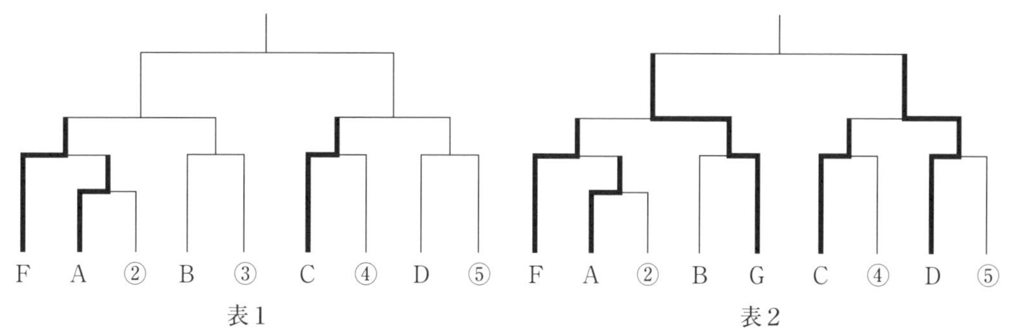

表1　　表2

Eの発言より、Eは準決勝でHと、決勝でIと対戦する可能性があったということは、EとHは同じブロックであり、EとIは異なるブロックということである。よって、②＝Iとなり、残るEとHの位置は確定しない（表3）。

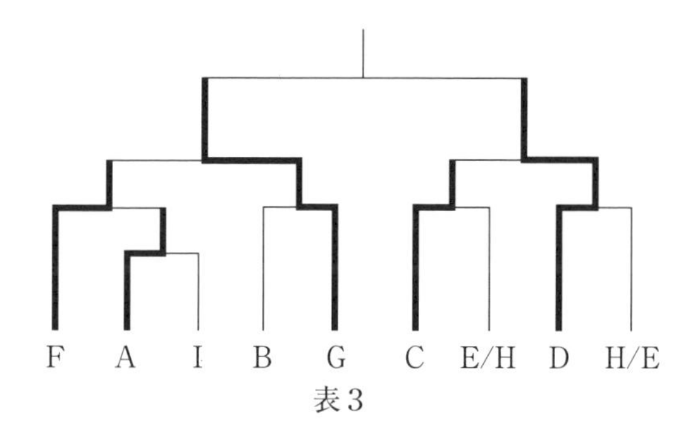

表3

したがって、表3より正解は**5**である。なお、**5**が明らかに正解であるから、**2**の「Bは2回戦で負けた」は「Bは2試合目で負けた」と捉えるしかない。

判断推理　数量推理

最初にある２桁または３桁の自然数Aを与え、各位の数に１を加えた数の積を求めるという操作を繰り返すと、最後は１桁の数になるという仮説を立てた。

例えば、$A=317$とすると、Aの各位の数に１を加えた数の積は$4\times2\times8=64$となる。さらに、この数を操作すると$7\times5=35$になり、同様の操作を繰り返すと、（例１）のとおり最後は６となる。また、$A=466$とすると、（例２）のとおり、途中の90は$10\times1=10$となり、最後は$2\times1=2$となる。

（例１）317→64→35→24→15→12→6

（例２）466→245→90→10→2

ところが、操作の途中で２桁の数Nになったままで、１桁の数にならない場合があることがわかった。この場合、Nになる直前の数は何通りあるか（ただし、Nそのものは含まない)。

1　４通り

2　６通り

3　８通り

4　12通り

5　14通り

解説　正解　5

TAC生の正答率　10%

この問題における2桁の数を$N=10a+b$とする。ただし、aは首位である十の位の数であり、$a=1$、2、…、9のいずれかの数を表し、bは一の位の数であり、$b=0$、1、2、…、9のいずれかの数を表す。各位の数に1を加えた数の積がNのままということは、$N=(a+1)\times(b+1)$であり、$(a+1)\times(b+1)=10a+b$が成り立つ。これを整理すれば、$a(9-b)=1$となる。掛けて1になる2つの自然数は$(a,\ 9-b)=(1,\ 1)$のみであるので、$a=1$、$b=8$である。したがって、$N=18$である。

Nになる直前の数Mが2桁の場合、Mの十の位がx、一の位がyであるとすると、xは1～9、yは1～9の整数（…①）になる。18になるので、$(x+1)\times(y+1)=18$が成り立つ。掛けて18になる2つの自然数で①を満たすものは、$(x+1,\ y+1)=(2,\ 9)$、$(9,\ 2)$、$(3,\ 6)$、$(6,\ 3)$であるから、$(x,\ y)=(1,\ 8)$、$(8,\ 1)$、$(2,\ 5)$、$(5,\ 2)$となるが、$(x,\ y)=(1,\ 8)$のときはMがNそのものの18になってしまうので、これを除くと、2桁のMは81、25、52の3通りが考えられる。

さらに、Nになる直前の数Mが3桁の場合、Mの百の位がx、十の位がy、一の位がzであるとすると、xは1～9、yは0～9、zは0～9の整数（…②）になる。18になるので、$(x+1)\times(y+1)\times(z+1)=18$が成り立つ。掛けて18になる3つの自然数で②を満たすものは、$(x+1,\ y+1,\ z+1)=(2,\ 3,\ 3)$、$(3,\ 2,\ 3)$、$(3,\ 3,\ 2)$、$(2,\ 1,\ 9)$、$(2,\ 9,\ 1)$、$(9,\ 1,\ 2)$、$(9,\ 2,\ 1)$、$(3,\ 1,\ 6)$、$(3,\ 6,\ 1)$、$(6,\ 1,\ 3)$、$(6,\ 3,\ 1)$であるから、$(x,\ y,\ z)$を$M$が2桁のときと同様に求めれば、$M=122$、212、221、108、180、801、810、205、250、502、520となり、3桁のMは11通りが考えられる。

よって、Nになる直前の数Mは、2桁と3桁の場合をあわせて$3+11=14$[通り]の場合が考えられるため、正解は**5**である。

判断推理　数量推理

2021年度 基礎能力 No.17

9枚のカードがあり、表面に2～10までの数字がそれぞれ書かれている。この9枚のカードを3枚ずつに分け、A、B、Cの3人に配った。3人が次のように述べているとき、確実にいえるものはどれか。

A 「私が持っている3枚のカードの和は、偶数である。」
B 「私が持っている3枚のカードの積は、奇数である。」
C 「私が持っている3枚のカードの和は、13である。また、3枚のカードの積は3の倍数であるが、9の倍数ではない。」

1　Aは6のカードを持っている。

2　Bは3のカードを持っている。

3　Bは7のカードを持っている。

4　Cは5のカードを持っている。

5　Cは8のカードを持っている。

解説　正解　3

TAC生の正答率 80%

Cの発言より、Cの3枚のカードの積は3の倍数になる必要があるが、そのためには最低1枚は3の倍数の数字が含まれている必要がある。2～10の中で3の倍数の数字は3、6、9だけだが、Cの発言より、Cの3枚のカードの積は9の倍数ではないので、9が含まれておらず、3と6が2枚とも含まれても（3の倍数）×（3の倍数）=（9の倍数）となる。よって、Cの3枚のカードには3か6のどちらか1枚だけが含まれていることがわかる。

(i)　Cが3のカードを持っている場合

Cの3枚のカードの和は13で、3以外の残り2枚のカードの和は13－3=10である。残っているカードの中で和が10となるのは（2，8）と（4，6）の2通りがあるが、Cは6を持っていないので残る2枚は2、8となる。残っているカードの数字は4、5、6、7、9、10だが、Bの3枚のカードの積は奇数で、3枚とも奇数でなければならないから、Bのカードは5、7、9となり、Aのカードは残った4、6、10となる。

表1

A	4	6	10
B	5	7	9
C	2	3	8

(ii)　Cが6のカードを持っている場合

Cの3枚のカードの和は13で、6以外の残り2枚のカードの和は13－6=7である。残っているカードの中で和が7となるのは（2，5）と（3，4）の2通りがあるが、Cは3を持っていないので残る2枚は2、5となる。残っているカードの数字は3、4、7、8、9、10だが、Bの3枚のカードの積は奇数で、3枚とも奇数でなければならないから、Bのカードは3、7、9となり、Aのカードは残った4、8、10となる（表2）。

表2

A	4	8	10
B	3	7	9
C	2	5	6

表1、表2より、正解は**3**である。

判断推理　順序関係

A、B、C、Dの４人は、身長も体重も年齢もすべて異なっており、次のア、イのことがわかっている。

ア　最年長はAであり、最も体重が重いのはBである。
イ　最年少のCは、Dよりも体重は軽いが身長は高い。

４人を身長の高い順、体重の重い順、年齢の高い順にそれぞれ並べたとき、各人の身長、体重、年齢において同じ順位はない（例えば、身長が一番高い者が、体重も一番重いということはない）とすると、正しくいえるのは次のうちどれか。

1　Aは、３番目に身長が高い。

2　Bは、Dより若い。

3　Cは、２番目に体重が重い。

4　Dは、２番目に体重が軽い。

5　Cは、最も身長が高い。

解説　正解　5

TAC生の正答率 88%

身長は高い方から、体重は重い方から、年齢は高い方から順に1、2、3、4位と順位をつけると、条件アおよび条件イの前半より、表1のようになる。

表1	1	2	3	4
身長				
体重	B			
年齢	A			C

条件イの「CはDよりも体重が軽い」を考える。Cの体重は3位または4位であるが、身長、体重、年齢において同じ順位はないため、Cの体重が4位はあり得ない。よって、Cの体重は3位となるので、Dの体重が2位、Aの体重が4位となる（表2）。

表2	1	2	3	4
身長				
体重	B	D	C	A
年齢	A			C

また、身長、体重、年齢において同じ順位はないため、身長の1位はCかDのどちらかになるが、条件イの「CはDよりも身長が高い」ので、Dは身長で1位になれない。よって、身長の最も高い者はCとなり、この時点で正解は**5**である。

Dの身長は3位または4位であるので、場合分けして考える。

(i)　Dの身長が3位の場合（表3）

身長の4位はBとなるので、身長の2位はAである。しかし、Dの年齢は2位または3位となり、いずれにおいても体重と年齢または身長と年齢において同じ順位となり、条件に矛盾する。

表3	1	2	3	4
身長	C		D	
体重	B	D	C	A
年齢	A			C

表4	1	2	3	4
身長	C	A	D	B
体重	B	D	C	A
年齢	A			C

(ii)　Dの身長が4位の場合（表5）

年齢の3位はDとなるので、年齢の2位はBである。よって、身長の2位、3がそれぞれA、Bとなる（表6）。

表5	1	2	3	4
身長	C			D
体重	B	D	C	A
年齢	A			C

表6	1	2	3	4
身長	C	A	B	D
体重	B	D	C	A
年齢	A	B	D	C

判断推理　順序関係

A、B、C、D、Eの５人が前を向いて横一列に座っている。以下は、異なる５人の発言である。

ア　メガネをかけている人は、私の左隣に座っている。
イ　私の右隣にはCが座っている。
ウ　私から右に３番目にはAが座っている。
エ　私の左隣にはB、Bから左に２番目にCが座っている。
オ　私の左隣にはDが座っている。

５人のうち１人だけがメガネをかけているとしたら、それは誰か。

1　A

2　B

3　C

4　D

5　E

解説　正解　3　　TAC生の正答率　87%

条件イ＋エ、ウ、オを表に整理すると、表1、2、3のようになる。

	C		B	
イ				エ

表1

			A
ウ			

表2

D	
	オ

表3

表1の中に表2のウが入るのはCの下しかなく、表3のオが入るのはBの下しかないので、表4のようになり、残るアとEを入れると表5のようになる。

	C	D	B	A
イ	ウ		オ	エ

表4

E	C	D	B	A
イ	ウ	ア	オ	エ

表5

アの発言（Dの発言）より、Cがメガネをかけていることがわかる。

よって、正解は**3**である。

判断推理　順序関係

A、B、C、D、E、Fの6人が折り返し地点で同じコースを引き返すマラソン競走をした。6人は異なる順で折り返し地点を折り返し、その後の順位変動はなかった。折り返しの状況について、次のア～オのことがわかっているとき、確実にいえるものはどれか。

ア　Aは4人目にFとすれ違った。
イ　Bは5人目にDとすれ違った。
ウ　Cは2人目にEとすれ違った。
エ　Eは2位ではなかった。
オ　BとCの順位は連続していなかった。

1　Aは1位であった。

2　Bは2位であった。

3　CはAより遅く、Bより早くゴールした。

4　Dは5位であった。

5　EはCより遅く、Bより早くゴールした。

解説　正解　**5**　TAC生の正答率　77%

「Xがn人目にYとすれ違った」場合、XがYより後を走っていた場合は、n人目にすれ違ったYは前からn人目（＝n位）にいることになり、XがYより前を走っていた場合は、Xを除いてYは前からn人目で、Yの前にいるXを含めると、Yは前から$n+1$人目（＝$n+1$位）にいることになる。

条件ウより、Cが２人目にすれ違ったＥは２位か３位となるが、条件エよりＥは２位でないから３位となり、これによりＣは１位か２位（①）となる。

また、条件アより、「Ｆは４位、Ａは５位または６位」（②）、「Ｆは５位、Ａは１位～４位のいずれか」（③）、のどちらかになる。

さらに、条件イより、「Ｄは５位、Ｂは６位」（④）、「Ｄは６位」（⑤）、のどちらかになるが、④の場合、②ではＡがＢ、Ｄのどちらかと同順位になり、③ではＤとＦが同順位となるので矛盾する。よって、⑤のＤは６位とわかる。

表1	1位	2位	3位	4位	5位	6位
			E			D

表１と①、および②または③のいずれかを満たすことを考慮し、Ａ、Ｂ、Ｃ、Ｆの４人の順位を考えると表２の６通りの可能性がある。

表2	1位	2位	3位	4位	5位	6位
Ⅰ	C	B	E	F	A	D
Ⅱ	C	A	E	B	F	D
Ⅲ	C	B	E	A	F	D
Ⅳ	B	C	E	F	A	D
Ⅴ	A	C	E	B	F	D
Ⅵ	B	C	E	A	F	D

表２の６通りのうち、条件オを満たすのはⅡとⅤの２通りである（表３）。

表3	1位	2位	3位	4位	5位	6位
Ⅱ	C	A	E	B	F	D
Ⅴ	A	C	E	B	F	D

したがって、表３より、正解は**5**である。

判断推理　発言

2023年度
基礎能力 No.16

A、B、Cの３人がじゃんけんをしたら、１回目はあいこになり、２回目は１人だけが勝った。各人は次のように発言した。

A「Bは１回目も２回目もグーを出した。」
B「Cは１回目にチョキを出し、２回目にグーを出した。」
C「Aは１回目にグーを出し、２回目にパーを出した。」

２回目に勝った者だけが１回目についても２回目についても本当のことを言い、それ以外の者は常にウソを言っているとすると、確実にいえるのは次のうちどれか。

1　Aは１回目にグー、２回目にパーを出した。

2　Bは１回目にチョキ、２回目にパーを出した。

3　Cは１回目にチョキ、２回目にグーを出した。

4　１回目は３人とも違う手を出した。

5　２回目はAとCが同じ手を出した。

解説　正解　2　TAC生の正答率 56%

２回目に勝った１人だけが本当のことを言っているのだから、この１人が誰かで場合分けをして検討していく。

(i)　Aが２回目に勝った場合

Aの発言は本当になるので、Bが１、２回目ともに「グー」を出したことがわかる。Bは２回目に「グー」を出してAに負けたことから、Aが「パー」を出して一人勝ちとなり、Cも２回目では「グー」を出して負けたことになる。このとき、Bの発言の後半部分の「Cは…、２回目にグーを出した」という部分が本当になってしまい、２回目に勝ったA以外の者が常にウソを言っているという条件に反する。したがって、この場合は不適である。

(ii)　Bが２回目に勝った場合

Bの発言は本当になるので、Cは１回目に「チョキ」を出し、２回目に「グー」を出したことがわかる。２回目はBの一人勝ちであるため、２回目に「パー」を出して勝ち、Aは２回目に「グー」を出して負けたことがわかる（表１）。AとCは常にウソを言っていなければならないが、Aの「Bは２回目にグーを出した」という部分と、Cの「Aは２回目にパーを出した」という部分はウソになり、ここまで矛盾はない。

さらに、Aの「Bは１回目にグーを出した」という部分と、Cの「Aは１回目にグーを出した」という部分がウソにならないといけない。１回目はあいこであることを考えると、AとBがCと同じチョキを出したことになり、これで条件に矛盾はない（表２）。

表1	A	B	C
1回目			チョキ
2回目	グー	パー	グー

表2	A	B	C
1回目	チョキ	チョキ	チョキ
2回目	グー	パー	グー

(iii)　Cが２回目に勝った場合

Cの発言は本当になるので、Aは１回目に「グー」を出し、２回目に「パー」を出したことがわかる。２回目はCの一人勝ちであるため、２回目に「チョキ」を出して勝ち、Bは２回目に「パー」を出して負けたことがわかる（表３）。AとBは常にウソを言っていなければならないが、Aの「Bは２回目にグーを出した」という部分と、Bの「Cは２回目にグーを出した」という部分はウソになり、ここまで矛盾はない。

さらに、Aの「Bは１回目にグーを出した」という部分と、Bの「Cは１回目にチョキを出した」という部分がウソにならないといけない。１回目はあいこであることを考えると、Bがチョキ、Cがパーを出したことになり、これで条件に矛盾はない（表４）。

表3	A	B	C
1回目	グー		
2回目	パー	パー	チョキ

表4	A	B	C
1回目	グー	チョキ	パー
2回目	パー	パー	チョキ

よって、正解は**2**である。

判断推理　発言

2023年度
基礎能力 No.18

A、B、C、Dの４人が前を向いて横一列に立っており、４人のうちの１人だけが帽子をかぶっている。以下は、異なる４人の発言である。

ア「私の右隣はBです。」
イ「私の右隣はDです。」
ウ「私の２人左がDです。」
エ「私の左隣の人が帽子をかぶっています。」

このとき、確実にいえるのは次のうちどれか。

1　Aは端にいる。

2　AとBは隣り合っている。

3　Bは帽子をかぶっていない。

4　CとDは隣り合っている。

5　Dは帽子をかぶっている。

解説　正解　3　　TAC生の正答率 85%

図のように、左から右に①～④の順に並んでいるとする。

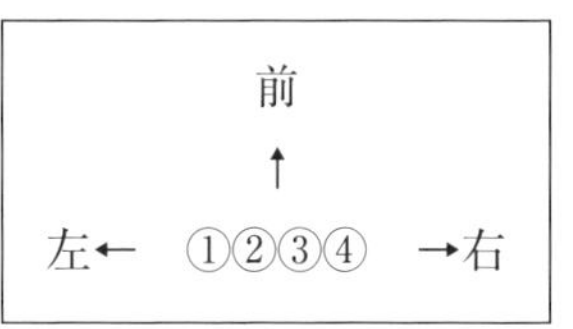

まず、イ、ウの発言より、イの右隣はD、ウの２人左がDであることから、①がイ、②がD、④がウになる（表１）。

①	②	③	④
イ			ウ
	D		

表１

表１より、アの位置は②か③のどちらかになるので、これで場合分けする。

(i)　アが②のとき（表２）

アの発言より、残った③がエになり、エの発言より、②のDが帽子をかぶっていることになる（表３）。①と④がAとCのどちらかになるが、これ以上はわからない（表４）。

①	②	③	④
イ	ア		ウ
	D	B	

表２

①	②	③	④
イ	ア	エ	ウ
	D	B	
	帽		

表３

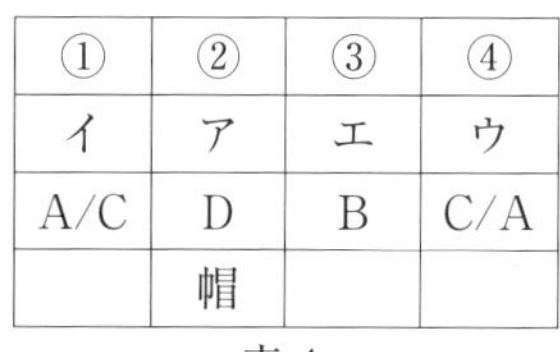

①	②	③	④
イ	ア	エ	ウ
A/C	D	B	C/A
	帽		

表４

(ii)　アが③のとき（表５）

アの発言より、残った②がエになり、エの発言より、①のイが帽子をかぶっていることになる（表６）。①と③がAとCのどちらかになるが、これ以上はわからない（表７）。

①	②	③	④
イ		ア	ウ
	D		B

表５

①	②	③	④
イ	エ	ア	ウ
	D		B
帽			

表６

①	②	③	④
イ	エ	ア	ウ
A/C	D	C/A	B
帽			

表７

よって、表４および表７より正解は**3**である。

判断推理　発言

A、B、C、D、Eの５人がある競争をし、１位から５位の順位が付いた。

A「私は１位ではありません」
B「Cは２位ではありません」
C「私は３位ではありません」
D「私は４位でした」
E「私は５位ではありません」

３位～５位の３人はみなウソをついている。１位と２位の２人は本当のことを言っているのかウソをついているのか不明である。このとき、Dは何位であったか。

1　１位

2　２位

3　３位

4　４位

5　５位

解説　正解　3

TAC生の正答率 72%

場合分けをして考える。

(i)　Aが本当のことを言っている場合

Aは本当のことを言っており、かつ、1位ではないから、Aは2位である。これにより、Bは本当のことを言っていることになるから、Bは1位である。残る3人は3位、4位、5位のいずれかでいずれもウソをついていることになる。よって、Cの発言よりCは3位、Dの発言よりDは4位以外、Eの発言よりEは5位となるが、この場合、Dに当てはまる順位がないので不適である。

(ii)　Aがウソをついている場合

Aはウソをついており、Aは1位である。ここからさらに場合分けをする。

(ii)−①　Bが本当のことを言っている場合

Bは本当のことを言っているので、Bは2位である。残る3人は3位、4位、5位のいずれかでいずれもウソをついていることになる。これは(i)と同様の状況となり、Dに当てはまる順位がないので不適である。

(ii)−②　Bがウソをついている場合

Bはウソをついているので、Cは2位である。DとEは3位以下となりいずれもウソをついていることになる。よって、Eの発言よりEは5位、Dの発言よりDは4位ではないから3位となり、残るBは4位となる。

よって、正解は**3**である。

判断推理　操作手順

2022年度
基礎能力 No.12

一桁の整数Aが、ある規則に従うと下のように次々と変化をし、Cのところで循環する（ループになっている）。このとき、A+C+Eの値の１の位の数として正しいものはどれか。

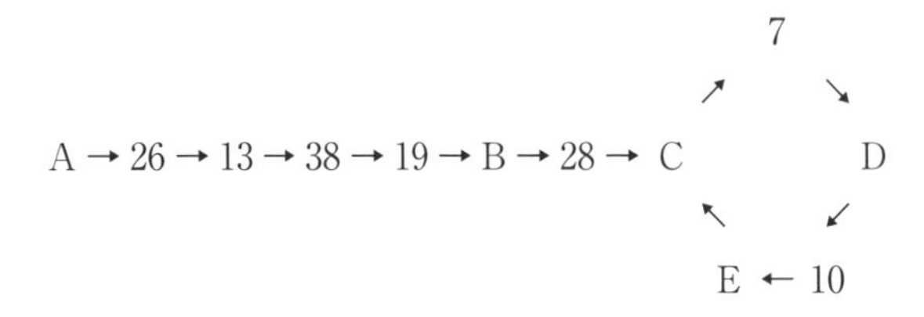

1　1

2　2

3　4

4　6

5　8

解説　正解　5

TAC生の正答率　18%

「26→13」、「38→19」の部分は、２で割ると次の数字になっている。また、この間にはさまれている「13→38」は、３倍して１を引くと次の数字になっていると推測できる。よって、「偶数なら２で割る」、「奇数なら３倍して１を引く」として考える。

Aが偶数の場合、２で割って26となっているので、A＝26×2＝52となるが、Aは一桁の整数という条件に反する。よって、Aは奇数となり、３倍して１を引いて26となっているので、3A－1＝26となり、計算するとA＝9となる。Bについて、19は奇数であるから、19×3－1＝56となるので、B＝56となる。Cについて、28は偶数であるから、28÷2＝14となるので、C＝14となる。Dについて、７は奇数であるから、7×3－1＝20となるので、D＝20となる。Eについて、10は偶数であるから、10÷2＝5となるので、E＝5となる。５は奇数であるから、5×3－1＝14となるので、C＝14となり、先ほど求めたCの値と一致する。

したがって、A+C+E＝9+14+5＝28となり、１の位の数字は８となるので、正解は**5**である。

判断推理　操作手順

2021年度
基礎能力 No.13

以下のルールに従ってゲームを行う。

ア　サイコロが1つと、中が見えない外見の同じ4つのカップがある。
イ　ディーラーは、カップを伏せた状態で横一列に並べ、プレイヤーに見えないように4つのカップのうちのどれか1つにサイコロを隠す。
ウ　プレイヤーは4つのカップのうち、サイコロが入っていると思われるカップを1つ開ける。
エ　サイコロが入っていたときは、「当たり」となってゲームが終了する。
オ　当たらなければゲームが続き、ディーラーはプレイヤーに見えないようにサイコロを隣にあるカップに移し、プレイヤーはサイコロが入っていると思われるカップを1つ開ける。

このゲームで、確実に「当たり」になるまでにプレイヤーがカップを開ける最少の回数として、正しいものはどれか。

1　2回

2　3回

3　4回

4　5回

5　6回

解説　正解　3

TAC生の正答率　47%

4つのカップを左端から順にA、B、C、Dと名付ける。

1回目はBのカップを開ける。「当たり」でなかった場合、サイコロはA、C、Dのどれかに入っていたことになる。プレイヤーが2回目にカップを開ける前に、ディーラーはサイコロを隣のカップに移動させるため、Aに入っていた場合はBに、Cに入っていた場合はBかDに、Dに入っていた場合はCに移動することになる。よって、2回目ではB、C、Dのいずれかに入っていることになる。

2回目はCのカップを開ける。「当たり」でなかった場合、サイコロはB、Dのどちらかに入っていたことになる。プレイヤーが3回目にカップを開ける前に、ディーラーはサイコロを隣のカップに移動させるため、Bに入っていた場合はAかCに、Dに入っていた場合はCに移動することになる。よって、3回目ではAかCのどちらかに入っていることになる。

3回目はCのカップを開ける。「当たり」でなかった場合、サイコロはAに入っていたことになる。プレイヤーが4回目にカップを開ける前に、ディーラーはサイコロを隣のカップに移動させるため、4回目ではBに入っていることになる。

4回目はBのカップを開けると「当たり」となる。

以上より、4回で確実に「当たり」となるので、正解は**3**である。

次の図はあみだくじを表している。図Ⅰにおいて、上のAを選んだ者は下のAに、上のBを選んだ者は下のBに、上のCを選んだ者は下のCにたどり着くように横線を引いてある。図Ⅱにおいても同様に、上のA、B、C、D、Eを選んだ者が、それぞれ下のA、B、C、D、Eにたどり着くようにするために必要となる横線の最少本数として正しいものはどれか。

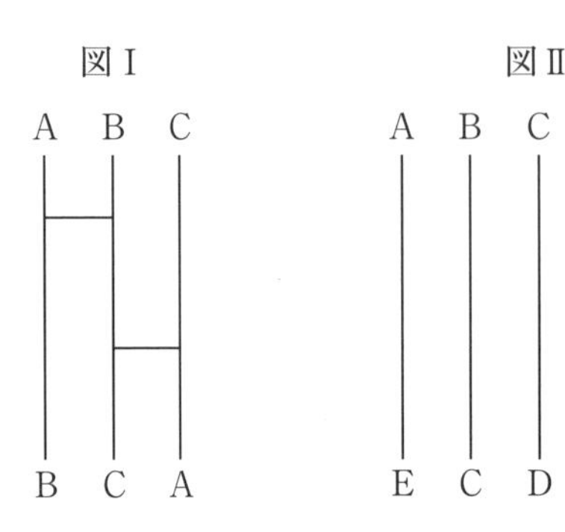

1 5本

2 6本

3 7本

4 8本

5 9本

解説　　正解　4　　TAC生の正答率 75%

図Ⅱにおける５本の縦線を左から順に①、②、③、④、⑤とする。上のＥを選んだ者が下のＥにたどり着くには、⑤→④、④→③、③→②、②→①と移動する必要があるので、最少で４本の横線が必要となる（図１）。

上のＢを選んだ者が下のＢにたどり着くには、②→③、③→④、④→⑤と移動する必要があり、すでに引かれている③－④間の横線を利用しても、最少で２本の横線の追加が必要となる（図２）。

上のＡを選んだ者が下のＡにたどり着くには、①→②、②→③、③→④と移動する必要があり、すでに引かれている②－③間の横線を利用しても、最少で２本の横線の追加が必要となる（図３）。

この段階で上のＣ、Ｄを選んだ者は、それぞれ下のＣ、Ｄの位置に移動しているのでこれ以上横線を追加する必要はない。

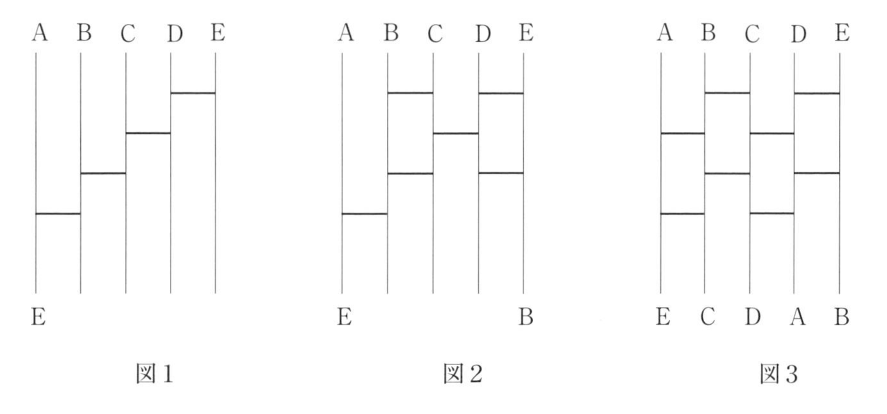

図１　　図２　　図３

したがって、最少で８本必要なので、正解は**4**である。

空間把握　正多面体

2023年度
基礎能力 No.19

正八面体Aの各辺の３等分点をとり、それらを結んで正八面体のすべての頂点の部分を切り取ると、正六角形と正方形の面を持つ図のような立体Ｂ（切頂八面体）ができる。この立体Ｂについて正しくいえるのは次のうちどれか。

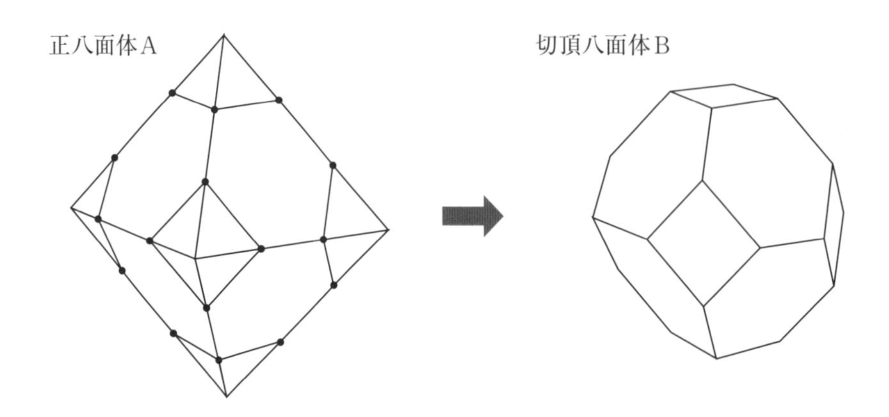

1　平行な面は８組である。

2　頂点の数は36である。

3　辺の数は48である。

4　(面の数)＋(頂点の数)－(辺の数)＝1が成り立つ。

5　ＡとＢの体積の比は９：８である。

解説　正解　5　TAC生の正答率 56%

正八面体には正三角形の面が８枚、辺が12本、頂点が６個ある。各辺の３等分点をとり、それらを結んですべての頂点の部分を切り取って切頂八面体にすることにより、各部分がどう変化するかを調べる。

正三角形の面は正六角形になるため、正六角形の面が８枚できる。

元の正八面体の辺は３分の１の長さへと短くはなるが、12本とも残存する。

元の頂点はすべてなくなるが、その部分すべてに切断面として正方形ができるため、正方形の面が６枚できる。

したがって、切頂八面体の面全体の枚数は、正六角形と正方形の8＋6＝14[枚]となる。

頂点の数は、正方形の面の頂点をすべて数えればよく、4×6＝24[個]となる。

辺の数は、正方形の辺すべてに、３分の１の長さになった元の辺の残存したものを加えればよく、4×6＋12＝36[本]となる。これらをもとに各選択肢を検討する。

1　×　14枚の面が２枚１組ずつ平行になるため、平行な面は14÷2＝7[組]である。

2　×　前述したように、頂点の数は24個である。

3　×　前述したように、辺の数は36本になる。

4　×　オイラーの多面体定理より、すべての多面体において「(面の数)＋(頂点の数)－(辺の数)＝2」が成り立つので、誤りである。実際、問題の切頂八面体において具体的に調べると、(面の数)＋(頂点の数)－(辺の数)＝14＋24－36＝2となり、やはり１にはならない。

5　○　正八面体Aの各頂点から切り取る立体は正四角すい（以下「ア」とする）である。また、Aを上下で半分に切断すれば、合同な２つの正四角すい（以下「イ」とする）になるが、アとイは相似になる。切頂八面体Bは、Aの各辺の３等分点で切ったため、アは、イに比べ各辺の長さが３分の１になっており、アはイに比べて体積は $\left(\frac{1}{3}\right)^3=\frac{1}{27}$[倍]になる。イがAの$\frac{1}{2}$の体積であるため、アはAの$\frac{1}{2}\times\frac{1}{27}=\frac{1}{54}$の体積になる。

したがって、Aの体積を１とすると、Bは、Aからアを６個切り取った立体であるため、Bの体積はAの体積の$1-\frac{1}{54}\times 6=\frac{8}{9}$となる。よって、AとBの体積比は$1:\frac{8}{9}=9:8$になる。

空間把握　立体の切断

2022年度
基礎能力 No.20

下の図のように、立方体６個を積み重ねた立体を３点Ａ、Ｂ、Ｃを通る平面で切断した。このときの状況として、正しくいえるものはどれか。

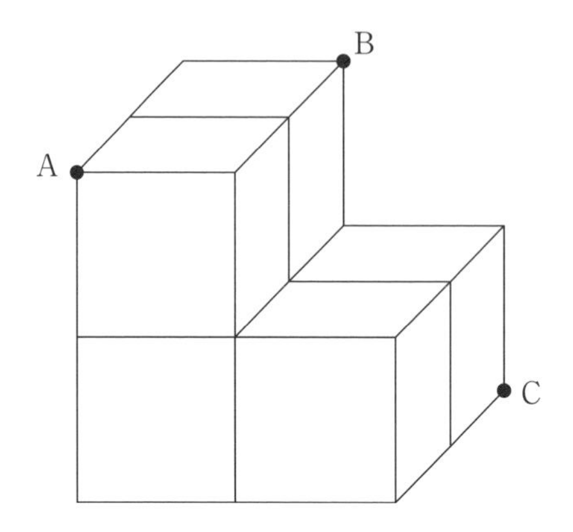

1　６個の立方体がすべて切断される。

2　切断される立方体は４個である。

3　切り口がひし形になる立方体は２個である。

4　切り口が正三角形になる立方体は２個である。

5　切り口が二等辺三角形になる立方体は２個である。

解説　正解　3

TAC生の正答率 33%

AとBは同一平面上にあるので、直線で結ぶ。BとCも同一平面上にあるので、直線で結ぶ。BからCは、下に2つ右に1つの割合になっているので、Dの位置は立方体の一辺の半分となる。Dを通りABに平行な直線を引き、交点をそれぞれE、Fとおく。Cを通りABに平行な直線を引き、交点をGとおく（図1）。Eを通りDCに平行な直線を引き、交点をそれぞれH、Iとおく。A、F、Gは同一直線上にあるので、直線で結ぶ。B、E、Gは同一直線上にあるので、直線で結ぶ（図2）。

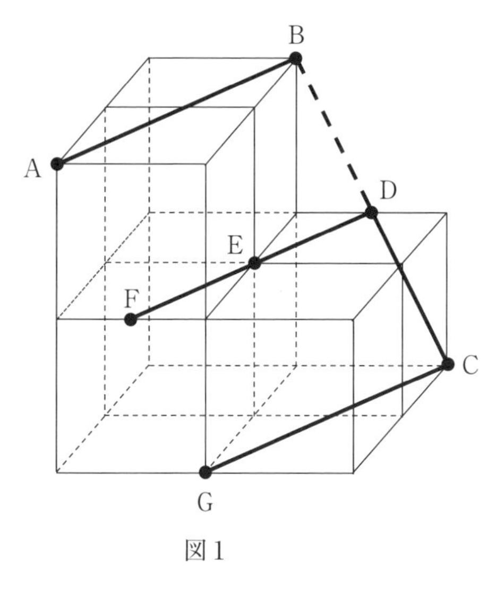

図1

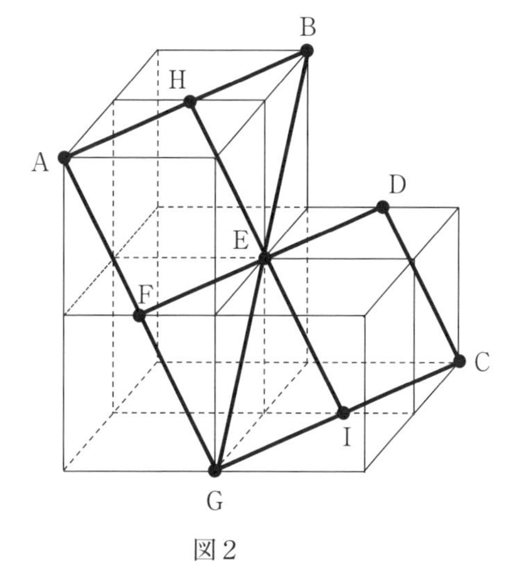

図2

1　×　図2より、切断されている立方体は下段の左奥以外の5個であるので、不適である。

2　×　**1**の解説より、不適である。

3　○　図2より、切り口がひし形になるのは、上段の手前（AFEH）と、下段の右奥（EICD）の、2個の立方体である。

4　×　図2より、切り口が正三角形になる立方体は1つもないので、不適である。

5　×　図2より、切り口が二等辺三角形になるのは、上段の奥（HEB）、下段の手前左（FGE）、下段の手前右（IEG）の3個の立方体であるので、不適である。

1 cm× 1 cm× 2 cmの直方体を 3 つ組み合わせて立体Xを作り、様々な方向から見て平面図や側面図などを描いた。①〜⑧の図のうち、この立体Xを描いたものとしてあり得ないものはいくつあるか。なお、底面側から見たり、図を回転させてもよいものとする。

【立体X】

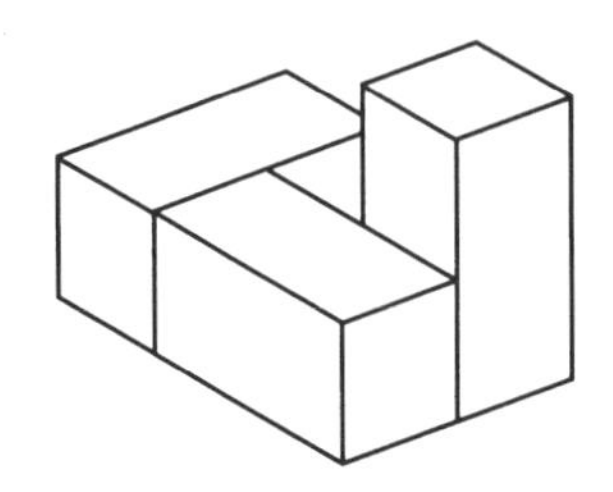

① ② ③ ④

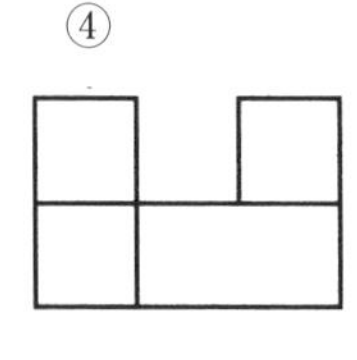

⑤ ⑥ ⑦ ⑧

1　1つ

2　2つ

3　3つ

4　4つ

5　なし（全てあり得る）

解説　正解　2　TAC生の正答率　68%

問題の見取図で見える左手前の面を正面、右手前の面を右側面とする。

立体Xの正面図と背面図は次の図のようになる。⑦が正面図、⑤が背面図になる。

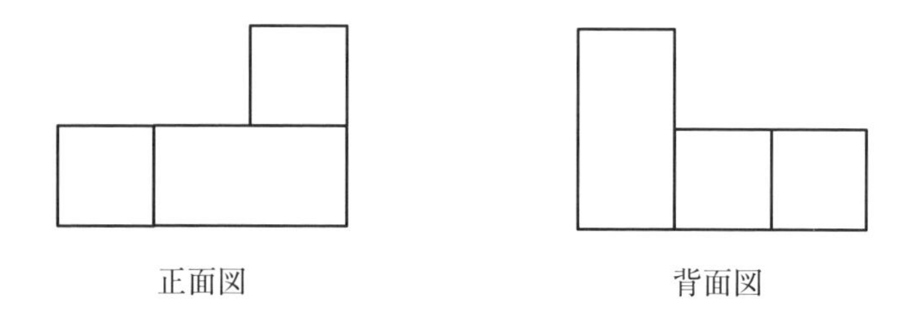

正面図　　　　背面図

立体Xの左側面図と右側面図は次の図のようになる。この２つの図は回転させると同じで、③と⑧が側面図を回転させたものになる。

左側面図　　　　右側面図

立体Xの平面図と底面図は次の図のようになる。①が平面図、②が平面図を回転させたものになる。

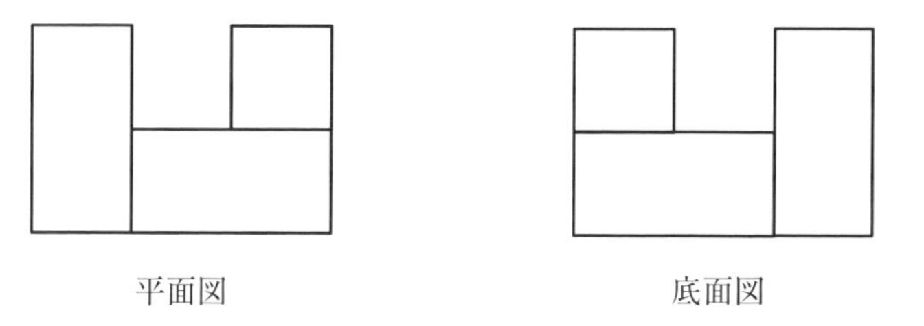

平面図　　　　底面図

よって、あり得ないのは④と⑥の２つあるので、正解は**2**である。

空間把握　サイコロ　2023年度 基礎能力 No.20

向かい合う面の目の和が7になり、目の配置が同じA～Eの５つのサイコロが、A～Eの順で横一列に並んでいる。左端のサイコロAの上面の目は３、右端のサイコロEの上面の目は４、正面の目は２である。また、Aの正面の目とEの右側面の目は同じである。

このとき、サイコロが互いに接する８つの側面の目の和としてあり得るのは、次のうちどれか。

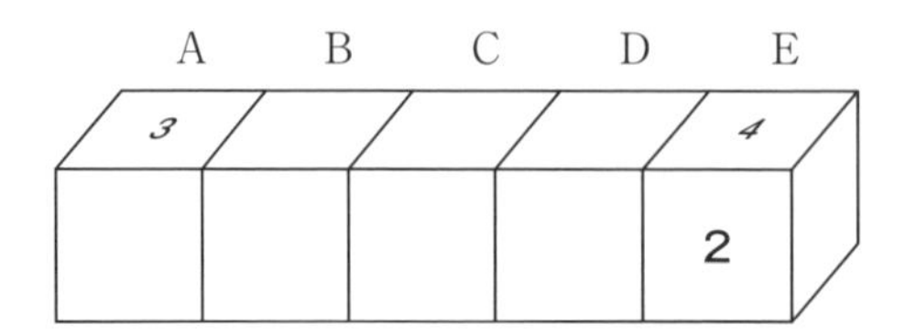

1　24

2　25

3　26

4　27

5　28

解説　正解　1　TAC生の正答率 41％

横一列に並んでいる５つのサイコロA、B、C、D、Eを五面図で表すと次のようになり、向かい合う面の目の和が７であるので、網掛けの６つの側面の目の和は7×3＝21である。

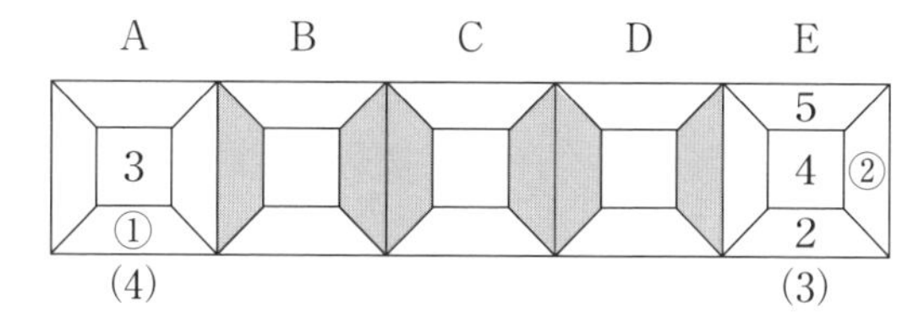

Eを見ると、左右面の目の数は、(左面，右面②)＝(１，６) または (６，１) であるので、②＝「６」または②＝「１」で場合分けして考える。

(i)　②＝「６」の場合

②と向かい合う面の目は「１」である。また、右面②、下面、前面の３面が集まっている頂点に着目すると、時計回りに「６→３→２」の順に並んでいる。条件より、Aの前面①の目は「６」で、後面の目は「１」である。Aにおいて前面、上面、右面の３面が集まっている頂点に着目し、時計回りに「６→３→右面」の順で並んでいるので、AとEは同じサイコロより、右面の目は「２」となる。

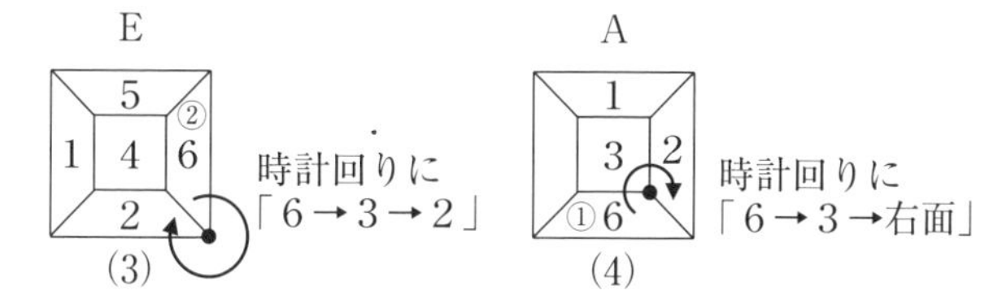

よって、サイコロが互いに接する８つの側面の目の和は21＋1＋2＝24となり、この時点で正解は**1**である。

(ii)　②＝「１」の場合

②と向かい合う面の目は「６」である。また、左面、前面、下面の３面が集まっている頂点に着目すると、時計回りに「６→２→３」の順に並んでいる。条件より、Aの前面①の目は「１」より、後面の目は「６」である。Aにおいて後面、右面、上面の３面が集まっている頂点に着目し、時計回りに「６→右面→３」の順で並んでいるので、AとEは同じサイコロより、右面の目は「２」となる。

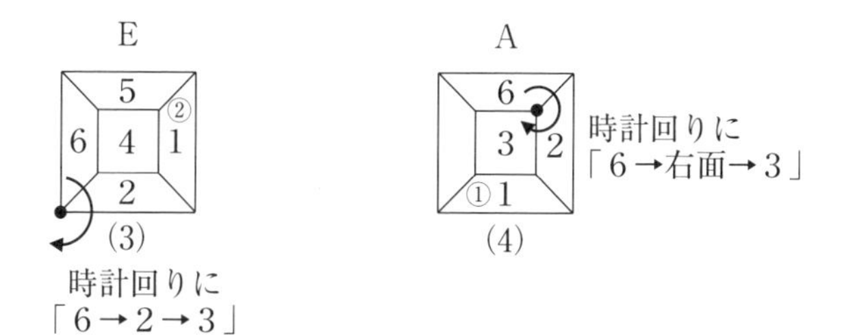

よって、サイコロが互いに接する８つの側面の目の和は21＋6＋2＝29である。

空間把握　サイコロ

2022年度
基礎能力 No.19

方眼紙の左上のマス目から右下の★と書かれたマス目まで、下の図のようなA～Cの３つのコースに沿って、各面に１～６が書かれた立方体を転がす。どのコースも、下の図のように、上面を１とした同じ置き方でスタートする。ゴールの★における上面は、Aコースでは３、Bコースでは２、Cコースでは６であった。このときに使われた立方体の展開図として最も妥当なものはどれか。

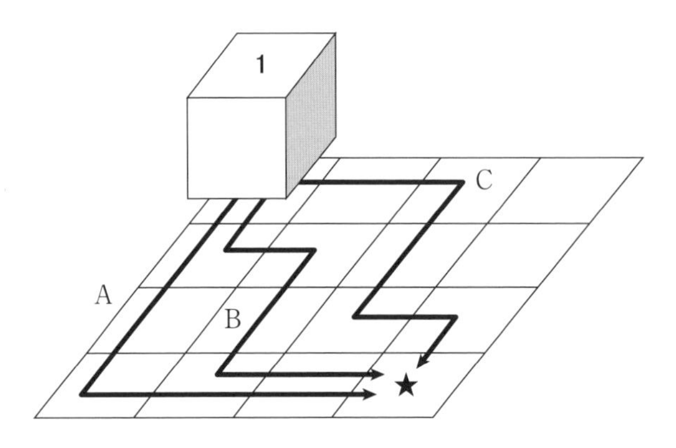

1

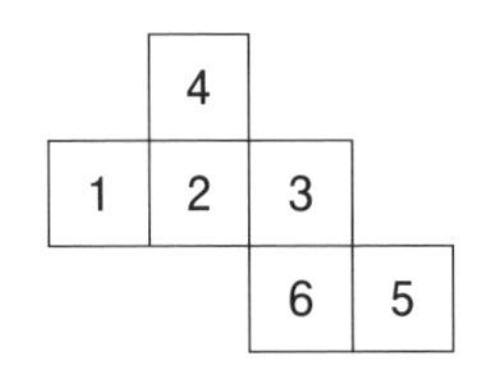

2

		4	5
1	6	2	
3			

3

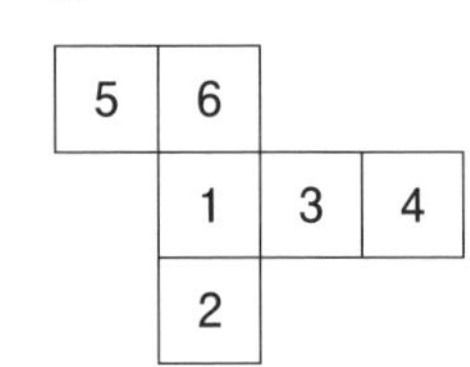

4

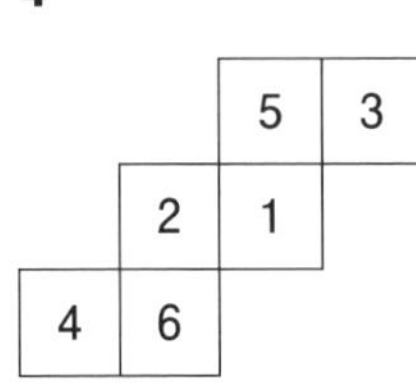

5

		3	5	2
4	6	1		

解説　　正解　4　　TAC生の正答率　61％

五面図を描いて考える。立方体をコースごとに★の位置から元あったマス目に戻していき、立方体に書かれた数字の配置を求める（図１）。

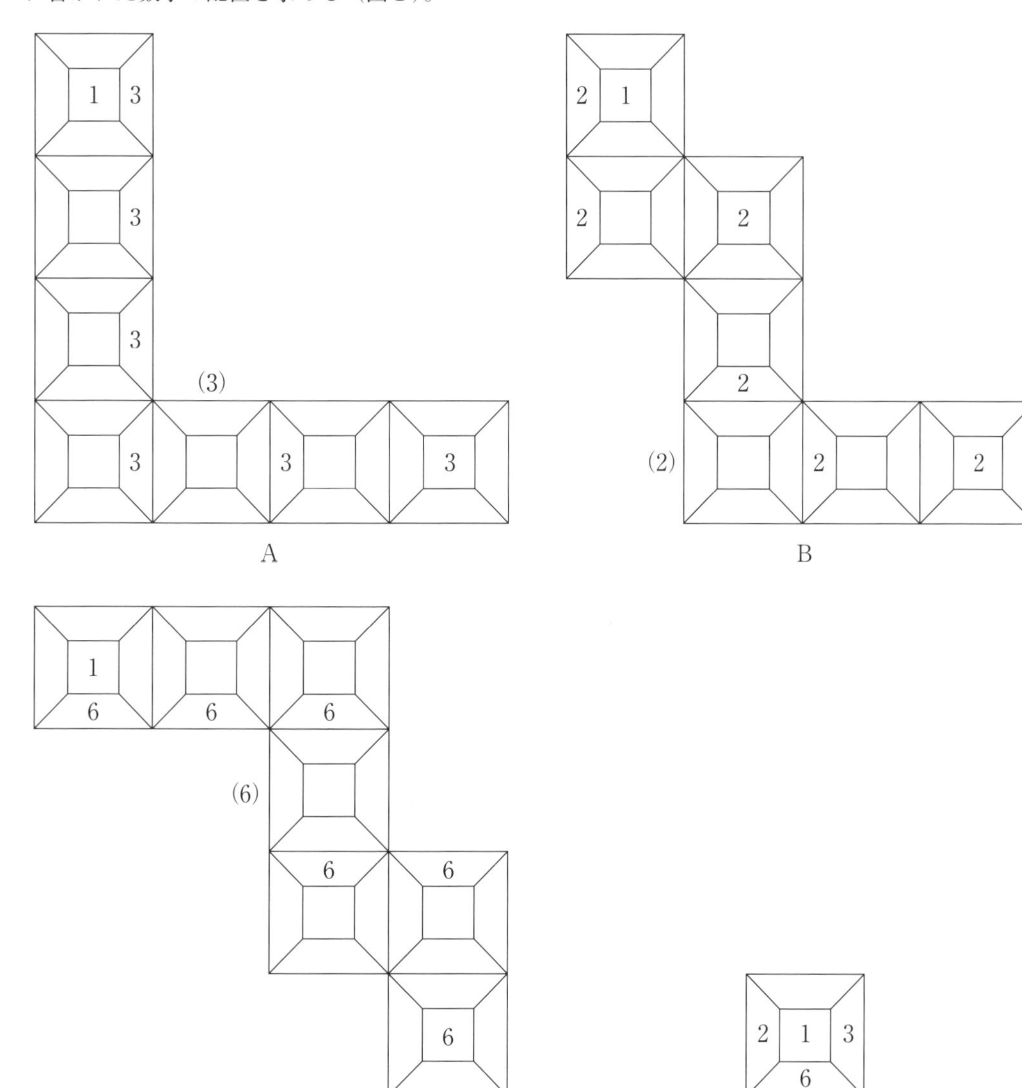

図１

1は、１と３が平行面となっているが、図１より、１と３は平行面ではないので不適である。**2**は、１と２が平行面となっているが、図１より、１と２は平行面ではないので不適である。**3**は、２と３が平行面となっていないが、図１より、２と３は平行面であるので不適である。**5**は、１、３、６の面が集まっている頂点に着目すると、時計回りに「３→１→６」となっているが、図１を見ると、時計回りに「３→６→１」となっているので不適である。

よって、消去法より、正解は**4**である。

空間把握　サイコロ

Ｉ図のような展開図を持つサイコロ５個を、接し合う面の目の和が８になるようにⅡ図のように積んだ。Ｘの目はいくつか。

Ｉ図

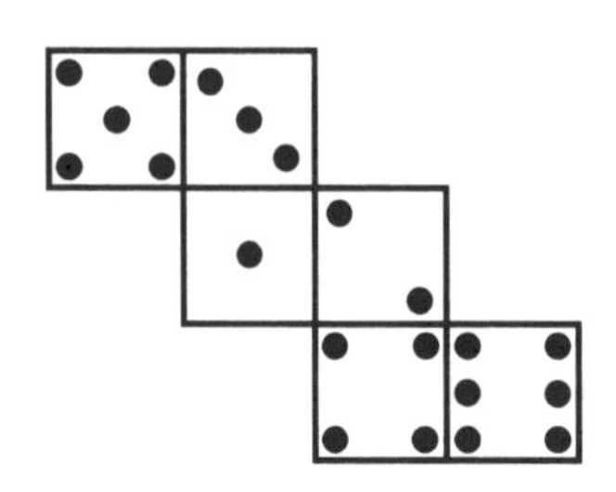

Ⅱ図

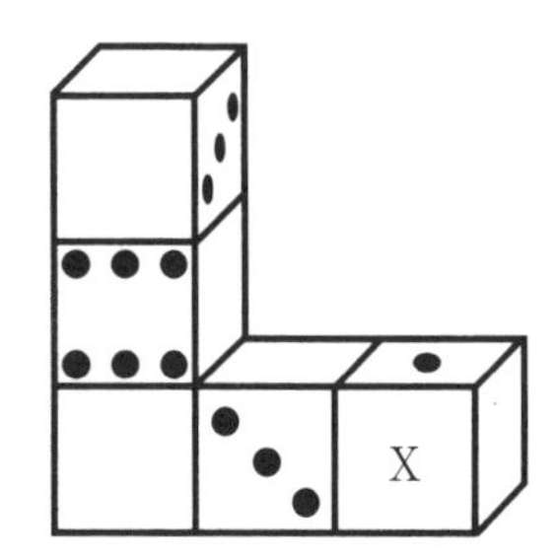

1　2

2　3

3　4

4　5

5　6

解説　　正解　4　　TAC生の正答率 63%

接し合う面の目の和は8だから、2と6、3と5、4と4のいずれかである。よって、接する面に1が来ることはないから、Ⅱ図の下中央のサイコロ（3が見えているサイコロ）が隣のサイコロと接している左右の2面は、2と5の面となる。このうち、右の面が2の場合、右隣のサイコロの接する面は6となるが、6の面は1の面と向かい合う底面のはずなので不適である。よって、下中央のサイコロの右面は5で、右隣のサイコロの接する面（右隣のサイコロの左面）は3である（図1；Ⅱ図の下の3つのサイコロを上から見た五面図）。

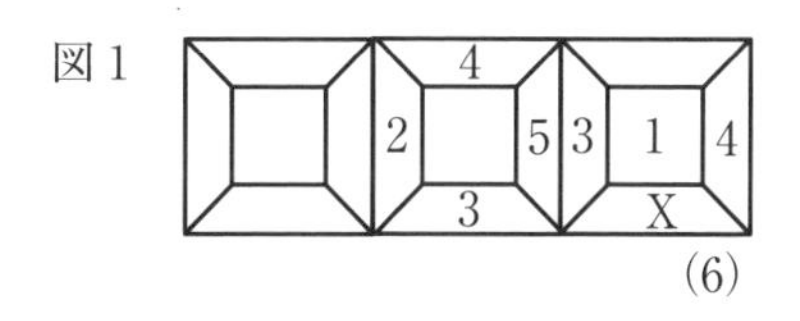

問題のⅠ図において、展開図の面を移動させると、5の面は1の面の左、4の面は1の面の下に移動させることができる（図2）。組み立てたとき、1の面を中心に考えると、時計回りに3→2→4→5の順に並ぶことになるから、Xの面は5の面となる（図3）。

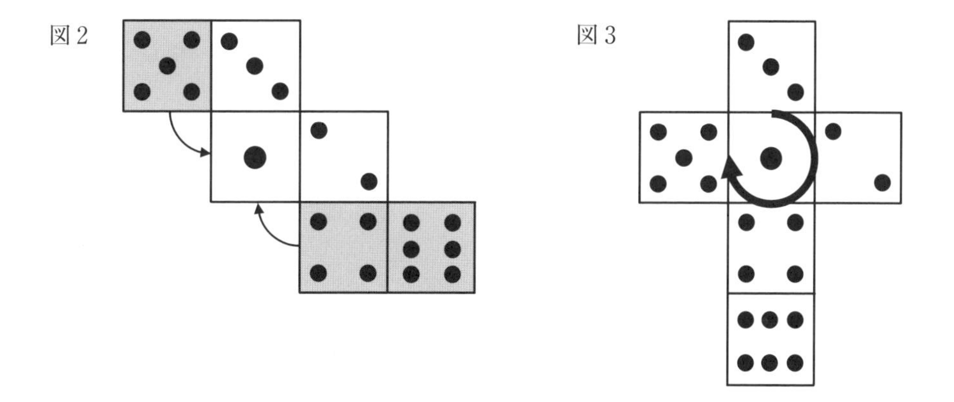

したがって、正解は**4**である。

空間把握　軌跡

2022年度
基礎能力 No.18

円周の長さ80cmの円Aが、円周の長さ160cmの円Bの内側に沿って滑ることなく接しながら回転している。初めに円Bの円周に接していた円Aの円周上の点をPとすると、円Aが円Bの内側を一回転する間に点Pが動くおよその距離として正しいものはどれか。なお、πは3.14として計算する。

1　約51cm

2　約68cm

3　約80cm

4　約92cm

5　約102cm

解説　正解　**5**　TAC生の正答率　19%

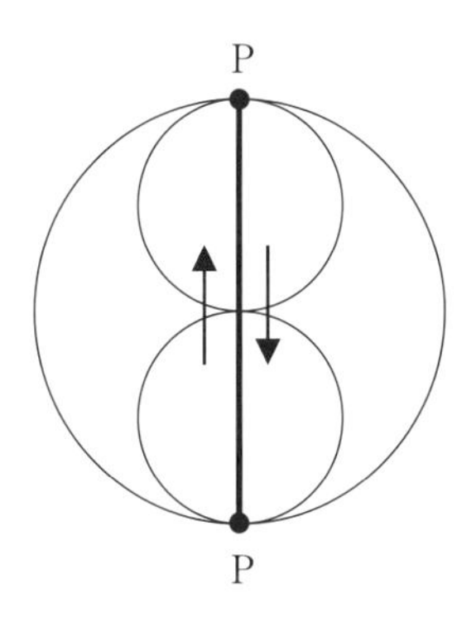

円周80cmである円Aが円周160cmである円Bの内側を１周するとき、点Pの軌跡は、図のように円Bの直径の往復となる。直径×3.14＝160より、直径＝$\frac{160}{3.14}$となり、直径の往復は$\frac{160}{3.14}\times 2 = 101.9\cdots$となる。

よって、約102cmとなるので、正解は**5**である。

現代文 英文 判断推理 空間把握 数的推理 資料解釈 政治 経済 法律

下図において正三角形ABPの頂点ＡはXO上を、頂点ＢはYO上を矢印の方向に動くとすると、頂点Ｐはどのような軌跡を描くか。

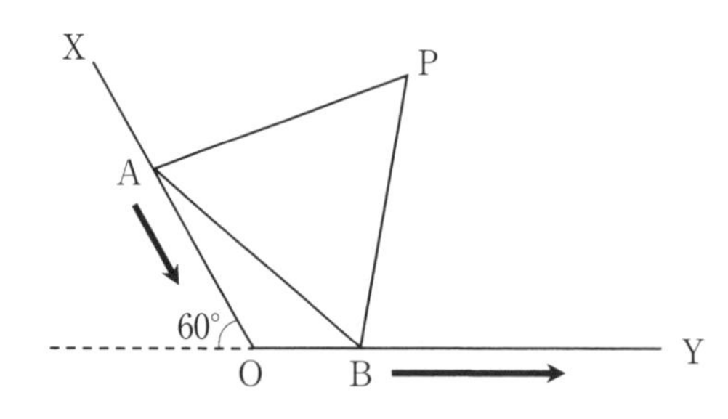

1

2

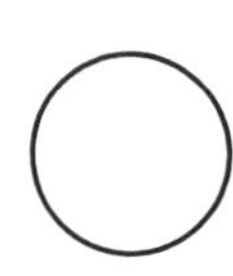

3

4

5

解説　正解　1　TAC生の正答率 20%

∠BAOをxとして、xを0°から徐々に大きくした場合の、それぞれのPの位置を考える。

xの値にかかわらず、四角形PAOBは∠AOB＝120°、∠APB＝60°で、対角の和が180°となるから、この四角形は円に内接する四角形となる。

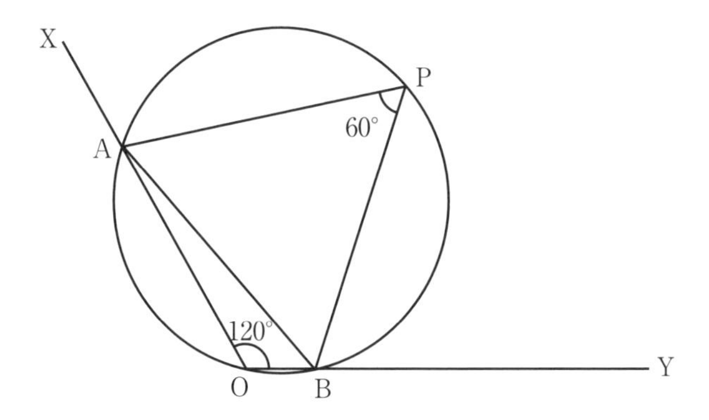

OPに補助線を引くと、正三角形の内角より∠ABP＝60°で、同じ弧の円周角である∠AOP＝60°となる。すなわち、xの値によらず、必ず∠AOP＝∠POY＝60°となる位置に点Pはある。

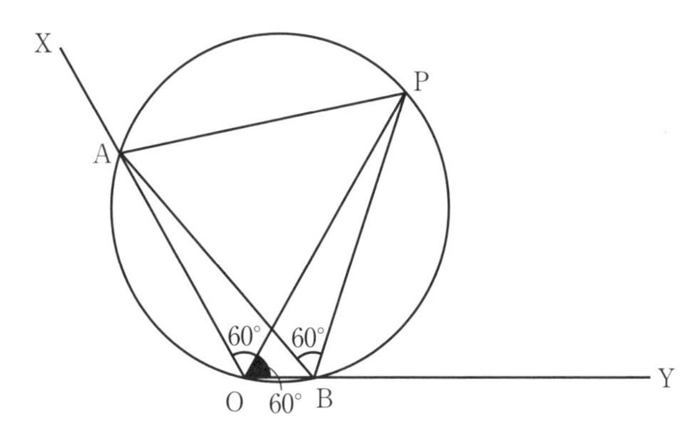

したがって、消去法より正解は**1**である。

現代文 英文 判断推理 空間把握 数的推理 資料解釈 政治 経済 法律

空間把握　図形の回転　2021年度 基礎能力 No.20

半径比が1：2：4の円A、B、Cが互いに下図のように接していて、円Aには模様がついている。この状態から、円Aは円Bの内側を、円Bは円Cの外側をそれぞれ滑ることなく矢印の向きに同じ速さで転がっていく。円Bが点線の位置まで転がったときの円Aの模様はどのようになるか。

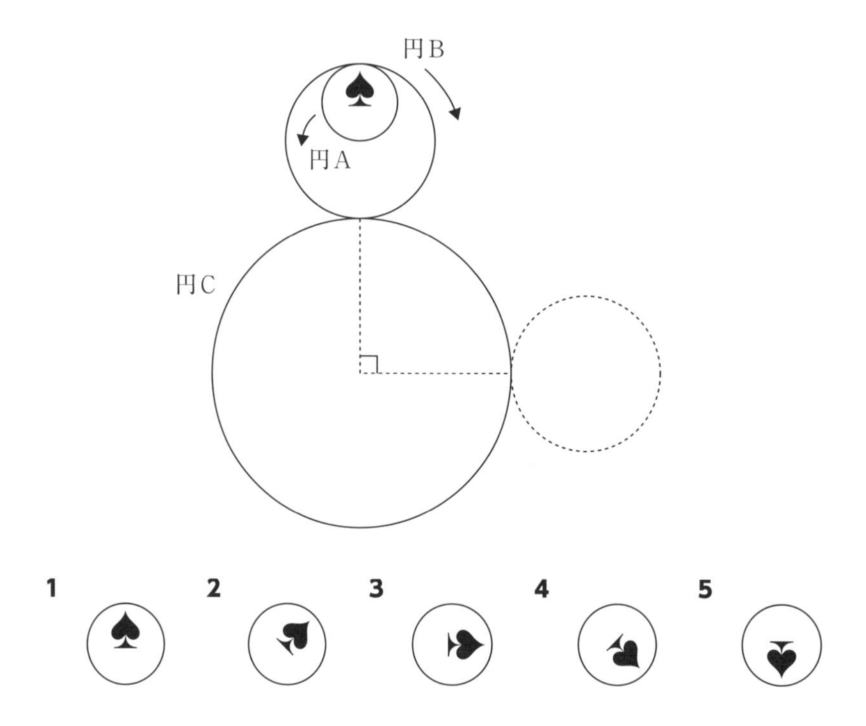

解説　正解　3

TAC生の正答率　42%

図1の状態から、まず、円Aを固定し、円Bのみを転がす。円Bと円Cの半径比は2：4=1：2だから、円Bは円Cの外側を1周する間に2+1=3[回転]する。実際は$\frac{1}{4}$周だから、$3\times\frac{1}{4}=\frac{3}{4}$[回転]している。よって、図2のようになる。

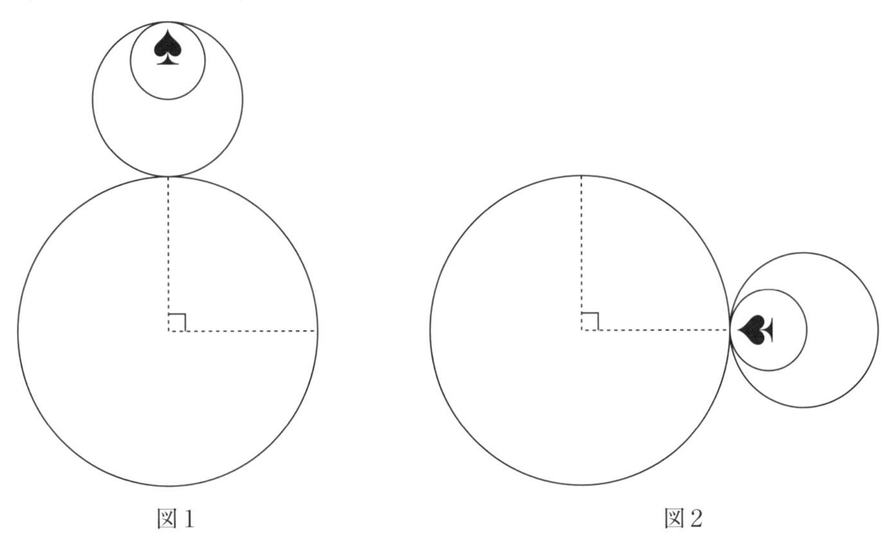

図1　　図2

図2から円Aを転がす。円Aと円Bの半径比は1：2だから、円Aは円Bの内側を1周する間に2−1=1[回転]する。また、円Aと円Bが移動した距離は等しく、円Bが移動した円Cの$\frac{1}{4}$周分は、半径が$\frac{1}{2}$の円Bでは$\frac{1}{2}$周分となる。よって、円Aは円Bの内側を$\frac{1}{2}$周しているから、$1\times\frac{1}{2}=\frac{1}{2}$[回転]している。よって、図3のようになる。

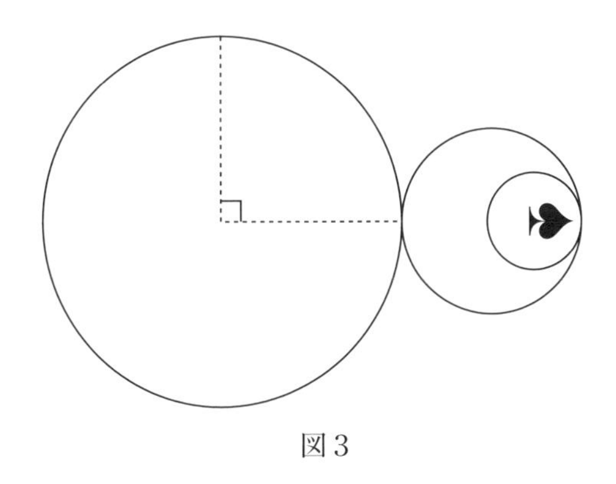

図3

したがって、正解は**3**である。

空間把握　平面構成

2023年度
基礎能力 No.17

正方形５枚を使って下のＡ～Ｌの12種類のピースを作った。これらの中の異なる２枚のピースを使い、図形Mの中に埋め込むことを考える。どのピースも裏返して使ってよいこととするとき、正しくいえるのは次のうちどれか。

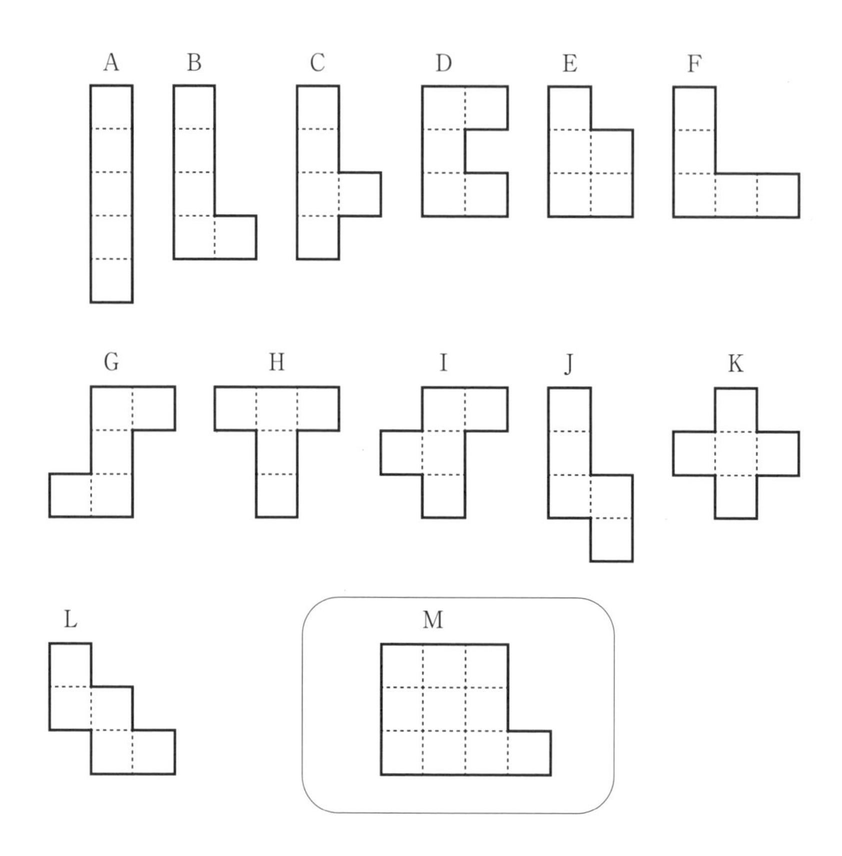

1　ＡからＬのピースの中で埋め込みに使えないのは５枚である。

2　Ｃのピースを使う埋め込み方は２通りである。

3　Ｄのピースを使う埋め込み方は３通りである。

4　Ｅのピースを使う埋め込み方は４通りである。

5　埋め込み方は全部で６通りである。

解説　正解　2

TAC生の正答率　72%

1および**5**は、A～Lのすべてのピースが検討対象で時間がかかるため、後回しにする。

2におけるCだが、正方形が4枚一列に並んでいる部分がある。これを埋め込むとき、Mには正方形が4枚一列に並んでいるところは一番下の段の横一列しかなく、ここにCを埋め込むと次のように2通りある。

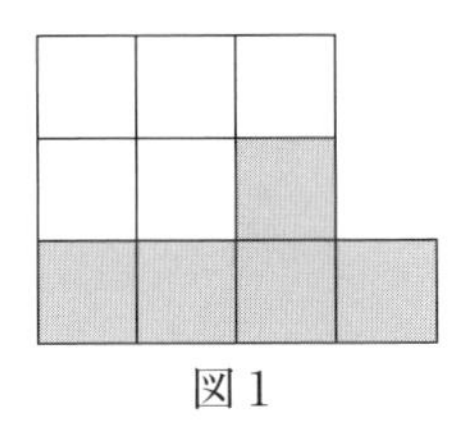

図1

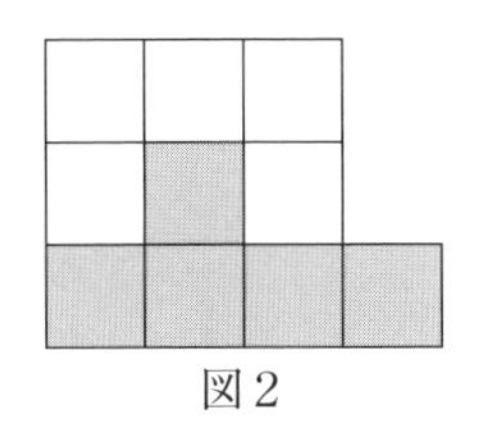

図2

図1の場合では残りの部分にはEを埋め込むことができ、図2の場合では残りの部分にDを埋め込むことができる。したがって、Cのピースを使う埋め込み方はこの2通りしかないため、この時点で正解は**2**となる。

なお、残りの選択肢については、次のようになる。

1　×　埋め込みに使えないのは5枚ではなく、A、J、K、Lの4枚である。

3　×　Dのピースを使う埋め込み方は3通りではなく、2通りである。

4　×　Eのピースを使う埋め込み方4通りではなく、5通りである。

5　×　前述したように、Eのピースを使う埋め込み方だけでも5通りあり、これとかぶらないDのピースを使う埋め込み方がさらに2通りあるため、これ以上調べなくても、埋め込み方は6通りを超えてしまうことがわかる。

空間把握　平面構成　2020年度 基礎能力 No.17

9個の点が図のようなマス目上に等間隔（縦と横の間隔は1 cm）で並んでいる。このうちの3点を頂点とする三角形のうち、面積が1 cm²の三角形は何個あるか。

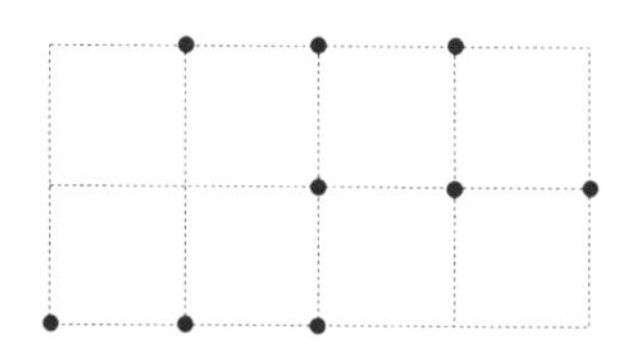

1　20個

2　22個

3　24個

4　26個

5　28個

解説　正解　5

TAC生の正答率 13%

上段からA、B、C列とし、それぞれの列にある点に、左から1、2、3と名称をつける。

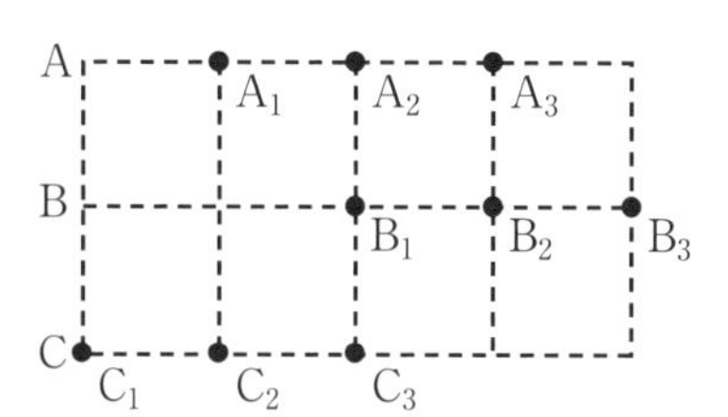

9個のうち3個を選ぶ場合の数は、${}_9C_3=84$[通り]ある。A、B、Cの各列から何個選ぶかで場合分けをする。

(i)　同列から3個

この場合は3通りあるが、3点が一直線上に並んでいるので三角形はできない。

(ii)　同列から2個、別の列から1個

この場合は、どの列から2個選ぶかで3通り、同列にある2個は、列の3個のうちどの2個を選ぶかで3通り、残る1個をどこから選ぶかで6通りだから、$3\times3\times6=54$[通り]ある。2個選ぶ列を底辺と考えると、底辺となる列の3個のうちの2個の選び方で、（1，2）および（2，3）の選び方は底辺が1 cmだから、面積が1 cm²になるには高さは2 cmが必要で、（1，3）の選び方は底辺が2 cmだから、面積が1 cm²になるには高さは1 cmが必要となる。

(ii)－① 底辺が1cmの場合

高さが2cmになるのは、底辺がA列でもう1点がC列の点、または、底辺がC列で、もう1点がA列の点の2パターンで、いずれのパターンも底辺の2点の選び方は2通りで、もう1点の選び方は3通りだから、2×3＝6[通り]ある。よって、底辺を1cmとした場合は6×2＝12[個]できる。

(ii)－② 底辺が2cmの場合

高さが1cmになるのは、底辺がA列でもう1点がB列の点、底辺がB列でもう1点がA列の点、底辺がB列でもう1点がC列の点、底辺がC列でもう1点がB列の点の4パターンで、いずれのパターンも底辺の2点の選び方は1通りで、もう1点の選び方は3通りだから、1×3＝3[通り]ある。よって、底辺を2cmとした場合は3×4＝12[個]できる。

(iii) すべて異なる列から選ぶ

この場合は、各列から1個ずつ選ぶので、3×3×3＝27[通り]ある。縦に2個以上並んでいる場合、その部分を底辺とすることができる。

(iii)－① 縦に2個並んだ点を結んだ底辺が1cmの場合

もう1点は高さが2cmとなる点である。該当するのは、A_2、B_1を結んで底辺としたときのC_1と、A_3、B_2を結んで底辺としたときのC_2の2個である。

(iii)－② 縦に2個並んだ点を結んだ底辺が2cmの場合

もう1点は高さが1cmとなる点である。該当するのは、A_1、C_2を結んで底辺としたときのB_1と、A_2、C_3を結んで底辺としたときのB_2の2個である。

この時点で、12＋12＋2＋2＝28[個]あり、28個以上である選択肢は**5**だけなので、消去法より正解は**5**である。なお、これ以外に面積が1cm^2となる三角形はない。

現代文 英文 判断推理 空間把握 数的推理 資料解釈 政治 経済 法律

数的推理　比

2021年度
基礎能力 No.23

A、B、Cの３人があめ玉を何個かずつ持っている。まず、Aの持っているあめ玉の半分をCに渡した。次に、Aの残ったあめ玉の半分をBに渡した。最後にCがAからもらった分と持っていた分を合わせたあめ玉の半分をAに渡したとき、AとBとCの持っているあめ玉の数の比が6：9：5になった。このとき、初めにBとCが持っていたあめ玉の数の比として正しいものはどれか。

1　1：1

2　2：1

3　3：2

4　4：3

5　5：2

解説　正解　1

TAC生の正答率　65%

A、B、Cが初めに持っていたあめ玉の数をa、b、cとする。

まず、「Aの持っているあめ玉の半分をCに渡した」より、この時点で各自のあめ玉の数は、

$$A=\frac{1}{2}a$$

$$B=b$$

$$C=\frac{1}{2}a+c$$

となる。次に、「Aの残ったあめ玉の半分をBに渡した」より、この時点で各自のあめ玉の数は、

$$A=\frac{1}{2}a\times\frac{1}{2}=\frac{1}{4}a$$

$$B=\frac{1}{4}a+b$$

$$C=\frac{1}{2}a+c$$

となる。さらに、「CがAからもらった分と持っていた分を合わせたあめ玉の半分をAに渡した」より、この時点で各自のあめ玉の数は、

$$A=\frac{1}{4}a+\left(\frac{1}{2}a+c\right)\times\frac{1}{2}=\frac{1}{2}a+\frac{1}{2}c$$

$$B=\frac{1}{4}a+b$$

$$C=\left(\frac{1}{2}a+c\right)\times\frac{1}{2}=\frac{1}{4}a+\frac{1}{2}c$$

となる。

最終的にあめ玉の数がA：B：C＝6：9：5になったのだから、それぞれの個数を$6k$、$9k$、$5k$とおくと、

$$\frac{1}{2}a+\frac{1}{2}c=6k \quad \cdots\cdots①$$

$$\frac{1}{4}a+b=9k \quad \cdots\cdots②$$

$$\frac{1}{4}a+\frac{1}{2}c=5k \quad \cdots\cdots③$$

が成り立つ。①－③より、

$$\frac{1}{4}a=k \Leftrightarrow a=4k \quad \cdots\cdots④$$

となり、④を②に代入すると、

$$\frac{1}{4}\times 4k+b=9k \Leftrightarrow b=8k \quad \cdots\cdots⑤$$

④を③に代入すると、

$$\frac{1}{4}\times 4k+\frac{1}{2}c=5k \Leftrightarrow c=8k \quad \cdots\cdots⑥$$

となる。

よって、④、⑤、⑥より、$a:b:c=4k:8k:8k=1:2:2$であり、$b:c=2:2=1:1$となるから、正解は**1**である。

［別　解］

最後からさかのぼって考える。持っているあめ玉の数の比がA：B：C＝6：9：5より、持っている個数をそれぞれ$6k$、$9k$、$5k$［個］とする。最後にCが、持っているあめ玉の半分をAに渡したことから、渡す前にCが持っていた個数は$5k\times 2=10k$で、Aに$5k$［個］を渡したことになる。よって、この直前に持っていた個数は、

A＝$6k-5k=k$［個］

B＝$9k$［個］

C＝$10k$［個］

となる。その前の操作は、Aが持っているあめ玉の半分をBに渡したことから、渡す前にAが持っていた個数は$k\times 2=2k$［個］で、Bにk［個］を渡したことになる。よって、この直前に持っていた個数は、

A＝$2k$［個］

B＝$9k-k=8k$［個］

C＝$10k$［個］

となる。その前の操作は、Aが持っているあめ玉の半分をCに渡したことから、渡す前にAが持っていた個数は$2k\times 2=4k$［個］で、Cに$2k$［個］を渡したことになる。よって、この直前に持っていた個数は、

A＝$4k$［個］

B＝$8k$［個］

C＝$10k-2k=8k$［個］

となる。よって、初めに持っていたあめ玉の個数の比はA：B：C＝$4k:8k:8k$＝1：2：2であり、B：C＝2：2＝1：1となるから、正解は**1**である。

数的推理　割合

2022年度
基礎能力 No.22

原価300円の品物にx割の利益を見込んで定価をつけたが、売れないので定価のx割引で売ったら27円の損になった。このとき、xの値として正しいものはどれか。

1　1

2　2

3　3

4　4

5　5

解説　正解　3

TAC生の正答率　86%

原価300円の品物にx割の利益を見込んだ定価は、原価のx割増であるから、定価は$300 \times \frac{10+x}{10}$[円]である。また、売れたときの値段(＝売価)は定価のx割引であるから、売価は$300 \times \frac{10+x}{10} \times \frac{10-x}{10}$[円]である。(売上金額)－(仕入金額)＝(利益)⇔(売価)－(原価)＝(利益)より、以下の式が成り立つ。

$$300 \times \frac{10+x}{10} \times \frac{10-x}{10} - 300 = -27 \cdots ①$$

①を約分すると$3(100-x^2)-300=-27$となり、さらに整理すると$x^2=9$となる。これを解くと$x>0$より、$x=3$となる。

したがって、正解は**3**である。

ある店では、２種類のノートＡ、Ｂを売っている。Ａは１冊100円、Ｂは１冊150円である。先月はＢの売上額がＡの売上額より22,000円多かった。また今月の売上冊数は先月に比べて、Ａは３割減ったがＢは４割増えたので、ＡとＢの売上冊数の合計は２割増えた。

このとき、今月のＡの売上冊数として正しいのはどれか。なお、消費税については考えないものとする。

1　50冊

2　56冊

3　64冊

4　72冊

5　80冊

解説　正解　2

TAC生の正答率　68%

先月のノートＡの売上冊数をa、先月のノートＢの売上冊数をbとすると、先月のＢの売上額がＡの売上額より22,000円多かったことから、$150b=100a+22000$…①が成り立つ。今月の売上冊数は、Ａは３割減ったから先月の７割で$0.7a$、Ｂは４割増えたから先月の14割で$1.4b$となり、ＡとＢの売上冊数の合計は２割増えて12割になったことから、$0.7a+1.4b=1.2(a+b)$…②が成り立つ。②を整理すると$2b=5a$…②′となり、②′を①に代入すると$75\times5a=100a+22000$で、これを解いて$a=80$［冊］、②′に代入して$b=200$［冊］となる。

今月のＡの売上冊数は、先月の７割の$80\times0.7=56$［冊］となるので、正解は**2**である。

現代文 英文 判断推理 空間把握 数的推理 資料解釈 政治 経済 法律

数的推理 | 濃度 | 2021年度 基礎能力 No.24

濃度25％の食塩水200gがある。この食塩水から何gかを捨てて、同じ量の水を補った。さらに最初に捨てた食塩水の２倍を捨て、捨てた分だけ水を補ったところ、濃度が12％になった。このとき、最初に捨てた食塩水の量として正しいものはどれか。

1　40g

2　50g

3　60g

4　70g

5　80g

解説　正解　1　TAC生の正答率 65％

最初に捨てた食塩水の量をx[g]とする。濃度25％の食塩水200gの中には、$200 \times 25\% = 50$[g]の食塩が溶けており、ここからx[g]捨て、x[g]の水を入れるので、全体の量は変わらず、捨てたx[g]の食塩水には$0.25x$[g]の食塩が溶けていたので、全体の食塩の量は$50 - 0.25x$[g]となる。

さらに、ここから$2x$[g]捨て、$2x$[g]の水を入れるので、全体の量は変わらず、捨てた$2x$[g]の食塩水には$\frac{2x}{200} \times (50 - 0.25x)$[g]の食塩が溶けていたので、全体の食塩の量は、

$$(50 - 0.25x) - \frac{2x}{200} \times (50 - 0.25x) = (50 - 0.25x)\left(1 - \frac{2x}{200}\right)[\mathrm{g}]$$

となる。また、問題文より、最終的に濃度12％の食塩水になったので、$200 \times 12\% = 24$[g]の食塩が溶けている。よって、

$$(50 - 0.25x)\left(1 - \frac{2x}{200}\right) = 24$$

となり、展開して整理すると、$x^2 - 300x + 10400 = 0$となる。因数分解をして、

$$(x - 40)(x - 260) = 0$$

より、$x = 40$または260となるが、食塩水が200gなので、$x = 40$[g]となる。

したがって、正解は**1**である。

数回の計算テストを実施したところ、Aのこれまでのテストの平均点は80点であった。今回のテストで96点をとった結果、平均点が82点になったとすると、今回のテストは何回目のテストか。

1　5回目

2　6回目

3　7回目

4　8回目

5　9回目

解説　正解　4

TAC生の正答率　75%

今回のテストがx[回目]のテストだったとすると、これまでの$(x-1)$[回]で行われたテストの平均点が80点であるので、これまでの$(x-1)$[回]で行われたテストの合計点は$80\times(x-1)$[点]である。

これに、今回の96点を足すと、x[回]のテストすべての合計点になり、x[回]のテストの平均点が82点になることから、$\frac{80\times(x-1)+96}{x}=82$が成り立つ。これを解くと、$x=8$[回目]となるので、正解は**4**である。

数的推理　旅人算

2022年度
基礎能力 No.23

地点Ｐと地点Ｑとを結ぶ１本の道がある。ＡとＢは地点Ｐを同時に出発して、Ａは時速５km、Ｂは時速４kmで歩き、２人ともＰ、Ｑ間を休まず２往復することにした。

Ａが地点Ｑを先に折り返して、２人が初めて出会ったのは地点Ｒだった。さらに、Ａが地点Ｐを折り返して、２人が２度目に出会ったのは地点Ｓだった。地点Ｓは地点Ｒから地点Ｐ寄りに３km離れている。このとき、Ｐ、Ｑ間の距離として正しいものはどれか。

1　4.0km

2　4.5km

3　5.0km

4　5.5km

5　6.0km

解説　正解　2　TAC生の正答率 53%

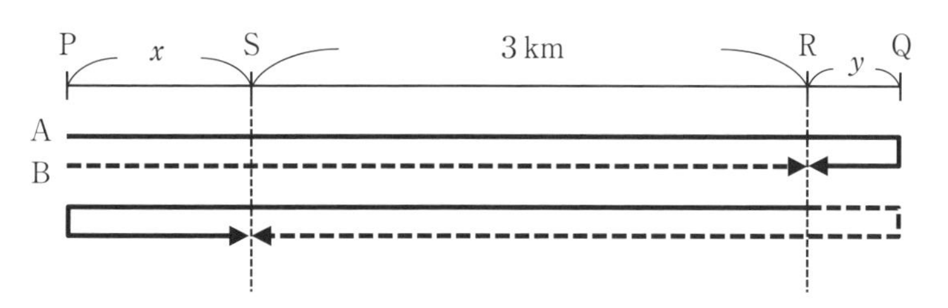

PS間をx[km]、QR間をy[km]とすれば、２人が初めて地点Rで出会うまでに歩いた距離は、Aの歩いた距離＝(P→S)＋(S→R)＋(R→Q)＋(Q→R)＝$x+3+y+y=x+2y+3$[km]となり、Bの歩いた距離＝(P→S)＋(S→R)＝$x+3$[km]となる。A、Bの時速はそれぞれ5 km、4 kmであり、２人が初めて地点Rで出会うまでの同じ時間歩いた距離もこれに比例し、5：4になるため、$(x+2y+3):(x+3)=5:4$となる。内項の積＝外項の積より、$5(x+3)=4(x+2y+3)$となるので、整理すると、$x=8y-3$となる。よって、PQ間の距離＝$x+3+y=8y-3+3+y=9y$となる。

２人が２度目に地点Sで出会うまでに歩いた距離は、Aの歩いた距離＝(P→Q)＋(Q→P)＋(P→S)＝$9y+9y+8y-3=26y-3$[km]となり、Bの歩いた距離＝(P→Q)＋(Q→R)＋(R→S)＝$9y+y+3=10y+3$[km]となる。$26y-3$[km]と$10y+3$[km]は２人が２度目に地点Sで出会うまでの同じ時間歩いた距離であるから、速さに比例し、$(26y-3):(10y+3)=5:4$となる。内項の積＝外項の積より、$5(10y+3)=4(26y-3)$となるので、整理すると、$y=0.5$[km]となる。

したがって、PQ間の距離＝$9y=9\times0.5=4.5$[km]となるので、正解は**2**である。

［別　解］

２人が同時に出発して初めて地点Rで出会うまでに歩いた距離は、かかった時間が同じであるから速さに比例するので、5：4となる。実数kを用いて、PQ＋QR＝$5k$[km]、PR＝$4k$[km]とおくことができるので、PQ＋QR＋RP＝2PQより、PQ＝(PQ＋QR＋RP)÷2＝$(5k+4k)\div2=4.5k$[km]、RQ＝PQ−PR＝$4.5k-4k=0.5k$[km]となる。２人が初めて地点Rで出会ってから２度目に地点Sで出会うまでに歩いた距離は、２人が初めて地点Rで出会うまでに歩いた距離と等しいので、Aは$5k$[km]、Bは$4k$[km]となる。よって、Bの歩いた距離に着目すると、(R→Q)＋(Q→R)＋(R→S)＝$0.5k+0.5k+3=4k$となり、計算すると、$k=1$となる。

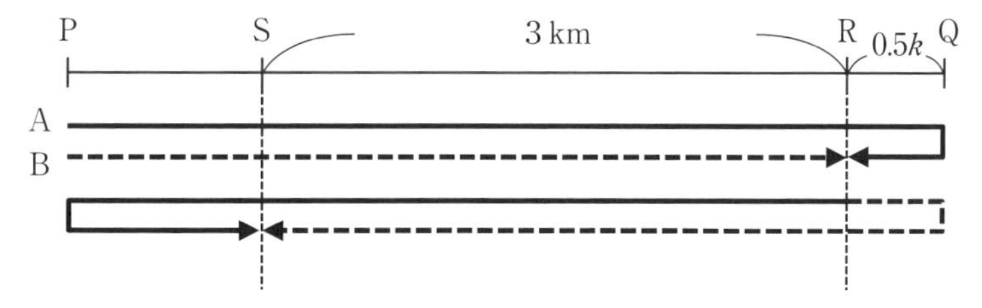

したがって、PQ＝$4.5k=4.5\times1=4.5$[km]となるので、正解は**2**である。

数的推理　通過算　2023年度 基礎能力 No.23

長さ200mの電車A、長さ160mの電車Bがそれぞれ一定の速さで走っている。AとBがすれ違うのに10秒、AがBを追い越すのに100秒かかる。電車Aの速さとして正しいものはどれか。

1　秒速15.8m

2　秒速16.2m

3　秒速17.6m

4　秒速18.8m

5　秒速19.8m

解説　正解　5　TAC生の正答率 56%

電車A、Bのそれぞれの速さをa[m/秒]、b[m/秒]とする。
AがBとすれ違った様子は、次の図のようになる。

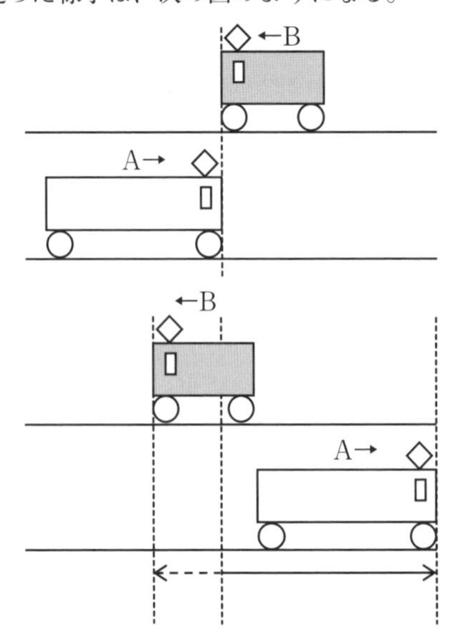

上図より、(Aの進んだ距離)＋(Bの進んだ距離)＝(電車Aの長さ)＋(電車Bの長さ)となるため$a\times10+b\times10=200+160$が成り立ち、整理すると、$a+b=36$…①となる。

AがBを追い越す様子は、次の図のようになる。

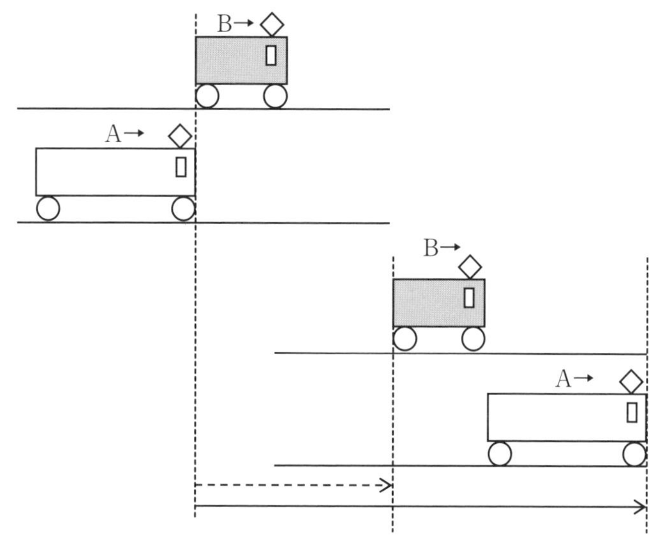

上図より、(Aの進んだ距離)－(Bの進んだ距離)＝(電車Aの長さ)＋(電車Bの長さ) となるため $a \times 100 - b \times 100 = 200 + 160$が成り立ち、整理すると、$a - b = 3.6$…②となる。

①＋②より、$2a = 39.6$であるから、$a = 19.8$となる。

よって、正解は**5**である。

現代文
英文
判断推理
空間把握
数的推理
資料解釈
政治
経済
法律

数的推理　仕事算

2023年度
基礎能力 No.22

16人ですると7日間で終わる仕事がある。この仕事を10日間で終わらせることとした場合に、必要な最少人数として正しいものはどれか。ただし、各人の1日当たりの仕事量は一定とする。

1　10人

2　11人

3　12人

4　13人

5　14人

解説　正解　3

TAC生の正答率　83%

全体の仕事量を1とすると、7日間で終わらせるためには、1日に$\frac{1}{7}$ずつ終わらせる必要があり、これを16人でするのだから、1人が1日に$\frac{1}{7} \div 16 = \frac{1}{112}$ずつ終わらせたことになる。

この仕事を10日間で終わらせるために必要な人数をx[人]とおくと、$\frac{1}{112} \times 10 \times x = 1$が成り立ち、これを解くと、$x = 11.2$となり、最少で12人必要となる。

よって、正解は**3**である。

ある仕事をAとBの２人で行うと18日かかり、BとCの２人で行うと９日かかり、AとCの２人で行うと12日かかる。この仕事をA、B、Cの３人で行うと何日かかるか。

1　４日

2　５日

3　６日

4　７日

5　８日

解説　正解　5

TAC生の正答率　76%

全体の仕事量を１とすると、１日当たりの仕事量の式はそれぞれ、$A+B=\frac{1}{18}$、$B+C=\frac{1}{9}$、$A+C=\frac{1}{12}$となる。それぞれの両辺を足すと$(A+B)+(B+C)+(C+A)=\frac{1}{18}+\frac{1}{9}+\frac{1}{12}$となり、これを整理すると$(A+B+C)\times 2=\frac{2+4+3}{36} \Leftrightarrow A+B+C=\frac{1}{8}$となる。

よって、A、B、Cの３人で行うと$1\div\frac{1}{8}=8$[日]かかるから、正解は**5**である。

数的推理　剰余

2022年度
基礎能力 No.21

３で割ると商がａで余りが０である自然数Ａと、３で割ると商がｂで余りが１である自然数Ｂがある。このとき、A^2-B^2を３で割ったときの余りとして正しいものはどれか。
ただし、Ａ＞Ｂとする。

1　0

2　1

3　2

4　１のときと２のときがある。

5　０、１、２のすべてのときがある。

解説　正解　3

TAC生の正答率　63%

問題文の条件より、$A=3a$、$B=3b+1$とおける。$A^2-B^2=(3a)^2-(3b+1)^2=9a^2-9b^2-6b-1=3\times(3a^2-3b^2-2b)-1$＝（３の倍数）−1となり、$A^2-B^2$は３の倍数より１小さい数となる。３の倍数より１小さい数を$3n-1$と表すとすると、$3n-1=3(n-1)+3-1=3(n-1)+2$＝（３の倍数）＋2となるので、A^2-B^2を３で割ったときの余りは２となる。
よって、正解は**3**である。

数的推理　剰余

2020年度
基礎能力 No.22

ある自然数を7で割ると3余り、さらにその商を5で割ると2余る。もとの数を5で割ったときの余りとして正しいものはどれか。

1　0

2　1

3　2

4　3

5　4

解説　正解　3

TAC生の正答率　84%

ある自然数をxとすると、7で割ると3余ることから、$x=7\times a+3$…①と表せる（aは整数）。また、この商であるaを5で割ると2余ることから、$a=5\times b+2$…②と表せる（bは整数）。②を①に代入すると$x=7\times(5\times b+2)+3=35b+17$となり、これは$x=5\times(7b+3)+2$と表せるから、$x$を5で割ったときの余りは2となる。

したがって、正解は**3**である。

数的推理 | 規則性 | 2021年度 基礎能力 No.21

ある規則にしたがって次のように数が並んでいる。このとき、上から15段目の、左から８番目の数の１の位はいくらか。

```
            1
          1   1
        1   2   1
      1   3   3   1
    1   4   6   4   1
  1   5  10  10   5   1
  ・・・・・・・・・
```

1　1

2　2

3　3

4　4

5　5

解説　正解 2　TAC生の正答率 62%

1段目	1
2段目	1　1
3段目	1　2　1
4段目	1　3　3　1
5段目	1　4　6　4　1

上から順番に１段目、２段目、…としていくと、２段目以降に関して、上からn段目の左からk番目の数字は、${}_{n-1}C_{k-1}$で表すことができる。例えば、５段目は左から、${}_4C_0=1$、${}_4C_1=4$、${}_4C_2=6$、${}_4C_3=4$、${}_4C_4=1$となっている。

よって、上から15段目の左から８番目の数は、${}_{14}C_7=\frac{14\times13\times12\times11\times10\times9\times8}{7\times6\times5\times4\times3\times2\times1}=3432$となり、正解は**2**である。

ＮＡＲＡＢＥＴＡの８文字がある。８文字から４文字を取り出して横一列に並べるとき、ちょうど３種類の文字を使う並べ方は何通りあるか。

1 120通り

2 160通り

3 240通り

4 280通り

5 360通り

解説　正解 1

TAC生の正答率 52%

４文字を取り出して３種類の文字を使うということは、２つだけが同じ文字になる。この４文字を一般的に、□、□、△、○と表すと、この４つの図形の並べ方は$\frac{4!}{2!\times1!\times1!}=12$[通り]ある。

また、ＮＡＲＡＢＥＴＡの中にはＡが３つ、Ｂ、Ｅ、Ｎ、Ｒ、Ｔが１つずつある。同じ文字を表す２つの□はＡにするしかない。残った△、○はＢ、Ｅ、Ｎ、Ｒ、Ｔの５つの中から２つを選べばよく、その選び方は、${}_5C_2=\frac{5\times4}{2\times1}=10$[通り]ある。

よって、本問で問われている並べ方は、$12\times10=120$[通り]あるので、正解は**1**である。

数的推理 場合の数

2022年度
基礎能力 No.16

ある美術館の受付窓口の前に、500円の入場チケットを求めて、８人が一列に並んでいる。８人のうち500円硬貨１枚で払う人が４人、千円札１枚で払う人が４人いる。受付の者は、お釣りとして500円硬貨を１枚しか用意していない。

このとき、受付の者が、千円札で払ったすべての人に500円硬貨でお釣りを返すことができる並び方は何通りあるか。

1 42通り

2 49通り

3 56通り

4 63通り

5 70通り

解説 正解 1

TAC生の正答率 23%

人間は一人ひとり違うため、本来は500円硬貨で払った４人の各自、千円札で払った４人の各自は区別がつくはずであるが、そう考えると膨大な数になって選択肢の中で正解として選べるものがなくなってしまう。よって、500円硬貨で払った区別のできない４人と、千円札で払った区別のできない４人の並び方を考える問題として考える。

500円硬貨でお釣りを返せるかどうかを問わなければ、500円硬貨で払った４人と、千円札で払った４人の並び方は、$\frac{8!}{4!\times4!}=70$[通り]となる。ここから、500円硬貨でお釣りを返せない場合を引く。

(i)　１人目が千円札、２人目が千円札で払った場合

２人目にお釣りを返すことができず、残りの500円硬貨で払う予定の４人と、千円札で払う予定の２人の並び方は、$\frac{6!}{4!\times2!}=15$[通り]ある。

(ii)　１人目が千円札、２人目が500円硬貨で払った場合

受付にお釣りが500円硬貨１枚あり、３人目が千円札で払った場合、受付にお釣りがなくなる。４人目が千円札で払った場合、４人目にお釣りを返すことができず、残りの500円硬貨で払う予定の３人と、千円札で払う予定の１人の並び方は、$\frac{4!}{3!\times1!}=4$[通り]ある。４人目が500円硬貨で払った場合、受付にお釣りが500円硬貨１枚あるが、５人目、６人目が連続で千円札で払うと、６人目にお釣りを返すことができず、残りの500円硬貨で払う予定の２人の並び方は１通りある。

３人目が500円硬貨で払った場合、受付にお釣りが500円硬貨２枚あるが、４人目、５人目、６人目が連続で千円札で払った場合、６人目にお釣りを返すことができず、残りの500円硬貨で払う予定の２人の並び方は１通りある。

よって、この$4+1+1=6$[通り]の場合は、お釣りを返せない。

(iii)　1人目が500円硬貨、2人目が千円札で払った場合

受付にお釣りが500円硬貨1枚あり、3人目が千円札で払った場合、受付にお釣りがなくなる。4人目が千円札で払った場合、4人目にお釣りを返すことができず、残りの500円硬貨で払う予定の3人と、千円札で払う予定の1人の並び方は、$\frac{4!}{3!\times1!}=4$[通り]ある。4人目が500円硬貨で払った場合、受付にお釣りが500円硬貨1枚あるが、5人目、6人目が連続で千円札で払うと、6人目にお釣りを返すことができず、残りの500円硬貨で払う予定の2人の並び方は1通りある。

3人目が500円硬貨で払った場合、受付にお釣りが500円硬貨2枚あるが、4人目、5人目、6人目が連続で千円札で払った場合、6人目にお釣りを返すことができず、残りの500円硬貨で払う予定の2人の並び方は1通りある。

よって、この$4+1+1=6$[通り]の場合は、お釣りを返せない。

(iv)　1人目が500円硬貨、2人目が500円硬貨で払った場合

受付にお釣りが500円硬貨3枚あるが、3人目、4人目、5人目、6人目が連続で千円札で払うと、6人目にお釣りを返すことができず、残りの500円硬貨で払う予定の2人の並び方は1通りある。

(i)～(iv)より、お釣りを返せない場合は、$15+6+6+1=28$[通り]あるため、お釣りを返すことができる並び方は、$70-28=42$[通り]となる。

以上より、正解は**1**である。

[別　解]

500円硬貨4枚を横軸、千円札4枚を縦軸にとり、最短経路の問題として考える。元々受付に500円硬貨が1枚あることを考えると、500円硬貨が0枚のとき千円札は1枚まで、500円硬貨が1枚のとき千円札は2枚まで、500円硬貨が2枚のとき千円札は3枚まで、500円硬貨が3枚のとき千円札は4枚までであることに注意する。

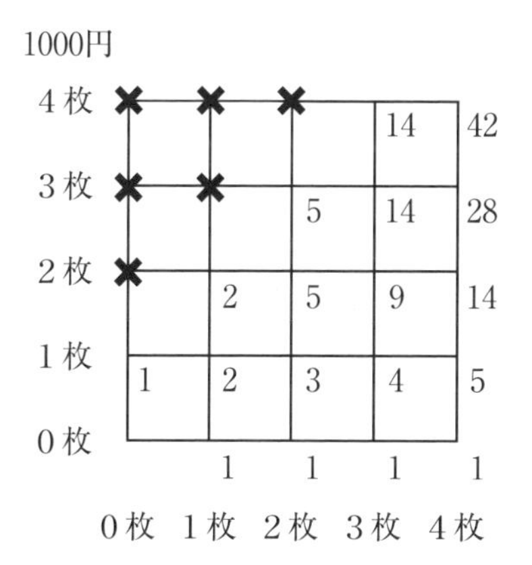

よって、42通りとなり、正解は**1**である。

数的推理　場合の数

2022年度
基礎能力 No.26

[1]、[1]、[2]、[3]、[4]、[5]と５種類の数字を記した６枚のカードがある。そのうちの３枚を使って３桁の数を作るとき、３の倍数は何個できるか。

1　18個

2　21個

3　24個

4　27個

5　30個

解説　正解　4

TAC生の正答率　68%

３桁の数が３の倍数になるのは、各位の数字の和自体が３の倍数になる場合である。６枚のカードから３枚選んで、和が３の倍数になる組合せは、和が６＝(1, 1, 4)、(1, 2, 3)、和が９＝(1, 3, 5)、(2, 3, 4)、和が12＝(3, 4, 5) の５通りある。それぞれにおいて、並べ方が何個あるかを計算する。

(i)　同じ数字を２つ含んでいる場合＝(1, 1, 4)

これは、異なる数字が３つの桁のうちどこに並ぶかを考えることになるので３個ある。同じものを含む順列の公式を用いて、$\frac{3!}{2!}=3$としてもよい。

(ii)　すべて異なる数字の場合＝(1, 2, 3)、(1, 3, 5)、(2, 3, 4)、(3, 4, 5)

これは、${}_3P_3=3\times2\times1=6$より、それぞれ６個である。

よって、個数の総数は$3\times1+6\times4=27$[個]となるので、正解は**4**である。

4人でじゃんけんを1回するとき、2人だけが勝つ確率として正しいものはどれか。

1 $\frac{1}{2}$

2 $\frac{1}{3}$

3 $\frac{2}{9}$

4 $\frac{1}{4}$

5 $\frac{5}{9}$

解説　正解　3

TAC生の正答率　85%

4人をA～Dとすると、各自はグー、チョキ、パーの3通りずつの手を出せるので、4人の手の出し方は全体で$3\times3\times3\times3=81$[通り]となる。

そして、A～Dの中のどの2人が勝つかの2人の選び方が${}_4C_2=\frac{4\times3}{2\times1}=6$[通り]ある。

さらに、その2人がグー、チョキ、パーのどの手で勝つかの手の出し方が3通りあるので、2人だけが勝つ場合は$6\times3=18$[通り]である。

よって、2人だけが勝つ確率は、$\frac{18}{81}=\frac{2}{9}$となるので、正解は**3**である。

数的推理　確率　2022年度 基礎能力 No.25

外から中身の見えない箱A、Bがあり、箱Aには赤いボール２個と青いボール１個、箱Bには赤いボール１個と青いボール２個が入っている。それぞれの箱から無作為に１個ずつボールを取り出して交換する操作を１回の試行とする。２回の試行の後に、それぞれの箱にある３個のボールがすべて同じ色である確率として正しいものはどれか。なお、１回目の試行でボールの色が揃った場合も２回目の試行を行うものとする。

1　$\frac{8}{81}$

2　$\frac{1}{9}$

3　$\frac{4}{27}$

4　$\frac{5}{27}$

5　$\frac{2}{9}$

解説　正解　1　TAC生の正答率 53%

1回目の試行で取り出したボールが、(i)Aから赤、Bから赤、(ii)Aから赤、Bから青、(iii)Aから青、Bから青、(iv)Aから青、Bから赤、となるパターンが考えられるが、(iv)の場合は、1回目の試行後にAの中は赤3個、Bの中は青3個となり、ここから2回目の試行を行うと、それぞれの箱の中のボールが3個とも同じ色になることはあり得ないので、(i)〜(iii)の場合を検討する。

(i)　Aから赤、Bから赤の場合

1回目の試行でAから赤を取り出す確率が$\frac{2}{3}$、Bから赤を取り出す確率が$\frac{1}{3}$となる。そして、1回目の試行後に、Aの中は赤2個、青1個、Bの中は赤1個、青2個となる。ここから2回目の試行で、Aから青、Bから赤を取り出した場合のみが、試行後にAの中が赤3個、Bの中は青3個とすべて同じ色になる。Aから青を取り出す確率が$\frac{1}{3}$、Bから赤を取り出す確率が$\frac{1}{3}$より、$\frac{2}{3}\times\frac{1}{3}\times\frac{1}{3}\times\frac{1}{3}=\frac{2}{81}$となる。

(ii)　Aから赤、Bから青の場合

1回目の試行でAから赤を取り出す確率が$\frac{2}{3}$、Bから青を取り出す確率が$\frac{2}{3}$となる。そして、1回目の試行後に、Aの中は赤1個、青2個、Bの中は赤2個、青1個となる。ここから2回目の試行で、Aから赤、Bから青を取り出した場合のみが、試行後にAの中が青3個、Bの中は赤3個とすべて同じ色になる。Aから赤を取り出す確率が$\frac{1}{3}$、Bから青を取り出す確率が$\frac{1}{3}$より、$\frac{2}{3}\times\frac{2}{3}\times\frac{1}{3}\times\frac{1}{3}=\frac{4}{81}$となる。

(iii)　Aから青、Bから青の場合

1回目の試行でAから青を取り出す確率が$\frac{1}{3}$、Bから青を取り出す確率が$\frac{2}{3}$となる。そして、1回目の試行後に、Aの中は赤2個、青1個、Bの中は赤1個、青2個となる。ここから2回目の試行で、Aから青、Bから赤を取り出した場合のみが、試行後にAの中が赤3個、Bの中は青3個とすべて同じ色になる。Aから青を取り出す確率が$\frac{1}{3}$、Bから赤を取り出す確率が$\frac{1}{3}$より、$\frac{1}{3}\times\frac{2}{3}\times\frac{1}{3}\times\frac{1}{3}=\frac{2}{81}$となる。

よって、求める確率は$\frac{2}{81}+\frac{4}{81}+\frac{2}{81}=\frac{8}{81}$より、正解は**1**である。

数的推理　確率　2020年度 基礎能力 No.23

数直線上の原点にPがある。サイコロを投げ、１または２の目が出たら点Pは正の方向へ１動き、３または４の目が出たら点Pは負の方向へ１動き、５または６の目が出たら点Pは動かないものとする。３回サイコロを投げたとき、点Pが+1の点で止まる確率として正しいものはどれか。

1 $\frac{1}{27}$

2 $\frac{2}{27}$

3 $\frac{1}{9}$

4 $\frac{2}{9}$

5 $\frac{1}{3}$

解説　正解 4　TAC生の正答率 79%

サイコロを１回投げるごとに、正の方向に１動く確率、負の方向に１動く確率、動かない確率はそれぞれ$\frac{2}{6}=\frac{1}{3}$である。３回サイコロを投げて点Pが+1の点で止まるのは、(i)正の方向へ１動くのが２回、負の方向へ１動くのが１回、(ii)正の方向へ１動くのが１回、動かないのが２回、の２通りがある。

(i)　正の方向へ１動くのが２回、負の方向へ１動くのが１回

３回のうち、負の方向に動くのが何回目かで${}_3C_1=3$[通り]あり、３通りそれぞれの確率が$\left(\frac{1}{3}\right)^2\times\frac{1}{3}=\frac{1}{27}$であるから、これが起こる確率は$3\times\frac{1}{27}=\frac{3}{27}$である。

(ii)　正の方向へ１動くのが１回、動かないのが２回

３回のうち、正の方向に動くのが何回目かで${}_3C_1=3$[通り]あり、３通りそれぞれの確率が$\frac{1}{3}\times\left(\frac{1}{3}\right)^2=\frac{1}{27}$であるから、これが起こる確率は$3\times\frac{1}{27}=\frac{3}{27}$である。

したがって、(i)、(ii)より、求める確率は$\frac{3}{27}+\frac{3}{27}=\frac{2}{9}$であるから、正解は**4**である。

三角形ABCにおいて、∠BACの二等分線をAD、∠ABCの二等分線をBEとし、２つの線分AD、BEの交点をＦとする。

AB＝6、BC＝5、CA＝4のとき、AF：FDの値として正しいものはどれか。

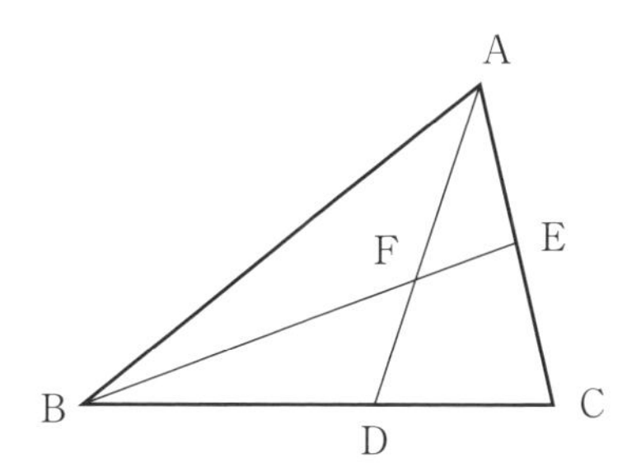

1　3：2

2　2：1

3　4：3

4　5：2

5　5：3

解説　正解　2

TAC生の正答率　57%

角の二等分線に関する定理を用いれば、∠BAD＝∠CADより、BD：CD＝AB：AC＝6：4＝3：2となり、BC＝5より、BD＝3となる。∠ABE＝∠CBEより、AF：FD＝BA：BD＝6：3＝2：1となるので、正解は**2**である。

数的推理　平面図形

2022年度
基礎能力 No.24

下の図のように、三角形ABCの内心をＩとし、直線AIと辺BCの交点をＤとする。
AB＝4、AC＝10、BC＝12のとき、AI：IDの比として正しいものはどれか。

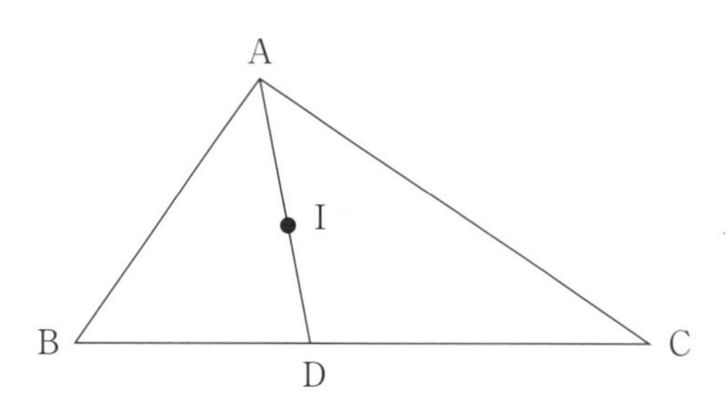

1　3：2

2　4：3

3　5：6

4　6：5

5　7：6

解説　正解　5

TAC生の正答率　40%

正しい図は次のようになる。

三角形の内心は、三角形の各頂点の二等分線の交点であるから、∠BAD＝∠CADとなる。角の二等分線と辺の比より、AB：AC＝BD：DCであり、AB＝4、AC＝10であるから、BD：DC＝4：10＝2：5となる。よって、$BD=BC\times\frac{2}{2+5}=12\times\frac{2}{7}$、$DC=BC\times\frac{5}{2+5}=12\times\frac{5}{7}$となる。

同様に、BIを引くと∠ABI＝∠DBIとなり、角の二等分線と辺の比より、BA：BD＝AI：DIとなる。よって、$AI:DI=4:12\times\frac{2}{7}=7:6$となる。

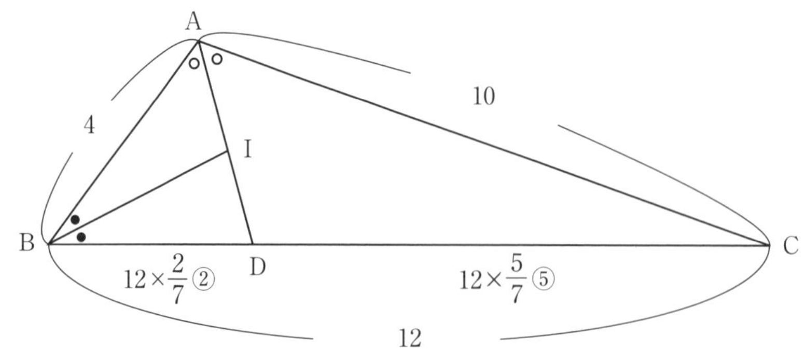

以上より、正解は**5**である。

三角形ABCにおいて、∠Aの二等分線と辺BCの交点をD、∠Aの外角の二等分線と辺BCの延長との交点をEとする。AB＝15、AC＝5、BC＝12のとき、線分DEの長さとして正しいものはどれか。

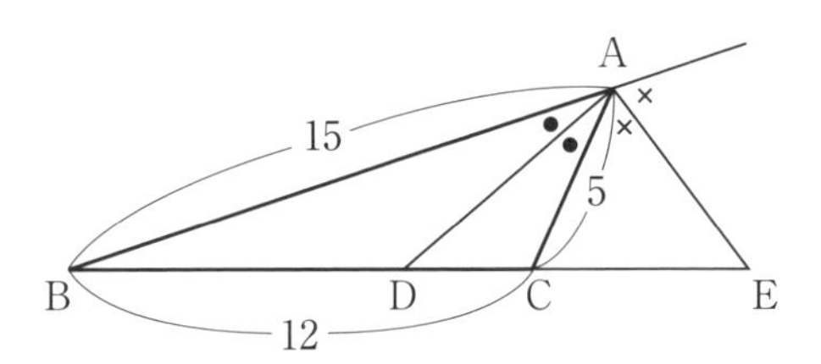

1 6

2 7

3 8

4 9

5 10

解説 正解 4

TAC生の正答率 46%

△ABCにおいて、内角の二等分線の性質より、BD：DC＝AB：AC＝15：5＝3：1となる（図1）。また、△ABCにおいて、外角の二等分線の性質より、BE：CE＝AB：AC＝15：5＝3：1となる（図2）。

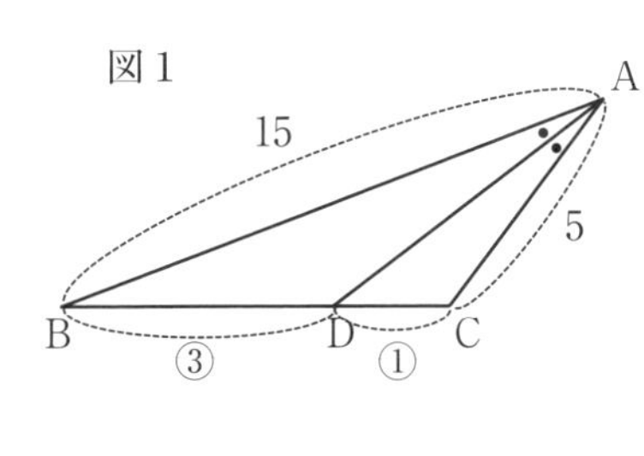

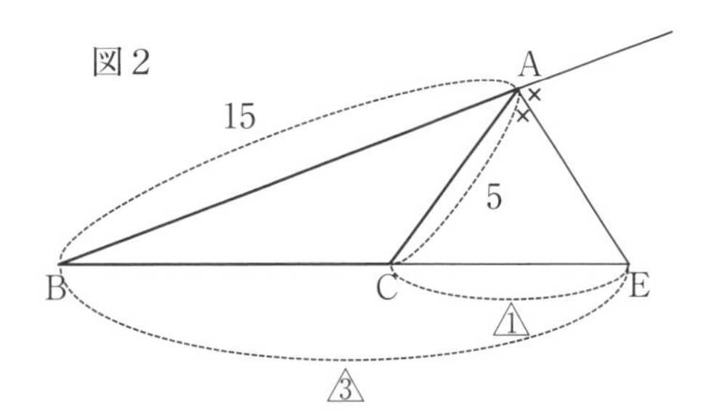

よって、

$$DC = BC \times \frac{1}{3+1} = 12 \times \frac{1}{4} = 3$$

$$CE = BC \times \frac{1}{3-1} = 12 \times \frac{1}{2} = 6$$

より、DE＝DC＋CE＝3＋6＝9となり、正解は**4**である。

図のように三角形に内接する円がある。三角形の周囲の長さ60cm、面積が135cm^{2}であるとき、円の半径として正しいものはどれか。

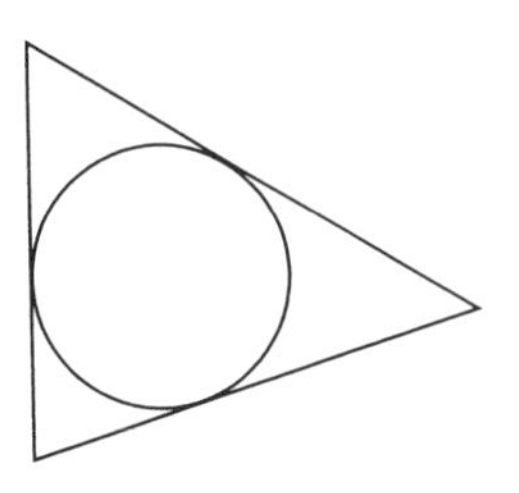

1　4 cm

2　4.5cm

3　5 cm

4　5.5cm

5　6 cm

解説　正解　2

TAC生の正答率 76%

三角形の内接円の半径をrとすると、公式より$S=\frac{1}{2}\times r\times(a+b+c)$ …①が成立する（Sは三角形の面積、a、b、cは三角形の３辺）。

問題の三角形は$S=135[\text{cm}^2]$、$a+b+c=60[\text{cm}]$であるから、①に代入すると$135=\frac{1}{2}\times r\times 60$となり、これを解くと$r=4.5[\text{cm}]$となる。

したがって、正解は**2**である。

現代文　英文　判断推理　空間把握　数的推理　資料解釈　政治　経済　法律

数的推理 立体図形

2020年度
基礎能力 No.25

底面が一辺6cmの正六角形で6つの側面は全て正方形の正六角柱がある。この正六角柱で、次の図のように4つの頂点ABCDを結んだときにできる四角形（斜線部）の面積として正しいものはどれか。

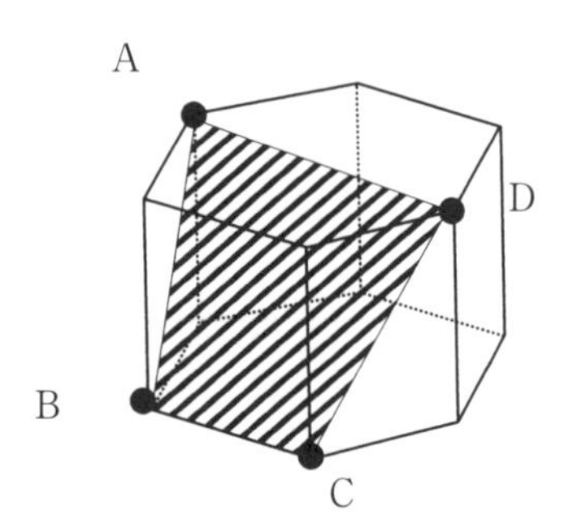

1 $24\sqrt{3}\,\text{cm}^2$

2 $24\sqrt{7}\,\text{cm}^2$

3 $27\sqrt{3}\,\text{cm}^2$

4 $27\sqrt{7}\,\text{cm}^2$

5 $28\sqrt{3}\,\text{cm}^2$

解説　正解　4　TAC生の正答率 58%

ABとCDはともに一辺6cmの正方形の対角線で$AB=CD=6\sqrt{2}$[cm]であり、BCとADは平行であるから、四角形ABCDは等脚台形である。BCは正六角形の一辺だから6cm、ADは正六角形の最も長い対角線で、一辺6cmの正三角形が二辺分あるから（図1）、$AD=6\times2=12$[cm]である。

等脚台形ABCDにおいて、B、CからADに下ろした垂線の足をそれぞれM、Nとする。$MN=BC=6$[cm]で、△ABMと△DCNは、$AB=DC$、$\angle AMB=\angle DNC=90°$、等脚台形の性質より$\angle BAM=\angle CDN$で、直角三角形の斜辺と他の1組の角がそれぞれ等しいので合同である。よって、$AM=DN=(12-6)\div2=3$[cm]となり、△ABMで三平方の定理を用いて$AM^2+BM^2=AB^2$より、$3^2+BM^2=(6\sqrt{2})^2$で、これを解くと$BM=3\sqrt{7}$[cm]となる（図2）。

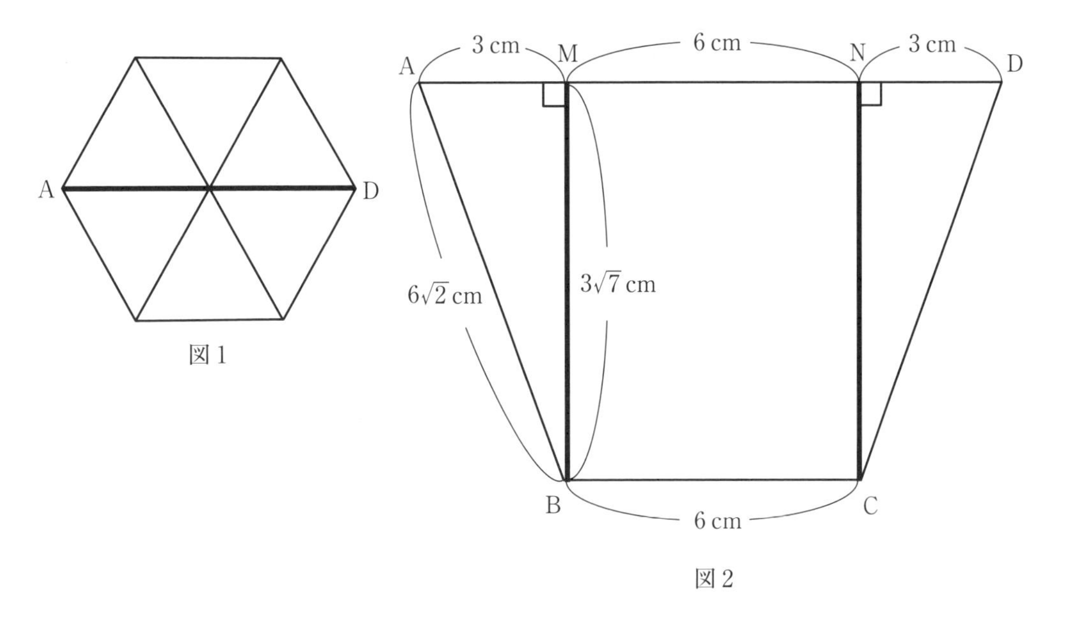

図1　図2

よって、斜線部の面積は$\frac{1}{2}\times(6+12)\times3\sqrt{7}=27\sqrt{7}$[cm²]となるので、正解は**4**である。

下の表は、日本の学校・教員・在学者数の変化を表したものである。この表からいえることとして最も妥当なものはどれか。

		1980年	1990年	2000年	2010年	2020年
小学校	学校数	24945	24827	24106	22000	19525
	教員数（千人）	468	444	408	420	423
	児童数（千人）	11827	9373	7366	6993	6301
中学校	学校数	10780	11275	11209	10815	10142
	教員数（千人）	251	286	258	251	247
	生徒数（千人）	5094	5369	4104	3558	3211
高等学校	学校数	5208	5506	5478	5116	4874
	教員数（千人）	244	286	269	239	229
	生徒数（千人）	4622	5623	4165	3369	3092

（公益財団法人矢野恒太記念会『日本国勢図会2021/22年版』より引用・加工）

1　教員１人当たりの生徒数（児童数）が最も少ないのは、2020年の高等学校である。

2　2020年の小学校の学校数は、1980年の小学校の学校数の７割未満となっている。

3　2000年の中学校の学校数を100とすると、2010年の中学校の学校数は92である。

4　小学校の教員１人当たりの児童数が25人を超えているのは1980年のみである。

5　1990年において、中学校１校当たりの生徒数と、小学校１校当たりの児童数の差は10人未満である。

解説　正解　4　TAC生の正答率 81%

1　×　教員1人当たりの生徒数（児童数）$=\frac{\text{生徒数（児童数）}}{\text{教員数}}$である。2020年の高等学校の値は$\frac{3{,}092}{229}$で、229×13＝2,977より、$\frac{3{,}092}{229}$は13より大きい。2020年の中学校の値は$\frac{3{,}211}{247}$で、247×13＝3,211より、$\frac{3{,}211}{247}$はちょうど13である。よって、教員1人当たりの生徒数（児童数）が最も少ないのは2020年の高等学校ではない。

2　×　1980年の小学校の学校数は24,945で、その7割は24,945×0.7＜25,000×0.7＝17,500より、17,500より小さい。一方、2020年の小学校の学校数は19,525であるから、1980年の7割未満ではない。

3　×　基準を100としたときの指数が92であるということは、基準の92％であるということと同じである。2000年の中学校の学校数は11,209で、1％が約112で、8％が112×8＝896であるから、92％＝(100－8)％は11,209－896＝10,313である。2010年の中学校の学校数は10,815であるから、2000年の92％ではない。

4　○　小学校の教員1人当たりの児童数が25人を超えているということは、児童数が教員数の25倍を超えているということと同じである。1980年は教員数の25倍が468×25＝468×100÷4＝11,700[千人]で、児童数が11,827[千人]であるから、教員数の25倍を超えている。1990年、2000年、2010年、2020年は、教員数がいずれも400[千人]を超えているから、教員数の25倍は400×25＝10,000より、10,000[千人]を超えている。一方、児童数はいずれも10,000千人未満であるから、教員数の25倍を超えていない。よって、児童数が教員数の25倍を超えているのは1980年のみである。

5　×　学校1校当たりの生徒数（児童数）$=\frac{\text{生徒数（児童数）}}{\text{学校数}}$であるから、1990年の中学校1校当たりの生徒数は$\frac{5{,}369[\text{千人}]}{11{,}275}$≒0.476[千人]＝476[人]で、1990年の小学校1校当たりの児童数は$\frac{9{,}373[\text{千人}]}{24{,}827}$≒0.378[千人]＝378[人]である。476－378＝98[人]であるから、差は10人未満ではない。

資料解釈 実数の表

2021年度
基礎能力 No.27

下の表は近年における日本の発信端末別の通信回数の推移に関する資料である。この表からいえることとして最も妥当なものはどれか。

（単位：億回）

	2010年	2011年	2012年	2013年	2014年	2015年	2016年
固定系	385.4	350.9	318.0	292.1	259.2	226.4	194.6
移動系	608.7	611.2	590.8	556.4	526.4	518.1	503.9
IP電話	112.4	121.8	130.1	141.9	146.4	149.1	154.7
総回数	1106.5	1083.9	1038.9	990.4	932.0	893.6	853.2

（総務省「平成30年版情報通信白書」より引用・加工）

1 各発信端末の2010年の値を100としたときに、各年度の値を指数であらわすとすると、2016年の移動系の値が最も小さい。

2 調査年の全体を通じて、IP電話の割合は総回数の２割以上となっている。

3 総回数の2010年の値を100としたときに、総回数の指数の対前年減少値が最も大きかったのは2014年である。

4 各発信端末の2010年の値を100としたときに、各発信端末の2015年の値を指数であらわすとすると、130を超えているものはない。

5 各年度の固定系の値の総回数に占める割合が一番高いのは、2011年である。

解説　正解 3　TAC生の正答率 80%

1 × 各発信端末の2010年度の値を100としたときの各年度の指数は、$100 \times \frac{\text{各年の実数値}}{\text{2010年の実数値}}$で求められる。2016年の移動系の指数は$100 \times \frac{503.9}{608.7}$であり、608.7の10％が60.87で、80％が$60.87 \times 8 = 486.96$だから、503.9は80％より大きく、$100 \times \frac{503.9}{608.7} > 100 \times \frac{8}{10} = 80$となる。一方、2016年の固定系の指数は$100 \times \frac{194.6}{385.4}$であり、385.4の10％が38.54で、80％が$38.54 \times 8 = 308.32$だから、194.6は80％より小さく、$100 \times \frac{194.6}{385.4} < 100 \times \frac{8}{10} = 80$となる。よって、最も小さいのは2016年の移動系ではない。

2 × 2010年をみると、総回数の２割は$1106.5 \times 0.2 = 110.65 \times 2 = 221.3$[億回]であるが、IP電話の回数は112.4[億回]なので、総回数の２割未満である。

3 ○ 総回数の2010年の値を100としたときの総回数の指数の対前年減少値の大小は、総回数の実数値の対前年減少値の大小と同じである。2014年の対前年減少値は$990.4 - 932.0 = 58.4$[億回]である。他の年で、前年より50億回以上減少している年はないので、対前年減少値が最も大きかったのは2014年である。なお、本肢では「何年から何年の間で調べろ」という指定がないので、表に出ている最初の2010年も考慮に入れると、前年の2009年の値が書かれていないため、2010年においては対前年減少値を求めることができない。よって、2014年の減少値が2010年の減少値よりも確実に大きくなることを証明できなくなってしまうが、他の肢が明らかに誤りの内容なので、「前年からの減少値が求められる2010年から後の年の減少値について尋ねられている」と好意的に解釈し、本肢を最も妥当だとせざるを得ない。しかし、本来であれば「表における2011年以降の年における対前年減少値が最も大きかったのは2014年である」とはっきり書く形で出題されるべきである。

4 × 2010年の値を100としたときに2015年の指数が130を超えているということは、2015年の値が2010年の値の1.3倍を超えているということと同じである。IP電話をみると、2010年の値は112.4[億回]で、その1.3倍は$112.4 \times 1.3 = 112.4 + 11.24 \times 3 = 146.12$[億回]である。2015年の値は149.1[億回]だから、2010年の値の1.3倍を超えている。

5 × 固定系の値の総回数に占める割合は$\frac{\text{固定系の値}}{\text{総回数}}$で求められる。2011年は$\frac{350.9}{1083.9}$で、$1083.9 \div 3 = 361.3$より、$\frac{350.9}{1083.9} < \frac{1}{3}$である。2010年をみると、割合は、$\frac{385.4}{1106.5}$で、$1106.5 \div 3 \fallingdotseq 368.8$より、$\frac{385.4}{1106.5} > \frac{1}{3}$となる。よって、割合が一番高いのは2011年ではない。

資料解釈 構成比のグラフ

2020年度 基礎能力 No.27

下のグラフは、全国の国公立及び私立大学の学部学生約１万人を対象に行った１日の読書時間に関するアンケート調査の結果を表したものである。このグラフからいえることとして最も妥当なものはどれか。

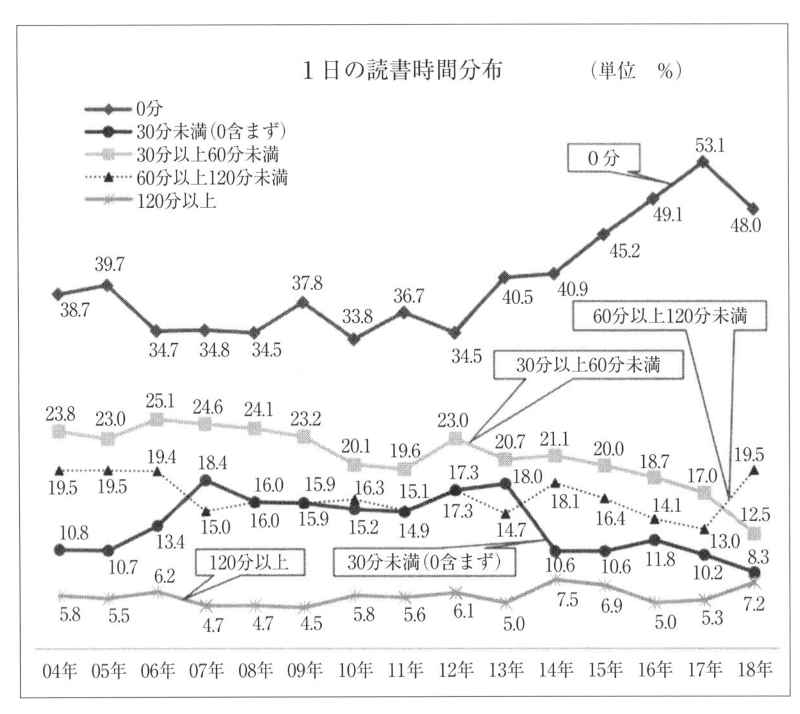

（全国大学生活協同組合連合会 「第54回学生生活実態調査の概要報告」より引用・加工）

1 １日の読書時間が120分以上の学生は2013年から2018年までの６年間を合計すると、4,000人を上回っている。

2 １日の読書時間が０分の学生についてみると、図中で割合が最も多い年は最も少ない年の1.5倍以上である。

3 2016年は、１日の読書時間が30分未満（０含まず）の学生と30分以上60分未満の学生を合わせると3,500人を上回っている。

4 2010年における１日の読書時間が０分の学生の人数を指数100としたとき、同年の１日の読書時間が60分以上120分未満の学生の人数の指数は45を下回っている。

5 １日の読書時間が60分以上120分未満の学生についてみると、2007年は対前年増減率では44％減である。

解説　**正解　2**　TAC生の正答率 83%

1　×　各年の対象者を10,000人とすると、2013年から2018年までの６年間の１日の読書時間が120分以上の学生の合計は、10,000×(5.0％＋7.5％＋6.9％＋5.0％＋5.3％＋7.2％)＝10,000×36.9％＝3,690[人]となる。よって、4,000人を上回っていない。

2　○　１日の読書時間が０分の学生の割合が最も多いのは2017年の53.1％で、最も少ないのは2010年の33.8％である。33.8％の1.5倍は33.8×1.5＝33.8＋33.8÷2＝50.7％だから、53.1％は33.8％の1.5倍以上である。

3　×　2016年の対象者を10,000人とすると、30分未満（０含まず）と30分以上60分未満の学生を合わせた割合は11.8＋18.7＝30.5％だから、その人数は10,000×30.5％＝3,050[人]となる。よって、3,500人を上回っていない。

4　×　基準の指数を100としたときに指数45を下回るということは、基準に対する割合が45％を下回るということと同じである。2010年において、１日の読書時間が０分の学生の割合は全体の33.8％で、60分以上120分未満の学生は全体の16.3％である。33.8の50％が33.8÷2＝16.9で、５％が1.69で、45％が16.9－1.69＝15.21だから、16.3は33.8の45％を上回っている。

5　×　各年の対象者を10,000人とすると、１日の読書時間が60分以上120分未満の学生は、2006年が19.4％だから10,000×19.4％＝1,940[人]で、2007年が15.0％だから10,000×15.0％＝1,500[人]だから、1,940－1,500＝440[人]の減少となる。1,940の10％が194で、30％が194×3＝582だから、440は30％未満の減少である。

資料解釈　総数と構成比の表

2023年度 基礎能力 No.27

下の表は、令和４（2022）年10月１日現在の海外在留邦人数の内訳を、国別に上位15位まで、都市別に上位10位まで表したものである。この表からいえることとして最も妥当なものはどれか。なお、各国内シェアとは、その国の在留邦人数のうち、その都市の在留邦人数が占める割合を示している。

国（地域）別在留邦人数推計

	国（地域）	人数（人）
1	米国	418,842
2	中国	102,066
3	オーストラリア	94,942
4	タイ	78,431
5	カナダ	74,362
6	英国	65,023
7	ブラジル	47,472
8	ドイツ	42,266
9	韓国	41,717
10	フランス	36,104
11	シンガポール	32,743
12	マレーシア	24,545
13	ベトナム	21,819
14	台湾	20,345
15	ニュージーランド	19,730
⋮	⋮	⋮
	総数	1,308,515

都市別在留邦人数推計

	都市	国	各国内シェア
1	ロサンゼルス都市圏	米国	15.5%
2	バンコク	タイ	71.7%
3	ニューヨーク都市圏	米国	9.1%
4	上海	中国	35.9%
5	大ロンドン市	英国	50.7%
6	シンガポール	シンガポール	100.0%
7	シドニー都市圏	オーストラリア	30.4%
8	バンクーバー都市圏	カナダ	37.9%
9	ホノルル	米国	5.6%
10	香港	中国	22.7%

（「海外在留邦人数調査統計」（外務省領事局）を加工して作成）

1　米国の在留邦人数は、オーストラリア・カナダ・英国の在留邦人数の合計の２倍を超えている。

2　バンコクの在留邦人数は、シンガポールの在留邦人数より３万人以上多い。

3　韓国の在留邦人数が海外在留邦人数総数に占める割合は、3.0％未満である。

4　台湾の在留邦人数は、ホノルルと香港のそれぞれの在留邦人数より少ない。

5　ロサンゼルス都市圏の在留邦人数は、ニューヨーク都市圏の在留邦人数の1.6倍より少ない。

解説　正解　4

TAC生の正答率 88%

1　×　在留邦人数について、米国は418,842人、(オーストラリア＋カナダ＋英国)×2＝(94,942＋74,362＋65,023)×2は、(90,000＋70,000＋60,000)×2＝440,000［人］より多い。よって、米国の在留邦人数は、オーストラリア、カナダ、英国の在留邦人数の合計の２倍を超えていない。

2　×　在留邦人数について、シンガポール＋３万人＝32,743＋30,000＞30,000＋30,000＝60,000［人］、バンコク＝(タイ)×71.7％＝78,431×0.717＜80,000×0.72＝57,600＜60,000［人］となるため、バンコクの在留邦人数は、シンガポールの在留邦人数より３万人以上多くない。

3　×　在留邦人数について、韓国は41,717人、総数の3.0％は、1,308,515×0.03は1,310,000×0.03＝39,300［人］より少ない。よって、韓国の在留邦人数は、海外在留邦人数総数の3.0％未満ではない。

4　○　在留邦人数について、台湾＝20,345人、ホノルル＝(米国)×5.6％＝418,842×0.056＞410,000×0.05＝20,500［人］、香港＝(中国)×22.7％＝102,066×0.227＞100,000×0.22＝22,000［人］、である。よって、台湾の在留邦人数は、ホノルルと香港のそれぞれの在留邦人数より少ない。

5　×　在留邦人数について、ロサンゼルス都市圏＝(米国)×15.5％、(ニューヨーク都市圏)×1.6＝(米国)×9.1％×1.6である。ここで、9.1×1.6＝14.56＜15.5であるから、ロサンゼルス都市圏の在留邦人数は、ニューヨーク都市圏の在留邦人数の1.6倍より少なくない。

政治　近代民主政治

2022年度
基礎能力 No.28

近代民主政治と基本的人権の保障に関する記述として最も妥当なものはどれか。

1　イギリスではマグナ＝カルタのような慣習法が早くから作られていたこともあり、ホッブズは、「国王といえども神と法のもとにあるべきだ」と主張した。

2　ロックは、政府とは国民が自然権を守るために代表者に政治権力を信託したものであるから、政府が自然権を侵害した場合、国民には抵抗権（革命権）が生じるとした。

3　ルソーは、ロックの唱えた権力分立制を修正して、国家権力を立法権・行政権・司法権の三権に分離し、相互の抑制と均衡を図ろうと考えた。

4　アメリカのヴァージニア権利章典・独立宣言は、どちらもフランス人権宣言の影響を受けて採択されたものであり、いずれも人が平等であることを宣言している。

5　イギリスの裁判官クック（コーク）は、国家の任務を国防や治安維持など必要最小限のものに限る自由放任主義の国家を、夜警国家と呼んで批判した。

解説　正解　2

TAC生の正答率　86%

1　×「国王といえども神と法のもとにあるべきだ」と主張したのは、ホッブズではなくブラクトンである。その後、同じイギリスの裁判官E.クック（コーク）が当時の国王ジェームズ一世の政治を批判する際に、この言葉を引用した。

2　○「代表者に政治権力を信託した」、「抵抗権（革命権）が生じる」という点から、ロックの社会契約論に関する記述として妥当だとわかる。

3　×　三権分立を唱えたのは、ルソーではなくモンテスキューである。

4　×　アメリカのヴァージニア権利章典・独立宣言（1776）はフランス人権宣言（1789）の前に成立しているため、前者が後者から「影響を受けて採択された」という記述は誤りである。

5　×　自由放任主義国家（小さな政府）を夜警国家と呼んで批判したのは、イギリスの裁判官クック（コーク）ではなくドイツの社会主義者F.ラッサールである。

選挙制度に関する記述として最も妥当なものはどれか。

1 小選挙区制と大選挙区制を比較すると、小選挙区制のほうが死票が少なく、少数意見を反映しやすいという長所がある。

2 大選挙区制は、一般に、二大政党制を生みやすく、強い与党が生まれ政局が安定するという長所がある。

3 比例代表制は、死票が少なく多様な民意を反映できるが、小党分立や政治の停滞を生み出す傾向がある。

4 現在の日本の国政選挙では、衆議院議員選挙でも参議院議員選挙でも、選挙区制の当選者より比例代表制の当選者のほうが多い。

5 現在の日本の国政選挙では、仕事や旅行を理由とした不在者投票が認められており、有権者は事前に申請すれば選挙当日にどの投票所でも投票できる。

解説　正解　3

TAC生の正答率 87%

1 × 「死票が少なく、少数意見を反映しやすい」という長所は、いずれも大選挙区制の特徴である。定数1の小選挙区制では、当選結果に反映されない死票（この場合、得票数2位以下に投票された票）の数が多くなり、少数意見を反映しにくい。

2 × 「二大政党制を生みやすく」、「政局が安定する」という長所は、いずれも小選挙区制の長所である。1つの選挙区から複数人当選する大選挙区制では、多党制になりやすく、政局が不安定になりやすい。

3 ○ 比例代表制は、政党が得た得票総数に比例して各党に議席を配分する方式である。小政党でも議席を得やすい反面、多数の政党が分立し、政局が不安定になる可能性がある。

4 × 当選者の数は、いずれも選挙区制より比例代表制のほうが少ない。衆議院議員選挙の議員定数は、小選挙区：比例代表＝289：176である。参議院議員選挙の議員定数は、選挙区：比例代表＝148：100である。

5 × 「選挙当日にどの投票所でも」投票できるという記述が誤り。不在者投票では、選挙期日（選挙当日）の公示・告示日から選挙当日の前日までに滞在場所の市区町村の選挙管理委員会で投票しなければならない。

現代文 英文 判断推理 空間把握 数的推理 資料解釈 政治 経済 法律

政治　三権分立

日本の三権の機構に関する記述として最も妥当なものはどれか。

1　国会は国政調査権を有するが、この場合の調査とは書類の開示請求にとどまり、裁判のような証人の出頭及び証言を求めることはできない。

2　条約による規制は市民生活に直接影響するため、事前に国会の承認を受けていない条約の締結は認められず、また予算と同様に衆議院が先議権を有する。

3　内閣は国会に対して責任を負い、衆議院と参議院が両院一致で内閣不信任の決議をしたときは、すぐに総辞職しなければならない。

4　内閣総理大臣は、国務大臣を任命し、任意に罷免する権限のほか、自衛隊の防衛出動や治安出動の命令などといった重要な権限を有する。

5　司法権は国民の権利と自由を守る重要な権能であるから、問題があって罷免の訴追を受けた裁判官については、罷免するかどうかを内閣が弾劾裁判で決定する。

解説　正解　4　TAC生の正答率 87%

1 × 全体が妥当でない。国政調査権は各議院に与えられた権能であり、調査においては、記録の提出を要求することにとどまらず、証人の出頭及び証言を要求することもできる（憲法62条）。

2 × 「事前に国会の承認を受けていない条約の締結は認められず、また予算と同様に衆議院が先議権を有する」という部分が妥当でない。条約を締結することは内閣に与えられた権能である（憲法73条３号本文）。ただし、条約を締結するには、原則として、事前に国会の承認を経る必要があるが、時宜によっては事後に国会の承認を経ることも認められる（同条号ただし書）。そして、衆議院に先議権が認められるのは予算だけであり（60条１項）、条約の締結に必要な国会の承認について、衆議院の先議権は認められていない（61条参照）。

3 × 「衆議院と参議院が両院一致で内閣不信任の決議をしたときは、すぐに総辞職しなければならない」という部分が妥当でない。内閣は、衆議院で不信任の決議案を可決し、又は信任の決議案を否決したときは、10日以内に衆議院が解散されない限り、総辞職をしなければならない（憲法69条）。すなわち、衆議院による内閣不信任決議についてのみ、内閣に対する法的拘束力が生じる。したがって、衆議院が内閣不信任決議をした場合には、内閣は、決議後10日以内に衆議院を解散するか、それとも総辞職をするかの選択を迫られることになる。

4 ○ 条文により妥当である。内閣総理大臣は、国務大臣を任命し（憲法68条１項本文）、任意に罷免することができる（同条２項）。また、内閣総理大臣は、自衛隊の防衛出動や治安出動を命ずることができる（自衛隊法76条、78条）。

5 × 「罷免するかどうかを内閣が弾劾裁判で決定する」という部分が妥当でない。裁判官は、裁判により、心身の故障のために職務を執ることができないと決定された場合を除いては、公の弾劾によらなければ罷免されない（憲法78条前段）。この「公の弾劾」とは、罷免の訴追を受けた裁判官を裁判する（罷免するかどうかを決定する）ための特別の手続のことをいい、このような特別の手続を担当する弾劾裁判所は国会に設けられている（64条１項）。

政治　地方自治

2023年度
基礎能力 No.28

日本の地方自治に関する次のA～Eの記述のうち、妥当なもののみを全て挙げているものはどれか。

A　地方自治は、日本国憲法によってはじめて制度として保障されたもので、地方自治法が制定されたのは戦後のことである。
B　地方自治の主たる担い手である首長は、内閣総理大臣と同様に議会の議決によって選ばれ、議会に対して責任を負う。
C　住民が条例の制定または改廃の直接請求を行う場合、請求先は議会で、必要な署名数は有権者の３分の１以上である。
D　1999年に地方分権一括法が成立したことにより、それまでの法定受託事務は廃止され、地方公共団体の事務は自治事務と機関委任事務とに整理された。
E　近年では、行政から独立したオンブズマンが行政サービスについての苦情を受け付けるオンブズマン（オンブズパーソン）制度を導入している地方公共団体もある。

1　A、C

2　A、E

3　B、C

4　B、D

5　D、E

解説　　正解　2　　TAC生の正答率　70%

A　○　大日本帝国憲法（明治憲法）には地方自治に関する規定は設けられていなかったが、日本国憲法の第８章ではじめて制度として保障された。

B　×　地方自治の主たる担い手である首長は、内閣総理大臣とは異なり住民の直接選挙によって選ばれ、住民に対して責任を負う。

C　×　住民が条例の制定または改廃の直接請求を行う場合、請求先は首長で、必要な署名数は有権者の50分の１以上である。署名要件が有権者の３分の１以上なのは議会の解散、議員・長・主要公務員の解職であり、請求先は主要公務員の解職が首長、それ以外はすべて選挙管理委員会となっている。

D　×　1999年に地方分権一括法が成立したことにより、それまでの機関委任事務は廃止され、地方公共団体の事務は自治事務と法定受託事務とに整理された。

E　○　日本では、1990年に川崎市で市民オンブズマン条例が制定されたのを初例として、地方公共団体レベルではオンブズマン制度が導入されている。ただし、国レベルでは、総務省が行政苦情救済制度を設けておりオンブズマン機能を果たしていると主張しているものの、行政学界の通説ではオンブズマン制度に該当しないと解されている。

以上の組み合わせにより、**2**が正解となる。

政治　社会保障　2023年度 基礎能力 No.31

日本の社会保障に関する記述として最も妥当なものはどれか。

1　日本の社会保障制度は憲法第25条の生存権の規定に基づいて、社会保険・公的扶助・社会福祉・公衆衛生の４つの柱からなっており、生活保護はこのうちの公衆衛生に基づくものである。

2　社会保険は、保険の加入者に対して現金やサービスの給付を通じて生活保障を行うもので、現在、医療保険、年金保険、雇用保険、労災保険、介護保険、死亡保険の６種類がある。

3　年金の財源調達の方式には積立方式と賦課方式があり、日本はもともと賦課方式であったが、現在は事実上積立方式に移行しており、将来的に大量の無年金者が発生することが懸念されている。

4　一般的に、65歳以上の人口が総人口の７％を超える社会を高齢化社会といい、14％を超えると高齢社会、21％を超えると超高齢社会というが、この定義によると日本は既に超高齢社会となっている。

5　高齢者も障害のある人もない人も、すべての人が社会に出て共に生活していこうとする考え方を地域包括ケアシステムといい、現在ではこの考えを実行に移すために、バリアフリー化に根ざしたまちづくりが推進されている。

解説　正解　4　TAC生の正答率 63%

1　×　生活保護は公的扶助に基づくものである。なお、社会保険・公的扶助・社会福祉・公衆衛生は、「社会保障の４つの柱」とされる。

2　×　死亡保険が余計で、日本の社会保険は、現在、医療保険、年金保険、雇用保険、労災保険、介護保険の５種類がある。それに対して死亡保険は、生命保険会社などが保険者となる民間保険である。

3　×　日本の年金制度はもともと積立方式であったが、現在は事実上賦課方式に移行している。ここで積立方式とは将来の年金給付に必要な原資をあらかじめ保険料で積み立てていく財政方式、賦課方式とは年金給付に必要な費用を、その都度、被保険者（加入者）からの保険料で賄っていく財政方式である。年金制度が発足した段階では、保険料を納付する者はいるが年金を受給する者は原則としていない。そのため、当初は将来の給付に備えて保険料を積み立てていく積立方式となる。しかし、国民年金制度が開始されて60年以上経過した現在では数多くの受給者がいることもあり、事実上賦課方式に移行している。

4　○　「高齢化社会」や「高齢社会」と比べると「超高齢社会」という用語は一般的ではないが、このような表現もある。

5　×　高齢者も障害のある人もない人も、すべての人が社会に出て共に生活していこうとする考え方をノーマライゼーションという。それに対して地域包括ケアシステムとは、人口減少社会における介護需要の急増という困難な課題に対して、医療・介護などの専門職から地域の住民一人ひとりまで様々な者たちが力を合わせて対応していこうというシステムのことである。

政治　大統領制

2021年度
基礎能力 No.28

大統領が存在する国に関する次のA～Dの記述のうち、妥当なもののみを全て挙げているものはどれか。

A　フランスの大統領は任期５年で国民の直接選挙で選出され、首相を任免するなどの強大な権限があるが、一部議院内閣制を取り入れていることから、フランスは半大統領制の国といえる。

B　アメリカは厳格な三権分立の国であるため、任期４年で国民の間接選挙で選出される大統領は、議会を解散することができず、議会から不信任決議を受けることもない。

C　ドイツでは連邦議会から任期５年の大統領と首相が選出されるが、首相は象徴的な存在とされ政治的な実権を有さないことから、ドイツの政治体制は大統領制とされる。

D　ロシアは大統領と首相が共に存在し、大統領は任期６年で三選が禁止され、首相は連邦議会から選出されるため、内閣は議会を解散し議会は内閣に不信任決議をすることができる。

1　A、B

2　A、C

3　B、C

4　B、D

5　C、D

解説　正解　1

TAC生の正答率　80%

A　**○**　フランスの半大統領制に関する記述として妥当である。大統領に首相の任免権がある一方で、議会は内閣に対して不信任決議権を有する。この点で議院内閣制の要素が取り入れられており、フランスは半大統領制の国である。

B　**○**　アメリカの大統領制に関する記述として妥当である。大統領に議会を解散する権限はなく、また議会も大統領に対して不信任決議権を有していない。ただし、議会は大統領を弾劾する権限を有する。下院による弾劾訴追をへて、上院による弾劾裁判で可決されると罷免が決定する。

C　**×**　ドイツにおいて大統領は、連邦議会議員と州議会の代表から構成される非常設の連邦会議で選出される。象徴的な存在とされるのは大統領であり、その権限は形式的なものに限定されている。実質的な行政権は内閣が有し、内閣が議会の信任を必要とする点でドイツは議院内閣制の国とされる。

D　**×**　「首相は連邦議会から選出」と「内閣は議会を解散」が誤り。ロシアにおいて、首相の任免権や議会の解散権は大統領が有する。ただし、首相の任命には議会の承認が必要とされ、議会は内閣に対して不信任決議権を有する。こうしたロシアの政治体制は大統領制と議院内閣制が融合した半大統領制である。

以上の組合せにより、**1**が正解となる。

政治　民族問題

2023年度
基礎能力 No.29

難民・民族問題に関する記述として最も妥当なものはどれか。

1　難民を迫害するおそれのある国に難民を送還することは、難民条約により禁止されている。

2　日本は1982年に難民条約に加入して以来、積極的に難民を受け入れており、他の先進国に比べて受け入れ数が多い。

3　既に母国を逃れて難民となっているが避難先の国では保護を受けられない人を保護が可能な別の国が受け入れ、長期的な滞在を認める制度を、暫定自治協定という。

4　一般に、エスノセントリズムに基づいた政策を導入している国では、世界中の国からの移民や難民の受け入れが進んでいるとされる。

5　2000年以前は内戦などにより国内で避難生活を送る国内避難民が多く発生していたが、最近の傾向としては、国内避難民の割合は低下し、外国に逃れる避難民の割合が高まっている。

解説　正解　1

TAC生の正答率　53%

1　○　このことはノン・ルフールマン原則と呼ばれ、難民条約第33条に明記されている、難民保護の礎石とされる規定である。

2　×　日本は先進国の中でも難民をほとんど受け入れていない。主な先進国の2021年の難民認定数（及び認定率）は、ドイツが38,918（認定率25.9%）、カナダが33,801（62.1%）、フランスが32,571（17.5%）、米国が20,590（32.2%）、英国13,703（63.4%）であるのに対し、日本はわずか74（0.7%）である。なお日本の2022年の実績は、アフガニスタン出身者への例外的な対応が影響したとみられ過去最多の難民認定数となったが、それでも202（5.3%）である。

3　×　記述の内容は第三国定住と呼ばれるものである。一般に暫定自治協定とは、1993年のオスロ合意によって、パレスチナに暫定自治政権を樹立することを決めた協定を指して用いられる言葉である。

4　×　エスノセントリズムとは自民族中心主義のことである。そういう立場に基づく政策を導入する国では自民族以外の民族を排除する動きが強まるので、当然のことながら移民や難民を排除する動きが強く出る。

5　×　外国に逃れる避難民（難民）よりも、国内避難民の方が圧倒的に数が多い。2021年末の時点で難民が約2,710万人なのに対し、国内避難民は約5,320万人となっている（国連難民高等弁務官事務所調べ）。

金融

2023年度
基礎能力 No.30

金融の仕組みに関する次のA～Dの記述のうち、妥当なもののみを全て挙げているものはどれか。

A　企業が社債や株式などを発行して資金を調達することを直接金融といい、銀行などの金融機関から資金を調達することを間接金融という。

B　金融機関が貸し出しを通して預金通貨をつくることを信用創造といい、通貨量を増大させる効果をもっている。

C　預金の受け入れを行わず、銀行からの借入れや社債の発行で調達した資金を、消費者や事業者に貸し付けている金融機関を証券会社という。

D　中央銀行が行う金融政策には公開市場操作、公定歩合操作、預金準備率操作があるが、現在日本では公定歩合操作が中心に行われている。

1　A、B

2　A、C

3　B、C

4　B、D

5　C、D

解説　正解　1

TAC生の正答率　48%

A　○

B　○

C　×　記述はノンバンクと呼ばれるものについてであり、代表例として消費者金融などが挙げられる。

D　×　現在日本では公開市場操作が中心に行われている。

経済　金融政策

2021年度
基礎能力 No.29

日本の金融政策に関する次のＡ～Ｄの記述のうち、妥当なもののみを全て挙げているものはどれか。

Ａ　日本の金融政策は、日本銀行の「金融政策決定会合」によって決定され、政府からは、財務大臣と経済財政政策担当大臣が出席し、議決権も有する。

Ｂ　インフレ率について数値目標を設定し、その達成を目的として金融政策を運営する仕組みを「インフレ・ターゲティング」といい、2013年、日本銀行は「消費者物価の前年比上昇率で２％」を目標に設定し金融政策を運営している。

Ｃ　金融政策の手段として、「公定歩合操作」、「準備率操作」、「公開市場操作」などがあるが、現在、中心的な政策手段となっているのは、「公開市場操作」である。

Ｄ　国債などの買い入れを通じて大量の資金を市場に供給する政策を「量的緩和政策」といい、日本では2001年から2006年にかけて、金融政策の誘導目標について通貨量を表す「コールレート」に切り替えることによりこの政策を実施した。

1　Ａ、Ｂ

2　Ａ、Ｃ

3　Ｂ、Ｃ

4　Ｂ、Ｄ

5　Ｃ、Ｄ

解説　正解　3

TAC生の正答率　52%

Ａ　**×**　財務大臣と経済財政担当大臣は政策委員会のメンバーに含まれておらず、議決権も有さない。ただし、金融政策決定会合に参加することは必要に応じて認められている。

Ｂ　**○**

Ｃ　**○**

Ｄ　**×**　量的緩和政策の誘導目標は日銀当座預金残高であり、（無担保）コールレートを誘導目標とした政策はゼロ金利政策である。

日本の財政

日本の財政に関する次のA～Dの記述のうち、妥当なもののみを全て挙げているものはどれか。

A　近年の一般会計予算（当初予算）の歳入では、法人税の占める割合が最も高く、続いて所得税、消費税となっている。

B　近年の一般会計予算（当初予算）の歳入では、税収が順調に増加していることから、公債金の占める割合は全体の２割以下に抑えられている。

C　一般会計予算の当初予算は、2019年度から2022年度の４年連続で100兆円を超えている。

D　近年の一般会計予算（当初予算）の歳出では、社会保障関係費の額は増加傾向にあり、予算全体の３割以上を占めている。

1　A、B

2　A、C

3　B、C

4　B、D

5　C、D

解説　**正解　5**　TAC生の正答率 90%

A　×　近年の一般会計予算（当初予算）の歳入では、消費税の占める割合が最も高く、続いて所得税、法人税となっている。

B　×　近年の一般会計予算（当初予算）の歳入では、公債金収入の占める割合（公債依存度）は、３～４割程度となっている。

C　○

D　○

経済　国際経済

2022年度
基礎能力 No.31

国際経済に関する記述として最も妥当なものはどれか。

1　マイクロクレジット（マイクロファイナンス）とは、規制がなく税率がきわめて低いことを呼び水として企業を誘致する国や地域のことで、ヘッジファンドの多くは本拠地をここに置くことで行政機関からの規制や監督を免れている。

2　環太平洋パートナーシップ（TPP）協定とは、2018年に10か国の締結で発効したアジア太平洋地域の経済連携協定であるが、交渉中にアメリカが離脱したため、日本も締結を見合わせ、不参加となった。

3　日本のODAは、1990年代から2021年現在まで援助額世界一位を維持し、毎年一兆円を超える援助を行っているが、対GNI比では国連が目標とする比率に届いていない。

4　フェアトレードは、立場の弱い現地生産者や労働者の生活改善や自立を目的に、発展途上国の原料や製品などを適正な価格で購入することをいう。

5　SDGsはウィーン条約に基づくモントリオール議定書の後継として採択されたもので、経済発展と環境保護を両立させながら、将来の世代や地球環境に負荷を与えずに進めていく開発目標のことを言う。

解説　正解　4　　TAC生の正答率 83%

1　×　選択肢の内容はタックスヘイブン（租税回避地）である。マイクロクレジット（マイクロファイナンス）とは、貧しい人々に対し無担保で小額の融資を行う貧困層向け金融サービスのことである。1970年代にバングラデシュで始まり、1983年にはグラミン銀行が創設された。近年では、融資（クレジット）のみならず、貯蓄や保険など、広範な金融（ファイナンス）サービスも行われるようになってきたため、マイクロファイナンスと呼ばれるようになっている。

2　×　環太平洋パートナーシップ（TPP）が2018年（12月）に発効したのは事実であるが、2017年1月に米国が離脱を表明していたので、11か国の締結により発効した。また、日本は参加しているので、この点でも誤りである。

3　×　日本のODAが援助額世界一位を記録していたのはおおむね1990年代（1991～2000年）のことであり、その後次第に順位を下げ、2020年実績では世界4位である。なお、日本のODAが一兆円を超えていることと、国連は対GNI比0.7%という目標を設定しているが、日本がこれに届いていないのは正しい内容である（日本の2020年の対GNI比は0.31%）。

4　○　フェアトレードに関する妥当な内容である。

5　×　SDGs（持続可能な開発目標）はMDGs（ミレニアム開発目標）の後継として採択されたものである。肢にあるウィーン条約に基づくモントリオール議定書は、オゾン層保護のための基本的な概念や締約国の義務などが規定されているウィーン条約に基づいて設けられたものであり、具体的な規制内容や規制対象物質などが規定されているオゾン層保護のための取極である。それ以外の内容は妥当である。

経済　経済思想

2020年度
基礎能力 No.29

経済思想に関する次のA～Dの記述のうち、妥当なもののみを全て挙げているものはどれか。

A　アダム＝スミスは、企業間の競争に任せると市場は独占が進みやすいため、政府が積極的に経済に介入する必要があると説いた。

B　ケインズは、雇用の安定や経済成長には政府の財政政策は効果がなく、通貨供給量を抑制して物価を安定させ、市場の機能を重視するのがよいと説いた。

C　マルクスは、恐慌や失業などが起きる資本主義経済を批判し、資本家による搾取が行われているとして、社会主義経済への移行の必然性を説いた。

D　リカードは、各国はそれぞれ生産費が相対的に安い製品を生産、輸出し、他は外国から輸入するのが最も利益が大きくなるとする比較生産費説を説いた。

1　A、B

2　A、C

3　B、C

4　B、D

5　C、D

解説　正解　5

TAC生の正答率　78%

A　×　アダム＝スミスは市場の機能を重視しており、政府が経済に対して介入することに否定的な立場をとっている。

B　×　ケインズは経済安定化を図るために総需要管理政策として財政政策を積極的に活用するべきであるという立場をとっている。

C　○

D　○

経済　世界経済の動向

2021年度
基礎能力 No.36

世界経済の動向に関する記述として最も妥当なものはどれか。

1　1990年代前半、EC（欧州共同体）は政治・経済、安全保障面でより強い結束を目指すローマ条約を結び、EU（欧州連合）を発足させた。

2　1990年代後半、投機的資金の大量流出によって、インドネシアの通貨が急落したことがきっかけとなり、アジア通貨危機が起こった。

3　2000年代後半、リーマン・ショックを機に本格化した世界金融危機を解決するために、G7が開かれるようになった。

4　2000年代に入り、韓国、台湾、香港、シンガポールなどのNIESと呼ばれる国・地域は急ピッチで工業化が進むようになった。

5　2000年、国連ミレニアム宣言が採択され、2015年までに達成すべき目標として極度の貧困と飢餓の撲滅など８つの項目が定められた。

解説　正解　5

TAC生の正答率　37%

1　×　EU（欧州連合）を発足させた条約はマーストリヒト条約である。ローマ条約という名称の取極はいくつかあるが、ここでのローマ条約は欧州経済共同体（EEC）と欧州原子力共同体（EURATOM）を設立させるための条約である。

2　×　アジア通貨危機の発端となったのはタイである。タイの通貨バーツが暴落したことがきっかけとなって、アジア通貨危機が起こった。

3　×　G7（当初はG6）とよばれる先進国首脳会議が開かれるようになったのは1970年代前半にドルショックによるブレトン＝ウッズ体制の崩壊や資源国による資源ナショナリズムの台頭により従来のアメリカ一国を中心とする経済体制から先進国が協力して世界経済の安定と発展を図る必要が出てきたためであり、第１回のランブイエ・サミットは1975年に開かれた。リーマン・ショックを機に本格化した世界金融危機をきっかけに開催されるようになったのはG20首脳会合である。

4　×　選択肢にある韓国、台湾、香港、シンガポールなどのNIESと呼ばれる国・地域の工業化が進んだのは1970年代からである。2000年代になって経済が発展したのはブラジル、ロシア、インド、中国、南アフリカ共和国のBRICSである。

5　○　国連ミレニアム宣言及び1990年代に開催された主要な国際会議やサミットで採択された国際開発目標を統合し、ひとつの共通の枠組みとしてまとめたミレニアム開発目標（MDGs）のことについて述べている。その後継となっているのが持続可能な開発目標（SDGs）である。

法律　法の体系・種類

2023年度
基礎能力 No.32

法の体系、種類に関する次のA～Dの記述の正誤の組合せとして最も妥当なものはどれか。

A　法源には成文法と不文法がある。成文法とは憲法、条約、法律、規則、判例等の裁判の基準になる法をいい、不文法とは慣習法、条理、道徳等の日常生活における判断基準となる法をいう。

B　民法も商法も私人同士の権利義務関係を定めた法律であるが、民法が一般法であるのに対し、商法は対象が商取引に限定された特別法である。この場合、一般法である民法が特別法である商法に優先する。

C　法令は一般に、新法により改正・廃止される。また旧法と新法とが矛盾するに至った場合は、新法の施行により旧法が当然に効力を失う。

D　法の種類を公法、私法、社会法という分類で考えた場合、憲法のほか刑法、刑事訴訟法、民事訴訟法は公法に、民法、商法は私法に、労働基準法、労働組合法は社会法にそれぞれ分類される。

	A	B	C	D
1	正	正	誤	誤
2	正	誤	正	誤
3	誤	正	誤	正
4	誤	誤	正	正
5	誤	誤	正	誤

解説　正解 4

TAC生の正答率 43%

A ×「判例」、「道徳等の日常生活における判断基準となる法をいう」という部分が誤っている。成文法は、その内容が文章によって表現されている法をいい、憲法、条約、法律、命令、規則などがある。不文法とは、成文法以外の形で存在する法をいい、慣習法、判例法、条理などがある。成文法、不文法はともに法源であり、裁判において裁判官が法を解釈、適用する際に規範として用いられるものである。また、判例とは、判決の中に含まれている法準則であって、後の裁判の基準として適用される（先例としての役割を果たす）ものを指す。この法準則は、文章でその内容が表現されているわけではないので、判例は成文法に含まれない。そして、同じような趣旨の判例が繰り返されて確立したものになると、不文法としての判例法が成立する余地があるが、わが国の判例が判例法として法源となるかについては争いがある。

B ×「一般法である民法が特別法である商法に優先する」という部分が誤っている。一般法とは、広く一般に適用される法をいい、特別法とは、人・地域・事項などについて限定的に適用される法をいう。一般法の内容と特別法の内容が矛盾する場合には、特別法が一般法に優先して適用される。したがって、民法と商法の関係においては、特別法である商法が優先する。

C ○ 通説により正しい。同一の種類の法の間では、後から制定された「後法」（新法）が先に制定された「前法」（旧法）に優先して適用される（後法優先の原則）。同一の事柄に対して矛盾する法が制定されているときは、後法を優先することが立法者の意図に沿うからである。

D ○ 通説により正しい。公法とは、国家と国民間や国家の規律など、国家がらみの法律関係に適用される法をいい、憲法、刑法、行政法、刑事訴訟法、民事訴訟法などがある。私法とは、私人間の法律関係に適用される法をいい、民法、商法などがある。社会法とは、社会的、経済的弱者を保護するために、私法のルールを一部修正するなど、国家が積極的に介入することを認める法をいい、生活保護法、労働基準法、労働組合法、借地借家法などがある。

以上により、A－誤、B－誤、C－正、D－正であり、正解は**4**となる。

法律　日本の司法制度

2022年度
基礎能力 No.32

日本の司法制度に関する次のA～Dの記述の正誤の組合せとして最も妥当なものはどれか。

A　司法権はすべて裁判所に属するから、大日本帝国憲法下で設けられていたような特別裁判所を設置することも、行政機関が裁判を行うこともできない。

B　行政機関を相手とする訴訟は、損害賠償を請求するか否かに関わらず、すべて行政裁判（訴訟）である。

C　検察官による不起訴処分について検察審査会が２度にわたり起訴を相当と判断して議決をしたときは、裁判所の指定した弁護士が公訴の提起を行う。

D　第一審の判決を不服として上級裁判所に上訴することを「控訴」、控訴裁判所の判決を不服として上訴することを「上告」といい、軽微な事件であっても、第三審は必ず最高裁判所になる。

	A	B	C	D
1	正	正	誤	誤
2	正	誤	正	誤
3	誤	正	誤	正
4	誤	誤	正	正
5	誤	誤	正	誤

解説　正解　5　TAC生の正答率 68%

A　×「行政機関が裁判を行うこともできない」という部分が誤っている。すべて司法権は、最高裁判所及び下級裁判所に属する（憲法76条１項）。そして、特別裁判所は、これを設置することができない（同法76条２項前段）。行政機関は、終審として裁判を行うことができない（同法76条２項後段）。旧憲法下で設置されていた行政事件を裁く行政裁判所や皇族にかかわる事件を取り扱う皇室裁判所などの特別裁判所は認められていないが、行政機関が前審として審判することは禁止されていない（裁判所法３条２項）。

B　×　全体が誤っている。行政裁判（訴訟）は、国や地方公共団体などの行政機関が法律に違反することをして、国民の権利を損なった場合などに、その誤りを正すための裁判手続である。そして、損害賠償請求のように民法などの私法で解決を図るべきときは、民事裁判（訴訟）となる。

C　○　条文により正しい。検察審査会制度では、国民の中からくじで選ばれた11名の検察審査員が検察審査会を組織し（検察審査会法４条）、検察官の不起訴処分の適否を審査する（検察審査会法２条１項１号）。そして、同一の事件で起訴相当と２回議決された場合、２回目の議決のことを起訴議決というが（検察審査会法41条の６第１項前段）、起訴議決がなされた後は、裁判所が指名した弁護士によって強制的に起訴する手続がとられる（検察審査会法41条の９、41条の10第１項）。

D　×「軽微な事件であっても、第三審は必ず最高裁判所になる」という部分が誤っている。刑事事件の場合、第三審（上告審）は最高裁判所となる（刑事訴訟法405条）。一方、民事事件においても通常第三審は最高裁判所であるが、訴額が140万円以下の民事事件等は、第一審が簡易裁判所、第二審が地方裁判所、第三審が高等裁判所となり、例外的に第三審が最高裁判所ではない（民事訴訟法311条１項）。

以上より、A－誤、B－誤、C－正、D－誤であり、正解は**5**となる。

法律　法の存在形式

2021年度
基礎能力 No.30

法の存在形式に関する次のＡ～Ｄの記述のうち、妥当なもののみを全て挙げているものはどれか。

Ａ　命令とは、国の行政機関が定める規範のことをいい、内閣が定める政令、内閣府が定める内閣府令、各省大臣が定める省令などがある。

Ｂ　判例とは、先例となる判決や決定のことをいい、裁判官は、憲法や法律に拘束されるのと同じく過去の同様の事件における判例にも拘束される。

Ｃ　地方公共団体の議会によって制定される条例は、各地方公共団体の自治に関する事項を定めることができるが、国の法令に反する条例を定めることはできない。

Ｄ　条約は、外務大臣が締結し、国会が事前又は事後に承認することで国内法としての効力を有することになる。

1　Ａ、Ｂ

2　Ａ、Ｃ

3　Ｂ、Ｃ

4　Ｂ、Ｄ

5　Ｃ、Ｄ

解説　正解　2

TAC生の正答率 72%

A　○　条文により妥当である。命令は国の行政機関が定める規範であり、制定権者に応じて、①内閣が定める政令（憲法73条6号）、②内閣府（法律上は内閣総理大臣）が定める内閣府令（内閣府設置法7条3項）、③各省大臣が定める省令（国家行政組織法12条1項）、④各委員会及び各庁の長官が定める「規則その他の特別の命令」（国家行政組織法13条1項）に分類される。

B　×「裁判官は、憲法や法律に拘束されるのと同じく過去の同様の事件における判例にも拘束される」という部分が妥当でない。判例は、一言で表現すると「先例となる判決や決定」ということができ、一般に法源性が認められず、事実上の拘束力を有するにとどまると解されている。

C　○　条文により妥当である。地方公共団体の議会は、法令に違反しない限りにおいて、地方公共団体の事務に関し、条例を制定することができる（憲法94条、地方自治法14条1項、96条1項1号）。

D　×「外務大臣が締結し」という部分が妥当でない。条約の締結権限は内閣にある（憲法73条3号本文）。そして、国会による事前又は事後の承認を得る（憲法73条3号但書）ことによって、条約は国内法としての効力を生じる。

以上より、妥当なものはA、Cであり、正解は**2**となる。

法律　平和主義

日本国憲法の基本原理の１つである平和主義に関する記述として最も妥当なものはどれか。

1　自国が武力攻撃されていないにもかかわらず、同盟関係にある国への武力攻撃を実力で阻止する権利、いわゆる集団的自衛権については、専守防衛を基本方針とする日本においては認められないと2014年に閣議決定がされた。

2　日米地位協定において、米軍駐留経費は原則として日本が負担することとされていたが、幾度かの協議を経て、原則アメリカが負担することとされ、その費用の一部を日本が負担することとなった。

3　自衛隊の海外派遣は、国連の平和維持活動（PKO）に限られるため、国連の平和維持軍（PKF）への参加、アメリカ軍の後方支援、海賊から日本の船舶を守るための派遣は見送られている。

4　核兵器禁止条約を批准している日本は、核兵器について、「もたず、つくらず、もちこませず」の非核三原則を法律で規定し、アメリカ軍に対しても在日米軍基地に核兵器を持ちこまないように通告している。

5　文民統制（シビリアン・コントロール）の原則とは、軍部の独走を防ぐことを目的とするものであり、自衛隊の最高指揮監督権は文民である内閣総理大臣がもっていることがその表れである。

解説　正解　5

TAC生の正答率 63%

1 × 2014年の閣議決定にて、従来の憲法解釈を変更して集団的自衛権の行使を一部容認している。それを法制化したのが、2015年に成立した安保関連法（安保法制）である。

2 × 日米地位協定は1960年に締結されて以来改正されていない。また、この取極では日本の負担は米軍に基地を提供するための地権者への補償を日本が、それ以外のすべての経費は米国が負担することになっている。しかし、その後アメリカの経済が低迷したことで日本にさらなる負担を求め、1987年度から日米地位協定の解釈変更（条文変更ではない）や特別協定の締結によって、米軍基地内で働く日本人従業員の給料といった労務費や、米軍の隊舎や住宅などの建設費（提供施設の整備費）、基地内の光熱費・水道費などを負担するようになった。この日本側の負担は「思いやり予算」と呼ばれる。

3 × 自衛隊の海外派遣は、国連平和維持軍（PKF）やアメリカ軍の後方支援、海賊対処のためにも行われている。PKFには2002年に東ティモールで派遣され、アメリカ軍の後方支援はテロ対策特別措置法でインド洋に、イラク人道復興支援特別措置法で自衛隊が陸上部隊として派遣された。また、海賊対策としてソマリア沖に海上自衛隊の護衛艦などが派遣されている。

4 × 非核三原則は国会決議であって、法律ではない。また、日本はアメリカ軍による在日米軍基地への核兵器持ち込み禁止を通告したことはない。米軍の核兵器の持ち込みは、いわゆる「核持ち込み密約」によって事前協議の対象とせず、黙認することになっていたことが明らかになっている。

5 ○ 日本における文民統制の内容として妥当である。

日本史

平安時代

2020年度
基礎能力 No.31

次のA～Dのうち、平安時代の出来事に関する記述として妥当なもののみを全て挙げているものはどれか。

A　坂上田村麻呂が東北で蝦夷の征討を行い、蝦夷の族長阿弖流為（あてるい）を降伏させた。
B　道鏡が孝謙太上天皇の寵愛を受けて権力を握り、政治が混乱した。
C　学問が重んじられ、有力貴族らも子弟教育のための大学別曹を設けた。
D　農地開拓のために健児（こんでい）制度が設けられ、各地で健児による開墾が行われた。

1　A、B

2　A、C

3　B、C

4　B、D

5　C、D

解説　正解　2

TAC生の正答率　35%

A　○　桓武天皇（位781～806）の時代、征夷大将軍の坂上田村麻呂は蝦夷の族長阿弖流為を帰順させた。その後、嵯峨天皇（位809～823）の時代には蝦夷の反乱はほぼ終息した。

B　×　道鏡が孝謙太上天皇の寵愛を受けて権力を握り、これに危機感を抱いた恵美押勝が乱を起こすなど政治が混乱したことは妥当だが、これは奈良時代後半の出来事であり、平安時代の出来事ではないため誤りとなる。

C　○　大学別曹の例としては、藤原氏の勧学院、橘氏の学館院などがあげられる。

D　×　健児制度とは、桓武天皇の時代に、東北・九州などを除いて軍団を廃止する代わりに、郡司の子弟などを採用し、新たに設置された兵制のことであり、農地開拓のために設けられた制度ではない。

以上により、AとCが正しい記述となり、**2**が正解である。

安土桃山時代

次のA～Dのうち、安土・桃山時代に関する記述として妥当なもののみを全て挙げているものはどれか。

A　海賊取締令（海賊停止令）が出され、倭寇などの海賊行為が禁止された。
B　遣明船で明に渡った雪舟が、日本的な水墨画様式を創造した。
C　幕府の歴史を編年体で記した史書『吾妻鏡』が編まれた。
D　堺の千利休が茶の湯の儀礼を定め、侘茶を大成した。

1　A、C

2　A、D

3　B、C

4　B、D

5　C、D

解説　正解　2

TAC生の正答率　33%

A　○　1588年、豊臣秀吉によって発令された。

B　×　雪舟が遣明船で明に渡ったとされること、水墨画の様式として山水画を大成したことは妥当だが、安土・桃山時代ではなく室町時代のことである。

C　×　鎌倉幕府の歴史を編年体で記した史書『吾妻鏡』は、13世紀～14世紀くらいに編纂されたとみられており（不明）、安土・桃山時代ではない。

D　○　侘茶は村田珠光が創始したものを千利休が大成したとされる。

日本史　20世紀前半の社会

2023年度
基礎能力 No.33

第一次世界大戦中、大戦後の日本社会に関する記述として最も妥当なものはどれか。

1　第一次世界大戦が勃発した直後は、一時的に好景気となったが、軍需産業の拡大が急速に進められ、食糧・繊維などの産業が軍需産業に転換されたことを受けて不況が進み、経常収支は赤字となり、日本は債権国から債務国に転じた。

2　第一次世界大戦中の軍事費は増税や公債の乱発によって賄われたため悪性インフレが進み、食糧や生活必需品の不足で国民生活が苦しくなると、富山県の主婦たちによる配給制中止を求める運動をきっかけに、各地で米騒動が起きた。

3　米騒動によって寺内正毅内閣が退陣したのち成立した原敬内閣は、立憲政友会員を中心とする最初の本格的な政党内閣で、原首相も華族ではなく衆議院に議席をもつ代議士であったため、「平民宰相」と呼ばれた。

4　第一次世界大戦後、政党内閣の成立やパリ講和会議を背景に改革の機運が高まると、吉野作造の天皇機関説や美濃部達吉の民本主義が提唱され、いわゆる大正デモクラシーと呼ばれる風潮が広がった。

5　原敬の死後、高橋是清が立憲政友会総裁となり組閣すると、高橋内閣は1925年に普通選挙法を成立させたが、同時に治安維持法を制定して、共産主義思想の波及や労働者階級の政治的影響力の増大に備えた。

解説　正解　3

TAC生の正答率 60%

1　×　「債権国」と「債務国」が入れ替わっている。第一次世界大戦中の日本はアジア市場を独占して好景気であり、戦前債務国であったのが、戦後には債権国となった。

2　×　米騒動はシベリア出兵による米価の高騰を見込んで米の買い占めがなされ、一般民衆が困窮したために起きたものであり、第一次大戦中の軍事費拡大のためではない。また物価高騰の原因は大戦景気で好況となったからである。

3　○

4　×　天皇機関説を提唱したのは美濃部達吉であり、民本主義を提唱したのは吉野作造である。

5　×　普通選挙法を成立させたのは高橋内閣ではなく、加藤高明内閣である。同年に治安維持法も制定された。

ルネサンス

ルネサンスに関する次のA～Eの記述のうち、妥当なもののみを全て挙げているものはどれか。

A　ルネサンスの動きは、はじめネーデルラント（ネーデルランド）の都市でおこり、やがて貿易を通してイタリアなどヨーロッパ各地へ広がっていった。
B　ルネサンスの文学作品の例としては、ダンテの『神曲』や、ボッカチオ（ボッカッチョ）の『デカメロン』などが挙げられる。
C　ルネサンスの美術作品の例としては、ミケランジェロの壁画「アテネの学堂」や、ラファエロの彫刻「聖母子像」などが挙げられる。
D　ルネサンス期には科学分野においても発展がみられ、ガリレオ＝ガリレイは天文観測に基づいて、コペルニクスの地動説を支持した。
E　ルネサンス期には、イタリアで火薬や羅針盤が発明され、後に大航海時代を築く礎となった。

1　A、C

2　A、E

3　B、C

4　B、D

5　D、E

解説　**正解　4**　TAC生の正答率 46%

A　×　ルネサンスはイタリアで始まり、その後ヨーロッパ各国に広がった。

B　○

C　×　「アテネの学堂」はミケランジェロではなく、ラファエロの作品である。ミケランジェロの壁画としてはシスティーナ礼拝堂の「最後の審判」がよく知られる。

D　○

E　×　ルネサンスの三大発明は「火薬・羅針盤・活版印刷」であるが、イタリアで発明されたのではなく、中国が起源である。

世界史　18世紀アメリカ

2021年度
基礎能力 No.32

18世紀のアメリカに関する次のA～Cの記述の正誤の組合せとして最も妥当なものはどれか。

A　1773年、ボストンの市民たちは、印紙法に反対するため「代表なくして課税なし」と主張してボストン茶会事件を引き起こした。

B　1775年、武力衝突を契機にアメリカ独立戦争が始まり、1776年にはジェファソンらが起草した独立宣言を発表した。

C　1783年、パリ条約締結により、イギリスは50の植民地の独立を承認し、ミシシッピ川以東の広大な領地を譲った。

	A	B	C
1	正	誤	正
2	正	正	誤
3	誤	正	誤
4	誤	正	正
5	誤	誤	正

解説　正解　3

TAC生の正答率　30%

A　**×**　1773年にボストン茶会事件が起きたことは妥当だが、印紙法に反対するためではなく、茶法に反発して起きた事件である。茶法とは、東インド会社にアメリカ植民地での茶の独占販売を認めたものである。

B　**○**

C　**×**　「50の植民地の独立を承認し」という記述が明らかに誤り。独立当時のアメリカの植民地は13であり、1783年のパリ条約によって13の植民地を上回る広さである、ミシシッピ川以東の領地を割譲された。

世界史　第二次世界大戦後の世界

2022年度
基礎能力 No.34

第二次世界大戦後の世界の歴史に関する記述として最も妥当なものはどれか。

1　1949年にソ連が中心となり集団防衛機構としてNATOを結成すると、西側の資本主義諸国は経済相互援助会議（コメコン）を結成した。

2　1955年にアジア＝アフリカ会議（バンドン会議）が開かれ、平和十原則が発表されたことを受け、この年は「アフリカの年」と呼ばれている。

3　東ドイツ政府によってベルリンの壁が築かれた翌年、ソ連のキューバにおけるミサイル基地建設計画により、ソ連とアメリカは一触即発の危機状態となった。

4　1960年代にアメリカがベトナムに軍事介入したことについては、ベトナムの独立を助け世界の平和を保つ行動として国内外から称賛され、ケネディ大統領のノーベル平和賞受賞につながった。

5　南アフリカ共和国では、1980年代にアフリカ民族会議の指導者マンデラが大統領に就任すると、アパルトヘイトの緩和策がとられ、1990年の初頭に廃止された。

解説　正解　3

TAC生の正答率　31％

1　×　NATO（北大西洋条約機構）はソ連が中心となり組織したものではなく、西側諸国の軍事同盟である。経済相互援助会議（コメコン）は西側の資本主義諸国ではなく、ソ連と東欧諸国との経済協力組織である。

2　×　選択肢前半は妥当だが、「アフリカの年」は1960年である。1960年にアフリカ17か国が独立を達成した。

3　○　ベルリンの壁は1961年に築かれ、キューバ危機は1962年に起こった。

4　×　ベトナムへの軍事介入については、各国で批判され、反戦運動が起きた。また、ケネディ大統領はノーベル平和賞を受賞していない。

5　×　ネルソン・マンデラが大統領に就任したのは1980年代ではなく1994年である。またマンデラは国家反逆罪で終身刑となり収監されていたため、90年代に釈放されてからアフリカ民族会議の議長となっている。1994年に全人種による選挙が行われ、マンデラが南アフリカ共和国で黒人初の大統領になった。

地理　気候　2020年度 基礎能力 No.33

世界の気候に関する次のA～Dの記述のうち、妥当なもののみを全て挙げているものはどれか。

A　熱帯雨林気候区は、雨季には激しい雨が降るが、乾季はほとんど降水がないため、乾燥に強い樹木がまばらにはえている。
B　ステップ気候区は、乾燥帯のうち、雨季にやや降水が多くなる地域であるため、雨季には草丈の低い草原が広がる。
C　地中海性気候区は、冬は温暖だが、夏は降水量が少なく乾燥が激しいため、乾燥に強い常緑樹が育つ。
D　冷帯湿潤気候区は、おもにヨーロッパ中央部から北西部にかけて分布しており、落葉針葉樹林のタイガが広がっている。

1　A、B

2　A、C

3　B、C

4　B、D

5　C、D

解説　正解　3　TAC生の正答率 48%

A　**×**　ここで説明されている、雨季と乾季が明確に区別される気候は、サバナ気候である。熱帯雨林気候は、気温の年較差が小さく、降水量も年間を通して多く、季節による変化はほとんどない。

B　**○**　ステップ気候は、砂漠気候周辺に分布する乾燥気候であり、ステップとよばれる短草草原が広がっている。ウクライナ周辺や北アメリカ中部などは小麦の大生産地帯となっている。

C　**○**　地中海性気候は、夏季に中緯度高圧帯（亜熱帯高圧帯）の影響下に入るため、降水量が少なく乾燥する。この特徴を生かして、ブドウやオリーブなどの果樹栽培が盛んである。

D　**×**　冷帯湿潤気候は、ヨーロッパではスカンディナビア半島や東部などに分布する。ヨーロッパの中央部から北西部にかけては、おもに西岸海洋性気候となっている。タイガは針葉樹林のことであるが、針葉樹は大半が落葉樹ではなく常緑樹である。

以上により、BとCが正しい記述となり、**3**が正解である。

ラテンアメリカに関する次のA～Dの記述のうち、妥当なもののみを全て挙げているものはどれか。

A　ラテンアメリカ諸国のうち、ポルトガル語を公用語としているのはブラジルとチリ、エクアドルである。
B　ラテンアメリカ諸国の宗教人口をみると、ほとんどの国でカトリックよりもプロテスタントの方が多い。
C　アマゾン川は流域面積が世界最大で、長さはナイル川に次ぐ世界第二位である。
D　アルゼンチンの中央部にはパンパと呼ばれる草原が広がっており、牧畜などが行われている。

1　A、B

2　A、C

3　B、C

4　B、D

5　C、D

解説　**正解　5**　TAC生の正答率 57%

A　**×**　ラテンアメリカでポルトガル語を公用語とするのはブラジルだけである。チリとエクアドルの公用語はスペイン語である。

B　**×**　最近ではプロテスタントの人口も増えつつあるが、ラテンアメリカはカトリックの信仰が厚かったスペインとポルトガルを中心に支配されていた時代が長いので、カトリックの方が多い。

C　**○**

D　**○**

地理	地誌	2022年度 基礎能力 No.35

オーストラリアに関する次のA～Dの記述のうち、妥当なもののみを全て挙げているものはどれか。

A　オーストラリアは、かつてはイギリスをはじめとするヨーロッパとの結びつきが強かったが、近年はアジアとの結びつきを強めている。
B　オーストラリアの先住民は、民族舞踊であるハカを踊ることでも知られているマオリである。
C　オーストラリア大陸の大部分は安定陸塊で、大陸北東部の沿岸に広がるグレートバリアリーフは世界最大のサンゴ礁である。
D　オーストラリアではゴールドラッシュをきっかけに鉱山開発が進んでおり、特に銅鉱の生産量は長年にわたり世界第一位を維持している。

1　A、B

2　A、C

3　B、C

4　B、D

5　C、D

解説　**正解　2**　TAC生の正答率　**69%**

A　**○**　かつてはイギリスの影響を強く受けていたが、イギリスがヨーロッパとの結びつきを強めるようになってから、オーストラリアと地理的にも近い、アジアとの経済的な結びつきを強めるようになった。多文化主義政策に転換してから、アジアの移民も多数受け入れている。

B　**×**　マオリはオーストラリアではなく、ニュージーランドの先住民である。オーストラリアの先住民はアボリジニーである。ハカはマオリの民族舞踊であり、ラグビーの試合前に踊ることで知られている。

C　**○**　大陸の中央から西部にかけては安定陸塊、東部は古期造山帯である。グレートバリアリーフは世界最大のサンゴ礁（保礁）として有名である。

D　**×**　19世紀中頃にゴールドラッシュがあったことは妥当であるが、銅鉱の生産量1位はオーストラリアではなく、チリである。現在オーストラリアの鉱産資源として良く知られるのは鉄鉱石や石炭、ボーキサイトである。

古代西洋思想

古代の西洋思想に関する次のＡ～Ｄの記述のうち、妥当なもののみを全て挙げているものはどれか。

Ａ　自然哲学の祖であるタレスは、生成変化する自然の観察に基づき、人間は火の利用で文化的発展を遂げたとして、燃えさかる火が万物の根源であると唱えた。
Ｂ　プロタゴラスは「人間は万物の尺度である」と唱えたが、これは人間の思惑を超えた客観的・普遍的な真理は存在しないという立場である。
Ｃ　エピクロスは、無知を自覚しながら人間としての生き方を探求し、対話を通じて人々に無知を自覚させる方法として問答法（助産術）を用いた。
Ｄ　アリストテレスは「人間は本性上、ポリス的動物である」と主張し、習性的（倫理的）徳のなかでも正義と友愛（フィリア）を重視した。

1　Ａ、Ｂ

2　Ａ、Ｃ

3　Ｂ、Ｃ

4　Ｂ、Ｄ

5　Ｃ、Ｄ

解説　**正解　4**　TAC生の正答率 69%

Ａ　×「火が万物の根源」だと唱えたのは、タレスではなくヘラクレイトスである。自然哲学の祖であるタレスは万物の根源は水だと唱えた。

Ｂ　○

Ｃ　×「対話を通じて人々に無知を自覚させる方法として問答法（助産術）」を用いたのは、エピクロスではなくソクラテスである。エピクロスはヘレニズム時代の思想家であり、快楽主義を説いて「アタラクシア」を理想の境地とした。

Ｄ　○

思想 近現代西洋思想

2023年度 基礎能力 No.36

次のA～Dの記述とそれに対応する人名の組合せとして最も妥当なものはどれか。

A　フランスの哲学者・神学者で、アフリカに渡り、現地で医療活動に従事し、「密林の聖者」と呼ばれた人物。新しい倫理の原理として、生命への畏敬を説いた。

B　アメリカの政治哲学者で、功利主義を批判して、「公正としての正義」を唱えた人物。コミュニタリアニズムの論者からは、この人物が想定する個人は社会から孤立した存在（負荷なき自我）にすぎないという批判がなされている。

C　ドイツ出身の政治哲学者で、著書に『全体主義の起源』などがある。人間の生活を、生存のために必要な「労働」、道具や作品を作る「仕事」、他者と言葉を交わし共同体を営む「活動」に区別し、「活動」の重要性を唱えた。

D　インド生まれの経済学者で、現代世界における貧困や、富の分配の不平等の問題の研究によりノーベル経済学賞を受賞した人物。福祉のあり方について、機能と潜在能力（ケイパビリティ）という考えを導入した。

	A	B	C	D
1	シュヴァイツァー	ロールズ	アーレント	セン
2	シュヴァイツァー	サンデル	ハーバーマス	セン
3	シュヴァイツァー	サンデル	アーレント	ガンディー
4	マザー＝テレサ	サンデル	ハーバーマス	ガンディー
5	マザー＝テレサ	ロールズ	ハーバーマス	セン

解説　正解　1　TAC生の正答率 57%

A 「シュヴァイツァー」が該当する。アフリカでの医療活動、「密林の聖者」で判断できる。マザー＝テレサは、カトリックの修道女であり、インドで「孤児の家」、「死を待つ人の家」を設立し、弱者救済のために尽力した。

B 「ロールズ」が該当する。「公正としての正義」で判断できる。『正義論』で功利主義にかわる社会正義原理を体系的に示した。マイケル・サンデルは、ロールズの正義論を批判し、コミュニタリアリズムを展開した政治学者である。

C 「アーレント」が該当する。著書である『全体主義の起源』で判断できる。ハンナ・アーレントはドイツ生まれのユダヤ人で、アメリカに亡命し、全体主義成立の原因を追究した。ハーバーマスはフランクフルト学派第二世代の学者であり、対話によって合意を形成する能力である「対話的理性」により、公共性を実現していくことを説いた。

D 「セン」が該当する。「潜在能力」で判断できる。「ノーベル経済学賞を受賞」とあるので、ガンディーではないことがわかるだろう。アマルティア・センはインド生まれの経済学者であり、発展途上国の貧困の克服について研究した人物である。ガンディーはインド独立の父であり、イギリスの支配に対して第１次非暴力不服従運動を展開した。

思想　実存主義

2021年度
基礎能力 No.34

次のA～Cの思想とそれらに対応する思想家の組合せとして最も妥当なものはどれか。

A 「神は死んだ」と宣言して、神に代わる人間の理想像として、より強大な者になろうとする「力への意志」を体現する「超人」の存在を説いた。

B 真なる自己にいたるには、死・苦しみ・争い・罪のような限界状況で経験する挫折と、他者との実存的な交わりが必要であると説いた。

C 「存在とは何か」という問いのもと、自らの死に向き合い、自己の有限性や個別性を受け止めることで、本来的な自己に目覚めることができると説いた。

	A	B	C
1	ニーチェ	ヤスパース	ハイデガー
2	ニーチェ	ハイデガー	ヤスパース
3	ヤスパース	ハイデガー	ニーチェ
4	ヤスパース	ニーチェ	ハイデガー
5	ハイデガー	ヤスパース	ニーチェ

解説　正解　1

TAC生の正答率　65%

A 「ニーチェ」が該当する。「神は死んだ」、「力への意志」、「超人」というキーワードで判断できる。

B 「ヤスパース」が該当する。「限界状況」、「実存的な交わり」というキーワードで判断できる。

C 「ハイデガー」が該当する。「存在とは何か」というキーワードと死の自覚についての説明で判断できるだろう。

物理　力

2021年度
基礎能力 No.37

力に関する次のA～Dの記述のうち、妥当なもののみを全て挙げているものはどれか。

A　おもりを吊るされたばねがもとに戻ろうとする力を弾性力といい、その大きさは伸びの長さの2乗に比例する。
B　あらい水平面上に置かれた物体を面に平行な力で引くとき、その力を大きくしていくと物体はやがて動き出すが、動き出す直前の静止摩擦力より、動き出した後の動摩擦力の方が大きい。
C　自動車運転中に急ブレーキをかけると、運転者は体がハンドル側に押し付けられそうに感じるが、これは慣性の法則が関係している。
D　スケートリンク上で人を押すと自分も動いてしまうが、これは2人の間に作用・反作用の法則が働いたためである。

1　A、B

2　A、C

3　A、D

4　B、C

5　C、D

解説　正解　5

TAC生の正答率　71％

A　×　弾性力はフックの法則$F=kx$より、大きさは伸びの長さに比例する。

B　×　動き出す直前の静止摩擦力を最大静止摩擦力といい、これは動摩擦力よりも大きい。

C　○

D　○

よって妥当なのはCとDであるので、正解は**5**である。

物理 波動

2022年度
基礎能力 No.37

音に関する次のA～Eの記述のうち、妥当なもののみを全て挙げているものはどれか。

A　音波は、媒質の疎密が連なって進行する縦波である。
B　空気中を伝わる音速は温度には関係なく、振動数および波長に比例する。
C　音速は液体中より固体中が大きく、空気中より真空中が大きい。
D　音の高さの違いは音波の振動数の違いで、高い音ほど振動数が大きい。
E　振動数が可聴音よりも小さく、人の耳に聞こえない音を超音波という。

1　A、C

2　A、D

3　B、E

4　B、D

5　C、E

解説　正解　2

TAC生の正答率　53%

A　○

B　×　$V=331.5+0.6t$ より、音速は温度が1℃上昇するごとに、0.6[m/s]速くなる。

C　×　真空中では振動を伝えるための分子がないので、音は伝わらない。

D　○

E　×　超低周波音に関する記述である。超音波は、振動数が可聴音よりも大きいために人の耳に聞こえない音である。

電流と電圧に関する次のA～Dの記述のうち、妥当なもののみを全て挙げているものはどれか。

A　半導体の抵抗の大きさは、金属などの抵抗が小さく電流が流れやすい導体と、ガラスなどの抵抗が大きく電流が流れにくい絶縁体（不導体）の中間程度である。

B　複数の抵抗を電源につないだ場合、並列回路では、回路のどの部分でも同じ大きさの電流が流れ、各抵抗の両端に加わる電圧の大きさの和が、全体の電圧の大きさに等しい。

C　複数の抵抗を電源につないだ場合、回路全体の抵抗の大きさを比べると、並列につないだ場合は、直列につないだ場合よりも大きくなる。

D　材料と太さが同じ電熱線に同じ電圧を加えたとき、長さが短い電熱線は長い電熱線よりも大きい電流が流れ、材料と長さが同じ電熱線に同じ電圧を加えたときは、太さが太い電熱線の方が大きい電流が流れる。

1　A、B

2　A、C

3　A、D

4　B、C

5　C、D

解説　**正解　3**　TAC生の正答率 38%

A　○

B　×　直列回路に関する記述である。

C　×　並列につないだ場合は、直列につないだ場合よりも小さくなる。例えば、1つ10Ωの抵抗2つを、直列につなぐと合成抵抗は10＋10＝20［Ω］となるが、並列につなぐと$\frac{1}{10}+\frac{1}{10}=\frac{1}{5}$より、合成抵抗は5Ωとなる。

D　○

よって、正解は**3**である。

化学　混合物

2023年度
基礎能力 No.38

混合物の分離に関する次のＡ～Ｅの記述のうち、妥当なもののみを全て挙げているものはどれか。

Ａ　ろ紙などを用いて固体が混じっている液体を固体と液体に分離する操作をろ過といい、たとえばショ糖が完全に溶けた水溶液からショ糖を取り出すときに適している。

Ｂ　２種類以上の液体の混合物を、沸点の違いを利用して、蒸留によって各成分に分離する操作を昇華といい、たとえば緑茶の茶葉から茶の成分を取り出すときに適している。

Ｃ　溶媒への溶けやすさの違いを活かし、混合物に特定の溶媒を加え、目的物質だけを溶かし出して分離する方法を抽出といい、たとえば原油からガソリンを取り出すときに適している。

Ｄ　一定量の溶媒に溶解する物質の量が温度によって異なることを利用し、固体物質に含まれる少量の不純物を除いて目的の物質の結晶を得る操作を再結晶といい、たとえば少量の硫酸銅(Ⅱ)が混合した硝酸カリウムの粉末から純粋な硝酸カリウムを取り出すときに適している。

Ｅ　混合物が溶媒と共にろ紙上を移動するとき、物質による吸着力の違いで移動速度が異なることを利用して、混合物を各成分に分離する操作をペーパークロマトグラフィーといい、たとえば黒いインクを構成している色素を調べたいときに適している。

1　Ａ、Ｃ

2　Ａ、Ｄ

3　Ｂ、Ｃ

4　Ｂ、Ｅ

5　Ｄ、Ｅ

解説　正解　5

TAC生の正答率　65%

Ａ　×　溶質が溶媒に完全に溶けているときは、ろ過で溶質を取り出すことはできない。

Ｂ　×　前半は分留に関する記述である。また、緑茶の茶葉から茶の成分を取り出すのに適した方法は抽出である。

Ｃ　×　原油からガソリンを取り出すのに適した方法は分留である。

Ｄ　○

Ｅ　○

化学　化学変化と物理変化

2022年度
基礎能力 No.38

「化学変化」と「物理変化」を区別した場合、次のA～Eのうち、「化学変化」として妥当なもののみを全て挙げているものはどれか。

A　氷水をいれたコップを室内に置いておくと、コップの表面に水滴がついた。
B　熱湯に砂糖を溶かした。
C　マグネシウムリボンを加熱すると、光を出して燃焼した。
D　ロウソクを容器に入れて温めるとやわらかくなり、やがて液体になった。
E　水素と酸素の気体を混合して点火すると、水が生じた。

1　A、C

2　A、D

3　B、E

4　B、D

5　C、E

解説　正解　5

TAC生の正答率　91%

温度などにより状態変化するものを物理変化、原子の組合せが変わり別の物質に変化するものを化学変化という。

A　**×**　空気中の水蒸気（気体）が水滴（液体）に変化する物理変化（状態変化）である。

B　**×**　溶解であるので、化学変化も物理変化もしていない。

C　**○**

D　**×**　固体が液体に変化する物理変化である。

E　**○**

化学　酸化と還元

2021年度
基礎能力 No.38

物質の酸化と還元に関する次のA～Dの記述のうち、妥当なもののみを全て挙げているものはどれか。

A　メタンが燃焼すると、二酸化炭素と水が生じるが、このとき酸素は還元されたといえる。
B　金属のイオン化傾向とは、金属が水溶液中で電子を失って陽イオンになろうとすることを指し、イオン化傾向が大きな金属は酸化されやすい。
C　酸素や水素の授受をともなわない反応は、酸化も還元もしていないといえる。
D　相手の物質を酸化することができる物質を酸化剤といい、酸化させた後の物質自身の酸化数は大きくなる。

1　A、B

2　A、C

3　A、D

4　B、C

5　C、D

解説　正解　1

TAC生の正答率　44%

A　○

B　○

C　×　電子の授受による反応で酸化還元は定義できる。

D　×　酸化剤は自身を還元させることによって相手を酸化させるので、還元によって酸化数は小さくなる。

よって妥当なのはAとBであるので、正解は**1**である。

生物　循環系

2023年度
基礎能力 No.39

心臓と血液循環に関する記述として最も妥当なものはどれか。

1　血液の循環経路は、肺で新鮮な酸素を取り込む肺循環と、全身を循環する体循環の２つに分けられ、脊椎動物はすべてこの経路が明確に分離されている。

2　動脈は高い圧力で心臓から全身へと血液を送り出すために血管壁が肉厚になっており、静脈は血圧が低いため血管壁が薄く、血液の逆流を防ぐ弁がついている。

3　血液の重さの約９割は液体成分の血しょうが占めており、赤血球・白血球・血小板の有形成分が占めるのは残りの約１割である。

4　血小板の内部にはヘモグロビンと呼ばれる鉄を含んだタンパク質が大量に含まれており、血液中のタンパク質の中ではヘモグロビンが最も量が多い成分である。

5　白血球は核をもたない小さな細胞で、傷口に集合して血液凝固を引き起こし、出血によって血液が失われるのを防ぐ働きがある。

解説　正解　2

TAC生の正答率　74%

1　×　脊椎動物で肺循環と体循環が明確に分かれているのは哺乳類と鳥類のみであり、爬虫類、両生類、魚類は混ざってしまう。

2　○

3　×　血液成分の割合は、血しょう55%、血球45%ほどである。

4　×　ヘモグロビンを含むのは赤血球である。血液中の赤血球の割合は40～45%ほどで、このうちの３分の１がヘモグロビンであるので、血液重量の15%ほどあり、最も多い。

5　×　白血球は核を持つ。また、傷口に集合して血液凝固を引き起こすのは血小板である。

生物　免疫

2022年度
基礎能力 No.39

免疫に関する次のA～Dの記述のうち、妥当なもののみを全て挙げているものはどれか。

A　体液性免疫では、細胞が直接抗原に作用して異物（抗原）の侵入を防ぐ。
B　異物が体内に侵入した際の一次応答と二次応答では、一次応答のほうが反応が強い。
C　特定の病原体による病気を予防するために抗原として接種する物質をワクチンといい、弱毒化したウイルスや細菌などが用いられる。
D　アレルギーは免疫応答が過敏に起こって生体に不都合な影響を与える反応のことであり、アレルギーを引き起こす抗原をアレルゲンという。

1　A、B

2　A、C

3　B、C

4　B、D

5　C、D

解説　正解　5

TAC生の正答率　82%

A　×　細胞性免疫に関する記述である。

B　×　二次応答のほうが反応が強い。

C　○

D　○

植物に関する次のA～Dの記述のうち、妥当なもののみを全て挙げているものはどれか。

A　植物は葉緑体内で光合成を行い、二酸化炭素と水から有機物と酸素を合成することができるので、ミトコンドリアを持たない。
B　植物は分解者が分解した無機物を取り込んで有機物を合成するため、生態系における一次消費者と呼ばれている。
C　植物は土壌中にある無機窒素化合物を根から吸収し、これをもとにアミノ酸を、さらにはタンパク質や核酸を作る。
D　植物の細胞小器官である葉緑体は独自のDNAをもち、細胞内で分裂によって増殖する。

1　A、B

2　A、C

3　B、C

4　B、D

5　C、D

解説　正解　5

TAC生の正答率　34%

A　×　ミトコンドリアは有機物からエネルギーを取り出す細胞小器官であり、ほぼ全ての真核生物に存在する。

B　×　植物は光合成によって無機物から有機物を合成できるので、生産者と呼ばれている。

C　○

D　○

よって妥当なのはCとDであるので、正解は**5**である。

地学 ｜ 太陽系の惑星 ｜ 2020年度 基礎能力 No.40

太陽系の惑星に関する記述として最も妥当なものはどれか。

1　太陽系には８個の惑星があるが、８個のうち最も小さいものは金星であり、最も大きいものは土星である。

2　金星、地球には厚い大気があるが、木星、土星には大気がほとんどない。

3　太陽系の惑星は、その特徴から地球型惑星と木星型惑星にわけられるが、木星型惑星は地球型惑星に比べると、密度が大きい。

4　液体の水は、太陽系の惑星のうち水星と地球には存在するが、その他の惑星には存在しない。

5　木星型惑星は、地球型惑星に比べると、質量が大きく、リングや多数の衛星を持っている。

解説　正解　5

TAC生の正答率　76%

1　×　最も小さいのは水星で、最も大きいのは木星である。

2　×　木星型惑星はガスでできているので、ほとんどが大気といえる。

3　×　地球型惑星は岩石でできているので、ガスでできている木星型惑星より密度が大きい。

4　×　水星に液体の水は確認されていない。また、火星には流水痕があり、液体の水がある可能性が指摘されている。

5　○

地学 地層

2021年度
基礎能力 No.40

地層の形成に関する次のA～Dの記述のうち、妥当なもののみを全て挙げているものはどれか。

A　変成作用とは、堆積物が上に堆積した地層の重みで次第に水が絞り出され、固結していく際に粒子間に新しく沈殿した鉱物によって接着され、硬い堆積岩に変わっていくことである。
B　級化層理とは、混濁流が堆積してできた地層でよく見られる、下から上に向かって粒子が次第に小さくなっていく構造のことである。
C　不整合とは、岩石に力が加わって生じた割れ目に沿って、その両側が移動し、ずれを生じることである。
D　地層累重の法則とは、上にある地層ほど新しく堆積したものになることをいう。

1　A、B

2　A、C

3　B、C

4　B、D

5　C、D

解説　正解　4

TAC生の正答率　37%

A　×　続成作用に関する記述である。なお変成作用とは、熱や圧力によって鉱物が再結晶を起こし別の岩石になることである。

B　○

C　×　断層に関する記述である。なお不整合とは、侵食作用で表面が削られた上に新たな地層が堆積し、その結果として不連続面が形成されたものである。

D　○

よって妥当なのはBとDであるので、正解は**4**である。

地学	大気の構造	2023年度 基礎能力 No.40

大気圏に関する次のA～Dの記述のうち、妥当なもののみを全て挙げているものはどれか。

A　大気圏は高度による気温の変化をもとに、下から成層圏、対流圏、中間圏、熱圏となっている。

B　ジェット機が飛ぶ高さは対流圏の圏界面付近であり、オゾン層は、オーロラが発生する層よりも上空にある。

C　中間圏の気温は、対流圏と同様に高度が高くなるにつれて下がっていくが、熱圏では高度が高くなるほど気温が上昇する。

D　地表（海水面上）における平均的な気圧（1気圧）は約1013hPaであり、気圧は高度が高くなるほど低くなる。

1　A、B

2　A、C

3　A、D

4　B、C

5　C、D

解説　**正解　5**　TAC生の正答率　47%

A　**×**　大気圏は下から対流圏、成層圏、中間圏、熱圏の順番である。

B　**×**　オゾン層は成層圏、オーロラは熱圏で発生するので、オゾン層の方が下層である。

C　**○**

D　**○**

日本史　世界史　地理　思想　物理　化学　生物　地学

専門科目

憲法
民法I
民法II
刑法
マクロ経済学
ミクロ経済学

憲法　人権の享有主体　2020年度 専門 No.1

人権の享有主体に関する次のア～エの記述のうち、妥当なもののみを全て挙げているのはどれか(争いのあるときは、判例の見解による。)。

ア　憲法第３章の人権規定は、未成年者にも当然適用される。もっとも、未成年者は心身ともにいまだ発達の途上にあり、成人と比較して判断能力も未熟であるため、人権の性質によっては、その保障の範囲や程度が異なることがある。

イ　強制加入団体である税理士会が行った、税理士に係る法令の制定改廃に関する政治的要求を実現するために、政党など政治資金規正法上の政治団体に金員を寄付するために特別会費を徴収する旨の総会決議は、無効である。

ウ　強制加入団体である司法書士会が行った、大震災で被災した他県の司法書士会へ復興支援拠出金の寄付をすることとし、そのための特別負担金を徴収する旨の総会決議は、無効である。

エ　基本的人権の保障は、その権利の性質上許される限り外国人にも及び、わが国の政治的意思決定又はその実施に影響を及ぼす活動などを含む全ての政治活動について保障が及ぶ。

1　ア、イ

2　ア、ウ

3　イ、ウ

4　イ、エ

5　ウ、エ

解説　正解　1　　TAC生の正答率 95%

ア　○　通説により妥当である。憲法にいう国民の中には未成年者も当然に含まれる。しかし、未成年者は、成年者と異なり、成熟した判断能力を持たないため、成年者の場合と違った制約に服する。具体的には、未成年者の基本的人権の制約については、保障される人権の性質に従って、未成年者の発達段階に応じ、かつ、その人身の健全な発達の助長促進にとって必要最小限度の範囲に留めなければならないと解されている。

イ　○　判例により妥当である。判例は、強制加入団体である税理士会の構成員である会員には、様々な思想・信条及び主義・主張を有する者が存在することが予定されており、税理士会の活動にも、そのために会員に要請される協力義務にもおのずから限界があるとする。特に、政治団体への政治献金をするかどうかは、会員各人が市民として個人的な政治的思想、見解、判断等に基づいて自主的に決定すべき事柄であるとし、このような事柄を多数決原理によって団体の意思として決定し、構成員にその協力を義務付けることは、税理士会の目的の範囲外の行為で、当該総会決議は無効であるとした（最判平8.3.19、南九州税理士会事件）。

ウ　×「無効である」という部分が妥当でない。判例は、復興支援拠出金を寄付することとし、そのための特別負担金を徴収する旨の総会決議を行うことは、司法書士会の権利能力の範囲内にあるとし、司法書士会が強制加入団体であることを考慮しても、特別負担金の徴収は、会員の政治的又は宗教的立場や思想信条の自由を害するものではないことなどから、当該決議の効力は会員に対して及ぶとした（最判平14.4.25、群馬司法書士会事件）。

エ　×「わが国の政治的意思決定又はその実施に影響を及ぼす活動などを含む全ての政治活動について保障が及ぶ」という部分が妥当でない。判例は、憲法第３章の諸規定による基本的人権の保障は、権利の性質上日本国民のみをその対象としていると解されるものを除き、わが国に在留する外国人に対しても等しく及ぶとするので、前段は妥当である。しかし、外国人の政治活動の自由については、わが国の政治的意思決定又はその実施に影響を及ぼす活動等外国人の地位にかんがみこれを認めることが相当でないと解されるものを除き、その保障が及ぶとしている（最大判昭53.10.4、マクリーン事件）ので、後段の記述が妥当でない。

以上より、妥当なものはア、イであり、正解は**1**となる。

憲法 | 新しい人権 | 2021年度 専門 No.1

憲法の明文で規定されていない権利・自由に関する次のア〜エの記述のうち、妥当なもののみを全て挙げているものはどれか（争いのあるときは、判例の見解による。）。

ア　個人の私生活上の自由として、何人もその承諾なしにみだりにその容ぼう・姿態を撮影されない自由を有することから、警察官が正当な理由もないのに個人の容ぼう等を撮影することは、憲法第13条の趣旨に反する。

イ　大学が講演会を主催する際に集めた参加学生の学籍番号、氏名、住所及び電話番号は、個人の内心に関する情報ではなく、大学が個人識別を行うための単純な情報であって、秘匿の必要性が高くはないから、プライバシーに係る情報として法的保護の対象にならない。

ウ　前科は人の名誉、信用に直接関わる事項であり、前科のある者もこれをみだりに公開されないという法的保護に値する利益を有するが、「裁判所に提出するため」との照会理由の記載があれば、市区町村長が弁護士法に基づく照会に応じて前科を報告することは許される。

エ　行政機関が住民基本台帳ネットワークシステムにより住民の本人確認情報を収集、管理又は利用する行為は、当該住民がこれに同意していなくとも、個人に関する情報をみだりに第三者に開示又は公表されない自由を侵害するものではない。

1　ア、イ

2　ア、エ

3　イ、ウ

4　イ、エ

5　ウ、エ

解説　正解　2　　TAC生の正答率 93%

ア　○　判例により妥当である。判例は、警察官が本人の承諾や裁判官の令状なしにデモ行進の参加者を写真撮影した事案において、個人の私生活上の自由の一つとして、何人も、その承諾なしに、みだりにその容ぼう・姿態（以下「容ぼう等」という）を撮影されない自由を有し、警察官が、正当な理由もないのに、個人の容ぼう等を撮影することは、憲法13条の趣旨に反し、許されないとしている（最大判昭44.12.24、京都府学連デモ事件）。

イ　×「秘匿の必要性が高くはないから、プライバシーに係る情報として法的保護の対象にならない」という部分が妥当でない。判例は、学籍番号、氏名、住所及び電話番号は、秘匿されるべき必要性が必ずしも高いとはいえない単純な情報であるものの、このような個人情報についても、本人が、自己が欲しない他者にはみだりにこれを開示されたくないと考えることは自然なことであり、そのことへの期待は保護されるべきものであるから、学生のプライバシーに係る情報として法的保護の対象となるとしている（最判平15.9.12、早稲田大学名簿無断提出事件）。

ウ　×「『裁判所に提出するため』との照会理由の記載があれば、市区町村長が弁護士法に基づく照会に応じて前科を報告することは許される」という部分が妥当でない。判例は、前科等（前科及び犯罪履歴）は人の名誉、信用に直接関わる事項であり、前科等のある者もこれをみだりに公開されないという法律上の保護に値する利益を有するとする。しかし、市区町村長は、弁護士法に基づく照会に応じて報告することも許されないわけではないが、その取扱いには格別の慎重さが要求されるところ、照会申出書に「京都地方裁判所に提出するため」とあったにすぎないのに、市区町村長が漫然と弁護士会の照会に応じ、犯罪の種類、軽重を問わず、前科等のすべてを報告することは、公権力の違法な行使に当たる（許されない）としている（最判昭56.4.14、前科照会事件）。

エ　○　判例により妥当である。判例は、いわゆる住基ネットによって管理、利用される本人確認情報は、氏名、生年月日、性別及び住所から成る4情報に住民票コード及び変更情報を加えたものにすぎず、人が社会生活を営む上で当然開示が予定されている情報にとどまるものであり、いずれも個人の内面に関わるような秘匿性の高い情報とはいえないとして、行政機関が住基ネットにより住民の本人確認情報を管理、利用等する行為は、個人に関する情報をみだりに第三者に開示又は公表するものとはいえず、当該個人がこれに同意していないとしても、憲法13条に違反しないとしている（最判平20.3.6、住基ネット訴訟）。

以上より、妥当なものはア、エであり、正解は**2**となる。

憲法 法の下の平等 2022年度 専門 No.1

法の下の平等に関する次のア～オの記述のうち、妥当なもののみを全て挙げているものはどれか(争いのあるときは、判例の見解による。)。

ア 男性の定年年齢を60歳、女性の定年年齢を55歳と定める就業規則は、女性であることのみを理由として差別するものであり、性別による不合理な差別である。

イ 父性の推定の重複を避けるために、女性についてのみ再婚禁止期間を100日と定める規定は、憲法第14条第1項に反する。

ウ 我が国が法律婚主義を採った以上、家族という共同体の中における個人の尊重がより明確に認識されてきたとしても、嫡出子と非嫡出子との間に別異の取扱いをするのはやむを得ず、非嫡出子の法定相続分を嫡出子の2分の1とすることは、法律婚の尊重と非嫡出子の保護の調整という合理的根拠を有し、憲法第14条第1項に反しない。

エ 衆議院議員選挙における小選挙区の区割基準のうち一人別枠方式に係る部分は、選挙制度の変更に伴い人口の少ない県における定数が急激かつ大幅に削減されることに配慮した過渡的措置ではあるが、選挙制度が定着した後であっても、憲法の投票価値の平等の要求に反して違憲状態にあったとはいえない。

オ 地方公務員の管理職選考試験の受験において、外国籍の職員の受験を拒否したことは、憲法第14条第1項に反しない。

1 ア、エ

2 ア、オ

3 イ、ウ

4 イ、オ

5 ウ、エ

解説　正解　2

TAC生の正答率　96%

ア　○　判例により妥当である。判例は、男性の定年年齢を60歳、女性の定年年齢を55歳と別に定める就業規則に関し、性別のみによる不合理な差別を定めたものとして、民法90条の規定により無効であるとしている（最判昭56.3.24、日産自動車事件）。

イ　×　「憲法第14条第１項に反する」という部分が妥当でない。判例は、女性にのみ６か月の再婚禁止期間を設ける規定の立法目的は、女性の再婚後に生まれた子につき父性の推定の重複を回避し、もって父子関係をめぐる紛争の発生を未然に防ぐことにあるとして、このような立法目的には合理性を認めることができるとしつつも、当該規定のうち100日超過部分が合理性を欠いた過剰な制約を課しているとして、この100日超過部分が憲法違反であるとしている（最大判平27.12.16）。したがって、再婚禁止期間を100日と定める規定は、憲法14条１項に違反しない。

ウ　×　「嫡出子と非嫡出子との間に別異の取扱いをするのはやむを得ず、非嫡出子の法定相続分を嫡出子の２分の１とすることは、法律婚の尊重と非嫡出子の保護の調整という合理的根拠を有し、憲法第14条第１項に反しない」という部分が妥当でない。判例は、我が国における家族形態の多様化やこれに伴う国民の意識の変化等を総合的に考察すれば、家族という共同体の中における個人の尊重がより明確に認識されてきたことは明らかであるとする。そして、法律婚という制度自体は我が国に定着しているとしても、父母が婚姻関係になかったという、子にとっては自ら選択ないし修正する余地のない事柄を理由としてその子に不利益を及ぼすことは許されず、子を個人として尊重し、その権利を保障すべきであるという考えが確立されてきているから、立法府の裁量権を考慮しても、嫡出子と嫡出でない子の法定相続分を区別する合理的な根拠は失われており、嫡出でない子の法定相続分を嫡出子の２分の１とする民法の規定は、憲法14条１項に違反するとしている（最大決平25.9.4）。

エ　×　「憲法の投票価値の平等の要求に反して違憲状態にあったとはいえない」という部分が妥当でない。判例は、衆議院小選挙区選出議員の選挙区に関する「一人別枠方式」（各都道府県の区域内の選挙区の数について、各都道府県にあらかじめ１を配当する方式）は、遅くとも平成21年（2009年）８月の選挙時においては、その合理性が失われていたにもかかわらず、投票価値の平等と相容れない作用を及ぼすものとして、憲法の投票価値の平等の要求に反する状態（違憲状態）に至っていたとする。しかし、憲法上要求される合理的期間内における是正がされなかったとはいえず、憲法の規定に違反するものではないとして、平成21年８月の選挙は有効であるとしている（最大判平23.3.23）。なお、一人別枠方式については、平成24年（2012年）に成立した公職選挙法改正で廃止されている。

オ　○　判例により妥当である。判例は、国民主権等を援用しながら、地方公共団体が、公権力行使等地方公務員の職とこれへの昇任に必要な経験を積むために経るべき職とを包含する一体的な管理職の任用制度を構築し、日本国民である職員に限って管理職への昇任を可能とすることは、合理的な理由に基づいて日本国民である職員と在留外国人である職員とを区別するものであり、憲法14条１項には違反しないとしている（最大判平17.1.26、管理職選考受験資格等確認請求事件）。

以上より、妥当なものはア、オであり、正解は**2**となる。

憲法　法の下の平等　2021年度 専門 No.2

法の下の平等に関する次のア～ウの記述の正誤の組合せとして最も妥当なものはどれか（争いのあるときは、判例の見解による。)。

ア　被害者が尊属であることを加重要件とする規定を設けること自体は直ちに違憲とはならないが、加重の程度が極端であって、立法目的達成の手段として甚だしく均衡を失し、これを正当化し得る根拠を見出し得ないときは、その差別は著しく不合理なものとして違憲となる。

イ　日本国籍が重要な法的地位であるとともに、父母の婚姻による嫡出子たる身分の取得は子が自らの意思や努力によっては変えられない事柄であることから、こうした事柄により国籍取得に関して区別することに合理的な理由があるか否かについては、慎重な検討が必要である。

ウ　夫婦が婚姻の際に定めるところに従い夫又は妻の氏を称すると定める民法第750条は、氏の選択に関し、夫の氏を選択する夫婦が圧倒的多数を占めている状況に鑑みると、性別に基づく法的な差別的取扱いを定めた規定であるといえる。

	ア	イ	ウ
1	正	正	誤
2	正	誤	正
3	正	誤	誤
4	誤	正	誤
5	誤	正	正

解説　**正解　1**　TAC生の正答率　82%

ア　**○**　判例により正しい。判例は、被害者が尊属であることを刑の加重要件とする規定を設けること自体は、直ちに合理的な根拠を欠くものと断ずることはできないが（直ちに違憲とはならないが）、刑の加重の程度が極端であって目的を達成するための手段としては正当とはいえず、その差別は著しく不合理なものであるとして、旧刑法200条は法の下の平等（憲法14条１項）に反し違憲であるとしている（最大判昭48.4.4、尊属殺重罰規定違憲判決）。

イ　**○**　判例により正しい。判例は、日本国籍は、我が国の構成員としての資格であるとともに、我が国において基本的人権の保障、公的資格の付与、公的給付等を受ける上で意味を持つ重要な法的地位でもあるのに対して、父母の婚姻により嫡出子たる身分を取得するか否かということは、子にとっては自らの意思や努力によっては変えることのできない父母の身分行為に係る事柄であるとする。そのうえで、このような事柄をもって日本国籍取得の要件に関して区別を生じさせることに合理的な理由があるか否かについては、慎重に検討することが必要であるとしている（最大判平20.6.4、国籍法事件）。

ウ　**×**　「性別に基づく法的な差別的取扱いを定めた規定であるといえる」という部分が誤っている。判例は、夫婦同氏を規定する民法750条は、夫婦がいずれの氏を称するかを夫婦となろうとする者の間の協議に委ねているのであって、夫婦同氏制それ自体に男女間の形式的な不平等が存在するわけではないとしている。そして、個々の協議の結果として夫の氏を選択する夫婦が圧倒的多数を占めることが認められるとしても、それが同条の在り方自体から生じた結果であるということはできないとして、同条は憲法14条１項に反するものではないとしている（最大判平27.12.16）。

以上より、ア：正、イ：正、ウ：誤であり、正解は**1**となる。

憲法　思想・良心の自由　2023年度 専門 No.1

思想・良心の自由に関する次のア～エの記述のうち、妥当なもののみを全て挙げているものはどれか（争いのあるときは、判例の見解による。）。

ア　選挙においてどの政党又はどの候補者を支持するかは、投票の自由と表裏をなすものとして、組合員各人が自主的に決定すべき事柄であり、労働組合が組織として支持政党又はいわゆる統一候補を決定し、その選挙運動を推進することは、組合員個人の政治的自由・信条を侵すことになりかねないから、原則として許されない。
イ　思想・良心の自由は、人の内心の表白を強制されない、沈黙の自由も含むものである。
ウ　国旗に向かって起立し国歌を斉唱する行為は、特定の思想の表明として外部から認識されるものと評価することができるから、都立高等学校の校長が教諭に対し、卒業式における国歌斉唱の際に国旗に向かって起立し国歌を斉唱することを命じた職務命令については、特定の思想の有無について告白することを強要するものである。
エ　中学校の内申書に、校内でその学校の全共闘を名乗り、機関紙を発行したことなどが記載されても、その記載に係る外部的行為によっては当該生徒の思想、信条を了知し得るものではない。

1　ア、ウ

2　ア、エ

3　イ、ウ

4　イ、エ

5　ウ、エ

解説　正解　4

TAC生の正答率 93%

ア　×　全体が妥当でない。判例は、労働組合は、労働者の経済的地位の向上を図るという目的をより十分に達成するための手段として、その目的達成に必要な政治活動や社会活動を行なうことができるのであり、その一方策として、いわゆる統一候補を決定し、組合を挙げてその選挙運動を推進することは、組合の活動として許されないわけではないとしている（最大判昭43.12.4、三井美唄労組事件）。

イ　○　通説により妥当である。思想及び良心の自由（19条）の保障の意義は、①強制の禁止（国家権力が特定の思想等を正統なものとし、国民に対し、それに従うことを強制することは許されない）、②不利益取扱いの禁止（ある思想及び良心を有すること、または有しないことを理由として、不利益を受けることはない）の他、③沈黙の自由（自己の「思想及び良心」を告白することを強制されない）も含む。

ウ　×　「特定の思想の表明として外部から認識されるものと評価することができるから」、「特定の思想の有無について告白することを強要するものである」という部分が妥当でない。判例は、国旗に向かって起立し国歌を斉唱する行為（起立斉唱行為）について、特定の思想又はこれに反する思想の表明として外部から認識されるものと評価することは困難であるとする。そのうえで、起立斉唱行為を命じた職務命令は、特定の思想を持つことを強制したり、これに反する思想を持つことを禁止したりするものではなく、特定の思想の有無について告白することを強要するものということもできないとしている（最判平23.5.30、「君が代」起立斉唱命令事件）。

エ　○　判例により妥当である。判例は、特定の学生運動の団体の集会に参加している事実等が記載された調査書は、受験者本人の思想、信条そのものを記載したものではなく、記載された外部的行為によって受験者の思想、信条を了知しうるものではないこと、また、受験者の思想、信条自体を高等学校の入学者選抜の資料に提供したものとは到底解することができないとしている（最判昭63.7.15、麹町中学内申書事件）。

以上より、妥当なものはイ、エであり、正解は**4**となる。

学問の自由に関する次のア～エの記述のうち、妥当なもののみを全て挙げているものはどれか（争いのあるときは、判例の見解による。）。

ア　学問の自由は教授の自由を含むと解されるところ、普通教育において、教師と子どもとの間の直接の人格的接触を通じ、その個性に応じて行わなければならないという本質的要請に照らし、教授の具体的内容及び方法につき自由な裁量が認められなければならないから、普通教育における教師に対しても、完全な教授の自由が認められる。

イ　大学の自治は、大学における学問の自由を制度的に保障するために憲法第23条によって保障されていると解されるから、研究教育の内容に直接関係しない大学の教授その他の研究者の人事に関しては、大学の自治権は及ばない。

ウ　普通教育の場において使用される教科書は、学術研究の結果の発表を目的とするものではなく、教科書検定は、一定の場合に教科書の形態における研究結果の発表を制限するにすぎないから、憲法第23条に反しない。

エ　大学における学生の集会について大学の自治の保障が及ぶか否かの判断に当たっては、その集会の目的や性格を考慮することも許される。

1　ア、イ

2　ア、エ

3　イ、ウ

4　イ、エ

5　ウ、エ

解説　正解　5　TAC生の正答率 95%

ア　×「教授の具体的内容及び方法につき自由な裁量が認められなければならないから」、「完全な教授の自由が認められる」という部分が妥当でない。判例は、憲法の保障する学問の自由は、単に学問研究の自由ばかりでなく、その結果を教授する自由も含むと解されるし、知識の伝達と能力の開発を主とする普通教育の場においても、具体的教育内容及び方法につきある程度自由な裁量が認められなければならないという意味で、一定の範囲における教授の自由が保障されるべきことを肯定できないではないとする。しかし、児童生徒の批判能力の欠如、子どもの側に学校や教師を選択する余地が乏しいこと、教育の機会均等を確保する要請から、普通教育における教師に完全な教授の自由を認めることは、とうてい許されないとしている（最大判昭51.5.21、旭川学力テスト事件）。

イ　×「大学の自治権は及ばない」という部分が妥当でない。判例は、大学における学問の自由を保障するために、伝統的に大学の自治が認められているとしたうえで、この自治はとくに大学の教授その他の研究者の人事に関して認められ、大学の学長、教授その他の研究者が大学の自主的判断に基づいて選任されるとしている（最大判昭38.5.22、東大ポポロ事件）。

ウ　○　判例により妥当である。判例は、教科書検定について、①教科書は、普通教育の場において使用される児童、生徒用の図書であって、学術研究の結果の発表を目的とするものではないこと、②教科書検定は、申請図書に記述された研究結果が、児童、生徒の教育として取り上げるにふさわしい内容と認められないときなど旧検定基準の各条件に違反する場合に、教科書の形態における研究結果の発表を制限するにすぎず、このような教科書検定が学問の自由を保障した憲法23条の規定に違反しないことは明らかであるとしている（最判平5.3.16、第一次家永訴訟）。

エ　○　判例により妥当である。判例は、大学の学問の自由と自治は、直接には教授やその他の研究者を主体とするものであり、これらの自由と自治の効果として学生も学問の自由と施設の利用が認められるとしたうえで、学生の集会が真に学問的な研究またはその結果の発表のためのものでなく、実社会の政治的社会的な活動に当たる行為をする場合には、大学の有する特別の自由と自治は享有しないとしており、集会の目的や性格を考慮して判断をしている（最大判昭38.5.22、東大ポポロ事件）。

以上より、妥当なものはウ、エであり、正解は**5**となる。

憲法　学問の自由

2020年度
専門 No.5

学問の自由に関する次のア～ウの記述の正誤の組合せとして最も妥当なものはどれか（争いのあるときは、判例の見解による。）。

ア　教科書検定制度は、教科書の形態における研究結果の発表を著しく制限するから、学問の自由を保障した憲法第23条に反する。
イ　学問の自由には教授の自由が含まれるが、普通教育においては、大学教育と異なり、教師に完全な教授の自由は認められない。
ウ　大学における研究と教育は、大学が国家権力等に干渉されず、組織としての自立性を有することにより全うされるから、大学の自治は、学問の自由と不可分である。

	ア	イ	ウ
1	正	正	誤
2	正	誤	正
3	正	誤	誤
4	誤	正	誤
5	誤	正	正

解説　**正解　5**　TAC生の正答率 81%

ア　×　全体が誤っている。教科書検定について、判例は、①普通教育の場において使用される児童、生徒用の図書であって、学術研究の結果の発表を目的とするものではないこと、②検定は、申請図書に記述された研究結果が、児童、生徒の教育として取り上げるにふさわしい内容と認められないときなど旧検定基準の各条件に違反する場合に、教科書の形態における研究結果の発表を制限するにすぎず、このような教科書検定が学問の自由を保障した憲法23条の規定に違反しないことは明らかであるとしている（最判平5.3.16、第一次家永訴訟）。

イ　○　判例により正しい。判例は、普通教育の場においても一定の範囲における教授の自由が保障されるが、教育の機会均等をはかる上からも全国的に一定の水準を確保すべき強い要請があることに思いをいたすときは、普通教育における教師に完全な教授の自由を認めることは、とうてい許されないところといわなければならないとしている（最大判昭51.5.21、旭川学力テスト事件）。

ウ　○　判例・通説により正しい。大学の自治は、大学が国家権力等の権威から干渉されずに独立し、組織体としての自立性が保障されていることをその内容とする。そして、大学における研究と教育は、大学の自治が保障されることによってはじめて可能になるから、大学の自治は学問の自由と密接不可分であると解されている。この点について、判例は、大学における学問の自由を保障するために、伝統的に大学の自治が認められ、大学の学問の自由と自治は、大学が学術の中心として深く真理を探求し、専門の学芸を教授研究することを本質とすることに基づく（最大判昭38.5.22、東大ポポロ事件）と述べており、大学の自治は学問の自由と密接不可分であることを明らかにしている。

以上より、ア：誤、イ：正、ウ：正であり、正解は**5**となる。

憲法　表現の自由　2023年度 専門 No.2

表現の自由に関する次のア～エの記述のうち、妥当なもののみを全て挙げているものはどれか（争いのあるときは、判例の見解による。）。

ア　知る権利は、表現の自由の一環をなすものとして憲法第21条第１項により保障されるが、具体的な請求権となるためには法律等の制定を要する。

イ　行政権による検閲は、憲法第21条第２項により原則禁止されるが、公共の福祉のために必要がある場合において、厳格かつ明確な要件の下でのみ許容される。

ウ　デモ行進のような集団行動を制限する地方公共団体の公安条例は、届出制が採用されていないのであれば、憲法第21条に反する。

エ　法廷で傍聴人がメモを取ることは、その見聞する裁判を認識、記憶するためにされるものである限り、憲法第21条第１項の精神に照らして尊重に値し、故なく妨げられてはならない。

1　ア、イ

2　ア、エ

3　イ、ウ

4　イ、エ

5　ウ、エ

解説　正解　2　　TAC生の正答率 73%

ア　○　通説により妥当である。知る権利とは、情報を受領することができる権利であり、情報の受領について国家からの干渉を受けないという自由権的側面と、国家に対してその保有する情報の開示を請求することができるという社会権的側面を有する。そして、知る権利の社会権的側面が具体的な請求権となるためには、情報公開法などの法律の制定が必要となる。

イ　×　全体が妥当でない。判例は、憲法が表現の自由を広く保障する旨の一般規定である憲法21条１項とは別に、検閲の禁止を規定する憲法21条２項を設けたのは、検閲については、その性質上表現の自由に対する最も厳しい制約となることにかんがみて、公共の福祉を理由とする例外の許容をも認めない趣旨を明らかにしたものと解すべきであるとして、検閲は絶対的に禁止されるとしている（最大判昭59.12.12、税関検査訴訟）。

ウ　×「届出制が採用されていないのであれば、憲法第21条に反する」という部分が妥当でない。判例は、集団行動による表現の自由に関する限り、いわゆる「公安条例」をもって、地方的情況その他諸般の事情を十分考慮に入れ、不測の事態に備え、法と秩序を維持するに必要かつ最小限度の措置を事前に講ずることは止むを得ないとする（最大判昭35.7.20、東京都公安条例事件）。そして、集団行動の実施につき、単なる届出制を定めることは格別、そうでなく一般的な許可制を定めてこれを事前に抑制することは、憲法の趣旨に反し許されないとしている（最大判昭29.11.24、新潟県公安条例事件）。また、集団行動の条件が許可であれ届出であれ、要はそれによって表現の自由が不当に制限されることにならなければ差支えないから、文面上は許可制を採用していても、実質において届出制と異なることがない場合には合憲であるとしている（最大判昭35.7.20、東京都公安条例事件）。

エ　○　判例により妥当である。判例は、様々な意見、知識、情報に接し、これを摂取することを補助するものとしてなされる限り、筆記行為の自由は、憲法21条１項の規定の精神に照らして尊重されるべきであり、傍聴人が法廷においてメモを取ることは、その見聞する裁判を認識、記憶するためになされるものである限り、尊重に値し、故なく妨げられてはならないとしている（最大判平1.3.8、レペタ事件）。

以上より、妥当なものはア、エであり、正解は**2**となる。

憲法　表現の自由

2021年度
専門 No.3

表現の自由に関する次のア～オの記述のうち、妥当なもののみを全て挙げているものはどれか（争いのあるときは、判例の見解による。）。

ア　報道機関の取材源は、一般に、それがみだりに開示されると将来にわたる自由で円滑な取材活動が妨げられることになるため、民事訴訟法上、取材源の秘密については職業の秘密に当たり、当該事案における利害の個別的な比較衡量を行うまでもなく証言拒絶が認められる。
イ　新聞の記事が特定の者の名誉ないしプライバシーに重大な影響を及ぼし、その者に対する不法行為が成立する場合には、具体的な成文法がなくても、新聞を発行・販売する者に対し、その記事に対する自己の反論文を無修正かつ無料で掲載することを求めることができる。
ウ　報道機関の報道は国民の知る権利に奉仕するものであるため、報道の自由は、表現の自由を保障した憲法第21条によって保障され、報道のための取材の自由も報道が正しい内容を持つために報道の自由の一環として同条によって直接保障される。
エ　都市の美観・風致の維持を目的として、電柱等へのビラ、ポスター等の貼付を禁止することは、表現の自由に対して許された必要かつ合理的な制限である。
オ　意見、知識、情報の伝達の媒体である新聞紙、図書等の閲読の自由が憲法上保障されるべきことは、表現の自由を保障した憲法第21条の規定の趣旨、目的から、いわばその派生原理として当然に導かれる。

1　ア、イ

2　ア、オ

3　イ、ウ

4　ウ、エ

5　エ、オ

解説　正解　5

TAC生の正答率 92%

ア　×「当該事案における利害の個別的な比較衡量を行うまでもなく証言拒絶が認められる」という部分が妥当でない。判例は、報道関係者の取材源の秘密は、民事訴訟法197条1項3号に規定する「職業の秘密」に当たるが、職業の秘密に当たる場合においても、そのことから直ちに証言拒絶が認められるものではなく、そのうち保護に値する秘密についてのみ証言拒絶が認められると解すべきであるとする。そして、保護に値する秘密であるかどうかは、秘密の公表によって生ずる不利益と証言の拒絶によって犠牲になる真実発見及び裁判の公正との比較衡量により決せられるというべきであるとしている（最決平18.10.3、NHK記者証言拒否事件）。

イ　×「具体的な成文法がなくても、新聞を発行・販売する者に対し、その記事に対する自己の反論文を無修正かつ無料で掲載することを求めることができる」という部分が妥当でない。判例は、新聞記事が特定の者の名誉ないしプライバシーに重大な影響を及ぼすことがあるとしても、不法行為が成立する場合にその者の保護を図ることは別論として、反論権の制度について具体的な成文法がないのに、反論権を認めるに等しい反論文掲載請求権をたやすく認めることはできないとしている（最判昭62.4.24、サンケイ新聞事件）。

ウ　×「報道のための取材の自由も報道が正しい内容を持つために報道の自由の一環として同条によって直接保障される」という部分が妥当でない。判例は、報道機関の報道は、民主主義社会において、国民が国政に関与するにつき、重要な判断の資料を提供し、国民の「知る権利」に奉仕するものであるから、思想の表明の自由とならんで憲法21条の保障の下にあるとしているが、報道のための取材の自由については、憲法21条の精神に照らし、十分尊重に値するものにとどめている（最大決昭44.11.26、博多駅事件）。

エ　○　判例により妥当である。判例は、国民の文化的生活の向上を目途とする憲法の下において、都市の美観風致を維持することは、公共の福祉を保持するためであることから、電柱等への非営利的ビラの貼り付けを禁止の対象に含む条例の規定も、公共の福祉のため、表現の自由に対し許された必要かつ合理的な制限であるとしている（最大判昭43.12.18、大阪市屋外広告物条例事件）。

オ　○　判例により妥当である。判例は、意見、知識、情報の伝達の媒体である新聞紙、図書等の閲読の自由が憲法上保障されるべきことは、思想及び良心の自由の不可侵を定めた憲法19条の規定や、表現の自由を保障した憲法21条の規定の趣旨、目的から、いわばその派生原理として当然に導かれるところであるとしている（最大判昭58.6.22、よど号ハイジャック記事抹消事件）。

以上より、妥当なものはエ、オであり、正解は**5**となる。

憲法　集会・結社の自由　2021年度 専門 No.4

集会・結社の自由に関する次のア～エの記述のうち妥当なもののみを全て挙げているものはどれか（争いのあるときは、判例の見解による。）。

ア　集会の用に供される公共施設の管理者は、当該施設の利用申請に対し、集会が開かれることによって、人の生命身体又は財産が侵害され、公共の安全が損なわれる抽象的な危険があれば、当該施設の利用を拒否することができる。

イ　集会の自由について、民主主義社会における重要な基本的人権の一つとして特に尊重すべきである理由は、集会が、国民が様々な意見や情報等に接することにより自己の思想や人格を形成、発展させ、また、相互に意見や情報等を伝達、交流する場として必要であり、さらに、対外的に意見を表明するための有効な手段であるためである。

ウ　地方公共団体が定める条例において、集団行進等の集団行動を一般的な許可制を定めて事前に抑制することは憲法第21条第１項に反し許されない。

エ　特定の団体への加入を強制する法律は、団体に加入しないといった結社の自由を侵害するものであるから、憲法第21条第１項に反する。

1　ア、イ

2　ア、ウ

3　イ、ウ

4　イ、エ

5　ウ、エ

解説　　正解　3　　TAC生の正答率 70%

ア　×「抽象的な危険があれば、当該施設の利用を拒否することができる」という部分が妥当でない。判例は、「公の秩序をみだすおそれがある場合」を市民会館の使用不許可の事由とする条例の規定について、当該事由は、市民会館における集会の自由を保障することの重要性よりも、市民会館で集会が開かれることによって、人の生命、身体又は財産が侵害され、公共の安全が損なわれる危険を回避し、防止することの必要性が優越する場合をいうものと限定して解すべきであり、その危険性の程度としては、単に危険な事態を生ずる蓋然性があるだけでは足りず、明らかな差し迫った危険の発生が具体的に予見されることが必要であるとしている（最判平7.3.7、泉佐野市民会館事件）。したがって、抽象的な危険があるだけで公共施設の利用拒否ができるわけではない。

イ　〇　判例により妥当である。判例は、集会が、国民が様々な意見や情報等に接することにより自己の思想や人格を形成、発展させ、また、相互に意見や情報等を伝達、交流する場として必要であり、さらに、対外的に意見を表明するための有効な手段であるから、憲法21条1項の保障する集会の自由は、民主主義社会における重要な基本的人権の一つとして特に尊重されなければならないものであるとしている（最大判平4.7.1、成田新法事件）。

ウ　〇　判例により妥当である。判例は、行列行進又は公衆の集団示威運動は、公共の福祉に反するような不当な目的又は方法によらない限り、本来国民の自由とするところであるから、条例においてこれらの行動につき単なる届出制を定めることは格別、一般的な許可制を定めて事前にこれらの行動を抑制することは、憲法の趣旨に反し許されないとしている（最大判昭29.11.24、新潟県公安条例事件）。

エ　×「団体に加入しないといった結社の自由を侵害するものであるから、憲法第21条第1項に反する」という部分が妥当でない。判例は、弁護士法の強制加入制度の合憲性について、弁護士に関する規制は、公共の福祉のため必要なものというべきであって、憲法22条に違反しないとしている（最判平4.7.9）。弁護士法の強制加入制度が憲法21条1項に違反するかどうかについて、判例は言及していない。なお、通説は、強制加入制度は、専門的技術を要し公共的性格を有する職業の団体について（弁護士会、税理士会、公認会計士協会など）、当該職業の専門性・公共性を維持するために必要で、かつ、当該団体の目的と活動が会員の職業倫理の向上や職場の改善等を図ることに限定されていることを理由に、憲法21条1項の結社の自由に反しないと解している。

以上より、妥当なものはイ、ウであり、正解は**3**となる。

憲法　結社の自由

2020年度
専門 No.2

結社の自由に関する次のア～エの記述のうち、妥当なもののみを全て挙げているのはどれか（争いのあるときは、判例の見解による。）。

ア　憲法第21条第１項が保障している結社の自由は、団体を結成し、その団体が団体として活動する自由は含むが、それに加入する自由や加入した団体から脱退する自由は含まない。
イ　憲法は、政党について明文で規定していないが、政党は、国民の政治意思を国政に実現させる最も有効な媒体であり、議会制民主主義を支えるのに不可欠な要素である。
ウ　政党は、政治上の信条や意見を共通にする者が任意に結成する団体であるが、政党が党員に対して政治的忠誠を要求し、一定の統制を施すことは、憲法第19条が規定する思想良心の自由を侵害するから許されない。
エ　憲法第21条第１項が規定する結社とは、多数人が、政治、経済、宗教などの様々な共通の目的をもって継続的に結合することをいう。

1　ア、イ

2　ア、ウ

3　イ、ウ

4　イ、エ

5　ウ、エ

解説　正解　**4**　TAC生の正答率 92%

ア　×「それに加入する自由や加入した団体から脱退する自由は含まない」という部分が妥当でない。結社の自由は、団体の結成・不結成、団体への加入・不加入、団体の構成員としてとどまる・脱退の自由を内包していると解されている（通説）。

イ　○　判例により妥当である。判例は、憲法は政党について規定するところがなく、これに特別の地位を与えてはいないのであるが、政党は議会制民主主義を支える不可欠の要素であり、国民の政治意思を形成する最も有力な媒体であって、憲法は政党の存在を当然に予定しているとしている（最大判昭45.6.24、八幡製鉄事件）。

ウ　×「憲法第19条が規定する思想良心の自由を侵害するから許されない」という部分が妥当でない。判例は、政党は、政治上の信条、意見等を共通にする者が任意に結成する政治結社であって、内部的には、通常、自律的規範を有し、その成員である党員に対して政治的忠誠を要求したり、一定の統制を施すなどの自治権能を有するものであるとして、党員が政党の存立及び組織の秩序維持のために、自己の権利や自由に一定の制約を受けることがあることもまた当然であるとした（最判昭63.12.20、共産党袴田事件）。

エ　○　通説により妥当である。結社の自由を保障するという場合の結社とは、特定の多数人が任意に特定の共通目的のために継続的な結合をなし、組織された意思形成に服する団体をいう。結社の目的は、政治的・経済的・宗教的・学問的・芸術的などのいかんを問わないと解されている。

以上より、妥当なものはイ、エであり、正解は**4**となる。

憲法　通信の秘密　2020年度 専門 No.4

通信の秘密に関する次のア～ウの記述の正誤の組合せとして最も妥当なものはどれか（争いのあるときは、判例の見解による。）。

ア　通信の秘密の保障は、通信の内容についてのみ及び、信書の差出日時など、通信の存在それ自体に関する事項には及ばない。
イ　通信の秘密にも一定の内在的制約があり、破産管財人が破産者に対する郵便物を開封することは、必ずしも通信の秘密を侵すものではない。
ウ　捜査機関が、犯罪捜査のため、通信事業を営む民間企業から任意に特定者間の通信内容の報告を受けた場合には、通信の秘密が侵されたとはいえない。

	ア	イ	ウ
1	正	誤	正
2	正	誤	誤
3	誤	正	誤
4	誤	正	正
5	誤	誤	正

解説　正解　3

TAC生の正答率 16%

ア　×　全体が誤っている。通信の秘密（21条２項後段）の保護内容は、通信の内容のみならず、通信に関わる全ての事実、すなわち、信書の差出人や受取人の氏名や住所並びに差出日時等といった通信の存在それ自体に関する事項を広く包含していると解されている。

イ　〇　通説により正しい。通信の秘密（21条２項後段）は、検閲禁止（同条項前段）とは異なり、絶対的な保障ではなく一定の内在的制約に服するものと解されている。実際、刑事訴訟法には、郵便物等の押収（100条、222条）、関税法には、税関職員による郵便物等の差押（122条）、破産法には、破産管財人による郵便物等の開披（82条）といった定めがある。

ウ　×「通信の秘密が侵されたとはいえない」という部分が誤っている。通信の秘密（21条２項後段）は、個人間のコミュニケーションの秘密を保護するという性格を有していることから、通信業務従事者による漏洩行為の禁止が保障内容の一つとされている。これを受けて、通信事業に従事する者は、その在職中又は退職後において、通信事業者の取扱中に係る通信に関して知り得た他人の秘密を守らなければならないことが法律により義務づけられている（電気通信事業法４条２項、郵便法８条２項等）。したがって、刑事訴訟法に基づく強制処分による押収・傍受等の場合を除き、原則として、通信事業者が特定者間の通信内容を任意に捜査機関に開示することは通信の秘密の侵害となる。

以上より、ア：誤、イ：正、ウ：誤であり、正解は**3**となる。

憲法　精神的自由　2022年度 専門 No.2

思想・良心の自由及び信教の自由に関する次のア～ウの記述の正誤の組合せとして最も妥当なものはどれか（争いのあるときは、判例の見解による。）。

ア　民法第723条にいう名誉の回復に適当な処分として謝罪広告を新聞紙等に掲載すべきことを加害者に命ずることは、それが単に事態の真相を告白し陳謝の意を表明するにとどまる程度のものである場合であっても、加害者の倫理的な意思、良心の自由を侵害するものであるから、憲法第19条に違反する。

イ　税理士会が、税理士に係る法令の制定改廃に関する要求を実現するため、政党等特定の政治団体に対して金員を寄付することは、税理士会の目的の範囲内の行為である。

ウ　判例は、高等専門学校において、信仰上の理由によって剣道の必修実技の履修を拒否した学生に対して、正当な理由のない履修拒否と区別することなく、代替措置が不可能というわけでもないのに、代替措置について何ら検討することもなく、体育科目を不認定とした担当教員らの評価を受けて、原級留置処分をし、さらに、不認定の主たる理由及び全体成績について勘案することなく、2年続けて原級留置となったため退学処分をしたという校長の措置は、裁量権の範囲を超える違法なものであるとした。

	ア	イ	ウ
1	誤	誤	正
2	誤	正	誤
3	正	誤	正
4	誤	正	正
5	正	正	誤

解説　正解　**1**　TAC生の正答率 90%

ア　×「加害者の倫理的な意思、良心の自由を侵害するものであるから、憲法第19条に違反する」という部分が誤っている。判例は、単に事態の真相を告白し、陳謝の意を表明することを裁判所が命じたとしても、その加害者に屈辱的若しくは苦役的労苦を科すものではなく、個人の有する倫理的な意思・良心の自由を侵害することにはならないとしている（最大判昭31.7.4、謝罪広告事件）。

イ　×「税理士会の目的の範囲内の行為である」という部分が誤っている。判例は、強制加入団体で脱退の自由が保障されていない税理士会が、特定の政治団体に対して金員を寄付することは、税理士会が有する目的の範囲外の行為に該当するから、政治団体に金員を寄付するため、会員から特別会費を徴収する旨の決議は無効であるとしている（最判平8.3.19、南九州税理士会事件）。

ウ　○　判例により正しい。判例は、信仰上の理由による剣道実技の履修拒否を、正当な理由のない履修拒否と区別することなく、代替措置が不可能というわけでもないのに、代替措置について何ら検討することもなく、原級留置処分及び退学処分をしたという学校長の措置は、考慮すべき事項を考慮しておらず、又は考慮された事実に対する評価が明白に合理性を欠き、その結果、社会観念上著しく妥当を欠く処分をしたものと評するほかはなく、裁量権の範囲を超える違法なものであるとしている（最判平8.3.8、エホバの証人剣道実技拒否事件）。

以上より、アー誤、イー誤、ウー正であり、正解は**1**となる。

憲法　居住・移転の自由　2022年度 専門 No.3

居住・移転の自由、外国移住・国籍離脱の自由に関する次のア～ウの記述の正誤の組合せとして最も妥当なものはどれか（争いのあるときは、判例の見解による。）。

ア　憲法第22条は、我が国に在留する外国人について、外国へ一時旅行する自由を保障している。
イ　憲法第22条第２項は、国籍離脱の自由を保障するが、その自由も他の国籍を有することが前提であり、無国籍になる自由を保障するものではない。
ウ　憲法第22条は、日本人だけでなく、外国人についても入国の自由を保障している。

	ア	イ	ウ
1	誤	正	正
2	誤	誤	誤
3	誤	正	誤
4	正	誤	正
5	正	正	誤

解説　正解　3

TAC生の正答率 84%

ア　✕　全体が誤っている。判例は、わが国に在留する外国人は、憲法上、外国へ一時旅行する自由を保障されているものではないとしている（最判平4.11.16、森川キャサリーン事件）。したがって、外国人の再入国の自由は憲法22条により保障されない。

イ　○　通説・条文より正しい。国籍離脱の自由は憲法22条２項により保障されているが、無国籍になる自由は認められないと解されている。国籍法も、日本国民は、自己の志望によって外国の国籍を取得したときは、日本の国籍を失うとしている（国籍法11条１項）。

ウ　✕「だけでなく、外国人についても入国の自由を保障している」という部分が誤っている。判例は、憲法上、外国人は、わが国に入国する自由は保障されているものではないとしている（最大判昭53.10.4、マクリーン事件）。憲法22条１項は、外国人がわが国に入国することについてはなんら規定していないものであり、国際慣習法上、国家は外国人を受け入れる義務を負うものではないからである。

以上より、アー誤、イー正、ウー誤であり、正解は**3**となる。

憲法　職業選択の自由　2022年度 専門 No.4

職業選択の自由に関する記述として最も妥当なものはどれか（争いのあるときは、判例の見解による。）。

1　職業は、人が自己の生計を維持するためにする継続的活動であるから、経済的・社会的性質を有するものであり、個人の人格的発展と密接に関連する性質はもたない。

2　司法書士以外の者が登記に関する手続の代理等の業務を行うことを禁止し、違反すれば処罰するとの規定は、資格制による不当な参入制限であり、公共の福祉に合致しないから、憲法第22条第１項に違反する。

3　公衆浴場法による適正配置規制は、公衆浴場の偏在、濫立によって生ずる国民保健及び環境衛生上の弊害を防止する目的を有するが、公衆浴場業者の廃転業を防止し、安定した経営を確保する積極的、社会経済政策的な目的を持つことはない。

4　職業選択の自由を規制する手段としては、届出制、許可制、資格制、特許制などがあるが、このうち、特許制は、主として国民の生命及び健康に対する危険を防止若しくは除去ないし緩和するために課せられる規制の典型例である。

5　職業は、その選択、すなわち職業の開始、継続、廃止において自由であるばかりでなく、選択した職業の遂行自体、すなわちその職業活動の内容、態様においても、原則として自由であることが要請される。

解説　正解 5　TAC生の正答率 85%

1 × 「個人の人格的発展と密接に関連する性質はもたない」という部分が妥当でない。判例は、職業は、人が自己の生計を維持するためにする継続的活動であるとともに、分業社会においては、これを通じて社会の存続と発展に寄与する社会的機能分担の活動たる性質を有し、各人が自己のもつ個性を全うすべき場として、個人の人格的価値とも不可分の関連を有するものであるとしている（最大判昭50.4.30、薬事法距離制限事件）。

2 × 「資格制による不当な参入制限であり、公共の福祉に合致しないから、憲法第22条第１項に違反する」という部分が妥当でない。判例は、司法書士法の規定は、登記制度が国民の権利義務等社会生活上の利益に重大な影響を及ぼすものであることなどにかんがみ、法律に別段の定めがある場合を除き、司法書士及び公共嘱託登記司法書士協会以外の者が、他人の嘱託を受けて、登記に関する手続について代理する業務及び登記申請書類を作成する業務を行うことを禁止し、これに違反した者を処罰することにしたものであるとしたうえで、当該規制が公共の福祉に合致した合理的なもので憲法22条１項に違反するものでないことは、当裁判所の判例の趣旨に徴し明らかであるとしている（最判平12.2.8）。

3 × 「公衆浴場業者の廃転業を防止し、安定した経営を確保する積極的、社会経済政策的な目的を持つことはない」という部分が妥当でない。判例は、公衆浴場法による適正配置規制は、公衆浴場の偏在・濫立によって生ずる、国民保健及び環境衛生上の弊害を防止しようとするものであるから、憲法に違反しないとしている（最大判昭30.1.26）。一方で別の判例は、公衆浴場法による適正配置規制は、公衆浴場業者の廃転業を防止し、健全で安定した経営を行えるようにして国民の保健福祉を維持しようとするものであり、積極的、社会経済政策的な規制目的に出た立法であるから、立法府のとった手段がその裁量権を逸脱し、著しく不合理であることが明白でない以上、憲法22条１項に違反しないとしている（最判平1.1.20）。

4 × 「特許制」という部分が妥当でない。主として国民の生命および健康に対する危険を防止もしくは除去ないし緩和するために課せられる規制は、消極目的規制という。通常、警察的規制と呼ばれてきたものである。消極目的のための規制は、規制目的を達成するために必要な最小限度のものにとどまらなければならないと解されており、典型例としては許可制が挙げられる。特許制とは、その対象となる事業を営む権利を国が独占し、国民は本来的に当該事業を自由に行う権利を有していないことを前提として、一定の場合に国が特定人に対して当該事業を行う特権を付与するものであり、積極目的規制の典型的な例である。

5 ○ 判例により妥当である。判例は、職業は、ひとりその選択、すなわち職業の開始、継続、廃止において自由であるばかりでなく、選択した職業の遂行自体、すなわちその職業活動の内容、態様においても、原則として自由であることが要請されるのであり、したがって、憲法22条１項は、狭義における職業選択の自由のみならず、職業活動の自由の保障をも包含しているものと解すべきであるとしている（最大判昭50.4.30、薬事法距離制限事件）。

憲法　財産権　2023年度 専門 No.4

財産権に関する次のア～ウの記述の正誤の組合せとして最も妥当なものはどれか（争いのあるときは、判例の見解による。）。

ア　財産権は、それ自体に内在する制約があるほか、その性質上社会全体の利益を図るために立法府によって加えられる規制により制約を受ける。

イ　財産権に対して加えられる規制が憲法第29条第２項にいう公共の福祉に適合するかどうかは、規制の目的、必要性、内容、その規制によって制限される財産権の種類、性質及び制限の程度等を比較考量して判断される。

ウ　憲法第29条第３項は損失補償を定めた規定であるが、国が私有財産を公共のために用いる場合には、国民に対し、常に正当な補償を支払わなければならない。

	ア	イ	ウ
1	正	正	誤
2	正	誤	正
3	正	誤	誤
4	誤	正	誤
5	誤	正	正

解説　**正解　1**　TAC生の正答率 79%

ア　○　条文・通説により正しい。憲法29条２項は、公共の福祉に適合するように、法律で財産権の内容を決定することを規定しており、財産権が法律によって一般的に制約されるものであることを明示している。また、ここにいう「公共の福祉」は、各人の権利の公平な保障を狙いとする自由国家的公共の福祉（内在的制約）のみならず、各人の人間的な生存の確保を目指す社会国家的公共の福祉（政策的制約）までも意味すると解するのが通説である。なお、判例は、財産権に対し規制を要求する社会的理由ないし目的について、「社会公共の便宜の促進、経済的弱者の保護等の社会政策及び経済政策上の積極的なもの」から、「社会生活における安全の保障や秩序の維持等の消極的なもの」に至るまで多岐にわたるとしている（最大判昭62.4.22、森林法事件）。

イ　○　判例により正しい。判例は、財産権に対して加えられる規制が憲法29条２項にいう公共の福祉に適合するものとして是認されるべきものであるかどうかは、規制の目的、必要性、内容、その規制によって制限される財産権の種類、性質及び制限の程度等を比較考量して決すべきとする。その上で、規制目的が公共の福祉に合致しないことが明らかであるか、又は規制手段が目的を達成するための手段として必要性若しくは合理性に欠けていることが明らかであって、立法府の裁量の範囲を超える場合に憲法29条２項に反するとしている（最大判昭62.4.22、森林法事件）。

ウ　×　「常に正当な補償を支払わなければならない」という部分が誤っている。憲法29条２項により公共の福祉に適合するように財産権の制限を受けた結果、その財産権の価値の減少が生じた場合であっても、一般的に当然に受忍すべきものとされる制限の範囲を超えて、特別の犠牲を課せられたといえなければ損失補償の対象とはならない（最判平17.11.1参照）。

以上より、ア－正、イ－正、ウ－誤であり、正解は**1**となる。

憲法 財産権

2021年度
専門 No.5

財産権に関する次のア〜ウの記述の正誤の組合せとして最も妥当なものはどれか（争いのあるときは、判例の見解による。）。

ア　憲法第29条は、私有財産制を制度として保障するのみならず、国民の個々の財産権についても、基本的人権として保障している。
イ　憲法第29条第３項にいう「公共のために用ひる」とは、病院、学校、鉄道、道路等の建設といった、公共事業のために私有財産を用いる場合に限られる。
ウ　憲法第29条第３項にいう「正当な補償」とは、財産が一般市場においてもつ客観的な経済価格が補てんされることを意味するから、当該価格を下回る金額の補てんでは、「正当な補償」とはいえない。

	ア	イ	ウ
1	正	正	誤
2	誤	正	正
3	誤	誤	正
4	正	誤	誤
5	誤	誤	誤

解説　正解　4　　TAC生の正答率　81％

ア　○　判例により正しい。判例は、憲法29条は、私有財産制を制度的に保障するとともに、国民の個々の財産権をも保障するとしている（最大判昭62.4.22、森林法事件）。

イ　×　「公共事業のために私有財産を用いる場合に限られる」という部分が誤っている。憲法29条3項の「公共のために用ひる」の意味については、公共事業のための収用等以外に特定の個人が受益者となる場合であっても、収用全体の目的が広く社会公共の利益のためであればよいと解するのが通説である。判例も、自創法（自作農創設特別措置法）により買収された農地、宅地、建物等が買収申請人である特定の者に売渡されるとしても、それは農地改革を目的とする公共の福祉の為の必要に基いて制定された自創法の運用による当然の結果に外ならないと述べており（最判昭29.1.22）、通説と同様の立場であると解されている。

ウ　×　全体が誤っている。判例は、憲法29条3項にいうところの財産権を公共の用に供する場合の「正当な補償」とは、その当時の経済状態において成立することを考えられる価格に基づき、合理的に算出された相当な額をいうのであって、必ずしも常にかかる価格と完全に一致することを要するものでないとしている（最大判昭28.12.23、自作農創設特別措置法事件）。

以上より、ア：正、イ：誤、ウ：誤であり、正解は**4**となる。

憲法　生存権

2023年度 専門 No.5

生存権に関する次のア～エの記述のうち、妥当なもののみを全て挙げているものはどれか（争いのあるときは、判例の見解による。）。

ア　憲法第25条は、政治的・道義的な責任を国に課したにとどまらず、法的拘束力を有するため、法令が憲法第25条に反して違憲となることがある。
イ　個々の国民は、国に対し、法令上の根拠がなくとも、憲法第25条に基づき、具体的な給付を求める権利を有する。
ウ　憲法第25条第１項と第２項との関係について、同条第２項は国の事前の積極的防貧施策をなすべき努力義務のあることを規定したものであり、同条第１項が第２項の防貧施策の実施にもかかわらず、なお保護が必要な者に対し、事後的・補足的かつ個別的な救貧施策をなすべき義務のあることを宣言したものと解するのが最高裁判所の判例の立場である。
エ　何が「健康で文化的な最低限度の生活」であるかの判断権は、第一次的には立法府にある。

1　ア、イ

2　ア、エ

3　イ、ウ

4　イ、エ

5　ウ、エ

解説　**正解　2**　TAC生の正答率 35%

ア　○　通説により妥当である。生存権（25条1項）は社会権に分類される人権であるが、自由権的側面も有すると解されているので、健康で文化的な最低限度の生活を積極的に侵害する法令や処分等については憲法25条1項に反するとして違憲無効となりうる。

イ　×「具体的な給付を求める権利を有する」という部分が妥当でない。判例は、憲法25条の法的性格について、この規定は、すべての国民が健康で文化的な最低限度の生活を営み得るように国政を運営すべきことを国の責務として宣言したにとどまり、直接個々の国民に対して具体的権利を賦与したものではなく、具体的権利としては、憲法の規定の趣旨を実現するために制定された生活保護法によって、はじめて与えられているというべきであるとしている（最大判昭42.5.24、朝日訴訟）。

ウ　×　全体が妥当でない。本記述の内容は、憲法25条1項と2項の関係について両者を分離して捉える考え方を示した堀木訴訟控訴審判決である（大阪高判昭50.11.10）。最高裁はこの考え方を採用していない。すなわち、憲法25条1項が、いわゆる福祉国家の理念に基づき、すべての国民が健康で文化的な最低限度の生活を営みうるよう国政を運営すべきことを国の責務として宣言したものであること、また、憲法25条2項が、同じく福祉国家の理念に基づき、社会的立法及び社会的施設の創造拡充に努力すべきことを国の責務として宣言したものであること、そして、憲法25条1項は、国が個々の国民に対して具体的・現実的にすべての国民が健康で文化的な最低限度の生活を営みうるよう国政を運営すべき義務を有することを規定したものではなく、憲法25条2項によって国の責務であるとされている社会的立法及び社会的施設の創造拡充により個々の国民の具体的・現実的な生活権が設定充実されてゆくものであると解すべきことは、すでに当裁判所の判例とするところであるとしている（最大判昭57.7.7、堀木訴訟）。

エ　○　判例により妥当である。判例は、「健康で文化的な最低限度の生活」はきわめて抽象的・相対的概念であり、高度の専門技術的な考察とそれに基づいた政策的判断を必要とすることから、憲法25条の規定の趣旨にこたえて具体的にどのような立法措置を講ずるかの選択決定は、立法府の広い裁量に委ねられており、それが著しく合理性を欠き明らかに裁量の逸脱・濫用と見ざるをえないような場合を除き、裁判所が審査判断するのに適しない事柄であるとしている（最大判昭57.7.7、堀木訴訟）。

以上より、妥当なものはア、エであり、正解は**2**となる。

憲法　国会

2022年度
専門 No.5

国会に関する次のア～エの記述のうち、妥当なもののみを全て挙げているものはどれか。

ア　国会が「唯一の立法機関」であるとは、法規という特定の内容の法規範を定立する実質的意味の立法は、専ら国会が定めなければならない趣旨であるから、国会が定めた法律の個別的・具体的な委任があったとしても、内閣が実質的意味の立法を政令で定めることはできない。

イ　国会議員は、法律の定める場合を除いて、国会の会期中逮捕されないが、「法律の定める場合」とは、議員の所属する議院の許諾のある場合に限られる。

ウ　国会議員は、議院で行った演説、討論又は表決について、院外で責任を問われないが、この「責任」には、民事及び刑事上の責任が含まれる一方、政党が所属議員の発言や表決について、除名等の責任を問うことは含まれない。

エ　各議院は、その議員の資格争訟の裁判権を有するが、これは議員の資格の有無に関する判断について議院の自律性を尊重する趣旨であるから、各議院における裁判について更に裁判所で争うことはできない。

1　ア、イ

2　ア、ウ

3　イ、ウ

4　イ、エ

5　ウ、エ

解説　正解　5　　TAC生の正答率 89%

ア　×「内閣が実質的意味の立法を政令で定めることはできない」という部分が妥当でない。国会が「唯一の立法機関」である（41条）とは、立法権を国会が独占することを意味し、ここでの「立法」とは、実質的意味の立法と解されている。そして、「唯一」の立法機関であることの一つとして、憲法上の特別の規定を除き、国会以外の機関が実質的意味の立法の定立をすることは許されないとする国会中心立法の原則が導かれる。もっとも、内閣は、個別的・具体的な委任があれば、その限度で実質的意味の立法を政令で定めることができる（委任命令）。

イ　×「議員の所属する議院の許諾のある場合に限られる」という部分が妥当でない。議員の不逮捕特権（50条）の例外である「法律の定める場合」とは、院外における現行犯の場合と、議員の所属する議院の許諾のある場合である（国会法33条）。したがって、院外における現行犯逮捕の場合にも、逮捕される。

ウ　○　条文・通説により妥当である。両議院の議員は、議院で行った演説、討論又は表決について、院外で責任を問われないが（51条、免責特権）、ここでの「責任」とは、民事責任、刑事責任などの法的責任を意味すると一般的に解されている。そこで、政党が党員たる議員の発言や表決について除名等の政治的責任を問うことは許される。

エ　○　条文・通説により妥当である。議員の資格争訟裁判（55条）は、議員たる地位を保持しうる資格を満たしているかどうかについて審査決定権を議院に認めたものである。その趣旨は、議院の自律性を担保するところにあるから、議員資格の有無に関する判断は、専ら議院の自律的審査に委ねられ、さらに裁判所に救済を求めることはできない。

以上より、妥当なものはウ、エであり、正解は**5**となる。

憲法　国会

2021年度
専門 No.6

国会に関する次のア～オの記述のうち、妥当なもののみを全て挙げているものはどれか。

ア　両議院の議決は、憲法に特別の定めのある場合を除いて、出席議員の過半数によるものとされるが、この特別の定めのある場合としては、憲法改正の発議や秘密会を開くための議決などがある。

イ　両議院の定足数（議事を開き議決するために必要な最小限の出席者の数）は、いずれも総議員の２分の１と定められている。

ウ　両議院は、会議の記録を保存しなければならないが、その記録を公表し、かつ一般に頒布することまでは求められない。

エ　憲法は、法律、予算、条約の承認、内閣総理大臣の指名及び憲法改正の発議について衆議院の優越を認めている。

オ　衆議院が解散されたときは、参議院は同時に閉会となるが、内閣は、国に緊急の必要があるときは、参議院の緊急集会を求めることができる。

1　ア、イ

2　ア、オ

3　イ、ウ

4　ウ、エ

5　エ、オ

解説　正解 **2**　　TAC生の正答率 89%

ア **○** 条文により妥当である。両議院の議事について、憲法に特別の定めのある場合を除いては、出席議員の過半数でこれを決する（56条２項)。「憲法に特別の定めのある場合」としては、憲法改正の発議（96条１項）や秘密会を開くための議決（57条１項）などがある。

イ **×**「いずれも総議員の２分の１と定められている」という部分が妥当でない。憲法56条１項は、両議院の定足数について、各々その総議員の３分の１以上の出席を要すると規定している。

ウ **×**「その記録を公表し、かつ一般に頒布することまでは求められない」という部分が妥当でない。両議院は、各々その会議の記録を保存するとともに、秘密会の記録の中で特に秘密を要すると認められるもの以外は、これを公表し、かつ、一般に頒布しなければならない（57条２項)。

エ **×**「及び憲法改正の発議について衆議院の優越を認めている」という部分が妥当でない。憲法は、法律（59条２項)、予算（60条２項)、条約の承認（61条)、内閣総理大臣の指名（67条２項）については衆議院の優越を認めているものの、憲法改正については、各議院の総議員の３分の２以上の賛成で国会が発議すると規定しており（96条１項前段)、衆議院の優越を認めていない。

オ **○** 条文により妥当である。憲法54条２項は、「衆議院が解散されたときは、参議院は、同時に閉会となる。但し、内閣は、国に緊急の必要があるときは、参議院の緊急集会を求めることができる」と規定している。

以上より、妥当なものはア、オであり、正解は**2**となる。

憲法　衆議院の優越　2023年度 専門 No.6

衆議院の優越に関する次のア～オの記述のうち、妥当なもののみを全て挙げているものはどれか。

ア　法律案は、必ず衆議院から審議しなければならない。
イ　法律案について、衆議院で可決し、参議院でこれと異なる議決をした場合には、両院協議会を開き、これを開いても意見が一致しないときは、衆議院の議決が国会の議決となる。
ウ　予算案は、必ず衆議院から審議しなければならない。
エ　予算案について、衆議院で可決し、参議院でこれと異なる議決をした場合には、両院協議会を開き、これを開いても意見が一致しないときは、衆議院の議決が国会の議決となる。
オ　条約の締結に必要な国会の承認については、法律案の議決の手続に関する規定が準用される。

1　ア、イ

2　ア、オ

3　イ、ウ

4　ウ、エ

5　エ、オ

解説　正解 4

TAC生の正答率 89%

ア　×　全体が妥当でない。予算は、先に衆議院に提出しなければならない（60条1項、予算先議権）。これに対して、法律案については、衆議院の先議権を認める規定は置かれていない。

イ　×「両院協議会を開き、これを開いても意見が一致しないときは、衆議院の議決が国会の議決となる」という部分が妥当でない。衆議院で可決された法律案について、参議院がこれと異なった議決をした場合、衆議院で3分の2以上の多数で再び可決したときは、法律となる（59条2項）。また、この場合、両議院の協議会（両院協議会）の開催は任意的であり（59条3項）、必ず開催しなければならないわけではない。

ウ　○　条文により妥当である。予算は、先に衆議院に提出しなければならない（60条1項、予算先議権）。衆議院には解散があり、参議院に比べ任期が短いことから国民の意思をより反映しているといえるため、予算先議権が認められている。

エ　○　条文により妥当である。予算について、参議院で衆議院と異なった議決をした場合に、法律の定めるところにより、両議院の協議会を開いても意見が一致しないときは、衆議院の議決を国会の議決とする（60条2項）。

オ　×「法律案の議決の手続に関する規定が準用される」という部分が妥当でない。条約の締結に必要な国会の承認については、予算の議決に手続に関する関する規定（60条2項）が準用される（61条）。

以上より、妥当なものはウ、エであり、正解は**4**となる。

憲法　衆議院の優越　2020年度 専門No.6

次の文章の空欄①～③に語句群から適切な語句を入れると、衆議院の優越に関する記述となる。空欄に入る語句の組合せとして妥当なもののみを挙げているものはどれか。ただし、番号の異なる空欄に同じ語句は入らない。

憲法は、内閣総理大臣の指名の議決、（　①　）の議決、（　②　）の議決などの点で、衆議院が参議院に優越する場合を定めている。

衆議院と異なる内閣総理大臣の指名の議決を参議院がした場合、（　③　）を開催しても意見が一致しないとき、又は参議院が国会休会中の期間を除いて10日以内に議決をしないときには、衆議院の議決が国会の議決となると定められている。

参議院が衆議院と異なる（　①　）の議決をした場合、（　③　）を開催しても意見が一致しないとき、又は参議院が国会休会中の期間を除いて30日以内に議決をしないときには、衆議院の議決が国会の議決となると定められている。（　②　）の議決についても、（　①　）と同様である。ただし、（　①　）は、先に衆議院に提出しなければならないと定められているのに対し、（　②　）は、そのような定めがないのが、両者の異なる点である。

【語句群】
ア　予算　　イ　決算　　ウ　条約の承認　　エ　法律案
オ　緊急集会　　カ　両院協議会

1　①－ア、②－ウ、③－オ

2　①－ア、②－ウ、③－カ

3　①－イ、②－エ、③－カ

4　①－ウ、②－ア、③－カ

5　①－ウ、②－エ、③－オ

解説　正解　2

TAC生の正答率　97%

【語句群】のうち衆議院の優越が認められているのは、予算（ア）、条約の承認（ウ）、法律案（エ）である。このうち、一定期間内に参議院が議決しないときに、衆議院の議決が国会の議決となるのは、予算と条約の承認である。一方で、法律案の場合は、国会休会中の期間を除いて60日以内に参議院が議決しないときに、参議院が議決を否決したとみなすことができるだけで（59条４項）、衆議院の議決を国会の議決とするには、衆議院において出席議員の３分の２以上による再可決が必要である（同条２項）。よって、①と②にはアとウのどちらかが入ることがわかる。これを前提に検討していく。

衆議院と異なる内閣総理大臣の指名の議決を参議院がした場合には、両院協議会を開催しても意見が一致しないとき、又は参議院が国会休会中の期間を除いて10日以内に議決しないときは、衆議院の議決が国会の議決となる（67条２項）。よって、③にはカが入る。予算も条約の承認も、参議院で衆議院と異なった議決がされた場合には、両院協議会を開いても一致しないとき、又は参議院が国会休会中の期間を除いて30日以内に議決しないときは、衆議院の議決が国会の議決となる（60条２項、61条）。一方で、予算は衆議院に先に提出しなくてはならないが（60条１項）、条約については憲法60条１項が準用されていない（61条参照）。よって、①にはアが入り、②にはウが入る。

以上より、①－ア、②－ウ、③－カが適当な語句の組合せとなり、正解は**2**となる。

憲法　内閣　2022年度 専門 No.6

内閣に関する記述として最も妥当なものはどれか（争いのあるときは、判例の見解による。）。

1　内閣は、内閣総理大臣及びその他の国務大臣で組織される合議体であるが、国務大臣の過半数は、国会議員であるとともに、文民でなければならない。

2　内閣総理大臣は、他の国務大臣と対等の地位にあるため、任意に国務大臣を罷免することはできない。

3　内閣の権能の一つとして、最高裁判所長官その他の裁判官の任命権がある。

4　内閣総理大臣は、閣議の決定が存在しない場合でも、少なくとも、内閣の明示の意思に反しない限り、行政各部に対し、随時、その所掌事務について一定の方向で処理するよう指導、助言等の指示を与える権限を有する。

5　憲法第70条によれば、内閣総理大臣が欠けたときは内閣は総辞職をしなければならないが、この「内閣総理大臣が欠けたとき」とは、死亡した場合、国会議員たる地位を失った場合などのほか、病気や一時的な生死不明の場合を含む。

解説　正解 4

TAC生の正答率 84%

1 × 「国務大臣の過半数は、国会議員であるとともに、文民でなければならない」という部分が妥当でない。内閣総理大臣は、国務大臣を任命する。ただし、その過半数は、国会議員の中から選ばれなければならない（68条1項）。また、内閣総理大臣その他の国務大臣は、文民でなければならない（66条2項）。すなわち、過半数にとどまらず、国務大臣の全員が文民でなければならない。

2 × 全体が妥当でない。内閣は、法律の定めるところにより、その首長たる内閣総理大臣及びその他の国務大臣でこれを組織する（66条1項）。そして、内閣総理大臣は、任意に国務大臣を罷免することができる（68条2項）。

3 × 「最高裁判所長官」という部分が妥当でない。最高裁判所の長たる裁判官以外の裁判官は、内閣が任命し（79条1項）、下級裁判所の裁判官は、最高裁判所の指名した者の名簿から内閣が任命する（80条1項第1文）。これに対して、最高裁判所の長たる裁判官は、内閣の指名に基づいて天皇が任命する（6条2項）。

4 ○ 判例により妥当である。憲法72条の行政各部の指揮監督も、内閣の権限であり、内閣総理大臣は内閣を代表してそれを行うものである。内閣法6条も、閣議にかけて決定した方針に基づいて行政各部を指揮監督すると定めている。しかし、判例は、閣議にかけて決定した方針が存在しない場合においても、内閣総理大臣は、内閣の明示の意思に反しない限り、行政各部に対し、随時、その所掌事務について一定の方向で処理するよう指導、助言等の指示を与える権限を有するとしている（最大判平7.2.22、ロッキード事件丸紅ルート）。

5 × 「病気や一時的な生死不明の場合を含む」という部分が妥当でない。内閣総理大臣が欠けたときは、内閣は総辞職をしなければならない（70条前段）。内閣総理大臣の病気や一時的な生死不明の場合は、「欠けたとき」ではなく、「事故のあるとき」（内閣法9条）であり、臨時代理が置かれるにすぎない。なお、内閣総理大臣の死亡、失踪、亡命などは「欠けたとき」にあたり、内閣は総辞職をしなければならない。

憲法　裁判所

2023年度
専門 No.7

裁判所に関する次のア～エの記述のうち、妥当なもののみを全て挙げているものはどれか（争いのあるときは、判例の見解による。）。

ア　行政機関が終審として裁判を行うことは禁止されているが、前審として裁判を行うことは許されている。
イ　最高裁判所は、具体的な事件が提起された場合に法律命令等の合憲性を判断することができるほか、具体的な事件を離れて抽象的に法律命令等の合憲性を判断することもできる。
ウ　最高裁判所の長たる裁判官は、内閣の指名に基づいて、天皇が任命する。
エ　最高裁判所は、訴訟に関する手続、弁護士、裁判所の内部規律及び司法事務処理に関する事項について、規則を定める権限を有するが、立法権は国会に属するため、これらの規則を定めるに当たっては国会の承認が必要となる。

1　ア、イ

2　ア、ウ

3　イ、ウ

4　イ、エ

5　ウ、エ

解説　正解　2

TAC生の正答率　88%

ア　○　条文により妥当である。憲法76条２項後段は、行政機関は、終審として裁判を行うことができないと定める。このことから、前審であれば、行政機関による裁判も認められる（裁判所法３条２項参照）。

イ　×「具体的な事件を離れて抽象的に法律命令等の合憲性を判断することもできる」という部分が妥当でない。判例は、現行制度の下では、特定の者の具体的な法律関係につき紛争の存する場合にのみ、裁判所にその判断を求めることができるのであって、裁判所が具体的事件を離れて、抽象的に法律命令等の合憲性を判断することはできないとしている（最大判昭27.10.8、警察予備隊違憲訴訟）。

ウ　○　条文により妥当である。最高裁判所の長たる裁判官（最高裁判所長官）は、内閣の指名に基づいて、天皇が任命する（６条２項）。なお、最高裁判所の長たる裁判官以外の裁判官（最高裁判所判事）は、内閣が任命して、天皇が認証する（79条１項、７条５号）。

エ　×「これらの規則を定めるに当たっては国会の承認が必要となる」という部分が妥当でない。最高裁判所は、訴訟に関する手続、弁護士、裁判所の内部規律及び司法事務処理に関する事項について、規則を定める権限を有する（77条１項、最高裁判所の規則制定権）。最高裁判所の規則制定権は、憲法が明文をもって認めた国会中心立法の原則の例外であり、規則の制定に当たり国会の承認は不要である。

以上より、妥当なものはア、ウであり、正解は**2**となる。

憲法　裁判所　2022年度 専門 No.7

裁判所に関する記述として最も妥当なものはどれか（争いのあるときは、判例の見解による。）。

1　最高裁判所裁判官の国民審査制度において、白票を罷免を可としない票に数えることは思想良心の自由に反する。

2　非訟事件手続及び家事事件手続についても、憲法所定の例外の場合を除き公開の法廷における対審及び判決によってなされないならば、憲法第82条第1項に反する。

3　憲法第82条第1項は、傍聴人に対して法廷でメモを取ることを権利として保障している。

4　憲法第81条は、最高裁判所のみならず、下級裁判所も違憲審査権を有することを否定する趣旨を持つものではない。

5　裁判官は、裁判により、回復の困難な心身の故障のために職務を執ることができないと決定された場合であっても、公の弾劾によらなければ罷免することができない。

解説　正解　4　　TAC生の正答率 95%

1　×「白票を罷免を可としない票に数えることは思想良心の自由に反する」という部分が妥当でない。判例は、国民審査の法的性質を解職制（リコール）と解し、無記入のいわゆる白票を「信任」扱いにすることも思想の自由を侵害しないとしている（最大判昭27.2.20）。解職制とは、投票者のうち「積極的に罷免を可とする者」が過半数を占めていれば罷免にする制度であり、無記入の場合は「積極的に罷免を可とする者」とはいえず、「信任」扱いにすることも許されるといえるからである。

2　×「憲法第82条第1項に反する」という部分が妥当でない。判例は、憲法32条にいう裁判とは、憲法82条にいう裁判と同様であり、裁判所が当事者の意思いかんにかかわらず終局的に事実を確定し、当事者の主張する権利義務の存否を確定することを目的とする純然たる訴訟事件についての裁判のみをさすと述べる。そのうえで、その本質において固有の司法権の作用に属しない非訟事件は、憲法32条の定める事項ではなく、非訟事件の手続及び裁判に関する法律の規定について、憲法32条違反の問題は生じないとしている（最大決昭45.12.16）。したがって、非訟事件は憲法32条の裁判に当たらず、これと同様である憲法82条の裁判にも当たらないから、非訟事件手続を公開の法廷における対審及び判決によってしなくても憲法82条1項に違反しない（最大決昭40.6.30）。また、家事事件手続についても、例えば、遺産分割審判について、その性質は本質的に非訟事件であるから、公開法廷における対審及び判決によってする必要がなく、憲法32条、82条に違反しないとした判例がある（最大決昭41.3.2）。

3　×「傍聴人に対して法廷でメモを取ることを権利として保障している」という部分が妥当でない。判例は、憲法82条1項の規定は、各人が裁判所に対して傍聴することを権利として要求できることまでを認めたものでないことはもとより、傍聴人に対して法廷においてメモを取ることを権利として保障しているものでないことも、いうまでもないところであるとしている（最大判平1.3.8、レペタ訴訟）。なお、同判例は、筆記行為の自由は、憲法21条1項の規定の精神に照らして尊重されるべきであることなどから、傍聴人が法廷においてメモを取ることは、その見聞する裁判を認識、記憶するためになされるものである限り、故なく妨げられてはならないとしている。

4　○　判例により妥当である。判例は、憲法81条は、最高裁判所が違憲審査権を有する終審裁判所であることを明らかにした規定であって、下級裁判所が違憲審査権を有することを否定する趣旨をもっているものではないとしている（最大判昭25.2.1）。

5　×「公の弾劾によらなければ罷免することができない」という部分が妥当でない。裁判官が病気等により回復困難な心身の故障のために職務を執ることができない状況になったことを理由に罷免させるには、分限裁判により免官が相当との決定を経た上で罷免する手順を取る（78条前段、裁判官分限法1条1項）。それ以外の事由で裁判官を罷免させる場合に、弾劾裁判所による弾劾裁判を経なければならない（78条前段、64条）。

憲法 裁判の公開

2021年度
専門 No.7

裁判の公開に関する次のア～ウの記述の正誤の組合せとして最も妥当なものはどれか（争いのあるときは、判例の見解による。)。

ア　終局的に事実を確定し当事者の主張する実体的権利義務の存否を確定することを目的とする純然たる訴訟事件については、原則として公開の法廷における対審及び判決によらなければならない。
イ　家事事件手続法に基づく夫婦同居の審判や遺産分割審判は、公開の法廷における対審及び判決によらなくても憲法第82条第１項に反しない。
ウ　国民は、憲法第82条第１項に基づき、裁判所に対して、裁判を傍聴することを権利として要求することができる。

	ア	イ	ウ
1	正	正	正
2	正	誤	誤
3	誤	正	正
4	誤	正	誤
5	正	正	誤

解説　正解　5　　TAC生の正答率　52%

ア　○　判例により正しい。判例は、性質上純然たる訴訟事件につき、当事者の意思いかんにかかわらず終局的に、事実を確定し当事者の主張する権利義務の存否を確定するような裁判が、憲法所定の例外の場合を除き、公開の法廷における対審及び判決によってなされないとするならば、それは憲法82条に違反すると共に、憲法32条が基本的人権として裁判請求権を認めた趣旨をも没却するとしている（最大決昭35.7.6）。同判例によれば、純然たる訴訟事件については、原則として公開の法廷における対審及び判決によるべきことになる。

イ　○　判例により正しい。判例は、①家事事件手続法に基づく夫婦同居の審判については、審判の前提である同居義務等自体については公開の法廷における対審及び判決を求める途が閉ざされているわけではないとしたうえで、何ら憲法82条、32条に抵触するものとはいい難いとしている（最大決昭40.6.30）。また、②家事事件手続法に基づく遺産分割審判についても、その性質は本質的に非訟事件であるから、公開法廷における対審及び判決によってする必要なく、当該審判は憲法32条、82条に違反するものではないとしている（最大決昭41.3.2）。

ウ　×　「権利として要求することができる」という部分が誤っている。判例は、憲法82条は裁判を一般に公開して裁判が公正に行われることを制度として保障するが、各人が裁判所に対して傍聴することを権利として要求できることまでを認めたものではないとする（最大判平元.3.8、レペタ事件）。

以上より、ア：正、イ：正、ウ：誤であり、正解は**5**となる。

民法Ⅰ　制限行為能力者

2022年度
専門 No.8

制限行為能力者に関する次のア～オの記述のうち、妥当なもののみを全て挙げているものはどれか（争いのあるときは、判例の見解による。）。

ア　成年被後見人がした行為であっても、日用品の購入は、取り消すことができない。
イ　制限行為能力者のした契約について、制限行為能力者及びその法定代理人が取消権を有するときは、契約の相手方も取消権を有する。
ウ　未成年者は、単に自身が未成年者であることを黙秘して契約を締結したにすぎないときは、その契約を取り消すことができる。
エ　未成年者は、単に義務を免れる法律行為について、その法定代理人の同意を得ないとすることができない。
オ　後見開始の審判は本人が請求することはできないが、保佐開始の審判及び補助開始の審判は本人も請求することができる。

1　ア、イ

2　ア、ウ

3　イ、ウ

4　ウ、エ

5　ウ、オ

解説　正解　2　　TAC生の正答率　84%

ア　○　条文により妥当である。成年被後見人の法律行為は、取り消すことができる。ただし、日用品の購入その他日常生活に関する行為については、取り消すことができない（9条）。

イ　×　「契約の相手方も取消権を有する」という部分が妥当でない。行為能力の制限によって取り消すことができる行為は、制限行為能力者（他の制限行為能力者の法定代理人としてした行為にあっては、当該他の制限行為能力者を含む。）又はその代理人、承継人若しくは同意をすることができる者に限り、取り消すことができる（120条1項）。契約の相手方は、取消権者に含まれない。

ウ　○　判例により妥当である。制限行為能力者が行為能力者であることを信じさせるため詐術を用いたときは、そのような制限行為能力者まで保護する必要はないため、その行為を取り消すことができなくなる（21条）。判例は、「詐術を用いた」といえるためには、積極的に術策を用いる必要はなく、制限行為能力者であることを黙秘していた場合でも、それが制限行為能力者の他の言動などと相まって相手方を誤信させ、また誤信を強めたという場合には詐術に当たるが、単なる黙秘は詐術に当たらないとしている（最判昭44.2.13）。

エ　×　「その法定代理人の同意を得ないとすることができない」という部分が妥当でない。未成年者が法律行為をするには、その法定代理人の同意を得なければならない。ただし、単に権利を得、又は義務を免れる法律行為については、この限りでない（5条1項）。

オ　×　「後見開始の審判は本人が請求することはできないが」という部分が妥当でない。精神上の障害により事理を弁識する能力を欠く常況にある者については、家庭裁判所は、本人、配偶者、四親等内の親族、未成年後見人、未成年後見監督人、保佐人、保佐監督人、補助人、補助監督人又は検察官の請求により、後見開始の審判をすることができる（7条）。

以上より、妥当なものはア、ウであり、正解は**2**となる。

民法Ⅰ　意思表示

2020年度
専門 No.8

意思表示に関する次のア～エの記述の正誤の組合せとして最も妥当なものはどれか（争いのあるときは、判例の見解による。）。

ア　Aが自己の所有する不動産をBに仮装譲渡して登記を移転した後、Bがその不動産を善意のCに譲渡した場合、CはAB間の譲渡が無効であることを主張することができない。
イ　Aが自己の所有する不動産をBに仮装譲渡して登記を移転した後、Cがその不動産を差し押さえた場合、Cは民法第94条２項の第三者にあたる。
ウ　AがBの詐欺により意思表示をした場合、Aに重過失があっても、Aはその意思表示を取り消すことができる。
エ　AがBの強迫を受けて畏怖したことにより意思表示をしたが、意思の自由を完全に失った状態ではなかった場合、Aは意思表示を取り消すことができない。

	ア	イ	ウ	エ
1	誤	誤	正	正
2	誤	正	正	誤
3	正	誤	誤	正
4	正	正	誤	誤
5	正	誤	正	誤

解説　正解　2

TAC生の正答率 63%

ア　×「CはAB間の譲渡が無効であることを主張することができない」という部分が誤っている。相手方と通じてした虚偽の意思表示は、無効である（94条1項）ところ、この無効であることを第三者の側から認めることは差し支えないと解されている。なぜなら、当該無効を善意の第三者に対抗することができない（同条2項）とは、表意者の側から無効を主張することができないという意味だからである。したがって、Cは、AB間の譲渡が無効であることを主張することができる。

イ　〇　判例により正しい。判例は、民法94条2項の第三者とは、虚偽の意思表示の当事者またはその一般承継人以外の者であって、その表示の目的につき法律上利害関係を有するに至った者をいうとしている（大判大9.7.23、最判昭42.6.29）。そして、仮装譲渡された不動産を差し押さえた債権者は、94条2項の第三者に当たるとする（最判昭42.10.31）。したがって、Cは94条2項の第三者にあたる。

ウ　〇　条文により正しい。民法は、詐欺による意思表示は、取り消すことができる（96条1項）と規定するのみであり、表意者に重過失があった場合に詐欺取消しを制限する旨の規定は、存在しない。したがって、Aはその意思表示を取り消すことができる。

エ　×「意思の自由を完全に失った状態ではなかった場合、Aは意思表示を取り消すことができない」という部分が誤っている。強迫による意思表示は、取り消すことができる（96条1項）。強迫による意思表示が成立するには、強迫行為によって表意者に畏怖を生じさせ、その畏怖の結果、意思表示をしたことが必要である。そして、表意者が、畏怖のため完全に意思の自由を失ったことまでは要しない（最判昭33.7.1）。したがって、Aは、意思表示を取り消すことができる。

以上より、ア：誤、イ：正、ウ：正、エ：誤なので、正解は**2**となる。

民法Ⅰ　通謀虚偽表示　2023年度 専門 No.8

Aは、Bと通じて、Aが所有する甲土地をBに仮装譲渡した。次のア～オのうち、民法第94条第2項の「第三者」に当たるもののみを全て挙げたものはどれか（争いのあるときは、判例の見解による。）。

ア　当該仮装譲渡後に甲土地を差し押さえたBの債権者
イ　当該仮装譲渡後も甲土地を差し押さえていないBの債権者
ウ　当該仮装譲渡後にBを相続した者
エ　当該仮装譲渡後に甲土地についてBから抵当権の設定を受けた者
オ　当該仮装譲渡後に甲土地上に存在するB所有の建物をBから賃借した者

1　ア、エ

2　ア、オ

3　イ、ウ

4　イ、エ

5　ウ、オ

（参照条文）民法
（虚偽表示）
第94条　相手方と通じてした虚偽の意思表示は、無効とする。
2　前項の規定による意思表示の無効は、善意の第三者に対抗することができない。

解説　正解　**1**

TAC生の正答率 76%

ア　○　第三者に当たる。判例は、民法94条２項の第三者とは、虚偽の意思表示の当事者又はその一般承継人以外の者であって、その表示の目的につき法律上の利害関係を有するに至った者をいうとしている（大判大9.7.23、最判昭42.6.29）。ここにいう、法律上の利害関係とは、虚偽表示が無効とされた場合に権利を失うことになる（権利が取得できなくなる）こと、又は義務を負うことになることをいう。そして、判例は、仮装譲渡された不動産を差し押さえた債権者は、民法94条２項の第三者に当たるとしている（最判昭42.10.31）。

イ　×　第三者に当たらない。判例は、仮装譲渡された目的物を差し押さえたといった事情があれば、仮装譲受人の債権者（差押債権者）も第三者に含まれるが（記述ア解説参照）、仮装譲受人の一般債権者にとどまる場合には、第三者に当たらないとしている（大判大9.7.23）。

ウ　×　第三者に当たらない。相続人は一般承継人（包括承継人ともいわれる）に当たるので、民法94条２項の第三者に当たらない。

エ　○　第三者に当たる。判例は、虚偽表示による仮装譲受人から目的不動産に担保権の設定を受けた者は第三者に当たるとしている（大判昭6.10.24）。

オ　×　第三者に当たらない。判例は、土地の仮装譲受人から同人が土地上に建築した建物を賃借した者は、第三者に当たらないとしている（最判昭57.6.8）。この場合は、仮装譲渡された土地について法律上の利害関係を有するに至ったとはいえないとの理由による。

以上より、第三者に当たるものはア、エであり、正解は**1**となる。

民法I　代理　2023年度 専門 No.9

無権代理及び表見代理に関する次のア～オの記述のうち、妥当なもののみを全て挙げているものはどれか（争いのあるときは、判例の見解による。）。

ア　無権代理人がした契約の相手方は、本人が追認をしない間は、当該契約を取り消すことができるが、契約の時に無権代理であることを知っていたときは、これを取り消すことができない。
イ　無権代理人は、本人の追認を得たときであっても、無権代理行為の相手方に対し、相手方の選択に従い、履行又は損害賠償の責任を負う。
ウ　無権代理行為の本人が、無権代理人を相続した場合、被相続人の無権代理行為は本人の相続により当然に有効にはならないから、相続人たる本人は被相続人の無権代理行為の追認を拒絶することができる。
エ　権限外の行為の表見代理の成立要件である基本代理権は、私法上の行為についての代理権でなければならず、公法上の行為についての代理権は、登記申請行為のように私法上の契約による義務の履行のためになされるものであったとしても、これに該当しない。
オ　代理人が、本人から与えられた代理権が消滅した後に、第三者との間でその代理権の範囲外の行為をした場合、第三者が、その行為について代理人に代理権があると信じるべき正当な理由があったとしても、本人はその行為についての責任を負わない。

1　ア、イ

2　ア、ウ

3　イ、オ

4　ウ、エ

5　ウ、オ

解説　正解　2

TAC生の正答率 73%

ア　〇　条文により妥当である。代理権を有しない者がした契約は、相手方が取り消すことができる。この取消しをするには、本人が追認をしない間にする必要がある（115条本文）とともに、契約の時において代理権を有しないことを相手方が知らなかったことが必要である（115条ただし書）。その趣旨は、無権代理行為がなされた段階では、その効果が本人に帰属するかどうか未確定であり権利関係が不安定であるところ、善意の相手方をその不安定な状態から離脱させる点にある。

イ　×　「本人の追認を得たときであっても」という部分が妥当でない。他人の代理人として契約をした者は、自己の代理権を証明したとき、又は本人の追認を得たときを除き、相手方の選択に従い、相手方に対して履行又は損害賠償の責任を負う（117条1項）。

ウ　〇　判例により妥当である。判例は、本人が無権代理人を相続した場合には、無権代理行為をしていない本人が追認拒絶をしても何ら信義則に反しないから、無権代理行為は本人の相続により当然有効となるものではないとして、本人に無権代理行為の追認拒絶を認めている（最判昭37.4.20）。

エ　×　「これに該当しない」という部分が妥当でない。判例は、民法110条の基本代理権は私法上の行為についての代理権であることを要し、公法上の行為についての代理権はこれに当たらないとする（最判昭39.4.2）。もっとも、公法上の行為であっても、登記申請行為が私法上の契約による義務の履行のためになされる場合は、特定の私法上の取引行為の一環としてなされているので、その権限を基本代理権として認めることができるとしている（最判昭46.6.3）。

オ　×　「本人はその行為についての責任を負わない」という部分が妥当でない。代理権消滅後の表見代理（112条1項）が成立する場合において、他人（元代理人）が第三者との間で消滅前に有していた代理権の範囲外の行為をしたときは、第三者がその行為についてその他人の代理権があると信じるべき正当な理由があるときに限り、本人はその行為についての責任を負う（112条2項）。

以上より、妥当なものはア、ウであり、正解は**2**となる。

民法Ⅰ　代理　2021年度 専門 No.8

代理に関する次のア～オの記述のうち、妥当なもののみを全て挙げているものはどれか（争いのあるときは、判例の見解による。）。

ア　代理人が、本人のためにすることを示さずに相手方との間で売買契約を締結した場合、相手方が、代理人が本人のために売買契約を締結することを知り又は知ることができたときは、本人と相手方との間に売買契約の効力が生ずる。
イ　代理人が、相手方の詐欺により、本人のためにすることを示して相手方との間で売買契約を締結した場合、本人は、その売買契約を取り消すことができない。
ウ　法定代理人は、やむを得ない事由がなくとも復代理人を選任することができ、この場合、本人に対して、復代理人の選任及び監督についての責任のみを負う。
エ　判例の趣旨に照らすと、既に合意されている契約条項に基づいて、代理人が双方の当事者を代理して公正証書を作成する場合には、双方代理の禁止に関する規定の法意に違反しない。
オ　無権代理行為の相手方は、表見代理が成立する場合であっても、表見代理の主張をせずに、直ちに無権代理人に対して、履行又は損害賠償の請求をすることができるが、これに対し無権代理人は、表見代理の成立を主張してその責任を免れることができる。

1　ア、ウ

2　ア、エ

3　イ、エ

4　イ、オ

5　ウ、オ

解説　正解　**2**　TAC生の正答率 82%

ア　○　条文により妥当である。代理人が本人のためにすることを示さないでした意思表示は、自己のためにしたものとみなされるが（100条本文）、相手方が、代理人が本人のためにすることを知り、又は知ることができたときは、本人に対して直接にその効力を生ずる（100条ただし書、99条1項）。

イ　×「本人は、その売買契約を取り消すことができない」という部分が妥当でない。代理人が相手方に対してした意思表示の効力が詐欺によって影響を受けるべき場合には、その事実の有無は、代理人について決するものとする（101条1項）。意思表示の瑕疵の有無は代理人を基準として判断するから、代理人の意思表示が相手方の詐欺による影響を受けているときは、当該意思表示は取り消すことができるものとして本人に帰属する（96条1項）。したがって、本人は当該売買契約を取り消すことができる。

ウ　×「この場合、本人に対して、復代理人の選任及び監督についての責任のみを負う」という部分が妥当でない。法定代理人は、自己の責任で復代理人を選任することができ、この場合において、やむを得ない事由があるときは、本人に対してその選任及び監督についての責任のみを負う（105条）。復代理人とは、代理人が自己の権限内の行為を行わせるため、代理人の名において選任した本人の代理人である。法定代理人は本人の信任に基づいて代理人となった者ではなく、辞任も容易ではないことから、常に復代理人を選任する権限が認められるが、やむを得ない事由がある場合を除き、復代理人の行為について本人に対し責任を負う。無責任な復代理人の選任による不利益等の危険から本人を守る趣旨である。

エ　○　判例により妥当である。判例は、契約条項が既に当事者間において取り決められてあり、公正証書作成の代理人は、単に当該条項を公正証書に作成するためのみの代理人であって、新たに契約条項を決定するものではないのであるから、双方の当事者を代理して公正証書を作成しても、双方代理の禁止を定めた民法108条1項の法意に違反しないとしている（最判昭26.6.1）。

オ　×「これに対し無権代理人は、表見代理の成立を主張してその責任を免れることができる」という部分が妥当でない。判例は、無権代理人の責任は、表見代理によっては保護を受けることのできない相手方を救済するための制度ではなく、両者は互いに独立した制度であるから、無権代理行為の相手方は、表見代理が成立する場合であっても、表見代理の主張をせずに直ちに無権代理人に対して履行又は損害賠償の請求ができるとする。また、表見代理は本来相手方保護のための制度であるから、無権代理人が表見代理の成立要件を主張立証して自己の責任を免れることは制度本来の趣旨に反するとして、無権代理人が表見代理の成立を抗弁として主張することはできないとしている（最判昭62.7.7）。

以上より、妥当なものはア、エであり、正解は**2**となる。

民法Ⅰ　条件・期限

2022年度
専門 No.9

条件及び期限に関する次のア～エの記述のうち、妥当なもののみを全て挙げているものはどれか(争いのあるときは、判例の見解による。)。

ア　AがBに対し「Bが今年甲大学に入学したら、入学金を贈与する。」と約束した場合、その約束の時点でBが今年甲大学に入学できないことが確定していたときも、Aは一旦はその贈与契約に基づく債務を負担する。
イ　AがBに対し「将来気が向いたら、私が所有する甲時計を贈与する。」と約束した場合、その贈与契約は無効である。
ウ　条件が成就することによって利益を受ける当事者が、故意に条件を成就させた場合には、相手方は、条件が成就していないものとみなすことができる。
エ　相殺の意思表示には、期限を付することができるが、条件を付することはできない。

1　ア、イ

2　ア、ウ

3　イ、ウ

4　イ、エ

5　ウ、エ

解説　正解　3　TAC生の正答率 64%

ア　×　「Aは一旦はその贈与契約に基づく債務を負担する」という部分が妥当でない。「約束の時点でBが今年甲大学に入学できないことが確定していた」ことから、本記述の条件は、不能条件である。条件が成就しないことが法律行為の時に既に確定していた場合において、その条件が停止条件であるときはその法律行為は無効とする（131条2項）。したがって、Aは、その贈与契約に基づく債務を負担しない。

イ　○　条文により妥当である。「将来気が向いたら、私が所有する甲時計を贈与する。」との約束は、随意条件を付した贈与契約である。停止条件付法律行為は、その条件が単に債務者の意思のみに係るときは、無効とする（134条）。したがって、贈与契約は無効である。

ウ　○　判例により妥当である。判例は、条件の成就によって利益を受ける当事者が、故意に条件を成就させた場合には、民法130条（旧条文）の類推適用により、相手方は、条件が成就していないものとみなすことができるとしている（最判平6.5.31）。そして、法改正により本判例は条文化された。すなわち、条件が成就することによって利益を受ける当事者が不正にその条件を成就させたときは、相手方は、その条件が成就しなかったものとみなすことができる（130条2項）。

エ　×　「期限を付することができるが」という部分が妥当でない。相殺の意思表示には、条件又は期限を付することができない（506条1項後段）。相殺は、一方当事者の意思表示のみによって効果を生じるため、相殺の意思表示に条件を付することを認めると、相手方の地位を不安定にすることになり、また、相殺の効果は相殺適状時に遡って生じるので（506条2項）、期限を付しても無意味なためである。

以上より、妥当なものはイ、ウであり、正解は**3**となる。

民法Ⅰ　取得時効　2023年度 専門 No.10

取得時効に関する次のア～オの記述のうち、妥当なもののみを全て挙げているものはどれか（争いのあるときは、判例の見解による。）。

ア　10年の取得時効を援用して所有権の取得を主張する者は、占有を開始した時及びその時から10年を経過した時の２つの時点の占有を主張・立証する必要はあるが、所有の意思をもって、平穏に、かつ、公然と物を占有したこと、占有の開始時に善意無過失であったことはいずれも推定されるため主張・立証する必要はない。

イ　取得時効を主張する者は、占有を開始した以後の任意の時点を時効の起算点として選択することはできない。

ウ　取得時効の完成による権利の取得の効力は、その起算日に遡って生じる。

エ　取得時効が成立するためには、占有が時効期間中継続していることが必要であり、侵奪行為によって目的物の占有が失われた場合には、その後、占有回収の訴えによってその占有を回復しても、取得時効は中断する。

オ　不動産の所有権を時効により取得した者は、時効完成後にその不動産を譲り受けた者に対し、登記をしなくてもその所有権の取得を対抗することができる。

1　ア、ウ

2　ア、オ

3　イ、ウ

4　イ、エ

5　エ、オ

解説　正解　3

TAC生の正答率　82%

ア　×　「無過失」という部分が妥当でない。占有者は、所有の意思をもって、善意で、平穏に、かつ公然と占有をするものと推定されるが（186条1項）、無過失については推定されないため、10年の短期取得時効を主張する占有者は、自己が無過失である点について主張・立証しなければならない（最判昭46.11.11）。なお、前後の両時点において占有をした証拠があるときは、占有は、その間継続したものと推定するので（186条2項）、占有開始時及びその時から10年経過時点における占有を主張・立証する必要があるとの点は正しい。

イ　○　判例により妥当である。判例は、必ず時効の基礎たる事実の開始した時を起算点として時効完成の時期を決定すべきであり、取得時効を援用する者において任意にその起算点を選択し、時効完成の時期を早めたり遅らせたりすることはできないとしている（最判昭35.7.27）。

ウ　○　条文により妥当である。時効の効力は、その起算日に遡る（144条）。したがって、取得時効の完成による権利の取得は、その起算日に遡って生じる。

エ　×　「取得時効は中断する」という部分が妥当でない。取得時効は、占有者が任意にその占有を中止し、又は他人によってその占有を奪われたときは、中断する（164条、165条）。もっとも、占有を侵奪された場合、占有回収の訴え（200条）を提起して勝訴し、現実にその物の占有を回復したときは、現実に占有しなかった間も占有を失わず、占有が継続していたものとみなされるため（最判昭44.12.2）、この場合は取得時効が中断しない。

オ　×　「登記をしなくてもその所有権の取得を対抗することができる」という部分が妥当でない。判例は、時効取得も民法177条の「不動産に関する物権の得喪及び変更」にあたるとして、時効取得者と時効完成後の第三者の関係を、不動産の元所有者を中心とする二重譲渡類似の関係と考え、時効取得者は、登記を経由した時効完成後の第三者に対して、不動産の時効取得を対抗することができないとしている（最判昭33.8.28）。

以上より、妥当なものはイ、ウであり、正解は**3**となる。

民法Ⅰ　取得時効

2022年度
専門 No.10

取得時効に関する次のア～オの記述のうち、妥当なもののみを全て挙げているものはどれか（争いのあるときは、判例の見解による。）。

ア　土地の継続的な用益という外形的事実が存在し、かつ、それが賃借の意思に基づくことが客観的に表現されているときは、土地賃借権の時効取得が可能である。
イ　占有者がその占有開始時に目的物について他人の物であることを知らず、かつ、そのことについて過失がなくても、その後、占有継続中に他人の物であることを知った場合には、悪意の占有者として時効期間が計算される。
ウ　時効取得を主張する相続人は、自己の占有のみを主張することも、被相続人の占有を併せて主張することもできる。
エ　賃借人が、内心では所有の意思をもって占有している場合、その占有は自主占有となる。
オ　他人の物を占有することが取得時効の要件であるから、所有権に基づいて不動産を占有していた場合には、取得時効は成立しない。

1　ア、ウ

2　ア、エ

3　イ、オ

4　ウ、エ

5　エ、オ

解説　　正解　1　　TAC生の正答率 70%

ア　○　判例により妥当である。判例は、土地の継続的な用益という外形的事実が存在し、かつ、それが賃借の意思に基づくことが客観的に表現されているときは、民法163条に従い土地賃借権の時効取得が可能であるとしている（最判昭43.10.8）。

イ　×　「悪意の占有者として時効期間が計算される」という部分が妥当でない。10年間、所有の意思をもって、平穏かつ公然と、他人の物を占有した者は、その占有開始時に善意無過失であったときは、その所有権を取得する（162条２項）。したがって、占有開始時に善意無過失であれば、占有開始後に悪意となった場合でも、10年間でその所有権を取得することができる（大判昭5.11.7）。

ウ　○　判例により妥当である。占有の承継人は、その選択に従い、自己の占有のみを主張し、又は自己の占有に前の占有者の占有を併せて主張することができる（187条１項）。そして、この規定は、相続のような包括承継にも適用される（最判昭37.5.18）。

エ　×　「その占有は自主占有となる」という部分が妥当でない。判例は、所有の意思の有無は、占有取得の原因たる事実によって外形的客観的に定められるべきものであるから、賃貸借により取得した賃借人の占有は所有の意思のない占有（他主占有）であるとしている（最判昭45.6.18）。

オ　×　「取得時効は成立しない」という部分が妥当でない。判例は、所有権に基づいて不動産を占有する者についても取得時効が成立する余地があるとしている（最判昭42.7.21）。民法162条が時効取得の対象物を他人の物としたのは、通常の場合において、自己の物について取得時効を援用することは無意味であるからにほかならないのであって、民法162条は、自己の物について取得時効の援用を許さない趣旨ではないからである。

以上より、妥当なものはア、ウであり、正解は**1**となる。

民法Ⅰ　消滅時効　2020年度 専門 No.10

消滅時効の援用に関する記述として最も妥当なものはどれか（争いのあるときは、判例の見解による。）。

1　物上保証人は、当該抵当権の被担保債権について、その消滅時効を援用することができない。

2　後順位抵当権者は、先順位抵当権者の被担保債権について、その消滅時効を援用することができる。

3　時効の完成後にそのことに気付かないで債務の弁済をした場合には、後に時効の完成を知ったとき改めて時効を援用することができる。

4　保証人が主債務の消滅時効を援用した場合、その効果は主債務者に及ばない。

5　保証人が時効完成後に主債務の時効の利益を放棄した場合、その効果は主債務者にも及ぶ。

解説　正解　**4**　TAC生の正答率　82%

1　×「消滅時効を援用することができない」という部分が妥当でない。民法は、権利の消滅について正当な利益を有する者として、物上保証人を消滅時効の援用権者として明記している（145条括弧書）。改正前民法下における判例も、物上保証人による被担保債権の消滅時効の援用を肯定している（最判昭42.10.27）。その理由として、時効を援用することができるのは、時効により直接に利益を受けるべき者をいうところ、物上保証人は、被担保債権の消滅によって直接利益を受けることを挙げている。

2　×「消滅時効を援用することができる」という部分が妥当でない。判例は、後順位抵当権者による先順位抵当権の被担保債権の消滅時効の援用を否定している（最判平11.10.21）。その理由として、先順位抵当権の被担保債権が時効消滅することにより、後順位抵当権者の順位が上昇するが、それは単に反射的な利益にすぎないことを挙げている。

3　×「改めて時効を援用することができる」という部分が妥当でない。判例は、消滅時効が完成した後に債務を承認した債務者において、時効の完成の事実を知らなくても、信義則に照らして完成した消滅時効の援用を否定している（最大判昭41.4.20）。その理由として、時効完成後、債務者が債務の承認をすることは、時効による債務消滅の主張と相反する行為であることを挙げている。なお、承認以後再び時効は進行するので、債務者は再度完成した消滅時効を援用することは可能である（最判昭45.5.21）。

4　○　通説により妥当である。保証人は、主債務の消滅時効を援用することができる（145条括弧書）。そして、時効援用の効果は相対効である（大判大8.6.24）。また、保証人について生じた事由は、保証人によって債務を消滅させた事由以外は、主債務者に対しては影響を及ぼさないと解されている。したがって、保証人が主債務の消滅時効を援用したとしても、その効果は主債務者には及ばないことになる。

5　×「その効果は主債務者にも及ぶ」という部分が妥当でない。保証人による時効の利益の放棄（146条）についても、**4**の消滅時効の援用と同様の結論（相対効）になると解されている。したがって、保証人のした時効の利益の放棄の効果は、主債務者には及ばないことになる。

民法Ⅰ　時効　2022年度 専門 No.11

時効に関する記述として最も妥当なものはどれか（争いのあるときは、判例の見解による。）。

1　所有権自体は消滅時効にかからないが、所有権に基づく返還請求権は、所有権から発生する独立の権利であるから、消滅時効にかかる。

2　土地の所有権を時効取得すべき者から、土地上に同人が所有する建物を賃借している者は、土地の所有権の取得時効を援用することができる。

3　Ａ所有の不動産をＢが占有し、取得時効が完成した後、登記を具備しないでいる間に、ＣがＡから当該不動産を譲り受けて登記を経由した場合、Ｂは、Ｃに対し、当該不動産の時効による所有権取得を対抗することができる。

4　消滅時効は、一定の期間権利を行使しないことによってその権利を失う制度であるから、債務者とされる者は時効の起算日以降に発生した遅延損害金について支払義務を負う。

5　保証人が主債務に係る債権の消滅時効を援用しても、その効力は主債務者に及ばないが、主債務者が消滅時効を援用する場合、主債務だけでなく保証債務も消滅する。

解説　正解　5

TAC生の正答率　65%

1　×　「所有権から発生する独立の権利であるから、消滅時効にかかる」という部分が妥当でない。所有権に基づく物の返還請求権は、その所有権の一作用であって独立の権利ではないから、所有権と同じく消滅時効によって消滅しない（大判大5.6.23）。

2　×　「土地の所有権の取得時効を援用することができる」という部分が妥当でない。判例は、建物賃借人は、建物賃貸人による敷地所有権の取得時効を援用することはできないとしている（最判昭44.7.15）。土地の取得時効の完成によって直接利益を受ける者ではないからである。

3　×　「当該不動産の時効による所有権取得を対抗することができる」という部分が妥当でない。判例は、時効により不動産の所有権を取得しても、その登記がないときは、時効完成後に旧所有者から所有権を取得し登記を経た第三者（時効完成後の第三者）に対し、所有権の取得を対抗することができないとしている（最判昭33.8.28）。したがって、Bは、Cに対し、当該不動産の時効による所有権取得を対抗することができない。

4　×　「時効の起算日以降に発生した遅延損害金について支払義務を負う」という部分が妥当でない。時効の効力は起算日に遡るので（144条）、例えば、債権の消滅時効の成立によって、その債権は起算日に消滅したことになる。したがって、起算日以降に利息や遅延損害金は発生しないことになるから、これらの支払義務は負わない。

5　○　判例により妥当である。時効援用の効果は相対効である（大判大8.6.24）。また、保証人について生じた事由は、保証人によって債務を消滅させた事由以外は、主債務者に対しては影響を及ぼさないと解されている。したがって、保証人が主債務の消滅時効を援用した（保証人は主債務の消滅時効の援用権者である、145条括弧書）としても、その効果は主債務者には及ばないことになる。これに対して、主債務者が消滅時効を援用する場合は、主債務が消滅すると共に、消滅における付従性（主たる債務が消滅すると保証債務も消滅すること）によって、保証債務も消滅する。

民法Ⅰ　物権変動

2022年度
専門 No.12

物権変動に関する次のア～オの記述のうち、妥当なもののみを全て挙げているものはどれか（争いのあるときは、判例の見解による。）。

ア　不特定物の売買においては、原則として、契約時に所有権移転の効力が生ずる。

イ　Aが、Bに不動産を譲渡したが、所有権移転登記手続をしないまま死亡して唯一の相続人であるCが相続した場合において、Bは、Cに対し、所有権移転登記を具備していない以上、所有権を主張することはできない。

ウ　Bが、Aから動産を買い受け、占有改定の方法で引渡しを受けたが、その後、CもAから当該動産を買い受け、占有改定の方法で引渡しを受けた場合、CがAのBに対する動産の売却について善意無過失であっても、Bは、当該動産の所有権をCに対抗することができる。

エ　AからBへ、BからCへ不動産が順次売買され、それぞれ所有権移転登記が行われたが、AB間及びBC間の所有権移転原因が無効であった場合に、Aは、CからAへ直接に所有権移転登記手続を請求することができる。

オ　不動産の二重譲渡において、第二譲受人が背信的悪意者である場合、背信的悪意者は無権利者であるから、背信的悪意者からの譲受人は登記を備えたとしても、第一譲受人に対し不動産所有権の取得を対抗することはできない。

1　ア、イ

2　ア、オ

3　イ、ウ

4　ウ、エ

5　エ、オ

解説　正解　4　　TAC生の正答率　48%

ア　×「契約時に所有権移転の効力が生ずる」という部分が妥当でない。判例は、不特定物の売買においては原則として目的物が特定した時（401条２項参照）に所有権は当然に買主に移転するものと解すべきであるとしている（最判昭35.6.24）。

イ　×「所有権移転登記を具備していない以上、所有権を主張することはできない」という部分が妥当でない。相続人は、相続開始の時から、被相続人の財産に属した一切の権利義務を承継するから（896条本文）、被相続人と同様の法的地位にある。したがって、Ｂは、Ｃに対し、所有権移転登記を具備していなくても、所有権を主張することができる。

ウ　○　判例により妥当である。動産に関する物権の譲渡は、その動産の引渡しがなければ、第三者に対抗することができない（178条）。この引渡しには占有改定（183条）が含まれる（大判明43.2.25）。したがって、Ｂが、Ａから動産を買い受け、占有改定の方法で引渡しを受けており、当該動産について対抗要件を備えている。その後、Ｃは権利のないＡから、当該動産を買い受けていることから即時取得（192条）の可否が問題となるが、占有改定の方法による取得では、即時取得は認められない（最判昭35.2.11）。したがって、ＣがＡのＢに対する動産の売却について善意無過失であっても、Ｂは、当該動産の所有権をＣに対抗することができる。

エ　○　判例により妥当である。判例は、不動産の登記簿上の所有名義人は、真正の所有者に対し、その所有権の公示に協力すべき義務を有するものであるから、真正の所有者は、所有権に基づき所有名義人に対し所有権移転登記の請求をなしうるとしている（最判昭34.2.12）。本記述の場合、AB間及びBC間の所有権移転原因が無効であるため、真正の所有者はＡである。したがって、Ａは、登記名義人であるＣに対し、自己への所有権移転登記手続を請求することができる。

オ　×「背信的悪意者は無権利者であるから、背信的悪意者からの譲受人は登記を備えたとしても、第一譲受人に対し不動産所有権の取得を対抗することはできない」という部分が妥当でない。判例は、不動産がＡからＢ（第一譲受人）に譲渡され、Ｂが登記を備える前にＣ（第二譲受人）がＡから当該不動産を二重に買い受け、さらにＣからＤ（転得者）が買い受けて登記を完了した場合、Ｃが背信的悪意者に当たるとしても、Ｄは、Ｂに対する関係でＤ自身が背信的悪意者と評価されるのでない限り、当該不動産の所有権取得をもってＢに対抗することができるとしている（最判平8.10.29）。背信的悪意者は無権利者となるわけではなく（Ａ→Ｃ→Ｄの売買は有効）、また、背信的悪意者が民法177条の「第三者」に該当しないのは、登記の欠缺を主張することが信義則に反することから許されないとされるためであり、登記を経由した者がこの法理によって「第三者」から排除されるかどうかは、その者と第一譲受人との間で相対的に判断されるべき事柄であるからである。

以上より、妥当なものはウ、エであり、正解は**4**となる。

民法Ⅰ　物権的請求権

2023年度
専門 No.11

物権的請求権に関する次のア～オの記述のうち、妥当なもののみを全て挙げているものはどれか(争いのあるときは、判例の見解による。)。

ア　所有権に基づく物権的請求権は、所有権から派生する権利であるから、所有権と独立に物権的請求権のみを譲渡することはできないが、所有権とは別に消滅時効にかかる場合がある。

イ　第一順位の抵当権の被担保債権が弁済されて消滅した場合、第一順位の抵当権は当然に消滅するから、第一順位の抵当権設定登記が残存しているとしても、第二順位の抵当権者は、第一順位の抵当権設定登記の抹消を内容とする物権的請求権を行使することができない。

ウ　地役権者は、承役地を不法占拠している者に対し、地役権に基づき、自己への承役地の明渡しを求めることができない。

エ　抵当権者は、抵当不動産の所有者において抵当権への侵害が生じないよう抵当不動産を適切に維持管理することを期待できない場合であっても、抵当不動産の占有者に対して、直接自己への抵当不動産の明渡しを求めることができない。

オ　土地の所有者は、土地を利用する権原なく土地上に建物を所有している者に対しては、所有権に基づく物権的請求権として、建物を収去して、土地を明け渡すよう求めることができる。

1　ア、イ

2　ア、オ

3　ウ、エ

4　ウ、オ

5　エ、オ

解説　**正解　4**　TAC生の正答率 37%

ア　×「所有権とは別に消滅時効にかかる場合がある」という部分が妥当でない。所有権に基づく物権的請求権は、その所有権の一作用であって、所有権から発生する独立の権利ではないから、所有権自体と同じく消滅時効によって消滅することはない（大判大5.6.23）。

イ　×「第一順位の抵当権設定登記の抹消を内容とする物権的請求権を行使することができない」という部分が妥当でない。不動産の登記と実際の権利関係とが不一致の場合に、その不一致を除去するため、一種の物権的請求権として登記請求権が認められる（物権的登記請求権）。順位上昇の原則により、第一順位の抵当権が消滅した場合、第二順位の抵当権者の順位は上昇する（実際は第一順位となる）から、第二順位の抵当権者は、抵当権に基づく物権的請求権として、第一順位の抵当権設定登記の抹消登記請求をすることができる。

ウ　○　通説により妥当である。地役権は、設定行為で定めた目的に従い、他人の土地（承役地）を自己の土地（要役地）の便益に供する権利であるから（280条本文）、承役地に対する使用権能は認められるが、占有権能や管理権能は含まれない。したがって、目的物の返還請求権は、地役権に基づく物権的請求権の内容に含まれず、地役権者は、地役権に基づき自己への承役地の明渡しを求めることはできない。

エ　×「直接自己への抵当不動産の明渡しを求めることができない」という部分が妥当でない。抵当目的物である土地が、第三者に不法に占有されていることにより抵当不動産の交換価値の実現が妨げられ抵当権者の優先弁済請求権の行使が困難となるような状態があるときは、抵当権者は、抵当権に基づき、第三者に妨害排除請求をすることができる（最大判平11.11.24）。さらに、直接自己への明渡しを求めることもできるとするのが判例である（最判平17.3.10）。なぜなら、抵当不動産の所有者において、抵当権に対する侵害が生じないように抵当不動産を適切に維持管理することが期待できない場合もあるからである。

オ　○　通説により妥当である。物権的請求権には、①他人が物権の目的物を占有する場合に、その返還を請求する権利である返還請求権、②他人が目的物の占有以外の方法によって物権の実現を妨害している場合に、その排除を請求する権利である妨害排除請求権、③他人が物権の実現を侵害するおそれがある場合に、その予防を請求する権利である妨害予防請求権、以上の３種類がある。所有権に基づく物権的請求権においては、上記の３種類の全てが認められるため、土地所有者は、当該土地上に建物を所有している者に対して、建物を収去して、土地を明け渡すよう求めることができる。

以上より、妥当なものはウ、オであり、正解は**4**となる。

民法I　不動産物権変動

不動産物権変動に関する次のア～オの記述のうち、妥当なもののみを全て挙げているものはどれか（争いのあるときは、判例の見解による。）。

ア　Aは、その所有する甲土地をBに売却し、Bへの所有権移転登記がされたが、Bの債務不履行を理由としてAB間の売買契約を解除した場合、その解除後に、Bが、甲土地をCに売却し、Cへの所有権移転登記がされれば、Aは、Cに対し、契約解除による甲土地の所有権の復帰を対抗することができない。

イ　Aが、その所有する甲土地をBに売却した後、Bが、甲土地をCに売却した場合、甲土地につきCへの所有権移転登記がされていなければ、Cは、Aに対し、甲土地の所有権の取得を対抗することができない。

ウ　BがA所有の甲土地を占有し、取得時効が完成した後、Aが、甲土地をCに売却した場合、甲土地につきCへの所有権移転登記がされていたとしても、Bは、Cに対し、甲土地の所有権の時効取得を対抗することができる。

エ　Aが、A所有の甲土地をBに売却し、Cに対しても甲土地を売却した後で、AB間で上記売買契約を合意解除した場合、Cへの所有権移転登記がされていなければ、Cは、Bに対し、甲土地の所有権の取得を対抗することができない。

オ　Aは、A所有の甲土地をBに売却した後、Cに対しても甲土地を売却し、さらにCがDに対して甲土地を売却した場合、CがBとの関係で背信的悪意者にあたるが、DがBとの関係で背信的悪意者と評価されないとき、Bへの所有権移転登記がされていなければ、Bは、Dに対し、甲土地の所有権の取得を対抗することができない。

1　ア、イ

2　ア、オ

3　イ、ウ

4　ウ、エ

5　エ、オ

解説　正解　2

TAC生の正答率　84%

ア　○　判例により妥当である。判例は、契約解除の場合、所有権は遡及的に売主に復帰するが（最判昭34.9.22、直接効果説）、不動産の所有権が売主に復帰した場合でも、売主は、その所有権取得の登記を完了しなければ、解除後に買主から不動産を取得した第三者に対し、所有権の復帰を対抗できないとしている（最判昭35.11.29）。したがって、Cが先に甲土地の所有権移転登記を備えた場合、Aは、Cに対し、甲土地の所有権の復帰を対抗することができない。

イ　×「甲土地につきCへの所有権移転登記がされていなければ、Cは、Aに対し、甲土地の所有権の取得を対抗することができない」という部分が妥当でない。不動産物権変動は、登記をしなければ第三者に対抗することができない（177条）。判例は、不動産が順次譲渡された場合の前主は、後主に対する関係で民法177条の第三者に該当しないとしている（最判昭39.2.13）。民法177条の第三者とは、当事者およびその包括承継人以外の者であって、登記の欠缺（不存在）を主張するにつき正当な利益を有する者であるところ（大連判明41.12.15）、前主は単に当該不動産を譲渡した者に過ぎず、正当な権利を有しないからである。したがって、Aは民法177条の第三者に当たらないから、Cは、所有権移転登記を経由しなくとも、Aに対し、甲土地の所有権の取得を対抗することができる。

ウ　×「甲土地につきCへの所有権移転登記がされていたとしても、Bは、Cに対し、甲土地の所有権の時効取得を対抗することができる」という部分が妥当でない。判例は、時効により不動産の所有権を取得しても、その登記がないときは、時効完成後に旧所有者から所有権を取得し登記を経た第三者（時効完成後の第三者）に対し、所有権の取得を対抗できないとしている（最判昭33.8.28）。本記述の場合、Cが時効完成後の第三者であるから、Cへの所有権移転登記がされている場合、Bは、Cに対し、甲土地の所有権の時効取得を対抗することができない。

エ　×「Cへの所有権移転登記がされていなければ、Cは、Bに対し、甲土地の所有権の取得を対抗することができない」という部分が妥当でない。AB間の甲土地の売買契約は合意解除されているが、合意解除とは契約がなかったのと同一の状態を作ることを内容とする新たな合意であるので、当該合意解除により、Bは甲土地について無権利者となる。民法177条の第三者は、登記の欠缺（不存在）を主張するにつき正当な利益を有する者でなければならないが（記述イ解説を参照）、無権利者はこれに当たらないから、Bは民法177条の第三者に該当しない。したがって、Cへの所有権移転登記がされていなくても、Cは、Bに対し、甲土地の所有権の取得を対抗することができる。

オ　○　判例により妥当である。判例は、背信的悪意者である第二譲受人からの転得者について、転得者自身が第一譲受人との関係で背信的悪意者と評価されるのでない限りは、民法177条の第三者に当たるとしている（最判平8.10.29）。背信的悪意者は、その主観的悪性ゆえに登記の欠缺（不存在）を主張することが信義則上許されないのであるが、信義則に反するかどうかは、第一譲受人との関係で相対的に判断されるべき事柄だからである。本記述の場合、Dが第一譲受人であるBとの関係で背信的悪意者と評価されず、BとDは対抗関係に立つから、Bは、Bへの所有権移転登記がされていなければ、Dに対し、甲土地の所有権取得を対抗することができない。

以上より、妥当なものはア、オであり、正解は**2**となる。

民法Ⅰ　不動産物権変動

2020年度
専門 No.11

不動産物権変動に関する次のア～エの記述の正誤の組合せとして最も妥当なものはどれか（争いのあるときは、判例の見解による。）。

ア　Aが所有し、自己名義の登記をしている甲土地につき、Bが書類を偽造して自己名義に登記を移転し、さらにBが甲土地をCに譲渡して所有権移転登記をした場合、Aは、Cに対し、甲土地の所有権を主張できない。

イ　Aが、その所有する甲土地をBに売却し、さらにBが甲土地をCに売却した後、AB間の売買契約が合意により解除された場合、Cは、Aに対し、所有権移転登記をしなくても、甲土地の所有権取得を主張することができる。

ウ　Aが、その所有する甲土地をBに譲渡し、さらにBが甲土地をCに譲渡した場合、Cから直接Aに対し所有権移転登記を請求することは、A、B及びC間で中間省略登記の合意があったとしても許されない。

エ　Aが、その所有する甲土地をBに売却する契約をBとの間で締結した場合、甲土地の所有権は、原則として、その売買契約成立時に移転する。

	ア	イ	ウ	エ
1	誤	正	正	正
2	誤	誤	正	誤
3	正	誤	誤	正
4	正	誤	正	誤
5	誤	誤	誤	正

解説　正解　5

TAC生の正答率　80%

ア　×「Aは、Cに対し、甲土地の所有権を主張できない」という部分が誤っている。判例は、実質上所有権を有しないで、登記簿上所有者として表示されているにすぎない者は、登記の欠缺（不存在）を主張し得る正当な利益を有せず、民法177条の第三者に当たらないとしている（最判昭34.2.12）。本記述の場合、Bは書類の偽造により甲土地の登記を取得した無権利者であるから、Bから甲土地を譲り受けたCも無権利者となり、177条の第三者に該当しない。したがって、AとCとは対抗関係に立たず、Aは、Cに対し、甲土地の所有権を主張できる。

イ　×「Cは、Aに対し、所有権移転登記をしなくても、甲土地の所有権取得を主張することができる」という部分が誤っている。判例は、遡及効を有する契約解除は第三者の権利を害することができない（545条1項ただし書）ところ、合意解約（合意解除）はここにいう契約解除ではないが、契約解除の場合と別異に考えるべき理由がないから、合意解約についても第三者の権利を害することはできないとする。その上で、契約解除や合意解約の前に第三者が不動産の所有権を取得した場合（解除前の第三者）は、その所有権について不動産登記の経由されていることを必要とするのであって、もし不動産登記を経由していないときは第三者として保護されないとしている（最判昭33.6.14）。したがって、Cは、Aに対し、所有権移転登記をしなければ、甲土地の所有権取得を主張することができない。

ウ　×「A、B及びC間で中間省略登記の合意があったとしても許されない」という部分が誤っている。判例は、実体的な権利変動の過程と異なる移転登記を請求する権利は、当然には発生しないから、本記述と同様に「A→B→C」と順次不動産の所有権が移転したが、登記名義は依然としてAにある場合において、現に所有権を有するCは、登記名義人A及び中間者Bの同意がないかぎり、Aに対し直接自己に移転登記（中間省略登記）を請求することは許されないとしている（最判昭40.9.21）。したがって、ABC間で中間省略登記の合意があれば、Cから直接Aに対し所有権移転登記を請求することができる。

なお、上記最高裁昭和40年9月21日判決の後、登記内容に物権変動の過程を正確に反映させるべきとの要請が強まり、さらに、平成17年の不動産登記法の改正により従来の中間省略登記はできないものとされているが、明示的な判例変更はされていないことから、上記判例に従い、本記述について出題者は誤りとしたと考えられる。

エ　○　判例により正しい。判例は、売主の所有に属する特定物を目的とする売買においては、特にその所有権の移転が将来なされるべき約旨に出たものでないかぎり、買主に対し直ちに所有権移転の効力を生ずるとしている（最判昭33.6.20）。したがって、甲土地の所有権は、本記述の通り売買契約成立時にAからBへ移転するのが原則となる。

以上より、ア：誤、イ：誤、ウ：誤、エ：正であり、正解は**5**となる。

民法Ⅰ　即時取得　2021年度 専門 No.11

即時取得に関する記述として最も妥当なものはどれか（争いのあるときは、判例の見解による。）。

1　Aが落とした時計Xについて、Bが自己の所有物であると過失なく信じて、平穏・公然に占有を開始した場合、Bによる時計Xの即時取得が認められる。

2　Aが、Bに対して登録された自動車Xを売却し、Bが、自動車XについてAの所有物であると過失なく信じて現実に引渡しを受けた場合、Bによる自動車Xの即時取得が認められる。

3　Aが、Bに対して指輪Xを売却し、Bが、指輪XについてAの所有物であると過失なく信じて占有改定の方法による引渡しを受けた場合、Bによる指輪Xの即時取得が認められる。

4　A所有の絵画Xについて、BがAから賃借して占有していたところ、Cが、Bから絵画Xを盗み、その後Dに対して絵画Xを売却して、現実に引き渡した場合、Dが即時取得の要件を満たしていれば、Bが絵画Xを盗まれた時点から２年以内であっても、BはDに対して絵画Xを返還するよう請求することができない。

5　Aが、Bに対してA所有の宝石Xを売却し、占有改定の方法で引き渡した後、Cに対しても宝石Xを売却し、Cが、宝石XについてAの所有物であると過失なく信じて現実に引渡しを受けた場合、Cによる宝石Xの即時取得が認められる。

解説　正解 5　TAC生の正答率 69%

1 × 「Bによる時計Xの即時取得が認められる」という部分が妥当でない。取引行為によって、平穏に、かつ、公然と動産の占有を始めた者は、善意であり、かつ、過失がないときは、即時にその動産について行使する権利を取得する（192条、即時取得）。即時取得は、取引の安全を保護するための制度であるから、取引行為によって占有を始めることが要件となる。Bは、取引行為によって時計Xの占有を始めたのではないから、時計Xの即時取得は認められない。

2 × 「Bによる自動車Xの即時取得が認められる」という部分が妥当でない。判例は、登録された自動車については、民法192条の適用はないとしている（最判昭62.4.24）。即時取得は、占有という権利の外形に対する信頼を保護するものであるから、即時取得が認められるのは、占有を公示方法とする動産に限られるのである。したがって、登録された自動車は、既に公示方法が具備されているから、民法192条を適用する必要はなく、登録された自動車Xには即時取得が認められない。なお、未登録自動車や登録が抹消された自動車は、即時取得の対象となる（最判昭45.12.4）。

3 × 「Bによる指輪Xの即時取得が認められる」という部分が妥当でない。判例は、占有取得の方法が外観上の占有状態に変更を来たさない占有改定にとどまるときは、民法192条の適用はないとしている（最判昭35.2.11）。したがって、Bによる指輪Xの即時取得は認められない。なお、占有改定とは、譲渡人が譲渡後も引き続き目的物を所持する場合に、その目的物を以後譲受人のために占有する旨を譲渡人と譲受人との間で合意することにより、譲受人に占有を移転することである（183条）。

4 × 「Dが即時取得の要件を満たしていれば、Bが絵画Xを盗まれた時点から2年以内であっても、BはDに対して絵画Xを返還するよう請求することができない」という部分が妥当でない。即時取得が成立する場合において、占有物が盗品であるときは、被害者は、盗難の時から2年間、占有者に対してその物の回復を請求することができる（193条）。したがって、Dが即時取得の要件を満たしている場合であっても、盗難の被害者であるBは、盗難の時から2年以内であれば、Dに対して絵画Xを返還するよう請求することができる。

5 ○ 条文により妥当である。動産に関する物権変動は、動産の引渡しがなければ第三者に対抗することができないところ（178条）、Bは所有者Aから宝石Xを購入し占有改定による引渡しを受けているので（183条）、宝石Xの所有権について対抗要件を備えることになる。したがって、宝石XについてAは確定的に無権利者となる。次に、即時取得が成立するには、取引行為によって、平穏に、かつ、公然と動産の占有を始めた者が、善意かつ無過失であることを要するところ（192条）、Cは、宝石XがAの所有物であると過失なく信じ、無権利者のAからこれを買い受け、現実の引渡しを受けていたのであるから、宝石Xの即時取得が認められる。なお、Cに宝石Xの即時取得が成立するため、Bは宝石Xの所有権を失うこととなる。

民法Ⅰ 所有権

2022年度
専門 No.13

所有権に関する記述として最も妥当なものはどれか（争いのあるときは、判例の見解による。）。

1　A所有の土地上に無権原でBが甲建物を所有し、B及びその妻Cが甲建物で同居していた場合に、Aは、Cに対し、土地所有権に基づく返還請求権としての建物退去土地明渡請求権を行使することができる。

2　A所有の土地上に無権原でBが甲建物を所有し、Bがこれを Dに賃貸し、Dが甲建物に居住している場合、建物を占有しているのはDであるから、Aは、Bに対し、土地所有権に基づく返還請求権としての建物収去土地明渡請求権を行使することはできない。

3　共有に係る建物を第三者に賃貸している場合、賃貸借契約の解除は、共有者全員の同意がない限り、することができない。

4　A及びBが共有している土地について、Cが無断で占有している場合に、Aは、単独でCに対し建物収去土地明渡しを求める訴えを提起することはできない。

5　A及びBが甲土地を共有している場合に、Bの持分についてC名義の不実の持分移転登記がなされた場合、Aは、Cに対し、自己の持分権に基づき、単独で当該持分移転登記の抹消登記手続を請求することができる。

解説　正解　5　TAC生の正答率 46%

1 × 「土地所有権に基づく返還請求権としての建物退去土地明渡請求権を行使することができる」という部分が妥当でない。Bの妻Cは、甲建物の所有者Bの家族の一員として甲建物に居住しているという立場であり、甲建物を独立して所持しているわけではないから、甲建物の占有補助者にすぎない。このように独立の所持が認められない占有補助者は、物権的請求権の相手方となる資格がないので（通説）、Aは、Cに対して建物退去土地明渡請求権を行使することはできない。なお、占有補助者に対する物権的請求権を否定した判例として、雇主の使用人として家屋に居住するにすぎない者に対し、家屋の不法占有を理由とする家屋明渡請求ができないとしたものがある（最判昭35.4.7）。

2 × 「土地所有権に基づく返還請求権としての建物収去土地明渡請求権を行使することはできない」という部分が妥当でない。甲建物の賃借人Dは、賃貸人Bの占有代理人として甲建物を独立して所持しているので、Dが直接占有者、Bが間接占有者である。判例は、このような代理占有による所有権の侵害について、所有者は、直接占有者に対しても（大判大10.6.22）、間接占有者に対しても（最判昭36.2.28）、物権的請求権を行使することができるとしている。したがって、Aは、Bに対し、建物収去土地明渡請求権を行使することができる。なお、甲建物の所有者でないDに対しては、建物退去土地明渡請求権を行使することになる（Dには甲建物を収去する権限がない）。

3 × 「共有者全員の同意がない限り、することができない」という部分が妥当でない。共有物を目的とする賃貸借契約を解除することは、共有物の管理事項に該当し（252条１項本文）、各共有者の持分価格に従って、その過半数で決することになる（最判昭39.2.25）。

4 × 「単独でCに対し建物収去土地明渡しを求める訴えを提起することはできない」という部分が妥当でない。判例は、共有地の不法占有による妨害を排除しその明渡しを請求する訴えは、各共有者が単独ですることができるとしている（大判大7.4.19）。共有物の保存行為は、各共有者が単独ですることができるからである（252条５項）。したがって、Aは、単独でCに対し建物収去土地明渡しを求める訴えを提起することができる。

5 ○ 判例により妥当である。判例は、不動産の共有者の一人は、その持分権に基づき、共有不動産について無権利者が不実の持分移転登記を経由している場合、単独でその持分移転登記の抹消登記手続を請求できるとしている（最判平15.7.11）。不動産の共有者の一人は、その持分権に基づき、共有不動産に対して加えられた妨害を排除することができるところ、不実の持分移転登記がされている場合には、その登記によって共有不動産に対する妨害状態が生じているということができるからである。したがって、Aは、Cに対し、単独でその持分移転登記の抹消登記手続を求めることができる。

民法Ⅰ　共有　2020年度 専門 No.12

Ａが３分の１、Ｂが３分の２の持分で甲土地を共有している場合に関する次のア～エの記述のうち、妥当なもののみを全て挙げているものはどれか（争いのあるときは、判例の見解による。）。

ア　第三者Ｃが無断で甲土地を占有している場合、Ａは単独でＣに対して、甲土地全部の明渡請求をすることができる。

イ　Ａ及びＢが賃貸人となり、第三者Ｄとの間で甲土地を目的とする賃貸借契約を締結した場合、Ｂは単独で上記賃貸借契約の解除をすることができる。

ウ　Ａ及びＢが甲土地を分割する場合、甲土地をＡの単独所有とし、ＡからＢに対して持分の価格を賠償させる方法による分割は許されない。

エ　ＡがＢに無断で甲土地全体を単独で占有している場合、Ｂは、自己の共有持分が過半数を超えることを理由として、Ａに対し、甲土地全体の明渡しを求めることができる。

1　ア、イ

2　ア、ウ

3　ア、エ

4　イ、ウ

5　ウ、エ

解説　正解 1　TAC生の正答率 81%

ア　○　判例により妥当である。判例は、共有者以外の第三者が共有物を無断で占有している場合に、共有物の返還請求は保存行為（252条5項）に当たるから、各共有者は、不法占有者に対し、単独で共有物全部の返還を請求することができるとしている（大判大10.6.13）。

イ　○　判例により妥当である。判例は、共有者が共有物を目的とする貸貸借契約を解除することは管理行為に該当するとしている（最判昭39.2.25）。共有物の管理行為は、各共有者の持分の価格に従い、その過半数で決するので（252条1項前段）、甲土地について3分の2の持分を有するBは、単独で甲土地を目的とする賃貸借契約の解除をすることができる。

ウ　×「甲土地をAの単独所有とし、AからBに対して持分の価格を賠償させる方法による分割は許されない」という部分が妥当でない。共有物を共有者のうちの一人の単独所有又は数人の共有とし、これらの者から他の共有者に対して持分の価格を賠償させる方法（全面的価格賠償の方法）によることも許されるので（258条2項2号）、本記述のようなAの単独所有を内容とする全面的価格賠償の方法による分割もすることができる。

エ　×「Aに対し、甲土地全体の明渡しを求めることができる」という部分が妥当でない。判例は、共有物の持分が過半数をこえる多数持分権者であるからといって、共有物を現に占有する少数持分権者に対し、当然にその明渡しを請求することができるものではないとしている（最判昭41.5.19）。少数持分権者は自己の持分によって、共有物の全部について使用収益する権原を有し、これに基づいて共有物を占有するものと認められるからである（249条参照）。したがって、Bは、Aに対し、当然には、甲土地全体の明渡しを求めることができない。

以上より、妥当なものはア、イであり、正解は**1**となる。

民法Ⅰ　抵当権

2023年度
専門 No.12

抵当権に関する記述として最も妥当なものはどれか（争いのあるときは、判例の見解による。）。

1　抵当権は、質権と同様に、担保権者が目的物を占有することを特徴とする担保物権である。

2　抵当権者は、物上代位権の目的である金銭その他の物の払渡し又は引渡しがされる前に差押えをしなくても、当然に物上代位権を行使できる。

3　抵当不動産に付加して一体となっている物については、抵当権の効力が及ぶ。

4　債務者が第三者に抵当不動産を賃貸した場合、抵当権者は、債務者が第三者に対して有する賃料債権に物上代位権を行使することができない。

5　抵当権者に対抗できない賃貸借に基づき、抵当権の実行による競売手続の開始前から抵当権の目的である建物を使用する者は、建物が競落された場合は、直ちに、買受人に建物を引き渡さなければならない。

解説　正解 3　TAC生の正答率 93%

1 × 全体が妥当でない。抵当権とは、債務者又は第三者が占有を移転しないで債務の担保に供した目的物について、抵当権者が他の債権者に先立って自己の債権の優先弁済を受けることができる担保物権である（369条１項）。したがって、抵当権は担保権者への目的物の引渡しを要しない点で質権と異なる。

2 ×「当然に物上代位権を行使できる」という部分が妥当でない。抵当権者が代償物に対して物上代位権を行使するためには、代償物の払渡し又は引渡しが行われる前に差押えをすることが必要となる（372条、304条１項ただし書）。

3 ○ 条文により妥当である。抵当権は、抵当地の上に存在する建物を除き、抵当不動産に付加して一体となっている物（付加一体物）に及ぶ（370条）。

4 ×「債務者が第三者に対して有する賃料債権に物上代位権を行使することができない」という部分が妥当でない。判例は、抵当権設定者が目的物を第三者に使用させることによって対価を取得した場合に、その対価について抵当権を行使することができるものと解したとしても、抵当権設定者の目的物に対する使用を妨げることにはならず、民法372条、304条の規定に反してまで目的物の賃料について抵当権を行使することができないと解すべき理由はないとして、抵当権設定者が第三者に対して有する賃料債権に物上代位権を行使することを認めている（最判平1.10.27）。

5 ×「直ちに、買受人に建物を引き渡さなければならない」という部分が妥当でない。抵当権者に対抗することができない賃貸借により抵当権の目的である建物の使用又は収益をする者であって、競売手続の開始前から使用又は収益をする者は、その建物の競売における買受人の買受けの時から６か月を経過するまでは、その建物を買受人に引き渡すことを要しない（395条１項）。

民法I　譲渡担保

2023年度
専門 No.13

譲渡担保に関する記述として最も妥当なものはどれか（争いのあるときは、判例の見解による。）。

1　不動産の売買契約は、買戻特約付売買契約の形式が採られている限り、目的不動産を何らかの債権の担保とする目的で締結されたものであっても、譲渡担保契約として扱われることはない。

2　借地上の建物に譲渡担保権が設定された場合、その効力は土地の借地権には及ばない。

3　不動産を目的とする譲渡担保契約において、債務者が弁済期に債務の弁済をしない場合には、債権者は、当該譲渡担保契約がいわゆる帰属清算型であるか処分清算型であるかを問わず、目的物を処分する権能を取得する。

4　自己の所有する不動産に譲渡担保を設定した債務者は、債務の弁済期を徒過した場合には、債権者が担保権を実行する前であったとしても、債務全額を弁済して目的物を受け戻すことはできなくなる。

5　構成部分の変動する集合動産は、その種類、所在場所及び量的範囲を指定するなど何らかの方法で目的物の範囲が特定される場合であっても、譲渡担保の目的とすることはできない。

解説　正解　3　　TAC生の正答率 49%

1　×「譲渡担保契約として扱われることはない」という部分が妥当でない。譲渡担保契約の場合、譲渡担保権が実行されたときは、譲渡担保権者は、目的物の価額と被担保債権の額との差額を設定者に返還するという清算義務を負うところ、買戻特約付売買契約の場合、買主はこのような清算義務を負わないこととなる。判例は、買戻特約付売買契約の形式が採られていても、目的不動産の占有の移転を伴わない契約は、特段の事情のない限り、債権担保の目的で締結されたものと推認され、その性質は譲渡担保契約と解するのが相当であるとしている（最判平18.2.7）。

2　×「その効力は土地の借地権には及ばない」という部分が妥当でない。判例は、債務者である土地の賃借人がその賃借地上に所有する建物を譲渡担保とした場合には、その建物のみを担保の目的に供したことが明らかであるなど特別の事情がない限り、譲渡担保権の効力は、原則として土地の賃借権にも及ぶとしている（最判昭51.9.21）。

3　○　判例により妥当である。判例は、不動産を目的とする譲渡担保契約において、債務者が弁済期に債務の弁済をしない場合には、債権者は、当該譲渡担保契約がいわゆる帰属清算型であると処分清算型であるとを問わず、目的物を処分する権能を取得するとしている（最判平6.2.22）。

4　×「債務全額を弁済して目的物を受け戻すことはできなくなる」という部分が妥当でない。判例は、債務者が弁済期に履行できなかったとしても、譲渡担保権者が担保権の実行を完了するまでの間に、債務者は残債務を弁済すれば目的物を取り戻す（受け戻す）ことができるとしている（最判昭57.1.22）。

5　×「譲渡担保の目的とすることはできない」という部分が妥当でない。集合動産は、一物一権主義や物権の特定性に反するので、譲渡担保の目的物にできるか問題となるも、判例は、その種類、所在場所、量的範囲を指定するなどの方法により目的物の範囲が特定される場合には、1個の集合物として譲渡担保の目的物となりうるとしている（最判昭54.2.15）。

民法Ⅱ　債務不履行

債務不履行に関する次のア～エの記述のうち、妥当なもののみを全て挙げているものはどれか（争いのあるときは、判例の見解による。）。

ア　安全配慮義務違反を理由とする債務不履行に基づく損害賠償債務は、損害が発生した時から遅滞に陥る。
イ　債務の履行について不確定期限があるときは、債務者は、その期限の到来した後に履行の請求を受けた時又はその期限の到来を知った時のいずれか早い時から遅滞の責任を負う。
ウ　善意の受益者の不当利得返還債務は、債権者に損失が生じた時から遅滞に陥る。
エ　返還時期の定めがない消費貸借契約において、貸主が相当期間を定めずに目的物の返還を催告したときは、借主は催告の時から相当期間を経過した後に遅滞の責任を負う。

1　ア、イ

2　ア、ウ

3　イ、ウ

4　イ、エ

5　ウ、エ

解説　正解　4　TAC生の正答率　72%

ア　×「損害が発生した時から遅滞に陥る」という部分が妥当でない。判例は、使用者が被用者に対して負担する雇用契約上の安全配慮義務違背に基づく損害賠償債務は、期限の定めのない債務であるから、民法412条３項により、債務者である使用者は、債権者である被用者から履行の請求を受けた時に、履行遅滞に陥るとしている（最判昭55.12.18）。

イ　○　条文により妥当である。債務の履行について不確定期限があるときは、債務者は、その期限の到来した後に履行の請求を受けた時又はその期限の到来したことを知った時のいずれか早い時から遅滞の責任を負う（412条２項）。

ウ　×「債権者に損失が生じた時から遅滞に陥る」という部分が妥当でない。善意の受益者の不当利得返還債務は、期限の定めのない債務であるから、民法412条３項により、履行の請求を受けた時から遅延損害金の支払義務を負うとしている（大判昭2.12.26）。

エ　○　条文により妥当である。期限の定めのない消費貸借契約の弁済期は、債権者による返還の催告後、相当期間を経過した時である（591条１項）。通常の契約とは異なり、消費貸借の場合は、種類、品質及び数量の同じ物を調達するのに一定の猶予が必要だからである。したがって、債務の履行について期限を定めなかったときは、債務者は、履行の請求を受けた時から遅滞の責任を負う（412条３項）が、消費貸借には特則があり、期限の定めのない消費貸借契約の債務者は、債権者から催告を受けて相当の期間を経過した時に遅滞の責任を負う。

以上より、妥当なものはイ、エであり、正解は**4**となる。

民法II	詐害行為取消権	2023年度 専門 No.17

詐害行為取消権に関する次のア～オの記述のうち、妥当なもののみを全て挙げているものはどれか（争いのあるときは、判例の見解による。）。

ア　相続放棄は、詐害行為取消請求の対象にすることができる。
イ　詐害行為時に債務者が無資力であったのであれば、その後その資力が回復した場合であっても、債権者は詐害行為取消請求をすることができる。
ウ　不可分な目的物の譲渡契約を取り消す場合、債権者は、自己の債権額にかかわらず、当該譲渡契約の全部を詐害行為として取り消すことができる。
エ　不動産が債務者から受益者に、受益者から転得者に順次譲渡された場合、債務者の行為が債権者を害することについて、受益者が善意であるときは、転得者が悪意であっても、債権者は転得者に詐害行為取消請求をすることができない。
オ　詐害行為取消請求は、債務者及び受益者を共同被告として裁判所に訴えを提起する方法により行う必要がある。

1　ア、イ

2　ア、オ

3　イ、エ

4　ウ、エ

5　ウ、オ

解説　正解　4　TAC生の正答率 73%

ア　×　全体が妥当でない。詐害行為取消請求は、財産権を目的としない行為については、適用しない（424条２項）。判例は、相続の放棄は「財産権を目的としない行為」なので、詐害行為取消請求の対象にならないとしている（最判昭49.9.20）。

イ　×「債権者は詐害行為取消請求をすることができる」という部分が妥当でない。詐害行為取消請求の時点で債務者の資力が回復しているのであれば、責任財産は保全されており、債権者が債務者の財産権行使に介入する必要がないことから、詐害行為取消請求が認められるためには、詐害行為の時点だけでなく、債権者が詐害行為取消請求をした時点でも債務者が無資力であることを要する。したがって、詐害行為の後に債務者の資力が回復した場合には、債権者は詐害行為取消請求をすることができない（大判大15.11.13）。

ウ　○　判例により妥当である。債権者は、詐害行為取消請求をする場合において、債務者がした行為の目的が可分であるときは、自己の債権の額の限度においてのみ、その行為の取消しを請求することができる（424条の８第１項）。これに対して、判例は、債務者のなした行為の目的が不可分のものであるときは、たとえその価額が債権額を超過する場合であっても、その行為の全部について取り消すことができるとしている（最判昭30.10.11）。

エ　○　条文により妥当である。転得者に対する詐害行為取消請求については、受益者に対して詐害行為取消請求をすることができる状況であることが前提となる（424条の５）。本記述の場合は受益者が善意なので、詐害意思が認められず、受益者に対する詐害行為取消請求が認められない状況である。したがって、転得者（悪意であっても）に対する詐害行為取消請求も認められないことになる。

オ　×　全体が妥当でない。受益者に対して詐害行為取消請求をしようとする債権者は、受益者を被告として訴えを提起することを要する（424条の７第１項１号）。また、債権者が受益者を被告として訴えを提起したときは、遅滞なく債務者に対して訴訟告知をしなければならない（424条の７第２項）。

以上より、妥当なものはウ、エであり、正解は**4**となる。

民法Ⅱ 債権者代位権・詐害行為取消権

2021年度
専門 No.14

債権者代位権及び詐害行為取消権に関する次のア～オの記述のうち、妥当なもののみを全て挙げているものはどれか（争いのあるときは、判例の見解による。）。

ア　債権者代位権は、債務者の責任財産の保全のためのものであるから、被保全債権が300万円の金銭債権、被代位権利が500万円の金銭債権である場合、債権者は被代位権利全額について代位をした上で、これを債務者に返還することができる。

イ　債権者代位権は、自己の債権を保全する必要性がある場合に認められるものであるから、債権者代位権を行使するためには、常に債務者が無資力であることが必要である。

ウ　被代位権利が不法行為に基づく慰謝料請求権である場合は、具体的な金額の請求権が当事者間で客観的に確定する前の段階では、代位行使の対象とならない。

エ　詐害行為取消権は、債務者の責任財産の保全のためのものであるから、取消債権者は、受益者から返還を受ける物が動産である場合、直接自己への引渡しを請求することはできず、債務者への返還を請求することができるにとどまる。

オ　詐害行為となる債務者の行為の目的物が、不可分な一棟の建物であり、その価額が債権者の被保全債権額を超える場合において、債権者は、詐害行為の全部を取り消すことができる。

1　ア、イ

2　ア、エ

3　イ、ウ

4　ウ、オ

5　エ、オ

解説　正解　4　　TAC生の正答率 81％

ア　×「債権者は被代位権利全額について代位をした上で、これを債務者に返還することができる」という部分が妥当でない。債権者は、被代位権利を行使する場合において、被代位権利の目的が可分であるときは、自己の債権の額の限度においてのみ、被代位権利を行使することができる（423条の２）。したがって、被保全債権が300万円の金銭債権の場合、金銭債権は可分であるから、債権者は、被代位権利500万円の金銭債権のうち300万円の限度においてのみ、債権者代位権を行使することができる。

イ　×「債権者代位権を行使するためには、常に債務者が無資力であることが必要である」という部分が妥当でない。債権者代位権は「自己の債権を保全するため必要があるとき」（423条１項本文）に認められる。したがって、債権者代位権を行使するためには、原則として、債務者が無資力であることと、被保全債権が金銭債権であることが必要とされる。しかし、特定債権保全の場合は、債権者代位権を行使するために債務者が無資力であることは必要とされない（423条の７参照、債権者代位権の転用）。特定債権保全は、代位行使をする特定の債権者のみが利益を受けるために行われ、責任財産の保全という本来の趣旨から離れているので、債務者が無資力か否かは関係ないからである。

ウ　○　判例により妥当である。判例は、不法行為に基づく慰謝料請求権は、被害者がこれを行使する意思を表示しただけで、具体的な金額が当事者間において客観的に確定する前の段階では、被害者が請求意思を貫くかどうかをその自律的判断に委ねるのが相当であるから、行使上の一身専属性を有するものというべきであって、代位行使の対象とはならないとする（423条１項ただし書）。しかし、具体的な金額の慰謝料請求権が当事者間において客観的に確定した場合には、行使上の一身専属性が失われ、被害者の主観的意思から独立した客観的な金銭債権となるから、代位行使の対象となるとしている（最判昭58.10.6）。

エ　×「受益者から返還を受ける物が動産である場合、直接自己への引渡しを請求することはできず、債務者への返還を請求することができるにとどまる」という部分が妥当でない。債権者は、詐害行為取消請求により受益者又は転得者に対して財産の返還を請求する場合において、その返還の請求が金銭の支払又は動産の引渡しを求めるものであるときは、受益者に対してその支払又は引渡しを、転得者に対してその引渡しを、自己に対してすることを求めることができる（424条の９）。詐害行為取消権の実効性を確保する観点から、債務者が受取りを拒むことが考えられる金銭の支払又は動産の引渡しに限って、債権者は直接自己への支払又は引渡しを請求することが認められている。

オ　○　判例により妥当である。債権者は、詐害行為取消請求をする場合において、債務者がした行為の目的が可分であるときは、自己の債権の額の限度においてのみ、その行為の取消しを請求することができる（424条の８）。これに対して、判例は、債務者のなした行為の目的が不可分のものであるときは、たとえその価額が債権額を超過する場合であっても、その行為の全部について取り消すことができるとしている（最判昭30.10.11）。

以上より、妥当なものはウ、オであり、正解は**4**となる。

民法Ⅱ　債権の消滅

2020年度
専門 No.13㊂

債権の消滅事由に関する記述として最も妥当なものはどれか（争いのあるときは、判例の見解による。）。

1　更改とは、当事者がもとの債務を存続させつつ、当該債務に新たな債務を付加する契約である。

2　不法行為の被害者は、不法行為による損害賠償債権を自働債権とし、不法行為による損害賠償債権以外の債権（人の生命又は身体の侵害による損害賠償債権を除く。）を受働債権として相殺することができる。

3　賃貸人が賃借人に土地を賃貸し、同賃借人（転貸人）が転借人に同土地を転貸した後に、転借人が賃貸人から同土地を購入した場合、賃貸借及び転貸借は混同により消滅する。

4　債権者は、債務者の意思に反して債務を免除することができない。

5　相殺は、その意思表示のときから効力を生ずる。

解説　正解 2　　TAC生の正答率 81%

1 × 全体が妥当でない。更改とは、従前の債務（もとの債務）に代えて、①給付の内容について重要な変更をした新たな債務（513条１号）、②債務者が交替した新たな債務（同条２号）、③債権者が交替した新たな債務（同条３号）、のいずれかを発生させる契約である。このような契約をした場合、従前の債務（もとの債務）は、更改によって消滅する（同条柱書）。

2 ○ 条文により妥当である。民法509条は、①悪意による不法行為に基づく損害賠償債権を受働債権とする相殺、②人の生命又は身体の侵害による損害賠償債権を受働債権とする相殺のみを禁止している（509条各号）。ただし、①及び②の受働債権が他人から譲り受けたものであるときは相殺禁止とはならない（509条柱書ただし書）。

3 × 「賃貸借及び転貸借は混同により消滅する」という部分が妥当でない。判例は、賃貸人の地位と転借人の地位とが同一人に帰した場合であっても、賃貸借関係及び転貸借関係は、当事者間にこれを消滅させる合意の成立しない限り、消滅しないとしている（最判昭35.6.23）。転借人が土地の所有権を取得したことにより、賃貸人の賃借人に対する使用収益させる債務も承継することになるので、賃借人の賃借権が消滅せず、よって、転借人の転借権も消滅しないからである。

4 × 全体が妥当でない。免除は、債権を無償で消滅させる債権者の意思表示である（519条）。免除は債権者の単独行為であるから、債務者の承諾は不要であり、債務者の意思に反してでも行うことができる。

5 × 全体が妥当でない。相殺は、双方の債務が互いに相殺に適するようになった（相殺適状）時にさかのぼってその効力を生じる（506条２項）。

民法Ⅱ　弁済　2023年度 専門 No.16

弁済に関する次のア～エの記述の正誤の組合せとして最も妥当なものはどれか（争いのあるときは、判例の見解による。）。

ア　当事者間で別段の意思表示がない限り、弁済に要する費用は債務者の負担となる。
イ　複数ある金銭債務への弁済の充当順序が当事者間で合意されていたとしても、債務者は弁済時に当該合意と異なる充当を指定することができる。
ウ　債務の履行に債権者の協力が必要な場合、債務者としては、債権者に弁済の準備をしたことを通知し、受領を催告しておけば、履行期が過ぎても履行遅滞の責任を負うことはない。
エ　債務者は、弁済の提供をしたが債権者に受領を拒否されたというだけでは、供託の方法を用いて債務を免れることはできない。

	ア	イ	ウ	エ
1	正	正	誤	正
2	正	誤	正	誤
3	誤	正	誤	誤
4	誤	誤	誤	正
5	誤	正	正	正

解説　**正解　2**　TAC生の正答率 73%

ア　○　条文により正しい。弁済の費用について別段の定めがないときは、その費用は債務者の負担となる（485条本文）。なお、債権者が住所の移転その他の行為によって弁済の費用を増加させたときは、その増加額は、債権者の負担となる（485条ただし書）。

イ　×　「債務者は弁済時に当該合意と異なる充当を指定することができる」という部分が誤っている。弁済の充当方法には、①当事者間における弁済の充当の順序に関する合意によるもの（490条、合意充当）、②充当に関する合意がない場合に、弁済をする者（弁済をする者が指定しないときは弁済を受領する者）が、給付の時に、その弁済を充当すべき債務を指定するもの（488条１項～３項、指定充当）、③指定充当がない場合に、民法488条４項が各号の規定に従って充当されるもの（488条４項、法定充当）がある。条文の文言上、合意充当がない場合に指定充当が適用され、指定充当もない場合に法定充当が適用されることになるため、弁済の充当順序について当事者間で合意がされていた（合意充当がある）場合、債務者が当該合意と異なる充当を指定すること（指定充当）はできない。

ウ　○　条文により正しい。債務者は、弁済の提供の時から、履行遅滞による責任を負わないところ（492条）、弁済の提供は、債務の本旨に従って現実にしなければならない（493条本文、現実の提供）。ただし、①債権者があらかじめその受領を拒んでいるとき、または②債務の履行について債権者の行為を要するときは、弁済の準備をしたことを通知してその受領の催告（口頭の提供）をすれば足りる（493条ただし書）。

エ　×　「供託の方法を用いて債務を免れることはできない」という部分が誤っている。供託をするためには、一定の事由（供託原因）があることを要するところ、債務者が弁済の提供をしたが債権者がその受領を拒んだことは供託原因に当たる（494条１項１号）。

以上より、ア－正、イ－誤、ウ－正、エ－誤であり、正解は**2**となる。

民法Ⅱ　弁済

2021年度
専門 No.15

弁済に関する次のア～エの記述のうち、妥当なもののみを全て挙げているものはどれか（争いのあるときは、判例の見解による。）。

ア　指名債権の債権者Ａが、債権をＢに譲渡したことを当該債権の債務者Ｃに通知した場合において、ＣのＢに対する弁済は、ＡとＢとの間の債権譲渡が無効であった場合においても、Ｃが、当該債権譲渡が無効であったことにつき善意無過失であれば、効力を有する。
イ　債権の本来の内容である給付に代えて、これとは異なる給付を行うことも可能であるから、金銭債務を負う債務者が、債権者に対し、債権者の承諾を得ることなく自己所有の自動車を引き渡した場合、当該金銭債務は消滅する。
ウ　債務の弁済をなすべき者は、原則は債務者であるが、債務者以外の第三者も弁済をすることができるから、芸術家が絵画を創作する債務についても、第三者が弁済をすることはできる。
エ　債権者Ａが債務者Ｂに甲債権を有し、甲債権についてＣが保証人となり、甲債権の担保のために抵当権が設定されていた場合において、ＣがＡに弁済をすると、甲債権は抵当権とともにＣに当然に移転する。

1　ア、イ

2　ア、ウ

3　ア、エ

4　イ、ウ

5　ウ、エ

解説　正解　3

TAC生の正答率　85%

ア　○　判例により妥当である。受領権者としての外観を有する者（受領権者以外の者であって取引上の社会通念に照らして受領権者としての外観を有するもの）に対してした弁済は、その弁済をした者が善意であり、かつ、過失がなかったときに限り、その効力を有する（478条）。判例は、債権譲渡が無効であるときの譲受人は、受領権者としての外観を有する者（改正前の債権の準占有者）に当たるとしている（大判大7.12.7）。したがって、債務者ＣのＢに対する弁済は、AB間の債権譲渡が無効であったとしても、Ｃが当該債権譲渡の無効につき善意無過失であれば効力を有する。

イ　×「金銭債務を負う債務者が、債権者に対し、債権者の承諾を得ることなく自己所有の自動車を引き渡した場合、当該金銭債務は消滅する」という部分が妥当でない。債権の本来の内容である給付に代えて、これとは異なる給付を行うことも可能である。これを代物弁済という。代物弁済によって債務を消滅させる（弁済と同一の効力を生じさせる）ためには、債務者の負担した給付に代えて他の給付をすることにより債務を消滅させる旨の契約を締結し、弁済者が当該他の給付をすることが必要であるから（482条）、債権者と弁済者（債務者又は第三者）との間の合意が必要となる。したがって、金銭債務を負う債務者が、債権者に対し、債権者の承諾を得ることなく自己所有の自動車を引き渡したとしても、弁済と同一の効力を有するとはいえず、当該金銭債務は消滅しない。

ウ　×「芸術家が絵画を創作する債務についても、第三者が弁済をすることはできる」という部分が妥当でない。債務の弁済をなすべき者は、原則は債務者であるが、債務者以外の第三者も弁済をすることができる（474条１項）。もっとも、債務の性質が第三者の弁済を許さないときは、第三者は弁済することができない（474条４項）。芸術家が絵画を創作する債務は、当該芸術家が創作することに意味のある債務であって、債務の性質が第三者の弁済を許さないときにあたる。したがって、芸術家が絵画を創作する債務については、第三者が弁済することはできない。

エ　○　条文により妥当である。債務者のために弁済をした者は、債権者に代位する（499条、弁済による代位）。そして、債権者に代位した者は、債権の効力及び担保としてその債権者が有していた一切の権利を行使することができる（501条１項）。弁済による代位は、弁済者が債務者に対する求償権を確保するために、それまで債権者が債務者に対して有していた担保権等の権利を、弁済者に対して当然に移転させ、債務者の代わりに行使できるようにする仕組みである。したがって、弁済をするについて正当な利益を有する者である保証人Ｃが債権者Ａに弁済をすると、債権者Ａが債務者Ｂに対して有していた甲債権は、抵当権とともにＣに対して当然に移転することになる。

以上より、妥当なものはア、エであり、正解は**3**となる。

民法Ⅱ 相殺

相殺に関する次のア～エの記述のうち、妥当なもののみを全て挙げているものはどれか（争いのあるときは、判例の見解による。）。

ア　時効によって消滅した債権を自働債権とする相殺をするためには、消滅時効が援用された自働債権は、その消滅時効が援用される以前に受働債権と相殺適状にあったというだけでは足りず、その消滅時効期間が経過する以前に受働債権と相殺適状にあったことを要する。

イ　賃料不払のため賃貸人が賃貸借契約を解除した後、賃借人が自働債権の存在を知って相殺の意思表示をし、賃料債務が遡って消滅した場合、賃貸人による上記解除は遡って無効となる。

ウ　Aの債権者であるBは、AのCに対するX債権を差し押さえた。その後、CはAに対するY債権をDから取得したが、Y債権は差押え前の原因に基づいて生じたものであった。Cは、Y債権を自働債権、X債権を受働債権とする相殺をもってBに対抗することができる。

エ　Aの債権とBの債権が令和３年10月１日に相殺適状になったが、相殺されていない状態で、Bの債権についてAが同年11月１日に弁済した場合、その後、Bは相殺をすることができない。

1　ア、イ

2　ア、エ

3　イ、ウ

4　イ、エ

5　ウ、エ

解説　正解 2　TAC生の正答率 30%

ア　○　判例により妥当である。時効によって消滅した債権がその消滅以前に相殺に適するようになっていた場合には、その債権者は、相殺をすることができる（508条）。もっとも、判例は、当事者の相殺に対する期待を保護するという民法508条の趣旨に照らせば、同条が適用されるためには、消滅時効が援用された自働債権はその消滅時効期間が経過する以前に受働債権と相殺適状にあったことを要するとしている（最判平25.2.28）。

イ　×「賃貸人による上記解除は遡って無効となる」という部分が妥当でない。判例は、相殺の意思表示は双方の債務が互いに相殺に適したる始めに遡ってその効力を生ずることは、民法506条2項の規定するところであるが、この遡及効は相殺の債権債務それ自体に対してであって、相殺の意思表示以前既に有効になされた契約解除の効力には何らの影響を与えるものでないとしている（最判昭32.3.8）。

ウ　×「Cは、Y債権を自働債権、X債権を受働債権とする相殺をもってBに対抗することができる」という部分が妥当でない。差押えを受けた債権の第三債務者は、差押え後に取得した債権による相殺をもって差押債権者に対抗することはできないが、差押え前に取得した債権による相殺をもって対抗することができる（511条1項）。もっとも、差押え後に取得した債権が差押え前の原因に基づいて生じたものであるときは、その第三債務者は、その債権による相殺をもって差押債権者に対抗することができる（511条2項本文）。ただし、第三債務者が差押え後に他人の債権を取得したときは、この限りでない（511条2項ただし書）。Cが自働債権としたY債権は、差押え前の原因に基づいて生じたものではあるが、X債権の差押え後にDから取得した債権である。したがって、民法511条2項ただし書により、Cは、Y債権を自働債権、X債権を受働債権とする相殺をもってBに対抗することができない。

エ　○　判例により妥当である。相殺適状にある債権であっても、債務者が弁済した後は、これを受働債権として相殺することができない（大判大4.4.1）。相殺の遡及効といえども、相殺の意思表示をする以前に生じた事実を覆すことはできないからである。

以上より、妥当なものはア、エであり、正解は**2**となる。

民法II　連帯債権・連帯債務　2022年度 専門 No.15

連帯債権・連帯債務に関する次のア～エの記述のうち、妥当なもののみを全て挙げているものはどれか（争いのあるときは、判例の見解による。）。

ア　AとBがCに対して1000万円の連帯債権を有しており、分与を受ける割合はAとBで平等である。AがCに対して免除の意思表示をした場合、BはCに対して500万円を請求することができる。

イ　AとBがCに対して1000万円の連帯債務を負い、AとBの負担部分は同じである。CがAに対して債務の全部を免除した場合、CはBに対して1000万円を請求することができるが、BはAに対して求償することができない。

ウ　AとBがCに対して1000万円の連帯債権を有しており（分与を受ける割合は平等）、CがAに対して1000万円の債権を有している。CがAに対して相殺の意思表示をした場合、BはCに対して500万円を請求することができる。

エ　AとBがCに対して1000万円の連帯債務を負い（負担部分は平等）、AがCに対して1000万円の債権を有している。AがCに対して相殺の意思表示をした場合、CはBに対して1000万円を請求することができない。

1　ア、イ

2　ア、エ

3　イ、ウ

4　イ、エ

5　ウ、エ

解説　正解　2　TAC生の正答率 59%

ア　○　条文により妥当である。連帯債権者の一人と債務者との間に更改又は免除があったときは、その連帯債権者がその権利を失わなければ分与されるべき利益に係る部分については、他の連帯債権者は、履行を請求することができない（433条）。本記述では、ABは平等の割合で分与を受けるから、Bは、Cに対して、1000万円の債権のうち、Aが分与を受ける利益（500万円）を除いた500万円を請求することができる。

イ　×「BはAに対して求償することができない」という部分が妥当でない。更改、債権者に対して債権を有する連帯債務者の相殺、混同を除いて、連帯債務者の一人について生じた事由は、原則として、他の連帯債務者に対してその効力を生じない（441条本文、相対的効力の原則）。したがって、Cは、Bに対して1000万円を請求することができる。また、連帯債務者の一人が弁済をし、その他自己の財産をもって共同の免責を得たときは、その連帯債務者は、その免責を得た額が自己の負担部分を超えるかどうかにかかわらず、他の連帯債務者に対し、その免責を得るために支出した財産の額（その財産の額が共同の免責を得た額を超える場合にあっては、その免責を得た額）のうち各自の負担部分に応じた額の求償権を有する（442条1項）。したがって、BはAに対して求償することができる。

ウ　×「BはCに対して500万円を請求することができる」という部分が妥当でない。債務者が連帯債権者の一人に対して債権を有する場合において、その債務者が相殺を援用したときは、その相殺は、他の連帯債権者に対しても、その効力を生ずる（434条）。したがって、CのAに対する相殺により1000万円の債権が消滅し、その効力はBにも生じるから、BはCに対して500万円を請求することはできない。

エ　○　条文により妥当である。連帯債務者の一人が債権者に対して債権を有する場合において、その連帯債務者が相殺を援用したときは、債権は、全ての連帯債務者の利益のために消滅する（439条1項）。したがって、Aの相殺の意思表示により、1000万円の債権が消滅し、その効力はBにも及ぶから、CはBに対して1000万円を請求することができない。

以上より、妥当なものはア、エであり、正解は**2**となる。

民法Ⅱ　保証　2021年度 専門 No.12

保証に関する次のア～エの記述の正誤の組合せとして最も妥当なものはどれか（争いのあるときは、判例の見解による。）。

ア　保証人は、主たる債務の消滅時効を援用できる。
イ　保証債務と主たる債務は別個の債務であるから、主たる債務に係る債権が債権譲渡その他の原因により移転しても、主たる債務に係る債権の譲受人が保証債権の債権者となることはない。
ウ　特定物の売買における売主のための保証人は、特に反対の意思表示のないかぎり、売主の債務不履行により契約が解除された場合における原状回復義務についても、保証の責に任ぜられる。
エ　委託を受けた保証人に事前の求償権が認められていることと同様に、委託を受けた物上保証人にも事前の求償権が認められる。

	ア	イ	ウ	エ
1	正	誤	正	誤
2	誤	正	正	正
3	誤	誤	正	誤
4	正	誤	誤	正
5	誤	誤	誤	正

解説　**正解　1**　TAC生の正答率　80%

ア　○　条文により正しい。時効は当事者が援用しなければ、裁判所がこれによって裁判することができないが、消滅時効における「当事者」には保証人、物上保証人、第三取得者その他権利の消滅について正当な利益を有する者が含まれる（145条）。

イ　×　「主たる債務に係る債権が債権譲渡その他の原因により移転しても、主たる債務に係る債権の譲受人が保証債権の債権者となることはない」という部分が誤っている。保証債務は、主たる債務とは別個の債務であるが、主たる債務のために設定された担保であることから随伴性を有する。したがって、主たる債務に係る債権が債権譲渡等によって移転するときは、保証債務も主たる債務とともに移転するから、この場合は主たる債務に係る債権の譲受人が保証債権の債権者となる。

ウ　○　判例により正しい。判例は、特定物の売買契約における売主のための保証人は、特に反対の意思表示のないかぎり、売主の債務不履行により契約が解除された場合における原状回復義務についても、保証の責めに任ぜられるとしている（最大判昭40.6.30）。特定物の売買における売主のための保証は、売主の債務不履行に起因して売主が買主に対し負担する可能性のある債務を保証する趣旨でなされるのが通常だからである。

エ　×　「委託を受けた物上保証人にも事前の求償権が認められる」という部分が誤っている。委託を受けた保証人には事前の求償権が認められるが（460条）、物上保証人については、債務者に対して事前の求償権を行使することはできないとするのが判例である（最判平2.12.18）。物上保証は物権設定行為であって債務負担行為ではないことや、担保物の価値は競売してみなければ確定できず、求償権の範囲や存否もあらかじめ確定できないことが理由である。

以上より、ア：正、イ：誤、ウ：正、エ：誤であり、正解は**1**となる。

民法II　保証

2020年度
専門 No.14㊎

保証に関する次のア～オの記述のうち、妥当なもののみを全て挙げているものはどれか（争いのあるときは、判例の見解による。)。

ア　主債務者が取消原因のある意思表示を取り消さない場合、保証人は、主債務者の取消権を行使してその意思表示を取り消すことができる。
イ　保証契約は、口頭の合意によりその効力を生じる。
ウ　主債務者が主債務を承認すると保証債務の時効も更新するが、保証人が保証債務を承認しても主債務の時効は更新しない。
エ　特定物の売主の保証人は、特に反対の意思表示がない限り、債務不履行により売買契約が解除された場合に売主が負う代金返還債務についても責任を負う。
オ　保証債務の履行を請求された場合、連帯保証人は、債権者に対し、催告の抗弁及び検索の抗弁を主張することができる。

1　ア、イ

2　ア、ウ

3　イ、オ

4　ウ、エ

5　ウ、オ

解説　正解　4

TAC生の正答率 77%

ア　×「保証人は、主債務者の取消権を行使してその意思表示を取り消すことができる」という部分が妥当でない。主たる債務者が債権者に対して、相殺権、取消権又は解除権を有するときは、これらの権利の行使によって主たる債務者がその債務を免れるべき限度において、保証人は、債権者に対して債務の履行を拒むことができる（457条３項）。したがって、保証人は債務の履行を拒絶できるにとどまり、主債務者の取消権を行使することはできない。

イ　×　全体が妥当でない。保証契約は、書面でするか、その内容を記録した電磁的記録によってされなければ、その効力を生じない（446条２項、３項）。保証人に慎重な判断を促すために、保証契約は要式契約とされている。

ウ　〇　条文により妥当である。主たる債務と保証債務はそれぞれ別個の債務であり、また、時効の完成猶予及び更新の効力は、原則として相対効であるため（153条）、保証人が保証債務を承認（152条）しても主たる債務の消滅時効は更新しない（153条３項）。これに対して、主たる債務者に対する履行の請求その他の事由による時効の完成猶予及び更新は、保証人に対しても、その効力を生じる（457条１項、保証債務の付従性）ため、主たる債務者が主たる債務を承認すると、保証債務の消滅時効も更新する。

エ　〇　判例により妥当である。判例は、特定物の売買における売主のための保証契約は、通常、その契約から直接に生じる売主の債務について保証人が自ら履行の責任を負うというよりも、むしろ、売主の債務不履行に基づき売主が買主に対し負担することになる債務について責任を負うという趣旨でなされるものと解するのが相当であるとして、保証人は、債務不履行により売主が買主に対し負担する損害賠償義務についてはもちろん、特に反対の意思表示のないかぎり、売主の債務不履行により契約が解除された場合における原状回復義務についても保証の責に任ずるとしている（最大判昭40.6.30）。

オ　×「連帯保証人は、債権者に対し、催告の抗弁及び検索の抗弁を主張することができる」という部分が妥当でない。保証人は、主たる債務者がその債務を履行しないときに、その債務を履行する責任を負う（446条１項、保証債務の補充性）。保証債務の補充性から、保証人には催告の抗弁（452条）と検索の抗弁（453条）が認められている。連帯保証においては補充性がないため、連帯保証人は債権者に対して、催告の抗弁及び検索の抗弁を主張することができない（454条）。

以上より、妥当なものはウ、エであり、正解は**4**となる。

民法Ⅱ　債権譲渡　2023年度 専門 No.14

債権譲渡及び債務引受の記述として最も妥当なものはどれか（争いのあるときは、判例の見解による。）。

1　債権の譲受人は、譲渡人の代理人又は使者として当該債権譲渡の通知を債務者に対して行うことができるほか、譲渡人を代位してこれを行うこともできる。

2　債権譲渡の通知又は承諾がない間は、債務者は、譲受人から請求されても弁済を拒むことができるが、債務者が債権譲渡のあったことを知っていた場合には、これを拒むことはできない。

3　債務者は、債権の譲受人からの請求に対し、債権譲渡の通知又は承諾がなされる前に取得した譲渡人に対する債権による相殺を主張することはできない。

4　併存的債務引受は、債務者の意思に関わらず、債権者と引受人となる者との契約によってすることができる。

5　免責的債務引受の引受人は、債務者に対して求償権を行使することができる。

解説　正解　4　　TAC生の正答率 28%

1 × 「譲渡人を代位してこれを行うこともできる」という部分が妥当でない。債権譲渡の対抗要件としての通知については、「譲渡人が」しなければならないとされるところ（467条１項）、判例は、譲受人が譲渡人に代位してこの通知をすることはできないとする（大判昭5.10.10）。譲受人による通知を認めると、債権者の関知しないところで債権の譲受を主張する者が出てくる可能性があり、債務者の地位を不安定にさせるおそれがあるからである。

2 × 「これを拒むことはできない」という部分が妥当でない。債権の譲渡は、譲渡人が債務者に通知をし、又は債務者が承諾をしなければ、債務者その他の第三者に対抗することができない（467条１項）。したがって、債権譲渡の通知又は承諾を欠く場合には、債務者が債権譲渡があったことを知っていても、譲受人に対する弁済を拒むことができる。

3 × 「相殺を主張することはできない」という部分が妥当でない。債務者は、対抗要件具備時より前に取得した譲渡人に対する債権による相殺をもって譲受人に対抗することができる（469条１項）。

4 ○ 条文により妥当である。併存的債務引受とは、引受人が債務者と連帯して、債務者が債権者に対して負担する債務と同一内容の債務を負担する契約である（470条１項）。債権者と引受人となる者との契約によって成立し、この場合に債務者の同意は不要である（470条２項）。

5 × 「債務者に対して求償権を行使することができる」という部分が妥当でない。免責的債務引受とは、引受人が、債務者が債権者に対して負担する債務と同一内容の債務を負担し、債務者は自己の債務を免れる契約である（472条１項）。免責的債務引受は、引受人が債務者の負担する債務を肩代わりするものであり、引受人が債務を最終的に負担する意思を有すると認められることから、免責的債務引受の引受人は、債務者に対して求償権を取得しない（472条の３）。

民法Ⅱ 債権譲渡 2022年度 専門 No.16

債権譲渡に関する記述として最も妥当なものはどれか（争いのあるときは、判例の見解による。)。

1　債権の譲渡を禁止し、または制限する意思表示があるときは、それに反してされた譲渡は無効であるが、債務者は譲渡制限特約について善意無過失である譲受人その他の第三者に対抗することができない。

2　債務者対抗要件である債権譲渡の通知は、譲渡と同時にしなければならないものではなく、事前又は事後でもよい。ただし、事前の通知に債務者対抗要件としての効力が生じるのは実際に債権譲渡がされた時であり、事後の通知に債務者対抗要件としての効力が生じるのは当該通知がされた時である。

3　Aは、Bから譲り受けたCに対するX債権を自働債権、CのAに対するY債権を受働債権として相殺の意思表示をした。その後、Cの債権者であるDがY債権を差し押さえた。Aは、Cに対して確定日付のある証書による通知をしていないが、上記の債権譲渡及びこれを前提とする相殺の効力をDに対抗できる。

4　債権が二重に譲渡された場合、譲受人相互の間の優劣は、通知又は承諾が到達するまでの事情如何によって左右されるべきではないから、確定日付のある通知が債務者に到達した日時又は確定日付のある債務者の承諾の日時の先後ではなく、通知又は承諾に付された確定日付の先後によって決すべきである。

5　債務者が異議をとどめないで債権譲渡の承諾をしたときは、譲渡人に対抗することができた事由について譲受人が悪意あるいは善意有過失でない限り、債務者はこれをもって譲受人に対抗することができない。

解説　正解　3

TAC生の正答率　20%

1　×「それに反してされた譲渡は無効であるが、債務者は譲渡制限特約について善意無過失である譲受人その他の第三者に対抗することができない」という部分が妥当でない。当事者が債権の譲渡を禁止し、又は制限する旨の意思表示をしたときであっても、債権の譲渡は、その効力を妨げられない（466条２項）。また、譲渡制限の意思表示がされたことを知り、又は重大な過失によって知らなかった譲受人その他の第三者に対しては、債務者は、その債務の履行を拒むことができ、かつ、譲渡人に対する弁済その他の債務を消滅させる事由をもってその第三者に対抗することができる（466条３項）。

2　×「事前又は事後でもよい。ただし、事前の通知に債務者対抗要件としての効力が生じるのは実際に債権譲渡がされた時であり」という部分が妥当でない。債権譲渡の通知は、譲渡と同時でなくてもよいが、譲渡する前に事前に通知をしても債務者対抗要件としての効力を生じない。既に譲渡したことの通知でなければ、譲渡の時期がいつであるかを確定することができないからである。

3　○　判例により妥当である。判例は、民法467条２項にいう第三者とは、債権そのものに対し法律上の利益を有する者に限るとして、相殺後に受働債権を差し押さえた者は、第三者にあたらないとしている（大判昭8.4.18）。したがって、Dは、AB間の譲渡に、確定日付のある証書による通知・承諾がなくても、相殺の無効を主張することができない。

4　×　全体が妥当でない。判例は、債権が二重に譲渡された場合における譲受人相互の優劣は、確定日付の先後によってではなく、確定日付のある証書による通知が債務者に到達した日時又は確定日付のある債務者の承諾の日時の先後によって決すべきであるとしている（最判昭49.3.7）。対抗要件として債務者への通知が必要なのは、債務者の認識を通じて公示機能を果たさせるためであり、このような観点から、債務者がいつ認識するか、つまり通知の到達時点が重要となるからである。

5　×　全体が妥当でない。債務者は、対抗要件具備時までに譲渡人に対して生じた事由をもって譲受人に対抗することができる（468条１項）。したがって、異議をとどめないで承諾をしても、承諾までに譲渡人に対して生じた事由をもって譲受人に対抗することができる。なお、異議をとどめない承諾により、譲渡人に対して対抗することができた事由を譲受人に対抗することができないとするのは旧民法468条１項であり、削除されている。

民法Ⅱ 債権総合

2021年度
専門 No.13

次のア～エの記述の正誤の組合せとして最も妥当なものはどれか（争いのあるときは、判例の見解による。）。

ア　既に弁済期にある自働債権と弁済期の定めのある受働債権とが相殺適状にあるというためには、受働債権につき、期限の利益を放棄することができるというだけではなく、期限の利益の放棄又は喪失等により、その弁済期が現実に到来していることを要する。

イ　当事者が債権の譲渡を禁止し、又は制限する旨の意思表示をしたときであっても、債務者は、当該意思表示がされたことを知る譲受人その他の第三者に対してしか、その債務の履行を拒むことができない。

ウ　債権譲渡の通知は譲渡人本人によってなされる必要があるから、債権の譲受人が、譲渡人の代理人として、債務者に対して債権譲渡の通知をしたとしても、その効力は生じない。

エ　免除は、債権者の一方的意思表示によって行うことができ、債権者と債務者との間での合意がなくとも、当該債権を消滅させることができる。

	ア	イ	ウ	エ
1	誤	正	正	正
2	誤	誤	正	誤
3	正	誤	誤	正
4	正	誤	正	誤
5	誤	誤	誤	正

解説　正解　3　　TAC生の正答率 12%

ア　○　判例により正しい。判例は、既に弁済期にある自働債権と弁済期の定めのある受働債権とが相殺適状にあるというためには、受働債権につき、期限の利益を放棄することができるというだけではなく、期限の利益の放棄又は喪失等により、その弁済期が現実に到来していることを要するとしている（最判平25.2.28)。民法505条1項が、相殺適状につき「双方の債務が弁済期にあるとき」と規定しているので、その文理に照らせば、自働債権のみならず受働債権についても、弁済期が現実に到来していることが相殺の要件と解されていること等を理由として挙げている。

イ　×「債務者は、当該意思表示がされたことを知る譲受人その他の第三者に対してしか、その債務の履行を拒むことができない」という部分が誤っている。当事者が譲渡制限の意思表示（債権の譲渡を禁止し、又は制限する旨の意思表示）をした場合には、当該意思表示がされたことを知り、又は重大な過失によって知らなかった譲受人その他の第三者に対しては、債務者は、その債務の履行を拒むことができる（466条3項前段)。

ウ　×「債権の譲受人が、譲渡人の代理人として、債務者に対し債権譲渡の通知をしたとしても、その効力は生じない」という部分が誤っている。判例は、債権譲渡の通知は譲渡人から債務者に対してなされるべきであって、譲受人が譲渡人に代位して通知することはできないが（大判昭5.10.10)、譲受人が譲渡人の代理人として行った通知は有効であるとしている（大判昭12.11.9)。代位の場合は通知が譲受人の名で行われるのに対し、代理の場合は通知が本人である譲渡人の名で行われるので、債権譲渡の真実性は担保できるからである。

エ　○　条文により正しい。債権者が債務者に対して債務を免除する意思を表示したときは、その債権は、消滅する（519条)。免除は、債権者の単独行為であるから、債権者と債務者との間で合意がなくとも、債権者の一方的意思表示によって当該債権を消滅させることができる。

以上より、ア：正、イ：誤、ウ：誤、エ：正であり、正解は**3**となる。

民法Ⅱ　同時履行の抗弁権

2023年度
専門 No.15

同時履行の抗弁権に関する次のア～オの記述のうち、妥当なもののみを全て挙げているものはどれか（争いのあるときは、判例の見解による。）。

ア　Aは、Bに自動車を売却し、これを引き渡そうとしたが、Bがこれを拒絶したことから、売買代金の支払を求めて訴えを提起した。Bは、Aから一度履行の提供を受けた以上、当該訴えにおいて、同時履行の抗弁権を行使することができない。
イ　建物の賃貸借契約が終了した際に、貸主の敷金返還義務と借主の建物明渡義務とは同時履行の関係にある。
ウ　弁済と受取証書の交付とは同時履行の関係にある。
エ　買主が売主の請求に対して同時履行の抗弁を提出し、これに理由がある場合、裁判所は、売主の請求を棄却する判決をする。
オ　売買契約の一方当事者の債務不履行により他方当事者が契約を解除した際に、各当事者が負担する原状回復義務は同時履行の関係に立つ。

1　ア、イ

2　ア、オ

3　イ、エ

4　ウ、エ

5　ウ、オ

解説　正解　5

TAC生の正答率　72%

ア　✕「当該訴えにおいて、同時履行の抗弁権を行使することができない」という部分が妥当でない。判例は、双務契約（売買契約等）の当事者の一方は、相手方の履行の提供があっても、その提供が継続されない限り、同時履行の抗弁権は失われないとする（最判昭34.5.14）。履行の提供をした相手方が無資力となった場合に、当事者の一方に無条件で債務の履行をさせるのは不公平になるからである。したがって、Aが自動車の履行の提供を継続しているわけではないから、Bは、売買代金の支払いを求める訴訟において同時履行の抗弁権を行使することができる。

イ　✕「貸主の敷金返還義務と借主の建物明渡義務とは同時履行の関係にある」という部分が妥当でない。賃貸借契約終了時における敷金返還義務と目的物の明渡義務は、同時履行の関係にない。賃貸借終了による敷金返還債務の履行期は、「賃貸借が終了し、かつ、賃貸物の返還を受けたとき」だからである（622条の２第１項１号）。

ウ　○　条文により妥当である。弁済をする者は、弁済と引換えに、弁済を受領する者に対して受取証書の交付を請求することができるので（486条１項）、弁済と受取証書の交付とは同時履行の関係にある。なお、弁済と債権証書との関係においては、弁済が先履行となる（487条）。

エ　✕「売主の請求を棄却する判決をする」という部分が妥当でない。訴訟上で債務の履行を請求した場合において、相手方が同時履行の抗弁権を主張したときは、引換給付判決がなされるのであり、請求が棄却されるわけではない（大判明44.12.11）。

オ　○　条文により妥当である。民法546条は、契約の解除により各当事者が負う原状回復義務について、民法533条を準用している。したがって、解除された売買契約の売主及び買主は、原状回復義務の履行について同時履行の関係に立つ。

以上より、妥当なものはウ、オであり、正解は**5**となる。

民法Ⅱ　同時履行の抗弁権

2021年度
専門 No.16

同時履行の抗弁に関する次のア～オの記述のうち、妥当なもののみを全て挙げているものはどれか（争いのあるときは、判例の見解による。）。

ア　不動産の売買契約において、売主の移転登記の協力義務と買主の代金支払義務は同時履行の関係に立つ。
イ　動産の売買契約において、代金の支払につき割賦払いとされている場合、売主の目的物引渡義務と買主の代金支払義務は同時履行の関係に立つ。
ウ　建物の賃貸借契約における賃借人から造作買取請求権が行使された場合において、造作買取代金の支払と建物の明渡しは同時履行の関係に立つ。
エ　建物の賃貸借契約が終了した場合において、賃借人の建物の明渡義務と賃貸人の敷金返還義務は同時履行の関係に立つ。
オ　請負契約が締結されている場合において、物の引渡しを要しないときを除き、請負人の目的物引渡債務と注文者の報酬支払債務は同時履行の関係に立つ。

1　ア、イ

2　ア、オ

3　イ、エ

4　ウ、エ

5　ウ、オ

解説　正解 2

TAC生の正答率 67%

ア ○ 判例により妥当である。判例は、不動産の売買契約において、売主の移転登記の協力義務と買主の代金支払義務は同時履行の関係に立つとしている（大判大7.8.14）。

イ × 「売主の目的物引渡義務と買主の代金支払義務は同時履行の関係に立つ」という部分が妥当でない。双務契約の当事者の一方は、相手方がその債務の履行（債務の履行に代わる損害賠償の債務の履行を含む）を提供するまでは、自己の債務の履行を拒むことができる。ただし、相手方の債務が弁済期にないときは、この限りでない（533条）。代金の支払につき割賦払いとされている場合には、売主の目的物引渡義務が先履行となるから、売主の目的物引渡義務と買主の代金支払義務は同時履行の関係に立たない。

ウ × 「造作買取代金の支払と建物の明渡しは同時履行の関係に立つ」という部分が妥当でない。判例は、建物の賃貸借契約における賃借人から造作買取請求権が行使された場合、造作買取請求権は、造作に関して生じた債権であり建物に関して生じた債権ではないから、造作買取代金の支払と造作の引渡しが同時履行の関係に立つのみで、造作買取代金の支払と建物の明渡しは同時履行の関係に立たないとしている（最判昭29.1.14）。

エ × 「賃借人の建物の明渡義務と賃貸人の敷金返還義務は同時履行の関係に立つ」という部分が妥当でない。賃貸人は、賃貸借が終了し、かつ、賃貸物の返還を受けたときに、賃借人に対し、その受け取った敷金の額から賃貸借に基づいて生じた賃借人の賃貸人に対する金銭の給付を目的とする債務の額を控除した残額を返還しなければならない（622条の２第１項第１号）。したがって、建物の賃貸借契約が終了した場合には、賃借人の建物の明渡義務が先履行であって、賃貸人の敷金返還義務と同時履行の関係には立たない。

オ ○ 条文により妥当である。請負契約が締結されている場合、報酬は、仕事の目的物の引渡しと同時に支払わなければならない（633条本文）。なお、物の引渡しを要しないときは、約束した仕事を終わった後でなければ、報酬を請求することができない（633条ただし書、624条１項）。

以上より、妥当なものはア、オであり、正解は**2**となる。

民法Ⅱ　契約総論

2022年度
専門 No.18

　債務不履行を理由とする契約の解除に関する次のア～オの記述のうち、妥当なもののみを全て挙げているものはどれか（争いのあるときは、判例の見解による。）。

ア　債務の全部の履行が不能である場合、債権者が契約を解除するためには催告をする必要がある。
イ　催告をして契約を解除する場合に相当期間を定めないでした催告は、催告時から客観的にみて相当期間が経過したとしても無効である。
ウ　催告をして契約を解除する場合、相当期間経過時における債務の不履行がその契約及び取引上の社会通念に照らして軽微であるときは、債権者は、契約を解除することができない。
エ　解除の意思表示は、解除の理由を示す必要がある。
オ　債務者の帰責事由は、契約を解除するための要件とされていない。

1　ア、イ

2　ア、オ

3　イ、エ

4　ウ、エ

5　ウ、オ

解説　正解　5

TAC生の正答率　74%

ア　×「債権者が契約を解除するためには催告をする必要がある」という部分が妥当でない。債務の全部の履行が不能であるときは、債権者は、催告をすることなく、直ちに契約の解除をすることができる（542条1項1号）。催告をする意味がないからである。

イ　×「催告時から客観的にみて相当期間が経過したとしても無効である」という部分が妥当でない。期間を定めずにした催告の効力について、判例は、催告の時と解除の時との間に相当な期間が経過していれば、その解除の有効性を肯定している（大判昭2.2.2）。

ウ　○　条文により妥当である。当事者の一方がその債務を履行しない場合において、相手方が相当の期間を定めてその履行の催告をし、その期間内に履行がないときは、相手方は、契約の解除をすることができる（541条本文）。ただし、その期間を経過した時における債務の不履行がその契約及び取引上の社会通念に照らして軽微であるときは、契約の解除をすることができない（541条ただし書）。

エ　×「解除の理由を示す必要がある」という部分が妥当でない。契約又は法律の規定により当事者の一方が解除権を有するときは、その解除は、相手方に対する意思表示によってする（540条1項）。解除の理由を示すことは、条文上要求されていない。

オ　○　条文より妥当である。債務の不履行が債権者の責めに帰すべき事由によるものであるときは、債権者は、前2条の規定（催告による解除と催告によらない解除）による契約の解除をすることができない（543条）。旧法では、債務の不履行が債務者の責めに帰することができない事由によるものであるときは、債権者が契約を解除することができないとしていたが（旧543条）、当該規定は削除された。

以上より、妥当なものはウ、オであり、正解は**5**となる。

民法II　売買　2023年度 専門 No.18

売買契約に関する次のア～エの記述の正誤の組合せとして最も妥当なものはどれか（争いのあるときは、判例の見解による。）。

ア　他人の所有物を売買の目的とした場合において、売主が目的物の所有権を取得したときは、その物の所有権は売主の意思表示を要することなく直ちに買主に移転する。
イ　売主の帰責事由により、契約所定の数量に満たない数量の目的物しか買主に引き渡されず、不足分の追完も不可能である場合には、買主は数量不足の程度に応じた代金の減額を求めることができる。
ウ　売主から買主に売買の目的として特定した物が引き渡された後、当事者双方に帰責事由なく目的物が損傷した場合には、買主は代金の支払を拒絶できる。
エ　売主の帰責事由により、目的物が滅失し、目的物の引渡義務が履行不能となった場合でも、買主は契約を解除することができない。

	ア	イ	ウ	エ
1	正	正	誤	誤
2	正	誤	正	誤
3	正	誤	誤	正
4	誤	正	誤	正
5	誤	誤	正	正

解説　**正解　1**　TAC生の正答率　89%

ア　○　判例により正しい。判例は、他人物売買において、売主が目的物の所有権を取得した場合には、買主への所有権移転の時期・方法について特段の約定がない限り、目的物の所有権は、何らの意思表示がなくても、売主の所有権取得と同時に買主に移転するとしている（最判昭40.11.19）。

イ　○　条文により正しい。売買契約において、引き渡された目的物が種類、品質又は数量に関して契約の内容に適合しないものであるときは、買主は、売主に対し、追完請求（目的物の修補、代替物の引渡し、不足分の引渡しの請求）をすることができる（562条１項本文）。この場合において、原則として、買主は売主に対して履行の追完の催告をしたうえで、履行の追完がないときには代金減額請求をすることができるが（563条１項）、履行の追完が不可能なときは催告をせず、直ちに代金減額請求をすることができる（563条２項１号）。なお、目的物についての契約不適合が買主の帰責事由によるものであった場合には、追完請求及び代金減額請求は認められない（562条２項、563条３項）。

ウ　×　「買主は代金の支払を拒絶できる」という部分が誤っている。売主が買主に目的物（売買の目的として特定したものに限る）を引き渡した場合において、その引渡しがあった時以後に、その目的物が当事者双方の責めに帰することができない事由によって滅失し、又は損傷したときは、買主は、その滅失又は損傷を理由として、履行の追完の請求、代金の減額の請求、損害賠償の請求及び契約の解除をすることができない。この場合において、買主は、代金の支払を拒むことができない（567条１項、目的物の滅失等についての危険の移転）。

エ　×　「買主は契約を解除することができない」という部分が誤っている。債務不履行があった場合、債権者は、契約の解除をすることができる（541条、542条）。また、債務不履行に基づく契約の解除には債務者の帰責事由は不要であるが、債務不履行が債権者の帰責事由によるものである場合には、債権者は、契約の解除をすることができない（543条）。本記述では、債務者（売主）の帰責事由により履行不能となっている（債権者の帰責事由によるものではない）ので、債権者（買主）は契約を解除することができる。

以上より、ア－正、イ－正、ウ－誤、エ－誤であり、正解は**1**となる。

民法Ⅱ　売買　2022年度 専門 No.19

売買に関する次のア～オの記述のうち、妥当なもののみを全て挙げているものはどれか（争いのあるときは、判例の見解による。）。

ア　買主は、目的物の引渡しと同時に代金を支払うべき契約においては、目的物の引渡しを先に受けた場合でも、目的物の引渡しを受けた場所において代金を支払わなければならない。
イ　売主は、代金の支払を受けるまでは、売主の責に帰すべき事由により目的物の引渡しを遅滞している場合でも、目的物を引き渡すまでこれを使用し果実を取得することができる。
ウ　他人の土地の所有権を買主に移転するという債務が売主の責に帰すべき事由により履行不能となった場合、売買契約を締結した買主は、目的物である土地を売主が所有していないことを知っていたとしても、売主に対して損害賠償を請求することができる。
エ　売買の目的物が契約の内容に適合しないものである場合、その契約の不適合につき売主の責に帰すべき事由がないときは、買主は、契約の解除及び損害賠償請求をすることができない。
オ　買主が売主に対して売買の目的物の品質が契約の内容に適合しないことについての担保責任に基づいて契約の解除及び損害賠償を請求する場合、買主は売買契約が成立した時から１年以内にこれをしなければならない。

1　ア、イ

2　ア、ウ

3　イ、ウ

4　イ、エ

5　ウ、オ

解説　正解　3

TAC生の正答率　25%

ア　×「目的物の引渡しを先に受けた場合でも」という部分が妥当でない。売買の目的物の引渡しと同時に代金を支払うべきときは、その引渡しの場所において支払わなければならない（574条）。ただし、すでに目的物の引渡しが終わった後は民法484条１項（持参債務の原則）が適用される（大判昭2.12.27）。したがって、目的物の引渡しを先に受けた場合には、売主の現在の住所において代金を支払わなければならない。

イ　○　判例により妥当である。まだ引き渡されていない売買の目的物が果実を生じたときは、その果実は、売主に帰属する（575条１項）。判例は、売主は目的物の引渡しを遅滞している場合でも、引渡しまでこれを使用し果実を取得しうると同時に、買主は、遅滞にあるときでも目的物の引渡しを受けるまで代金の利息を支払うことを要しないとしている（大連判大13.9.24）。

ウ　○　条文より妥当である。他人の物の売買の場合において、売主が権利の全部を買主に移転できないときは、債務不履行の一般規定に従って処理される。具体的には、権利移転義務の履行不能として、損害賠償請求権（415条）、契約解除権（541条、542条）に関する規定が適用される。したがって、債務者である売主に履行不能について帰責事由があれば、債権者である買主は損害賠償を請求することができる。

エ　×「契約の解除及び損害賠償請求をすることができない」という部分が妥当でない。引き渡された目的物が種類、品質又は数量に関して契約の内容に適合しないものであるときは、買主は、履行の追完請求（562条）や代金の減額請求をすることができるが（563条）、さらに民法415条の規定による損害賠償の請求並びに民法541条及び542条の規定による解除権の行使を妨げない（564条）。

オ　×「買主は売買契約が成立した時から１年以内にこれをしなければならない」という部分が妥当でない。売主が種類又は品質に関して契約の内容に適合しない目的物を買主に引き渡した場合において、買主がその不適合を知った時から１年以内にその旨を売主に通知しないときは、買主は、売主が引渡しの時にその不適合を知り、又は重大な過失によって知らなかったときを除いて、その不適合を理由として、履行の追完の請求、代金の減額の請求、損害賠償の請求及び契約の解除をすることができない（566条）。

以上より、妥当なものはイ、ウであり、正解は**3**となる。

民法Ⅱ 手付 2020年度 専門 No.16

手付に関する記述として最も妥当なものはどれか（争いのあるときは、判例の見解による。）。

1 買主が売主に手付を交付したときは、売主がその倍額を口頭で提供して、契約の解除をすることができる。

2 売買契約における手付は、反対の意思表示がない限り、解約手付の性質を有するものと解釈される。

3 １つの手付が解約手付と違約手付の両者を兼ねることはできない。

4 不動産売買契約において、買主が売主に手付を交付したとき、買主は、第三者所有の不動産の売主が第三者から当該不動産の所有権を取得し、その所有権移転登記を受けた場合であっても、手付を放棄して契約を解除することができる。

5 不動産売買契約において、買主が売主に手付を交付したとき、買主が売主に対して明渡しを求め、それが実行されればいつでも代金を支払われる状態にあった場合、買主は、売主が履行に着手していないときでも、手付を放棄して契約を解除することができない。

解説　正解　2

TAC生の正答率　86%

1　×「口頭で提供して」という部分が妥当でない。買主が手付を交付した場合、売主が手付による契約の解除をするためには、手付の倍額を現実に提供する必要がある（557条１項本文）。

2　○　判例により正しい。判例は、売買契約における手付は、反対の意思表示がない限り、民法557条が定めている解約手付としての効力（性質）を有するとしている（最判昭29.1.21）。

3　×「両者を兼ねることはできない」という部分が妥当でない。判例は、売買契約書に違約手付に関する条項があることだけでは、解約手付に関する民法557条の適用を排除する意思表示があったものということはできないとし、１つの手付が解約手付と違約手付を兼ねることができるとしている（最判昭24.10.4）。

4　×「手付を放棄して契約を解除することができる」という部分が妥当でない。手付を交付した場合、相手方が履行に着手した後は、手付による契約の解除をすることができない（557条１項ただし書）。ここでの「履行の着手」について、判例は、債務の内容たる給付の実行に着手すること、すなわち、客観的に外部から認識しうるような形で履行行為の一部をなし又は履行の提供をするために欠くことのできない前提行為をした場合を指すとしたうえで、本記述と同様に売主が第三者から所有権を取得して登記を受けた場合は、売主による「履行の着手」があったと認められるので、買主は手付による契約の解除をすることができないとした（最大判昭40.11.24）。

5　×「買主は、売主が履行に着手していないときでも、手付を放棄して契約を解除することができない」という部分が妥当でない。判例は、本記述と同様の行為を買主が行っている場合は、民法557条１項ただし書にいう履行の着手（**4**解説を参照）があったとしている（最判昭30.12.26）。もっとも、契約の一方当事者が履行に着手していても、他方当事者が履行に着手した後でなければ、一方当事者は手付による契約の解除を行うことができる（557条１項ただし書反対解釈）。したがって、買主は、自らが履行に着手していても、売主が履行に着手していないときであれば、手付の放棄による契約の解除をすることができる。

憲法
民法I
民法II
刑法
マクロ経済学
ミクロ経済学

民法II 賃貸借

2021年度
専門 No.19

賃貸借契約に関する次のア～オの記述のうち、妥当なもののみを全て挙げているものはどれか（争いのあるときは、判例の見解による。）。

ア　土地の賃借人は、当該土地上に自己名義の登記のされた建物を所有している場合には、当該土地の譲受人に対し、当該土地の賃借権を対抗することができる。
イ　賃借人が適法に賃借物を転貸した場合、転借人は、賃貸人に対し、直接、賃貸目的物を使用収益させることを求めることができる。
ウ　賃借人は、賃貸目的物である建物の雨漏りを修繕するための費用を支出したときは、賃貸人に対し、直ちに、その償還を請求することができる。
エ　建物の賃貸借契約において、賃貸人が未払賃料の支払を求めた場合、賃借人は、既に差し入れている敷金をもって充当することを主張して、その支払を免れることができる。
オ　AB間の建物の賃貸借契約が解除された場合、賃借人として当該建物に居住していたBは、従前の賃貸借契約の期間中、賃貸目的物を不法に占有していたことになる。

1　ア、ウ

2　ア、オ

3　イ、エ

4　イ、オ

5　ウ、エ

解説　**正解 1**　TAC生の正答率 87%

ア　○　条文により妥当である。借地権（建物の所有を目的とする地上権又は土地の賃借権）は、その登記がなくても、土地の上に借地権者が登記されている建物を所有するときは、これをもって第三者に対抗することができる（借地借家法10条１項）。したがって、本記述における土地の賃借人は、当該土地の譲受人に対し、当該土地の賃借権（借地権）を対抗することができる。

イ　×「転借人は、賃貸人に対し、直接、賃貸目的物を使用収益させることを求めることができる」という部分が妥当でない。転借人の契約の相手方は賃借人であるので、転借人は、賃借人に対して賃貸目的物を使用収益させることを求めることができるにすぎない。転借人は、賃貸人に対して転貸借に基づく債務を直接履行する義務を負う（613条１項前段）が、使用収益させることを求めるなどの権利は有しない。

ウ　○　条文により妥当である。賃借人は、賃借物について賃貸人の負担に属する必要費を支出したときは、賃貸人に対し、直ちにその償還を請求することができる（608条１項）。ここでの必要費とは、賃借人が、その物の現状を維持するために支出した費用であり、本記述での雨漏りの修繕費用は建物の現状を維持するために支出した費用なので必要費にあたる。

エ　×「賃借人は、既に差し入れている敷金をもって充当することを主張して、その支払を免れることができる」という部分が妥当でない。賃貸人から未払賃料の支払いを求められた場合、賃借人は、賃貸人に対し、敷金をその債務の弁済に充てることを請求することができない（622条の２第２項後段）。敷金を今後の担保として確保しておきたいという賃貸人の利益があるからである。

オ　×「賃貸目的物を不法に占有していたことになる」という部分が妥当でない。賃貸借の解除をした場合には、その解除は、将来に向かってのみその効力を生ずる（620条）。したがって、建物の賃貸借契約の解除は、従前の賃貸借契約の期間中の効力に影響を与えないから、Bはさかのぼって賃貸目的物を不法に占有していたことにはならない。

以上より、妥当なものはア、ウであり、正解は**1**となる。

民法Ⅱ　消費賃借

2021年度
専門 No.18

消費貸借契約に関する次のア～オの記述のうち、妥当なもののみを全て挙げているものはどれか（争いのあるときは、判例の見解による。）。

ア　Aが、Bに対し、展示会用に米俵３俵を貸し渡し、Bが、Aに対し、展示会終了後その米俵３俵を返すことを内容とする契約は、消費貸借契約である。
イ　消費貸借契約は、無利息であることが原則である。
ウ　AがBに対し100万円を貸し渡すこと及びBがAに対し一定期間経過後に同額を返還することを合意した場合、それが口頭の合意であっても、100万円の交付を要せずに直ちに消費貸借契約が成立する。
エ　消費貸借契約が成立した場合には、借主は、合意した金銭その他の物を貸主から借りる債務を負担する。
オ　消費貸借契約において、返還の時期を合意した場合であっても、借主は、いつでも目的物を返還することができる。

1　ア、ウ

2　ア、エ

3　イ、エ

4　イ、オ

5　ウ、オ

解説　正解　4　TAC生の正答率 41%

ア　×「消費貸借契約である」という部分が妥当でない。消費貸借は、当事者の一方が種類、品質及び数量の同じ物をもって返還をすることを約して、相手方から金銭その他の物を受け取ることによって効力が生じる契約であり（587条）、本記述のように借用物の消費がなく、借用物そのものを返還することを内容とする契約は消費貸借契約ではない。本記述の契約は、当事者の一方がある物を引き渡すことを約し、相手方がその受け取った物について無償で使用及び収益をして契約が終了したときに返還をすることを約するものであるから、使用貸借契約である（593条）。

イ　○　条文により妥当である。消費貸借契約における貸主は、特約がなければ、借主に対して利息を請求することができないので（589条1項）、無利息であることが原則である。

ウ　×「それが口頭の合意であっても、100万円の交付を要せずに直ちに消費貸借契約が成立する」という部分が妥当でない。口頭での消費貸借契約は、借用物を「受け取ることによって」効力が生じることから（587条参照）、100万円の交付がない限り消費貸借契約は成立しない。なお、書面による消費貸借契約であれば、貸主と借主との間の合意によって成立する（587条の2第1項）。

エ　×「合意した金銭その他の物を貸主から借りる債務を負担する」という部分が妥当でない。消費貸借契約が成立した場合、借主は、種類、品質及び数量の同じ物をもって返還する債務のみを負担する（587条参照）。

オ　○　条文により妥当である。消費貸借契約の借主は、返還の時期の定めの有無にかかわらず、いつでも返還をすることができる（591条2項）。

以上より、妥当なものはイ、オであり、正解は**4**となる。

民法Ⅱ　委任

委任契約に関する次のア～オの記述のうち、妥当なもののみを全て挙げているものはどれか（争いのあるときは、判例の見解による。）。

ア　有償の委任契約において、報酬支払時期について特段の定めがないときは、受任者は、既にした履行の割合に応じて随時報酬を請求することができる。
イ　受任者は、自己の責任でいつでも復受任者を選任することができる。
ウ　受任者は、無償の場合であっても、善良な管理者の注意をもって委任事務を処理する義務を負う。
エ　当事者の一方は、やむを得ない事由のない限り、相手方に不利な時期に委任契約を解除することはできない。
オ　受任者が死亡したときは、委任契約は終了する。

1　ア、エ

2　ア、オ

3　イ、ウ

4　イ、エ

5　ウ、オ

解説　正解　5

TAC生の正答率 76%

ア　×「既にした履行の割合に応じて随時報酬を請求することができる」という部分が妥当でない。報酬が支払われる委任は、①委任事務の履行に対して報酬が支払われる場合（履行割合型）と、②委任事務の処理の結果として達成された成果に対して報酬が支払われる場合（成果完成型）の2つがある。履行割合型の場合、受任者は、原則として、委任事務を履行した後でなければ報酬を請求することができない（648条2項本文）。これに対して、成果完成型の場合、委任事務の成果の引渡しを要するときは、委任者は、その成果の引渡しと同時に報酬を支払わなければならず（648条の2第1項）、成果の引渡しを要しないときは、受任者は、原則として、委任事務の履行によって成果が得られた後でなければ報酬を請求することができない（648条2項本文）。したがって、いずれにせよ、受任者は既にした履行の割合に応じて随時報酬を請求することはできない。

イ　×　全体が妥当でない。委任は、他人に法律行為をすることを委託する契約であり、委任者・受任者間の信頼関係が基礎とされる（643条）。そこで、受任者は、委任者の許諾を得たとき、又はやむを得ない事由があるときでなければ、復受任者を選任することができない（644条の2第1項）。

ウ　○　条文により妥当である。受任者は、有償・無償を問わず、善良な管理者の注意をもって委任事務を処理する義務を負う（644条）。委任契約は、当事者間の信頼関係を基礎としており、信頼関係は有償・無償を問わないからである。

エ　×　全体が妥当でない。委任は、各当事者がいつでもその解除をすることができるので（651条1項）、委任者、受任者のいずれからも理由の如何を問わず、いつでも解除をすることが可能である。もっとも、相手方に不利な時期に委任を解除した場合、やむを得ない事由がなければ、相手方の損害を賠償しなければならない（651条2項1号）。

オ　○　条文により妥当である。委任は、委任者又は受任者の死亡によって終了する（653条1号）。この規定は、委任の当事者の地位が当事者間の個人的な関係を基礎とすることから、一身専属的なものであって、相続の対象にならない旨を示したものである。

以上より、妥当なものはウ、オであり、正解は**5**となる。

民法Ⅱ　委任

2020年度
専門 No.18

委任に関する記述として最も妥当なものはどれか（争いのあるときは、判例の見解による。）。

1　受任者は、委任事務の処理をするにあたって、自己の財産に対するのと同一の注意をもって行うことで足りる。

2　受任者は、委任事務を処理するについて費用を要するときでも、その前払を請求することはできない。

3　受任者は、委任事務を処理するのに必要な費用を支出したときは、委任者に対し、その費用及びその支出の日以後における利息の償還を請求できる。

4　受任者が報酬を受ける場合、期間によって報酬を定めたときであっても、委任事務を履行した後でなければ、報酬を請求することができない。

5　委任は、原則として、委任者の死亡によっては終了しない。

解説　正解　3

TAC生の正答率　65%

1　×　「自己の財産に対するのと同一の注意をもって行うことで足りる」という部分が妥当でない。受任者は、委任の本旨に従い、善良な管理者の注意をもって、委任事務を処理する義務を負う（644条）。受任者は、他人の事務を処理する以上、有償無償を問わず、善管注意義務を負う。委任が当事者間の信頼に基づくからである。

2　×　「その前払を請求することはできない」という部分が妥当でない。委任事務を処理するについて費用を要するときは、委任者は、受任者の請求により、その前払をしなければならない（649条）。受任者に特別の経済的負担を生じさせないために規定された。

3　○　条文により妥当である。受任者は、委任事務を処理するのに必要と認められる費用を支出したときは、委任者に対し、その費用及び支出の日以後におけるその利息の償還を請求することができる（650条１項）。委任事務の処理に必要な費用は委任者が負担すべきだからである。

4　×　全体が妥当でない。受任者は、報酬を受けるべき場合には、委任事務を履行した後でなければ、これを請求することができない。ただし、期間によって報酬を定めたときは、624条２項の規定（期間によって定めた報酬は、その期間を経過した後に、請求することができる。）を準用する（648条２項）。

5　×　全体が妥当でない。委任は、委任者又は受任者の死亡によって終了する（653条１号）。この規定は、委任の当事者の地位が当事者間の個人的な関係を基礎とすることから、一身専属的なものであって、相続の対象にならない旨を示したものである。

民法II　不当利得　2020年度 専門 No.19

不当利得に関する次のア～オの記述のうち、妥当なもののみを全て挙げているものはどれか（争いのあるときは、判例の見解による。）。

ア　不当利得における悪意の受益者は、その受けた利益に利息を付して返還しなければならず、なお損害があるときはその賠償の責任も負う。
イ　債務が存在しないにもかかわらず、その事実を知り、又は過失により知らないで、債務の弁済として給付をした者は、その給付したものの返還を請求することができない。
ウ　不法な原因のために給付をした場合であっても、その不法な原因が受益者についてのみ存する場合には、給付者の返還請求は妨げられない。
エ　妻子ある男が不倫関係を維持するために、その所有する不動産を愛人に贈与した場合でも、男は愛人に対してその贈与不動産の返還を請求することができる。
オ　債務者が、錯誤により弁済期にあると誤信して、弁済期にない自己の債務の弁済として給付をした場合には、その給付の返還を請求することができる。

1　ア、イ

2　イ、エ

3　ア、ウ

4　ウ、エ

5　ウ、オ

解説　正解　3　TAC生の正答率 52%

ア　○　条文により妥当である。悪意の受益者は、その受けた利益に利息を付して返還しなければならない。この場合において、なお損害があるときは、その賠償の責任を負う（704条）。

イ　×「又は過失により知らないで」という部分が妥当でない。債務の弁済として給付をした者は、その時において債務の存在しないことを知っていたときは、その給付したものの返還を請求することができない（705条）。したがって、給付者が善意有過失にとどまる場合は、給付したものの返還を請求することができる（大判昭16.4.19）。

ウ　○　条文により妥当である。不法な原因のために給付（不法原因給付）をした者は、その給付したものの返還を請求することができない。ただし、不法な原因が受益者についてのみ存したときは、給付したものの返還を請求することができる（708条）。受益者にのみ不法の原因がある場合に給付者の返還請求を認めないのは、反社会性のない給付者の犠牲により受益者を保護することになり、実質的に不公平だからである。

エ　×「その贈与不動産の返還を請求することができる」という部分が妥当でない。妻子ある男が不倫関係を維持するために、その所有する不動産を愛人に贈与することは、不法原因給付といえる（最大判昭45.10.21）から、男は愛人に対してその贈与不動産の返還を請求することができない（708条本文）。なお、贈与不動産が未登記であれば、引渡しが「給付」となるが（最大判昭45.10.21）、既登記であれば、引渡しと所有権移転登記が行われると「給付」になる（最判昭46.10.28）。

オ　×「その給付の返還を請求することができる」という部分が妥当でない。債務者は、弁済期にない債務の弁済として給付をしたときは、その給付したものの返還を請求することができない。ただし、債務者が錯誤によってその給付をしたときは、債権者は、これによって得た利益を返還しなければならない（706条）。したがって、給付をした債務者が錯誤によって弁済期にあると誤信していても、弁済をすべき債務が存在する以上、その給付の返還を請求することができない。

以上より、妥当なものはア、ウであり、正解は**3**である。

民法II　不法行為　2023年度 専門 No.20

不法行為に関する次のア～オの記述のうち、妥当なもののみを全て挙げているものはどれか（争いのあるときは、判例の見解による。）。

ア　建物の設計者、施工者、工事監理者は、直接の契約関係にない当該建物の利用者、隣人、通行人等との関係では、不法行為責任を負う余地はない。

イ　他人の名誉を毀損する行為は、それが公共の利害に関する事実に係り、専ら公益を図る目的に出た場合において、摘示された事実が真実であると証明されたときは、違法性を欠き、不法行為とはならない。

ウ　被用者が第三者に損害を与えた行為が、実際には事業の執行行為に該当しないものであった場合には、その行為を外形から客観的に見たときに被用者の職務の範囲内に属するものといえるかどうかに関わらず、使用者がその損害を賠償する責任を負うことはない。

エ　不法行為による損害賠償においては、被害者は、通常生ずべき損害の賠償のみを求めることができ、特別の事情によって生じた損害の賠償を請求することはできない。

オ　裁判所が、不法行為に基づく損害賠償の額を定めるに当たり、被害者本人の過失のみならず、被害者と身分上又は生活関係上一体をなすとみられるような関係にある者の過失をしんしゃくすることができる場合がある。

1　ア、ウ

2　ア、エ

3　イ、エ

4　イ、オ

5　ウ、オ

解説　正解　4　　TAC生の正答率 91%

ア　×「不法行為責任を負う余地はない」という部分が妥当でない。判例は、建物の設計者、施工者、工事監理者は、建物の建築に当たり、直接契約関係にない当該建物の利用者、隣人、通行人等に対する関係でも、当該建物に建物としての基本的な安全性（建物の利用者等の生命、身体、又は財産を危険にさらすことがないような安全性）が欠けることがないように配慮すべき注意義務を負うとして、設計・施工業者等がこの義務を怠ったために建築された建物に上記安全性を損なう瑕疵があり、それにより建物利用者等の生命、身体又は財産が侵害された場合には、特段の事情がない限り、これによって生じた損害について不法行為による賠償責任を負うべきであるとしている（最判平19.7.6）。

イ　〇　判例により妥当である。判例は、民事上の不法行為たる名誉毀損については、その行為が公共の利害に関する事実に係り専ら公益を図る目的に出た場合において、摘示された事実が真実であることが証明されたときは違法性がなく、不法行為は成立しないとしている（最判昭41.6.23）。

ウ　×「その行為を外形から客観的に見たときに被用者の職務の範囲内に属するものといえるかどうかに関わらず、使用者がその損害を賠償する責任を負うことはない」という部分が妥当でない。使用者責任（715条）の成立要件の１つとして、加害行為が「事業の執行について」なされたことが必要となる。判例は、「事業の執行について」とは、被用者の職務執行行為そのものには属しないが、その行為の外形から観察して、あたかも被用者の職務の範囲内の行為に属するものとみられる場合をも包含するとしている（最判昭40.11.30）。

エ　×「のみを求めることができ、特別の事情によって生じた損害の賠償を請求することはできない」という部分が妥当でない。判例は、不法行為による損害賠償についても、民法416条の規定が類推適用され、特別の事情によって生じた損害（特別損害）については、加害者においてその事情を予見すべきであったときに限り、これを賠償する責任を負うとしている（最判昭48.6.7）。したがって、被害者は、通常生ずべき損害（通常損害）の賠償のほか、加害者が予見すべきであった特別損害の賠償も請求することができる。

オ　〇　判例により妥当である。判例は、民法722条２項に定める被害者の過失とは、被害者本人の過失のみでなく、ひろく被害者側の過失をも包含するとしたうえで、被害者本人が幼児である場合における被害者側の過失とは、例えば、被害者に対する監督者である父母又はその被用者である家事使用人などのように、被害者と身分上ないしは生活関係上一体をなすとみられるような関係にある者の過失をいうとしている（最判昭42.6.27）。

以上より、妥当なものはイ、オであり、正解は**4**となる。

民法Ⅱ　不法行為　2022年度 専門 No.20

不法行為による損害賠償債権に関する次のア～オの記述のうち、妥当なもののみを全て挙げているものはどれか（争いのあるときは、判例の見解による。）。

ア　不法行為による損害賠償債務は、不法行為の時に履行遅滞に陥る。
イ　民法第724条第１号にいう被害者が損害を知った時とは、被害者が損害の発生の可能性を現実に認識した時をいう。
ウ　民法第724条第１号にいう被害者が加害者を知った時とは、被害者が損害賠償を請求するべき相手方を知った時をいうから、使用者が民法第715条の責任を負う場合における当該使用者との関係では、被害者が直接の加害者である被用者を知った時がこれに当たる。
エ　民法第724条第２号の期間制限は、加害行為が終了してから相当の期間が経過した後に当初予想し得なかった損害が発生した場合でも、加害行為の時から起算される。
オ　民法第724条各号の期間経過による法的効果は、当事者が援用した場合に限り、裁判所はこれを考慮することができる。

1　ア、ウ

2　ア、オ

3　イ、エ

4　イ、オ

5　エ、オ

（参照条文）民法
第724条　不法行為による損害賠償の請求権は、次に掲げる場合には、時効によって消滅する。
　一　被害者又はその法定代理人が損害及び加害者を知った時から三年間行使しないとき。
　二　不法行為の時から二十年間行使しないとき。

解説　正解　2

TAC生の正答率　49%

ア　○　判例により妥当である。判例は、被害者保護のため、不法行為に基づく損害賠償債務は発生と同時に遅滞に陥るとしている（大判大10.4.4）。

イ　×「被害者が損害の発生の可能性を現実に認識した時をいう」という部分が妥当でない。判例は、民法724条１号にいう被害者が損害を知った時とは、被害者が損害の発生を現実に認識した時をいうとしている（最判平14.1.29）。被害者が、損害の発生を現実に認識していない場合には、被害者が加害者に対して損害賠償請求に及ぶことを期待することができないからである。

ウ　×「被害者が直接の加害者である被用者を知った時がこれに当たる」という部分が妥当でない。判例は、使用者責任における加害者を知るとは、被害者らにおいて、使用者ならびに使用者と不法行為者との間に使用関係がある事実に加えて、一般人が当該不法行為が使用者の事業の執行につきなされたものであると判断するに足りる事実をも認識することをいうとしている（最判昭44.11.27）。

エ　×「加害行為の時から起算される」という部分が妥当でない。法改正前の事案で判例は、不法行為により発生する損害の性質上、加害行為が終了してから相当の期間が経過した後に損害が発生する場合には、当該損害の全部又は一部が発生した時が除斥期間（現：消滅時効）の起算点となると解すべきであるとしている（最判平16.4.27）。

オ　○　条文により妥当である。不法行為による損害賠償の請求権は、①被害者又はその法定代理人が損害及び加害者を知った時から３年間行使しないときや、②不法行為の時から20年間行使しないときに、時効によって消滅する（724条）。したがって、不法行為による損害賠償請求権は、一定の事由により時効によって消滅する。そして、時効は、当事者が援用しなければ、裁判所がこれによって裁判をすることができない（145条）。

以上より、妥当なものはア、オであり、正解は**2**となる。

民法Ⅱ　不法行為　2021年度 専門 No.20

不法行為に関する次のア～オの記述のうち、妥当なもののみを全て挙げているものはどれか（争いのあるときは、判例の見解による。）。

ア　人の生命又は身体を害する不法行為による損害賠償請求権の消滅時効期間は、被害者又はその法定代理人が損害及び加害者を知った時から５年間である。
イ　不法行為と同一の原因によって、被害者が第三者に対して損害と同質性を有する利益を内容とする債権を取得し、当該債権が現実に履行された場合、これを加害者の賠償すべき損害額から控除することができる。
ウ　被害者が不法行為によって即死した場合、被害者が不法行為者に対して有する不法行為に基づく損害賠償請求権は、被害者の死亡によって相続人に承継されない。
エ　会社員が、勤務時間外に、自己が勤務する会社所有に係る自動車を運転していた際、同自動車を第三者に衝突させた場合、当該会社が損害賠償責任を負うことはない。
オ　未成年者は、他人に損害を加えた場合において、自己の行為の責任を弁識するに足りる知能を備えていなかったとしても、その行為について賠償の責任を負う。

1　ア、イ

2　ア、オ

3　イ、ウ

4　ウ、エ

5　エ、オ

解説　正解 1

TAC生の正答率 79%

ア　○　条文により妥当である。人の生命又は身体を害する不法行為に基づく損害賠償請求権の消滅時効期間は、被害者又はその法定代理人が損害及び加害者を知った時から５年、又は不法行為の時から20年である（724条、724条の２）。なお、人の生命又は身体の侵害による債務不履行に基づく損害賠償請求権の消滅時効期間は、権利を行使することができる時から20年、又は債権者が権利を行使することができることを知った時から５年である（166条１項、167条）。

イ　○　判例により妥当である。判例は、不法行為と同一の原因によって被害者又はその相続人が第三者に対して損害と同質性を有する利益を内容とする債権を取得した場合は、当該債権が現実に履行されたとき、又はこれと同視し得る程度にその存続及び履行が確実であるときに限り、これを加害者の賠償すべき損害額から控除すべきであるとしている（最大判平5.3.24、損益相殺）。

ウ　×　「被害者の死亡によって相続人に承継されない」という部分が妥当でない。判例は、傷害により被害者が即死した場合には、傷害の瞬時に被害者に損害賠償請求権が発生し、死亡によりこれが相続されるとしている（大判大15.2.16）。

エ　×　「当該会社が損害賠償責任を負うことはない」という部分が妥当でない。判例は、被用者である従業員が、使用者である会社の自動車を私用で運転中に交通事故を起こした場合でも、従業員の行為の外形をとらえて客観的に観察すると会社の従業員としての職務行為の範囲に属すると認められるときは、会社の「事業の執行」であるといえるので、その被害者は、会社に対して、使用者責任（715条１項）に基づく損害賠償請求ができるとしている（最判昭39.2.4）。

オ　×　「自己の行為の責任を弁識するに足りる知能を備えていなかったとしても、その行為について賠償の責任を負う」という部分が妥当でない。未成年者は、他人に損害を加えた場合において、自己の行為の責任を弁識するに足りる知能を備えていなかったときは、その行為について賠償の責任を負わない（712条）。

以上より、妥当なものはア、イであり、正解は**1**となる。

刑法　罪刑法定主義

2020年度
専門 No.21

罪刑法定主義に関する次のア～ウの記述の正誤の組合せとして最も妥当なものはどれか。

ア　犯罪と刑罰は、「法律」によって定められていなければならず、この「法律」には、慣習法が含まれる。
イ　行為の時に適法であった行為を、その後の法律によって遡って犯罪とすることは、許されない。
ウ　犯罪後の法律により、法定刑が変更されて軽くなった場合は、その軽い刑を定めた法律を適用することになる。

	ア	イ	ウ
1	正	正	正
2	正	誤	正
3	正	正	誤
4	誤	誤	正
5	誤	正	正

解説　**正解　5**　TAC生の選択率 63%　TAC生の正答率 76%

本問は、罪刑法定主義の派生原理に関する知識を問う問題である。罪刑法定主義とは、いかなる行為が犯罪となり、それに対していかなる刑罰が科されるのかを、予め法律によって定めなければならないとする原則である。刑法典には規定がないが、憲法31条、39条前段がその根拠と解されている。国民の予測可能性を担保して国民の自由を守るためである。この罪刑法定主義の派生原理として、①慣習刑法の禁止（法律主義の原則）、②類推解釈の禁止、③遡及処罰の禁止（事後法の禁止、憲法39条前段）、④絶対的不定期刑の禁止、⑤明確性の原則、⑥罪刑均衡の原則、が挙げられる。

ア　×　「この『法律』には、慣習法が含まれる」という部分が誤っている。本記述は、上記①に関するものであり、犯罪と刑罰は、「法律」によって定められていなければならず、慣習（慣習法）を刑法の法源とすることは認めないとする原則である。慣習は、不正確さをぬぐえず、国民の予測可能性を担保できないから、「法律」には含めないとする。なお、刑罰法規の解釈に際し慣習を考慮することは可能であると解されている。

イ　○　条文により正しい。憲法39条前段は、何人も、実行の時に適法であった行為又は既に無罪とされた行為については、刑事上の責任を問われないと規定し、上記③の遡及処罰の禁止を定めている。遡及処罰が許されると、国民の予測可能性が著しく損なわれ、日常活動での萎縮効果が生じ、国民の行動の自由が失われるからである。したがって、行為の時に適法であった行為を、その後の法律によって遡って犯罪とすることは、許されない。

ウ　○　条文により正しい。刑法６条は、犯罪後の法律によって刑の変更があったときは、その軽いものによると規定している。上記③の遡及処罰の禁止を貫けば、犯罪後に法定刑が軽くなってもその遡及適用は認められず、犯罪時の法律が適用されるはずである。しかし、同条の趣旨は、犯罪後に施行された法定刑の軽い法律の遡及適用を認めて、被告人が有利になるようにする点にあるから、罪刑法定主義（遡及処罰の禁止）に反しないと解されている。

以上より、ア：誤、イ：正、ウ：正であり、正解は**5**となる。

刑法　不真正不作為犯　2021年度 専門 No.22

　不真正不作為犯に関する次のア～エの記述のうち、妥当なもののみを全て挙げているものはどれか（争いのあるときは、判例の見解による。）。

ア　不真正不作為犯は、財産犯についても成立する余地がある。
イ　不真正不作為犯は、作為可能性がない場合であっても成立する余地がある。
ウ　不真正不作為犯は、作為義務が契約に基づくものでない場合であっても、成立する余地がある。
エ　不真正不作為犯において、未遂は成立し得ない。

1　ア、イ

2　ア、ウ

3　ア、エ

4　イ、ウ

5　ウ、エ

解説　正解 2

TAC生の選択率 32%　TAC生の正答率 59%

ア ○ 判例により妥当である。不真正不作為犯とは、条文上は作為の形式で定められている犯罪を、不作為の形式で実現する場合である。財産犯については、不作為が不真正不作為犯としての詐欺罪（246条1項）を構成する場合がある。例えば、誤った振込みがあることを知った受取人が、その情を秘して預金の払戻しを請求し、その払戻しを受けた場合に詐欺罪が成立するとした判例がある（最決平15.3.12）。同判例は、自己の口座に誤った振込みがあることを知った場合には、銀行に組戻し（振込依頼前の状態に戻すこと）の措置を講じさせるため、誤った振込みがあった旨を銀行に告知すべき信義則上の義務があり、この義務に違反して告知しなかったという不作為が詐欺罪を構成するとしたものである。

イ × 「作為可能性がない場合であっても成立する余地がある」という部分が妥当でない。判例は、不真正不作為犯の成立要件として、①法的な作為義務、②作為の可能性・容易性を要求していると理解されている（大判大7.12.18等）。したがって、作為可能性がない場合は、要件②を満たさないので、不真正不作為犯は成立しない。

ウ ○ 判例、通説により妥当である。不真正不作為犯の成立要件である「法的な作為義務」は、必ずしも契約に基づくものでなくてもよく、先行行為、事務管理などに基づいて作為義務が発生する場合もある。判例は、自ら発生させた火の不始末を放置した結果、現住家屋を焼損するに至った事案につき、先行行為に基づく作為義務に違反して現住建造物等放火罪（108条）を犯したものと認定している（最判昭33.9.9）。

エ × 「未遂は成立し得ない」という部分が妥当でない。不真正不作為犯には未遂を認めることができる場合がある。例えば、自己の過失により重傷を負わせた被害者を救護すべき義務に違反し、未必の殺意をもって救護しなかった自動車の運転者について、被害者が死亡するに至らなかったことから、不作為による殺人未遂罪（199条、203条）の成立を認めた裁判例がある（東京高判昭46.3.4）。

以上より、妥当なものはア、ウであり、正解は**2**となる。

刑法　間接正犯　2023年度 専門 No.21

次のア～エの記述のうち、妥当なもののみを全て挙げているものはどれか（争いのあるときは、判例の見解による。）。

ア　甲は、甲の命令に応じて車ごと海中に飛び込む以外の行為を選択することができない精神状態に陥っていたＶに対し、漁港の岸壁上から車ごと海中に転落するよう命じ、Ｖにその行為に及ばせて、死亡させた。甲には、Ｖに対する殺人罪が成立する。

イ　甲は、追死する意思がないのにあるように装い、その旨誤信したＶに心中を決意させ、毒物を渡してそれを飲み込ませて死亡させた。甲には、Ｖに対する殺人罪が成立する。

ウ　甲は、財物の占有者に対し、反抗を抑圧するに足りる程度の暴行や脅迫を用いて、財物を差し出すしかないとの精神状態に陥らせ、財物を差し出させた。甲には、強盗罪は成立せず、窃盗罪の間接正犯が成立する。

エ　甲は、日頃から暴行を加えて自己の意のままに従わせて万引きをさせていた満12歳の実子乙に、これまで同様万引きを命じて実行させた。乙が是非善悪の判断能力を有する者であれば、甲には、窃盗罪の間接正犯は成立せず、乙との間で同罪の共同正犯が成立する。

1　ア、イ

2　ア、ウ

3　イ、ウ

4　イ、エ

5　ウ、エ

解説　正解　1

TAC生の選択率 26%　TAC生の正答率 88%

ア　○　判例により妥当である。Vは、自らの意思で真冬の海中に飛び込んだとはいえ、これは、甲の命令に従う以外の行為を選択できない精神状態に陥っていたためであって、Vの真意からでたものとはいえない。このように、被害者が心理的に強制された事案につき、判例も、被害者に命令して車ごと海に飛び込ませた行為を自殺教唆ではなく、殺人の実行行為としている（最決平16.1.20）。したがって、甲には、Vに対する殺人罪（199条）が成立する。

イ　○　判例により妥当である。判例は、本記述と類似の事案において、被害者による自殺の決意は、被告人による欺罔の結果による真意に沿わない重大な瑕疵のあったものであることが明らかであり、被害者の自由な真意に基づかないから、刑法202条にいう「承諾」があったとは認められないとして、殺人罪（199条）の成立を認めている（最判昭33.11.21）。したがって、甲には、Vに対する殺人罪が成立する。

ウ　×「強盗罪は成立せず、窃盗罪の間接正犯が成立する」という部分が妥当でない。財物の占有者は、自ら財物を差し出しているが、これは甲の暴行・脅迫によりそのような精神状態に陥ったためである。判例は、強盗罪（236条１項）の成立には、被告人が社会通念上被害者の反抗を抑圧するに足る暴行又は脅迫を加え、それによって被害者から財物を強取した事実が存すれば足りるのであり、被害者が被告人の暴行脅迫によってその精神及び身体の自由を完全に制圧されることを必要としないとしている（最判昭23.11.18）。したがって、甲には、強盗罪が成立する。

エ　×「窃盗罪の間接正犯は成立せず、乙との間で同罪の共同正犯が成立する」という部分が妥当でない。判例は、本記述と類似の事案において、自己の日頃の言動に畏怖し意思を抑圧されている12歳の養女を利用して窃盗を行った場合、その養女が是非善悪の判断能力を有する者であったとしても、利用者には窃盗罪（235条）の間接正犯が成立するとしている（最決昭58.9.21）。したがって、甲には、窃盗罪の間接正犯が成立する。

以上より、妥当なものはア、イであり、正解は**1**となる。

刑法　故意　2023年度 専門 No.22

故意に関する次のア～エの記述のうち、妥当なもののみを全て挙げているものはどれか（争いのあるときは、判例の見解による。）。

ア　甲は、Vが所有している自動車に放火し、公共の危険を生じさせたが、その際、公共の危険が発生するとは認識していなかった。甲には、建造物等以外放火罪は成立しない。
イ　甲は、乙が窃取してきた貴金属類を乙が盗んできたものかもしれないと思いながら、あえて乙から買い取った。甲には、盗品等有償譲受け罪が成立する。
ウ　甲は、覚醒剤を所持していたが、覚醒剤と明確には認識しておらず、覚醒剤を含む身体に有害で違法な薬物類であると認識していた。甲には、覚醒剤取締法違反（覚醒剤所持）の罪が成立する。
エ　甲は、実際にはVが所有している自転車を無主物であると認識して持ち去った。甲には、遺失物横領罪が成立する。

1　ア、イ
2　ア、ウ
3　イ、ウ
4　イ、エ
5　ウ、エ

解説　**正解　3**　TAC生の選択率 26%　TAC生の正答率 76%

ア　×「建造物等以外放火罪は成立しない」という部分が妥当でない。他人所有に係る建造物等以外放火罪（110条１項）の成立に公共の危険の認識を要するかにつき、判例は、刑法110条１項の放火罪が成立するためには、火を放って同条所定の物を焼燬する認識のあることが必要であるが、焼燬の結果公共の危険を発生させることまでを認識する必要はないものと解すべきであるとし、認識不要説に立っている（最判昭60.3.28）。したがって、甲には、建造物等以外放火罪が成立する。

イ　○　判例により妥当である。判例は、盗品等有償譲受け罪（256条２項）が成立するには、故意として、「盗品その他財産に対する罪に当たる行為によって領得された物」であることの認識が必要であるが、これは確定的なものである必要はなく、「ひょっとしたら盗品であるかもしれない」といった未必的なもので足りるとしている（最判昭23.3.16）。したがって、甲には、盗品等有償譲受け罪が成立する。

ウ　○　判例により妥当である。判例は、覚醒剤を所持した際に、覚醒剤を含む身体に有害で違法な薬物類であるとの認識があったのであれば、覚醒剤かもしれないし、その他の身体に有害で違法な薬物かもしれないとの認識はあったといえることから、覚醒剤所持罪の故意に欠けることはないとしている（最決平2.2.9）。したがって、甲には、覚醒剤取締法違反（覚醒剤所持）の罪が成立する。

エ　×「遺失物横領罪が成立する」という部分が妥当でない。遺失物等横領罪は、遺失物、漂流物その他占有を離れた他人の物を横領することで成立する（254条）。甲は、自転車を無主物であると認識しており、他人の物である（Vが所有している）との認識を持っていないため、遺失物等横領罪の故意を欠く。したがって、甲には、遺失物等横領罪は成立しない。

以上より、妥当なものはイ、ウであり、正解は**3**となる。

刑法 過失

2023年度
専門 No.23

過失に関する次のア～ウの記述の正誤の組合せとして最も妥当なものはどれか（争いのあるときは、判例の見解による。）。

ア　過失犯の成立に必要な注意義務は、必ずしも法令の根拠があることを要しない。
イ　重過失とは、注意義務違反の程度が著しい場合をいい、行為者としてわずかな注意を用いることによって結果を予見でき、かつ、結果の発生を回避することができる場合の過失をいう。
ウ　信頼の原則は、交通事故の過失犯だけに適用されるものであり、それ以外の過失犯に適用されることはない。

	ア	イ	ウ
1	正	正	誤
2	正	誤	正
3	正	誤	誤
4	誤	正	誤
5	誤	正	正

解説　正解　1

TAC生の選択率 26%　TAC生の正答率 66%

ア　○　通説により正しい。注意義務の内容は、法令上直ちに明らかになるものではなく規範的要素を含むことから、裁判官によって補充されることが予定されている（いわゆる開かれた構成要件）。したがって、注意義務の内容は、具体的事案ごとに法令、契約、慣習、条理などを根拠として判断されるものであり、必ずしも法令の根拠があることは要しない。

イ　○　通説により正しい。重過失の定義は、本記述の通りである。重過失とは、ちょっと注意をすれば結果発生を予見できたのにしなかった場合、すなわち、著しい注意義務違反のために結果発生を予見しなかった場合をいう。

ウ　×　全体が誤っている。信頼の原則とは、行為者が他の関与者の適切な行動を信頼するのが相当な場合には、他の関与者の不適切な行動によって結果が発生しても、行為者は責任を負わないとする理論をいう。信頼の原則は、交通事故の事案を通じて確立されてきた理論であるが（最判昭41.12.20等）、複数の者が事務を分担する作業についても適用されうると解されており、チームによる外科手術の事案について信頼の原則を適用した裁判例もある（札幌高判昭51.3.18）。

以上より、ア－正、イ－正、ウ－誤であり、正解は**1**となる。

刑法　違法性阻却事由　2021年度 専門 No.21

違法性に関する次のア～エの記述のうち、妥当なもののみを全て挙げているものはどれか（争いのあるときは、判例の見解による。）。

ア　過剰避難について、その刑を減軽も免除もしないことは許されない。
イ　緊急避難における「現在の危難」は、自然災害であっても適法な行為であっても構わない。
ウ　私人による現行犯逮捕は、法令による行為として違法性が阻却される。
エ　避難行為から生じた害が、避けようとした害の程度を超えたとしても、緊急避難が成立する余地がある。

1　ア、イ

2　ア、ウ

3　イ、ウ

4　イ、エ

5　ウ、エ

解説　正解　3

TAC生の選択率　32%　TAC生の正答率　56%

ア　×　「減軽も免除もしないことは許されない」という部分が妥当でない。過剰避難は、情状により、その刑を減軽し、又は免除することができる（37条１項ただし書、任意的減免）。したがって、刑を減軽するか免除するかは任意なので、どちらも行わないことも許される。

イ　○　通説により妥当である。緊急避難における「現在の」（37条１項本文）とは、正当防衛における「急迫」（36条１項）と同義であり、危難が現在していること、又は、間近に迫っていることをいう。「危難」（37条１項本文）とは、法益侵害又はその危険のある状態をいうが、正当防衛とは異なり不正であることを要しないから、自然災害であっても適法行為であってもよい。

ウ　○　条文により妥当である。現行犯逮捕は何人でも行うことができるので（刑事訴訟法213条）、私人による現行犯逮捕は「法令による行為」（35条）に該当し、違法性が阻却される。

エ　×　「緊急避難が成立する余地がある」という部分が妥当でない。緊急避難が成立するのは、生じた害（侵害法益）が避けようとした害（保全法益）の程度を超えなかった場合に限られるので（37条１項本文）、侵害法益が保全法益を超えた場合には緊急避難が成立しない。

以上より、妥当なものはイ、ウであり、正解は**3**となる。

刑法	正当防衛	2022年度 専門 No.22

正当防衛に関する次のア～ウの記述の正誤の組合せとして最も妥当なものはどれか（争いのあるときは、判例の見解による。）。

ア　正当防衛が認められる場合には、その刑を減軽又は免除しなければならない。
イ　法益の侵害があらかじめ予期された場合、事前に何かしらの対抗手段を講ずることが可能だから、その侵害に対する対抗行為について、正当防衛は成立しない。
ウ「急迫不正の侵害」の「不正」とは、違法を意味するため、正当防衛行為に対する正当防衛は成立しないが、過剰防衛行為に対する正当防衛は成立する。

	ア	イ	ウ
1	正	正	正
2	正	誤	正
3	誤	誤	正
4	正	正	誤
5	誤	正	誤

解説　**正解　3**　TAC生の選択率 25%　TAC生の正答率 32%

ア　×「その刑を減軽又は免除しなければならない」という部分が誤っている。正当防衛が認められるときは、違法性が阻却され、犯罪不成立となる（36条１項）。

イ　×「正当防衛は成立しない」という部分が誤っている。判例は、刑法36条１項の「急迫不正の侵害」にいう「急迫」とは、法益の侵害が現に存在しているか、又は間近に迫っていることをいうとしたうえで、法益の侵害が予期されたものであるとしても、そのことから直ちに急迫性を失うものではないとしている（最判昭46.11.16）。したがって、あらかじめ予期された侵害に対する対抗行為であっても、正当防衛は成立し得る。

ウ　○　通説により正しい。刑法36条１項の「急迫不正の侵害」にいう「不正」とは、違法（違法性があること）を意味すると解されている。したがって、正当防衛行為は違法性が阻却されるので「不正」に該当せず、これに対する正当防衛は成立しない。しかし、過剰防衛行為は刑の任意的減免事由にすぎず（36条２項）、違法性が阻却されないので「不正」に該当し、これに対する正当防衛は成立する。

以上より、ア－誤、イ－誤、ウ－正であり、正解は**3**となる。

刑法　正当防衛

2021年度
専門 No.26

正当防衛に関する次のア～エの記述のうち、妥当なもののみを全て挙げているものはどれか（争いのあるときは、判例の見解による。）。

ア　侵害の急迫性の要件は、行為者の意思内容を考慮せずに専ら客観的な状況を考慮して判断する。
イ　防衛の意思があるだけでなく攻撃の意思が併存している場合であっても、正当防衛は成立し得る。
ウ　侵害を受けた場合であっても、近くの者に救いを求めることができる場合には、侵害の急迫性の要件に欠けるため、正当防衛は成立しない。
エ　自ら先行して暴行を加えた結果、相手方がすぐに攻撃を加えてきた場合には、その攻撃が自らの暴行の程度を大きく超えるものでない限り、これに反撃して暴行を加えても正当防衛は成立しない。

1　ア、イ

2　ア、エ

3　イ、ウ

4　イ、エ

5　ウ、エ

解説　正解　4　TAC生の選択率 32%　TAC生の正答率 74%

ア　×「行為者の意思内容を考慮せずに専ら客観的な状況を考慮して判断する」という部分が妥当でない。判例は、行為者が侵害を予期した上で対抗行為に及んだ場合、侵害の急迫性の要件については、侵害を予期していたことから、直ちにこれが失われると解すべきではなく、対抗行為に先行する事情を含めた行為全般の状況に照らして検討すべきとする。具体的には、事案に応じ、行為者と相手方との従前の関係、予期された侵害の内容、侵害の予期の程度、侵害回避の容易性、侵害場所に出向く必要性、侵害場所にとどまる相当性、対抗行為の準備の状況、実際の侵害行為の内容と予期された侵害との異同、行為者が侵害に臨んだ状況及びその際の意思内容等を考慮し、行為者がその機会を利用し積極的に相手方に対して加害行為をする意思で侵害に臨んだときなど、刑法36条の趣旨に照らし許容されるものとはいえない場合には、侵害の急迫性の要件を充たさないとしている（最決平29.4.26）。同判例によれば、行為者の意思内容も考慮して、侵害の急迫性の要件を満たすかどうかを判断することになる。

イ　○　判例により妥当である。判例は、急迫不正の侵害に対し自己又は他人の権利を防衛するためにした行為と認められる限り、その行為は、同時に侵害者に対する攻撃的な意思に出たものであっても、正当防衛のためにした行為にあたるとしている（最判昭50.11.28）。

ウ　×「侵害の急迫性の要件に欠けるため」という部分が妥当でない。判例は、被告人が脱出できる状況にあったとか、近くの者に救いを求めることができたなど、法益に対する侵害を避けるため他にとるべき方法があったかどうかは、防衛行為としてやむをえないものであるかどうか（防衛行為の相当性）の問題であり、侵害が急迫であるかどうか（侵害の急迫性）の問題ではないとしている（最判昭46.11.16）。したがって、近くの者に救いを求めることができる場合には、防衛行為の相当性の要件を欠くと判断される余地はあるとしても、侵害の急迫性の要件を欠くことにはならない。

エ　○　判例により妥当である。判例は、被告人が、自らの暴行により相手方の攻撃を招き、これに対する反撃としてした傷害行為は、被告人が不正な行為により自ら侵害を招いたものであるから、相手方の攻撃が被告人の暴行の程度を大きく超えるものでないなどの事実関係の下では、当該傷害行為について正当防衛が成立しないとしている（最決平20.5.20）。

以上より、妥当なものはイ、エであり、正解は**4**となる。

刑法　被害者の承諾　2022年度 専門 No.21

被害者の承諾（同意）に関する次のア〜ウの正誤の組合せとして最も妥当なものはどれか（争いのあるときは、判例の見解による。）。

ア　甲は、Ｖを脅迫してその意思を抑圧した上で、「殴っていいよ」と言わせて、Ｖを殴って暴行を加えた。この場合、甲の暴行行為は、Ｖの承諾により違法性が阻却される。

イ　甲は、Ｖの腕を手で殴ることについてＶから承諾を得たものの、手ではなく金属バットで、Ｖの腕を殴った。この場合、金属バットで殴ることについての承諾はないから、甲の暴行行為は、違法性が阻却されない。

ウ　甲は、手でＶの顔面を殴り、軽度の傷害を負わせたが、その傷害結果が発生した後に、手で顔面を殴ることについてＶの承諾を得た。この場合、甲の暴行行為は、Ｖの承諾により違法性が阻却される。

	ア	イ	ウ
1	誤	正	誤
2	正	誤	正
3	正	正	誤
4	正	正	正
5	誤	誤	正

解説　**正解　1**　TAC生の選択率 25%　TAC生の正答率 91%

ア　×「Vの承諾により違法性が阻却される」という部分が誤っている。被害者の承諾（同意）が有効なものとなる要件として、①被害者（承諾をした者）が自ら処分できる法益に関するものであること（原則として個人的法益に関するもの）、かつ、②承諾能力（承諾事項の内容と意味を理解しうる能力）を有する者の真意による承諾であることが必要となる（最大判昭25.10.11）。Vの承諾は、その意思が抑圧されている状態下によるので、真意による承諾でなく、②を満たさない。したがって、Vの承諾は無効なので、Vの承諾により違法性が阻却されない。

イ　〇　判例により正しい。判例は、被害者が身体傷害を承諾した場合に傷害罪が成立するか否かは、単に承諾が存在するという事実だけでなく、承諾を得た動機、目的、身体傷害の手段、方法、損傷の部位、程度など諸般の事情を照らし合せて決すべきであるとしている（最決昭55.11.13）。Vは、自らを金属バットで殴ることを承諾していないので、そもそも金属バットで殴ることについて被害者の承諾が存在せず、甲の暴行行為は違法性が阻却されない。

ウ　×「Vの承諾により違法性が阻却される」という部分が誤っている。被害者の承諾は、実行行為の時に存在することを要し、事後の承諾は違法性を阻却しない（大判大12.3.13）。したがって、甲の暴行行為は、事後のVの承諾によっても違法性が阻却されない。

以上より、アー誤、イー正、ウー誤であり、正解は**1**となる。

刑法　被害者の承諾　2020年度 専門 No.23

被害者の承諾（同意）に関する次のア～エの記述の正誤の組合せとして最も妥当なものはどれか（争いのあるときは、判例の見解による。）。

ア　子分のAが「不始末をしたので指をつめて詫びたい」と申し出たので、暴力団の幹部である甲は、Aの小指を切り落とした。甲の行為に傷害罪は成立しない。
イ　甲は、強盗の意図を隠してA宅の玄関で「こんばんは」と言ったところ、来客と勘違いしたAが「どうぞお入りください」と言ったので、A宅に入った。甲の行為に住居侵入罪は成立しない。
ウ　甲は、留守中のA宅の庭の水道の蛇口から水があふれ出ているのを見つけ、これを止めるため、無断でA宅の庭に立ち入った。甲の行為に住居侵入罪は成立しない。
エ　甲は、12歳の少女Aの同意を得て、Aにわいせつ行為を行った。甲の行為に強制わいせつ罪は成立しない。

	ア	イ	ウ	エ
1	誤	誤	正	誤
2	誤	正	誤	誤
3	誤	誤	正	正
4	正	誤	誤	正
5	正	正	誤	誤

解説　**正解　1**　TAC生の選択率 63%　TAC生の正答率 92%

本問は、被害者の承諾（同意）に関する知識を問う問題である。被害者の承諾（同意）の刑法上の効果としては、①承諾が犯罪の成否に影響しない、②承諾が構成要件要素となって法定刑が減軽されている、③承諾のないことが明示又は黙示の構成要件要素とされている（承諾によって構成要件該当性が阻却される）、④承諾によって行為の違法性が阻却される、の4つに分類される。

ア　**×**「甲の行為に傷害罪は成立しない」という部分が誤っている。下級審裁判例ではあるが、本記述と同様の事案について、たとえ被害者の承諾があったとしても、被告人（甲）の行為は、公序良俗に反するとしかいいようのない指つめに関わるものであり、その方法も医学的な知識に裏付けされた消毒等適切な措置を講じた上で行われたものではなく、全く野蛮で無残な方法であり、このような態様の行為が社会的に相当な行為として違法性が失われると解することはできないとした（仙台地判石巻支部昭62.2.18）。したがって、甲の行為には傷害罪（204条）が成立する。

イ　**×**「甲の行為に住居侵入罪は成立しない」という部分が誤っている。判例は、本記述と同様の事案について、外見上家人（A）の承諾があったように見えても、真実においてはその承諾を欠くものであり（Aは甲を来客と勘違いして発信している）、住居侵入罪が成立するとしている（最大判昭24.7.22）。住居侵入罪（130条前段）は、管理権者の意思に反して住居に立ち入ることを構成要件とする犯罪であって、管理権者の承諾によって構成要件該当性が阻却されるので、上記③に該当する。しかし、家人の承諾に欠ける本記述の場合は、構成要件該当性が阻却されないから、甲の行為には住居侵入罪（同条）が成立する。

ウ　**○**　通説により正しい。本記述は、いわゆる推定的承諾に関するものである。推定的承諾とは、被害者の明示又は黙示の承諾はないが、被害者が事態を認識していたならば当然に承諾を与えるであろうと判断される場合に、被害者の同意があるものと扱う考え方である（通説）。本記述の事案では、庭の水道の蛇口から水があふれ出ているのを見つけ、これを止めるためA宅の庭に立ち入ることについては、Aが当然に承諾するであろうと判断されるので、無断での立入りであっても推定的承諾が認められると解される。したがって、上記③にあたり、住居侵入罪（130条前段）の構成要件該当性が阻却され、甲の行為に住居侵入罪（同条）は成立しない。

エ　**×**「甲の行為に強制わいせつ罪は成立しない」という部分が誤っている。13歳未満の者に対してわいせつ行為をしたときは、その者の承諾の有無を問わず、強制わいせつ罪が成立するので（176条後段）、強制わいせつ罪は上記①に該当する。したがって、甲の行為には強制わいせつ罪（176条後段）が成立する。

以上より、ア：誤、イ：誤、ウ：正、エ：誤であり、正解は**1**となる。

刑法 責任能力

責任能力に関する次のア〜ウの記述の正誤の組合せとして最も妥当なものはどれか（争いのあるときは、判例の見解による。)。

ア　責任能力は実行行為時に存在しなければならないから、実行行為時に心神喪失状態であれば、心神喪失状態に陥った原因を自ら作出した場合であっても、責任能力が否定され、処罰することができない。

イ　事理弁識能力及び行動制御能力のいずれか一方を欠いていれば、他方の能力の程度いかんを問わず、心神喪失状態であるといえる。

ウ　心神喪失又は心神耗弱に該当するかどうかの判断は法律判断であり、究極的には精神科医ではなく裁判所が判断すべきものである。

	ア	イ	ウ
1	正	正	誤
2	正	誤	誤
3	誤	正	正
4	誤	誤	正
5	誤	誤	誤

解説　正解 3

TAC生の選択率 25%　TAC生の正答率 47%

ア　×　全体が誤っている。自ら心神喪失・心神耗弱の状態を作出し、犯罪の結果を惹起した場合には、その結果について完全な責任を問うとする法理を原因において自由な行為といい、判例もこの考え方を認めている（最大判昭26.1.17等)。もっとも、行為者に完全な責任を問うための理論構成については大きく分けて、①責任能力と実行行為との同時存在（同時存在の原則）を要求する見解と、②同時存在の原則の例外を認める（修正する）見解がある。例えば、②の見解の一つは、実行行為＝結果行為（犯罪結果を直接引き起こした行為）であるとし、実行行為時＝結果行為時に心神喪失状態又は心神耗弱状態であっても、原因行為（心神喪失又は心神耗弱の状態を自ら招いた行為）の時点で責任能力があれば、行為者に完全な責任を問うことができると説明する。

イ　○　判例により正しい。判例は、心神喪失とは、精神の障害により、事理弁識能力（事物の理非善悪を弁識する能力）又は行動制御能力（その弁識に従って行動する能力）がない状態であるとしている（大判昭6.12.3)。したがって、どちらか一方を欠いている状態であれば、心神喪失であると判断される。

ウ　○　判例により正しい。判例は、被告人の精神状態が刑法39条にいう心神喪失又は心神耗弱に該当するかどうかは法律判断であるから、専ら裁判所の判断に委ねられているとしている（最決昭59.7.3)。

以上より、ア－誤、イ－正、ウ－正であり、正解は**3**となる。

刑法　責任能力　2021年度 専門 No.24

責任能力に関する次のア～エの記述のうち、妥当なもののみを全て挙げているものはどれか（争いのあるときは、判例の見解による。）。

ア　犯行時に心神耗弱の状態にあったと認められれば、刑は必ず減軽される。
イ　14歳に満たない者は、行為の是非を弁識する能力及びこの弁識に従って行動する能力に欠けることがない場合であっても、責任能力は認められない。
ウ　精神の障害がない場合、心神喪失は認められないが、心神耗弱が認められる余地はある。
エ　責任能力の有無・程度は、行為者の犯行当時の精神状態だけではなく、行為者の犯行前の生活状況、犯行の動機・態様等のほか、被害者やその遺族の処罰感情も含む諸事情を総合的に考慮して判断される。

1　ア、イ

2　ア、ウ

3　イ、ウ

4　イ、エ

5　ウ、エ

解説　**正解　1**　TAC生の選択率 32%　TAC生の正答率 24%

ア　○　条文により妥当である。心身耗弱者の行為は、その刑を減軽する（39条２項、必要的減軽）。したがって、犯行時に心神耗弱状態だったと認められれば、刑は必ず減軽される。

イ　○　条文により妥当である。14歳に満たない者の行為は、罰しない（41条）。同規定は、14歳未満の者の責任能力を一律に否定するものである。

ウ　×「心神喪失は認められないが」という部分が妥当でない。判例は、被告人の精神状態が刑法39条にいう心神喪失又は心神耗弱に該当するかどうかは法律判断であるから、専ら裁判所の判断に委ねられているとしている（最決昭59.7.3）。したがって、被告人に精神の障害がなくても、裁判所によって心神耗弱と認められる余地だけではなく、心神喪失と認められる余地もある。

エ　×「被害者やその遺族の処罰感情も含む」という部分が妥当でない。判例は、被告人の責任能力の有無及び程度は、被告人の犯行当時の病状、犯行前の生活状態、犯行の動機・態様等を総合して判断すべきであるとしている（最決昭59.7.3）。同判例によれば、責任能力の有無は被告人自身の事情を総合的に考慮して判断すべきであって、被害者やその遺族の処罰感情を考慮することはできない。

以上より、妥当なものはア、イであり、正解は**1**となる。

刑法　錯誤　2022年度 専門 No.25

錯誤に関する次のア～ウの記述の正誤の組合せとして最も妥当なものはどれか（争いのあるときは、判例の見解による。）。

ア　甲は、覚醒剤を輸入するつもりで麻薬を輸入した。覚醒剤と麻薬では薬物の効果や取締りの目的等が大きく異なるから、構成要件の重なり合いは認められず、甲には麻薬輸入罪の故意は認められない。

イ　甲が乙に対し、A家での窃盗を教唆したところ、乙が隣のB家をA家と間違えて窃盗を実行した場合、甲にはB家で窃盗をする認識はないから、故意が認められず、窃盗罪の教唆は成立しない。

ウ　甲が、乙を殺害する目的で拳銃を発砲したところ、銃弾が乙を貫き偶然近くにいた丙にも命中し、乙も丙も死亡した場合、甲には、乙に対する殺人罪だけでなく、丙に対する殺人罪も成立する。

	ア	イ	ウ
1	正	正	誤
2	正	誤	誤
3	誤	正	正
4	誤	誤	正
5	誤	正	誤

解説　正解 4　TAC生の選択率 25%　TAC生の正答率 86%

ア　×「覚醒剤と麻薬では薬物の効果や取締りの目的等が大きく異なるから、構成要件の重なり合いは認められず、甲には麻薬輸入罪の故意は認められない」という部分が誤っている。判例は、麻薬と覚せい剤（覚醒剤）とは、ともにその濫用による保健衛生上の危害を防止する必要上、麻薬取締法及び覚せい剤取締法による取締りの対象とされているので、両者の取締りの目的は同一であるとする。そのうえで、覚せい剤輸入罪を犯す意思で麻薬輸入罪にあたる事実を実現した場合、両罪の構成要件は実質的に全く重なり合っているから、麻薬を覚せい剤と誤認した錯誤は、生じた結果である麻薬輸入の罪についての故意を阻却するものではないとしている（最決昭54.3.27）。したがって、甲には麻薬輸入罪の故意が認められる。

イ　×「故意が認められず、窃盗罪の教唆は成立しない」という部分が誤っている。本記述は具体的事実の錯誤（同一構成要件内の錯誤）のうち客体の錯誤の事例である。判例は、犯罪の故意があるとするには、罪となるべき事実の認識を必要とするが、犯人が認識した罪となるべき事実と現実に発生した事実とが必ずしも具体的に一致することを要するものではなく、両者が法定の範囲内において一致することをもって足りるとしている（最判昭53.7.28、法定的符合説）。したがって、A家での窃盗の教唆（甲が認識した事実）とB家での窃盗の教唆（現実に発生した事実）とが窃盗罪（235条）の範囲内において一致するから、甲には故意が認められ、窃盗罪の教唆（61条1項）が成立する。

ウ　○　判例により正しい。本記述は具体的事実の錯誤のうち方法の錯誤の事例である。判例は、「人を殺す意思のもとに殺害行為に出た以上、犯人の認識しなかつた人に対してその結果が発生した場合にも、右の結果について殺人の故意があるものというべきである」（最判昭53.7.28）として、認識内容と同一の客体（乙）に加え、認識内容と異なる客体（丙）にも犯罪結果が生じた場合、生じた犯罪結果の数だけ故意犯が成立することを認めている（数故意犯説）。したがって、甲には、乙に対する殺人罪だけでなく、丙に対する殺人罪も成立する。なお、数故意犯説に立つ場合、成立する各罪は観念的競合（54条1項前段）になると解されている。

以上より、ア－誤、イ－誤、ウ－正であり、正解は**4**となる。

刑法　事実の錯誤

2021年度
専門 No.23

故意に関する次のア～エの記述のうち、妥当なもののみを全て挙げているものはどれか（争いのあるときは、判例の見解による。）。

ア　甲が乙を殺害する意図で、乙を狙い拳銃を発射したところ、弾丸は乙に命中せず、乙が散歩中に連れていた乙の犬に当たって死なせた場合、器物損壊罪は成立しない。
イ　甲が乙を殺害する意図で、乙を狙い拳銃を発射したところ、弾丸は乙に命中せず、乙の知人である丙に命中し、丙が死亡した場合、殺人罪は成立しない。
ウ　甲は隣人乙の家の前に置いてあった自転車を、乙の所有物と認識して持ち去ったが、実際には、その自転車は無主物だった場合、遺失物等横領罪が成立する。
エ　甲は乙を崖から海に突き落として溺死させようと思い、乙を崖から突き飛ばしたところ、乙は落下する途中で、崖壁に頭を強打して即死した場合、死因が溺死でなくても、殺人罪が成立する。

1　ア、ウ

2　ア、エ

3　イ、ウ

4　イ、エ

5　ウ、エ

解説　正解　2

TAC生の選択率 32%　TAC生の正答率 36%

ア　○　判例により妥当である。本記述は抽象的事実の錯誤の事案である。抽象的事実の錯誤とは、事実の錯誤のうち認識していた犯罪事実と発生した犯罪事実が各々異なる構成要件に該当する場合をいう。判例は、原則として発生した犯罪事実についての故意犯を否定するが、認識していた犯罪事実と発生した犯罪事実の構成要件が実質的に重なり合っている場合には、その重なり合う限度で軽い方の犯罪事実（同じ重さの場合は発生した犯罪事実）の故意犯を認めるものとしている（最決昭54.3.27）。甲は、人を殺す意思で、物を壊す（動物は「物」に含まれる）結果を生じさせており、認識した犯罪事実と発生した犯罪事実の構成要件の実質的な重なり合いがないので、器物損壊罪（261条）は成立しない。

イ　×　「殺人罪は成立しない」という部分が妥当でない。本記述は具体的事実の錯誤のうち方法の錯誤の事案である。具体的事実の錯誤とは、事実の錯誤のうち認識していた犯罪事実と発生した犯罪事実が同一の構成要件に該当する場合をいい、方法の錯誤とは、行為の客体に関する認識に誤りはなかったものの、意図した客体とは異なる客体に結果が発生した場合をいう。判例は、認識していた犯罪事実と発生した犯罪事実の構成要件が重なり合うので、発生した犯罪事実についての故意犯を肯定する（最判昭53.7.28）。甲は、人を殺す意思で、人を殺す結果を生じさせているので、認識した犯罪事実と発生した犯罪事実の構成要件が重なり合っており、丙に対する殺人罪（199条）が成立する。

ウ　×　「遺失物等横領罪が成立する」という部分が妥当でない。無主物は「占有を離れた他人の物」ではないため、遺失物等横領罪（254条）の客体にならない。したがって、甲は、遺失物横領等の結果を生じさせていないから、遺失物等横領罪は成立しない。

エ　○　判例により妥当である。本記述は因果関係の錯誤の事案である。因果関係の錯誤とは、行為者の認識予見した因果関係と異なる因果関係で結果が発生した場合をいう。この場合、行為者の認識予見した因果経過と現実に発生した因果経過とが相当因果関係の範囲内で符合している限り、故意を阻却しないと解されている（最決平16.3.22参照）。本記述の事案は、溺死して死亡する結果（認識予見したもの）と、崖壁にぶつかって死亡する結果（現実に発生したもの）は、いずれも人を崖から海に突き落としたことの結果として生じるのが相当なので、両者の因果経過は相当因果関係の範囲内で符合している。したがって、甲には殺人罪（199条）が成立する。

以上より、妥当なものはア、エであり、正解は**2**となる。

刑法　未遂　2020年度 専門 No.22

　未遂に関する次のア～ウの記述の正誤の組合せとして最も妥当なものはどれか（争いのあるときは、判例の見解による。）。

ア　甲は、乙のズボンのポケットから財布の一部が出ていることを見つけ、これをすり取ろうとして手を差し伸べ、同ポケットの外側に触れた。この場合、財布に直接触れてはいないが、窃盗罪の実行の着手が認められる。
イ　甲は、乙の家に侵入して金品を盗もうと考え、乙の家の台所の窓から侵入して様子をうかがうと、家の奥から人の気配がしたため、何も盗らずに台所の窓から逃げ出した。この場合、窃盗罪の実行の着手が認められる。
ウ　中止犯が成立する場合の刑は、任意的減軽又は免除である。

	ア	イ	ウ
1	正	誤	誤
2	正	誤	正
3	正	正	誤
4	誤	正	誤
5	誤	誤	正

解説　正解 1　TAC生の選択率 63%　TAC生の正答率 56%

ア　○　判例により正しい。本記述同様の事案で、判例は、被害者のズボン右ポケットから現金をすり取ろうとして同ポケットに手を差しのべその外側に触れた以上、窃盗の実行に着手したものと解すべきであるとしている（最決昭29.5.6）。

イ　×「窃盗罪の実行の着手が認められる」という部分が誤っている。本記述同様の事案で、判例は、窃盗の目的で他人の家に侵入し、金品の物色のためにたんすに近寄ったときには、窃盗罪の実行の着手が認められるとしたが、窃盗の目的で住居に侵入しただけでは、いまだ窃盗罪の着手とは言えないとしている（大判昭9.10.19）。

ウ　×「任意的」という部分が誤っている。中止犯（中止未遂）とは、未遂犯の一つであり、犯罪の実行に着手後、自己の意思により犯罪を中止した場合をいい、刑法は「その刑を減軽し、又は免除する」（43条ただし書）と規定するので、中止犯は必要的減軽又は免除となる。

以上より、ア：正、イ：誤、ウ：誤であり、正解は**1**となる。

刑法　中止犯

2023年度
専門 No.24

中止犯に関する次のア～オの記述のうち、妥当なもののみを全て挙げているものはどれか（争いのあるときは、判例の見解による。）。

ア　既遂犯が成立する場合にも、結果発生防止のため真摯な努力をしていれば、中止未遂が成立する。
イ　予備罪においても、中止犯が成立し得る。
ウ　犯罪の実行に着手した後、犯行の発覚を恐れて犯行を中止した場合でも、結果発生を防いだときには中止犯は成立する。
エ　中止犯が成立するためには、必ずしも行為者が単独で結果発生を防止する必要はない。
オ　中止犯が成立する場合、必要的に刑が減免される。

1　ア、イ

2　ア、オ

3　イ、ウ

4　ウ、エ

5　エ、オ

解説　**正解　5**　TAC生の選択率 26%　TAC生の正答率 70%

ア　×「中止未遂が成立する」という部分が妥当でない。中止犯は、①自己の意思により、②犯罪を中止したときに成立する（43条ただし書）。そして、「犯罪を中止した」とは、犯罪の完成を妨げるための中止行為によって結果の発生を阻止したことをいうので、犯罪が既遂に達した（既遂犯が成立した）以上、中止未遂は成立しない。

イ　×「中止犯が成立し得る」という部分が妥当でない。予備罪は、結果の発生を必要としない挙動犯であるから、中止犯は成立しない。判例も、「予備罪には中止未遂の観念を容れる余地のないものである」として、強盗予備罪の中止犯の成立を否定している（最判昭29.1.20）。

ウ　×「犯行の発覚を恐れて犯行を中止した場合でも」という部分が妥当でない。中止未遂が成立するには、「自己の意思により」犯罪を中止することを要する（中止の任意性）。この任意性の判断基準について争いがあるが、判例は、放火をした者が、犯罪の発覚を恐れて放火の媒介物を取り除き消し止めた場合には、中止の任意性を認めず、障害未遂としている（大判昭12.9.21）。

エ　○　判例により妥当である。判例は、放火後に炎が燃え上がるのをみて驚愕した行為者が、他人に「放火したからよろしく頼む」と言って走り去った事案において、結果発生を防止する行為は必ずしも行為者が独力で行う必要はないとしている（大判昭12.6.25）。なお、同判例はこれに続いて、自ら結果発生の防止行為を行わずに他人に依頼する場合は、少なくとも自らが防止行為を行ったと同視し得る程度の努力を要するとして、「よろしく頼む」と言い放ち去った場合には、自らが防止行為を行ったと同視し得る程度の努力とは認められないとし、中止未遂を認めなかった。

オ　○　条文により妥当である。刑法は、中止犯について「その刑を減軽し、又は免除する」（43条ただし書）と規定するので、中止犯は必要的減軽又は免除となる。

以上より、妥当なものはエ、オであり、正解は**5**となる。

刑法 共同正犯 2023年度 専門 No.25

共同正犯に関する次のア～エの記述のうち、妥当なもののみを全て挙げているものはどれか（争いのあるときは、判例の見解による。）。

ア　共同正犯における共謀は、共犯者が一同に会した場合でなければ成立しない。
イ　実行行為を行っていない者に共同正犯の責任を負わせるには、実行行為者に対して指揮命令をしていたことが必要である。
ウ　共同正犯が成立するためには、他の者による犯罪の実行を認識しているだけでなく、共同して犯行を実行する認識があることが必要である。
エ　共同正犯における共謀は、必ずしも事前に成立している必要はなく、行為の現場で成立するものでもよい。

1　ア、イ

2　ア、エ

3　イ、ウ

4　イ、エ

5　ウ、エ

解説　正解　5

TAC生の選択率 26%　TAC生の正答率 61%

ア　×「共犯者が一同に会した場合でなければ成立しない」という部分が妥当でない。判例は、甲と乙、乙と丙というように順次共謀が行われた事案で、甲と乙、乙と丙と順次に共謀が行われた場合でも、すべての者に共謀の成立を認めてよいとしている（最大判昭33.5.28、練馬事件）。したがって、共同正犯における共謀は、共犯者が一同に会して行う必要はない。

イ　×「実行行為者に対して指揮命令をしていたことが必要である」という部分が妥当でない。判例は、２人以上の者が、特定の犯罪を行うため、共同意思の下に一体となって互いに他人の行為を利用し、各自の意思を実行に移すことを内容とする謀議をなし、よって犯罪を実行した事実が認められる場合には、現場に赴かず、実行行為に関与しない者にも共謀共同正犯が成立するとしている（最大判昭33.5.28、練馬事件）。したがって、共謀共同正犯の成立に共犯者間の指揮命令関係は不要である。

ウ　○　判例により妥当である。判例は、共謀共同正犯における共謀の意義について、謀議が成立したというためには、単に他人が犯罪を行なうことを認識しているだけでは足らず、数人が互いに他の行為を利用して各自の犯意を実行する意思が存することを要するとしている（最判昭43.3.21）。

エ　○　判例により妥当である。判例は、共同正犯の成立には行為者双方の意思の連絡があることは必要であるが、それは必ずしも事前の打ち合わせのあることが必要なわけではないとしている（最判昭23.12.14）。したがって、行為の現場で成立したものであっても共同正犯における謀議となる。

以上より、妥当なものはウ、エであり、正解は**5**となる。

刑法　共犯

教唆犯及び幇助犯に関する記述として最も妥当なものはどれか（争いのあるときは、判例の見解による。）。

1　教唆犯を教唆した者は処罰されない。

2　教唆犯に対しては、正犯の刑を科し、幇助犯に対しては、従犯の刑を科する。

3　甲が乙に対し、窃盗を唆し、乙は窃盗を実行する気持ちになったが、結局、窃盗を実行しなかった。甲には、窃盗の教唆未遂罪が成立する。

4　乙は金品窃取後、甲に対し、その金品を甲宅に隠匿するようお願いし、甲は、それに応じた。甲には、窃盗の幇助罪が成立する。

5　甲は、既に窃盗の実行を決意していた乙に対し、さらに、窃盗の実行を唆した。甲には、窃盗の教唆罪が成立する。

解説　**正解　2**　TAC生の選択率 25%　TAC生の正答率 64%

1　×「処罰されない」という部分が妥当でない。教唆者を教唆した者についても、正犯の刑を科する（61条2項）。

2　○　条文により妥当である。人を教唆して犯罪を実行させた者（教唆犯）には、正犯の刑を科する（61条1項）。これに対して、正犯を幇助した者（幇助犯）は従犯とし（62条1項）、従犯の刑を科する（63条）。

3　×「窃盗の教唆未遂罪が成立する」という部分が妥当でない。教唆犯が成立するためには、正犯が実行行為に着手することを要する（実行従属性）。したがって、乙が窃盗の実行行為に着手していない以上、甲には窃盗の教唆未遂罪が成立しない。

4　×「窃盗の幇助罪が成立する」という部分が妥当でない。幇助とは、正犯でない者が、正犯による実行行為を援助したり、容易にさせたりすることであるから、実行行為の終了後の行為は幇助に該当しない。そうすると、乙による金品の窃盗が既遂に達した後、甲がその金品の隠匿の依頼に応じるのは、窃盗の実行行為の終了後の行為であり、窃盗の幇助に該当しない。したがって、甲には窃盗の幇助罪が成立しない。

5　×「窃盗の教唆罪が成立する」という部分が妥当でない。教唆とは、犯罪の実行の意思がない者に対し、特定の犯罪の実行を決意するようにそそのかすことである。そうすると、既に窃盗の実行を決意している（窃盗の実行の意思がある）乙に対し、さらに甲が窃盗の実行をそそのかしても、それは窃盗の教唆に該当しない。したがって、甲には窃盗の教唆罪が成立しない。

刑法　共犯

共犯に関する次のア～エの記述のうち、妥当なもののみを全て挙げているものはどれか（争いのあるときは、判例の見解による。）。

ア　乙がＡに暴行を加えて傷害を負わせた後、甲が乙と共謀の上加担してＡに暴行を加えて別個の傷害を負わせた場合、甲は、加担する前の乙の暴行により生じた傷害についても、傷害罪の共同正犯としての責任を負う。

イ　甲及び乙は、共謀の上、Ａに対し暴行を加え、両名の暴行によってＡは死亡したが、甲は殺人罪の故意を有していた一方、乙は傷害罪の故意を有するにとどまっていたという場合、両名には傷害致死罪の限度で共同正犯が成立する。

ウ　甲は、乙と共謀の上、乙が友人のＡから保管を任されている金銭を遊興のために費消した場合、甲自身はＡに委託されて当該金銭を占有していなくとも、横領罪の共同正犯としての責任を負う。

エ　甲は、乙に対して、Ａに嫌がらせをするためにＡ宅に侵入して強盗することを教唆し、乙は強盗を決意したものの、Ａ宅内への侵入方法が分からずこれを断念した。しかし、乙は、生活に窮していたことから金品が欲しいと考え、決意を新たにして無関係のＢの住居に侵入して強盗を遂げた。この場合、甲は、Ｂに対する住居侵入罪及び強盗罪の教唆犯の責任を負う。

1　ア、ウ

2　ア、エ

3　イ、ウ

4　イ、エ

5　ウ、エ

解説　正解　3

TAC生の選択率 32%　TAC生の正答率 37%

ア　×「甲は、加担する前の乙の暴行により生じた傷害についても、傷害罪の共同正犯としての責任を負う」という部分が妥当でない。判例は、他の者（乙）が被害者（A）に暴行を加えて傷害を負わせた後に、被告人（甲）が共謀加担した上、さらに暴行を加えて被害者の傷害を相当程度重篤化させた場合、被告人は、被告人の共謀及びそれに基づく行為と因果関係を有しない共謀加担前に既に生じていた傷害結果については、傷害罪（204条）の共同正犯（60条）としての責任を負うことはなく、共謀加担後の傷害を引き起こすに足りる暴行によって傷害の発生に寄与したことについてのみ、傷害罪の共同正犯としての責任を負うとしている（最決平24.11.6）。したがって、甲は、加担前の乙の暴行により生じた傷害については、傷害罪の共同正犯としての責任を負わない。

イ　○　判例により妥当である。判例は、殺人罪（199条）と傷害致死罪（205条）は、殺意の有無という主観的な面に差異があるだけで、その余の犯罪構成要件要素はいずれも同一であるから、暴行・傷害を共謀した被告人らのうちの一人（甲）が故意をもって殺人罪を犯した場合には、殺意のなかった者（乙）については、殺人罪の共同正犯と傷害致死罪の共同正犯の構成要件が重なり合う限度で、軽い傷害致死罪の共同正犯が成立するとしている（最決昭54.4.13）。同判例は、殺意のあった甲との間で、どの範囲の共同正犯が成立するのかは明らかにしていない。しかし、殺意のある甲と殺意のない保護責任者である乙との共同正犯の事案につき、甲には殺人罪が成立し、殺意のない乙との間では保護責任者遺棄致死罪（219条）の限度で共同正犯が成立するとした判例がある（最決平17.7.4）。したがって、本記述の両名には傷害致死罪の限度で共同正犯が成立すると解することができる。

ウ　○　判例により妥当である。判例は、他人の物について占有者でない者（甲）が、その物の占有者（乙）による横領罪（252条１項）に加担した事案につき、横領罪は身分により構成すべき犯罪であるから、刑法65条１項により共犯として処罰されるとしている（最判昭27.9.19）。したがって、甲には横領罪の共同正犯が成立する。

エ　×「甲は、Bに対する住居侵入罪及び強盗罪の教唆犯の責任を負う」という部分が妥当でない。判例は、教唆の内容である住居侵入窃盗を一旦断念した被教唆者が、新たな決意に基づき別の店舗で強盗を遂げた事案につき、教唆犯が被教唆者の行為について刑法上の責任を負うためには、教唆行為と被教唆者の行為との間に因果関係が認められなければならないとしている（最判昭25.7.11）。本記述の場合、乙は、甲による嫌がらせ目的の教唆とは無関係に、新たに金品目的の犯意を生じているので、甲の教唆行為と乙の住居侵入強盗との因果関係は否定され、甲には教唆犯は成立しない。

以上より、妥当なものはイ、ウであり、正解は**3**となる。

刑法　共犯

2020年度
専門 No.25

共犯に関する次のア～ウの記述の正誤の組合せとして最も妥当なものはどれか（争いのあるときは、判例の見解による。）。

ア　共謀共同正犯が成立するためには、実行行為を行わない者が実行行為の具体的内容の詳細を逐一認識している必要がある。
イ　数人の間で犯行に関する暗黙の意思の連絡があったとしても、明示的な謀議行為がなければ、共謀共同正犯は成立しない。
ウ　殺人の故意を有する者と傷害の故意を有する者との間でも、共同正犯が成立する場合がある。

	ア	イ	ウ
1	正	正	誤
2	正	誤	誤
3	誤	正	正
4	誤	誤	正
5	誤	誤	誤

解説　正解　4　TAC生の選択率 63%　TAC生の正答率 91%

ア　×「逐一認識している必要がある」という部分が誤っている。判例は、共謀者が共同正犯として処罰せられる所以(ゆえん)は、共犯者が共同意思の下に一体となって互いに他人の行為を利用して自己の意思を実行に移す点にあり、数名の者がある犯罪を行うことを通謀し、そのうち一部の者がその犯罪の実行行為を担当し遂行した場合には、他の実行行為に携わらなかった者も、これを実行した者と同様にその犯罪の責を負うべきもので、必ずしも通謀者において実行者の具体的行為の内容を逐一認識することを要しないものといわねばならないとしている（最判昭26.9.28）。

イ　×「明示的な謀議行為がなければ、共謀共同正犯は成立しない」という部分が誤っている。判例は、スワットと呼ばれるボディガードらが暴力団の組長を警護するためにけん銃を所持していた事案につき、暴力団の組長による直接指示がない場合でも、ボディガードらが自発的に被告人を警護するためにけん銃等を所持していることを確定的に認識しながら、それを当然のこととして受け入れて認容していたのであれば、ボディガードらとの間にけん銃等の所持につき黙示的に意思の連絡があったといえるとして、組長にはけん銃等の所持につきボディガードらとの間に共謀共同正犯が成立するとしている（最決平15.5.1、スワット事件）。

ウ　○　判例により正しい。判例は、殺人罪と傷害致死罪は、殺意の有無という主観的な面に差異があるだけで、その余の犯罪構成要件要素はいずれも同一であるから、暴行・傷害を共謀した被告人らのうちの一人が故意をもって殺人罪を犯した場合には、殺意のなかった者については、殺人罪の共同正犯と傷害致死罪の共同正犯の構成要件が重なり合う限度で軽い傷害致死罪の共同正犯が成立するとしている（最決昭54.4.13）。

以上より、ア：誤、イ：誤、ウ：正であり、正解は**4**となる。

刑法　人の身体に対する罪　2022年度 専門 No.29

人の身体に対する罪に関する次のア～ウの記述の正誤の組合せとして最も妥当なものはどれか（争いのあるときは、判例の見解による。）。

ア　暴行罪が、単に「暴行を加えた者」と規定せず、「暴行を加えた者が人を傷害するに至らなかったとき」と規定していることに照らせば、暴行罪における「暴行」とは、傷害の結果を惹き起こす程度のものでなければならない。
イ　暴行罪における「暴行」は、人の身体への接触を要しないので、狭い室内で脅かすために日本刀を振り回す行為も暴行罪における「暴行」にあたる。
ウ　傷害罪が客体として規定する「人の身体」には精神的機能を含まないので、精神的障害は傷害に含まれない。

	ア	イ	ウ
1	正	正	正
2	正	正	誤
3	誤	誤	正
4	誤	正	誤
5	誤	誤	誤

解説　正解　4　TAC生の選択率　25%　TAC生の正答率　75%

ア　×「傷害の結果を惹き起こす程度のものでなければならない」という部分が誤っている。確かに、暴行罪（208条）は、「暴行を加えた者が人を傷害するに至らなかったとき」に成立する。しかし、判例は、暴行罪はその性質上、傷害を生じさせる程度のものであることを要しないとしている（大判昭8.4.15）。

イ　○　判例により正しい。暴行罪（208条）における「暴行」とは、人の身体に対する有形力の行使（狭義の暴行）のことをいう（判例）。これを前提にして、狭い室内で脅かすために日本刀の抜き身を振り回す行為について、暴行罪における「暴行」にあたる（暴行罪が成立する）とした判例がある（最決昭39.1.28）。

ウ　×「精神的機能を含まないので、精神的障害は傷害に含まれない」という部分が誤っている。判例は、精神的機能の障害（精神的障害）を惹起した場合も、刑法にいう傷害に当たるとしている（最決平24.7.24）。精神的機能も傷害罪（204条）の客体である「人の身体」の一部であるから、精神的障害も傷害に含まれるものと判断したと考えられる。

以上より、ア－誤、イ－正、ウ－誤であり、正解は**4**となる。

傷害罪等に関する次のア～ウの記述の正誤の組合せとして最も妥当なものはどれか（争いのあるときは、判例の見解による。）。

ア　隣人への嫌がらせで、大音量のラジオを連日流し続けることにより、精神的ストレスを与えて睡眠障害に陥らせたような場合には、傷害罪が成立する。
イ　甲は、怪我をさせるつもりまではなかったが、Ｖの顔面を平手で叩いたところ、Ｖは全治２週間の打撲擦過傷を負った。甲には、傷害罪は成立しない。
ウ　同時傷害の特例（刑法第207条）は、挙証責任の転換を規定したものであり、適用範囲を厳格に解すべきであるから、傷害致死罪には適用されない。

	ア	イ	ウ
1	正	正	誤
2	正	誤	誤
3	誤	正	正
4	誤	正	誤
5	誤	誤	正

（参照条文）刑法
（同時傷害の特例）
第207条　二人以上で暴行を加えて人を傷害した場合において、それぞれの暴行による傷害の軽重を知ることができず、又はその傷害を生じさせた者を知ることができないときは、共同して実行した者でなくても、共犯の例による。

解説　正解　2

TAC生の選択率 26%　TAC生の正答率 78%

ア　○　判例により正しい。判例は、連日朝から深夜ないし翌未明まで、ラジオ及び目覚まし時計を大音量で鳴らし続けるなどして、隣家の住人に精神的ストレスを与えたことによる慢性頭痛症、睡眠障害、耳鳴り症にり患させる行為は、人の生理的機能を害することにあたるので、傷害罪が成立するとしている（最決平17.3.29）。

イ　×「傷害罪は成立しない」という部分が誤っている。判例は、傷害罪（204条）の成立には、傷害の原因たる暴行についての意思があれば足り、特に傷害の意思の存在を必要としないとしている（最判昭25.11.9）。これらは傷害罪が暴行罪（208条）との関係では結果的加重犯である旨を示したものである。したがって、Vについて全治２週間の傷害が生じていることから、傷害の故意のない（怪我をさせるつもりまではなかった）甲についても傷害罪が成立する。

ウ　×「適用範囲を厳格に解すべきであるから、傷害致死罪には適用されない」という部分が誤っている。判例は、同時傷害の特例（207条）の適用の前提となる事実関係の証明がされた場合、各行為者は、自己の関与した暴行がその傷害を生じさせていないことを立証しない限り、傷害についての責任を免れないとする。そして、共犯関係にない２人以上による暴行によって傷害が生じ更に当該傷害から死亡の結果が発生したという傷害致死の事案において、刑法207条適用の前提となる事実関係が証明された場合には、各行為者は、同条により、自己の関与した暴行が死因となった傷害を生じさせていないことを立証しない限り、当該傷害について責任を負い、更に当該傷害を原因として発生した死亡の結果についても責任を負うというべきであるとして、同時傷害の特例は傷害致死罪（205条）にも適用されるとしている（最決平28.3.24、最判昭26.9.20）。

以上より、ア－正、イ－誤、ウ－誤であり、正解は**2**となる。

刑法　傷害罪

2021年度
専門 No.27

傷害罪に関する次のア～エの記述のうち、妥当なもののみを全て挙げているものはどれか（争いのあるときは、判例の見解による。）。

ア　傷害罪については未遂処罰規定が存在するため、傷害の故意をもって他人の身体に攻撃を加えたが、傷害の結果が生じなかった場合、傷害未遂罪が成立する。
イ　傷害罪は、人の身体を保護法益とする罪であるから、被害者の同意の有無は、傷害罪の成否に影響を与えない。
ウ　刑法第207条の同時傷害の特例は、傷害罪の場合だけでなく、傷害致死罪の場合にも適用される。
エ　他人に毒物を飲ませて傷害の結果が生じた場合であっても、傷害罪は成立する。

1　ア、イ

2　ア、エ

3　イ、ウ

4　イ、エ

5　ウ、エ

解説　正解　**5**　TAC生の選択率 32%　TAC生の正答率 44%

ア　×「傷害罪については未遂処罰規定が存在するため」、「傷害未遂罪が成立する」という部分が妥当でない。傷害罪（204条）には未遂犯処罰規定がないが、暴行を加えた者が人を傷害するに至らなかった場合は、暴行罪（208条）として処罰される。これに対して、暴行によらない傷害未遂は処罰されない。

イ　×「被害者の同意の有無は、傷害罪の成否に影響を与えない」という部分が妥当でない。判例は、被害者が身体傷害を承諾した場合に傷害罪が成立するか否かは、単に承諾が存在するという事実だけでなく、承諾を得た動機、目的、身体傷害の手段、方法、損傷の部位、程度など諸般の事情を照らし合せて決すべきであるとしている（最決昭55.11.13）。したがって、被害者の承諾がある場合、傷害罪が成立しないことがある。

ウ　○　判例により妥当である。判例は、２人以上の者が共謀しないで、他人に暴行を加え傷害致死の結果を生じさせた者を知ることができない場合は、共同暴行者はいずれも傷害致死の責任を負うとして、同時傷害の特例（207条）を傷害致死罪（205条）の場合にも適用している（最判昭26.9.20）。

エ　○　判例により妥当である。判例は、病院で勤務中ないし研究中であった者に対し、睡眠薬等を摂取させたことによって、約６時間又は約２時間にわたり意識障害及び筋弛緩作用を伴う急性薬物中毒の症状を生じさせた行為は、傷害罪（204条）を構成するとしている（最決平24.1.30）。したがって、毒物を飲ませて傷害の結果を生じさせた場合、傷害罪が成立するということができる。

以上より、妥当なものはウ、エであり、正解は**5**となる。

刑法　窃盗罪　2023年度 専門 No.28

次のア～エの各事例における甲の罪責について判例の立場に従って検討した場合、甲に窃盗罪が成立するもののみを全て挙げているものはどれか。

ア　甲は、施錠された友人所有のキャリーバッグを預かり保管していたが、その中身を自分のものにしようと考え、友人に無断でキャリーバッグの施錠を解き、在中していた衣類を取り出した。
イ　甲は、勤務する会社のパソコン内に記録されていたデータを自分のものにしようと考え、会社に無断で自己の所有するUSBメモリにデータをコピーし、会社外に持ち出した。
ウ　甲は、宿泊していた旅館から貸与され着用していた浴衣を自分のものにしようと考え、支配人に「ちょっと向かいのポストまで手紙を出してくる」と虚偽を告げ、旅館を立ち去り、自宅に浴衣を持ち帰った。
エ　甲は、電車に乗っていた際、隣の客がかばんを置き忘れたまま下車したのを目撃し、かばんとその中身を自分のものにしようと考え、5つ先の駅でかばんを持って下車し、自宅に持ち帰った。

1　ア、ウ

2　ア、エ

3　イ、ウ

4　イ、エ

5　ウ、エ

解説　**正解 1**　TAC生の選択率 26%　TAC生の正答率 54%

ア **○** 甲に窃盗罪が成立する。窃盗罪（235条）は、他人の占有する財物を領得したときに成立する。委託を受けて、包装や施錠された財物（封緘物）を預かった場合、封緘物それ自体を領得したときは、受託者に占有があるので、窃盗罪ではなく横領罪（252条）が成立する。これに対して、判例は、封緘物を開封して内容物を領得した場合、内容物については委託者に占有があるので、窃盗罪の成立を認めている（最決昭32.4.25）。したがって、甲には、窃盗罪が成立する。

イ **×** 甲に窃盗罪は成立しない。判例は、刑法235条の「財物」とは、有体物である必要はなく、可動性と管理可能性を有し、これを所持し、その所持を継続、移転することを得るものであればよいとしている（大判明36.5.21、管理可能性説）。これを前提にすると、データ自体は財物に当たらないと解されるため（東京地判昭59.6.28参照）、会社のデータを「自己の所有する」USBメモリにコピーして持ち出す行為は、会社の財物を窃取しているといえない。したがって、甲には窃盗罪が成立しない。

ウ **○** 甲に窃盗罪が成立する。判例は、旅館の宿泊客が、不法領得の意思で、その旅館の提供したその所有の丹前、浴衣、帯、下駄を着用したまま旅館から立ち去る所為は、窃盗罪にあたるとしている（最決昭31.1.19）。したがって、甲には窃盗罪（235条）が成立する。

エ **×** 甲に窃盗罪は成立しない。判例は、列車内に置き忘れられた物について、法律上当然に乗務員の保管に係るものとはいえない（乗務員等の第三者の占有下にない）として、窃盗罪（235条）ではなく遺失物等横領罪（254条）が成立するとしている（大判大15.11.2）。したがって、甲には遺失物等横領罪が成立し、窃盗罪は成立しない。なお、被害者が荷物を置き忘れることをあらかじめ狙っていた者が、被害者が下車したすぐ後に荷物を奪った場合には窃盗罪が成立するとした裁判例がある（東京高判昭35.7.26）。

以上より、甲に窃盗罪が成立するものはア、ウであり、正解は**1**となる。

刑法　窃盗罪　2021年度 専門 No.29

窃盗罪に関する次のア～ウの記述の正誤の組合せとして最も妥当なものはどれか（争いのあるときは、判例の見解による。）。

ア　甲は、自己名義の口座に誤振込みがなされていることを認識したが、これを自分のものにしようと考え、キャッシュカードを用いて現金自動預払機から全額を引き出した。甲の行為には窃盗罪が成立する。

イ　甲は、乙に対するいやがらせの目的で、乙の所有する高価な陶磁器を破壊するために乙方からこれを持ち去った。甲の行為には窃盗罪が成立する。

ウ　甲は、旅館に宿泊した際、共同浴場の脱衣所において他の宿泊客が置き忘れた腕時計を見付けたため、自分のものにしようと考え、これを持ち去った。甲の行為には窃盗罪が成立する。

	ア	イ	ウ
1	正	誤	正
2	正	誤	誤
3	誤	正	正
4	誤	誤	正
5	正	正	正

解説　正解　1

TAC生の選択率 32%　TAC生の正答率 49%

ア　○　判例により正しい。裁判例であるが、誤振込みがあった金員を自己のキャッシュカードを用いてATMから引き出した行為につき、銀行の現金に対する占有を侵害したものとして、窃盗罪（235条）が成立するとしている（東京高判平6.9.12）。したがって、甲には窃盗罪が成立する。

イ　×　「甲の行為には窃盗罪が成立する」という部分が誤っている。判例は、窃盗罪の成立には不法領得の意思が必要であって、不法領得の意思とは、権利者を排除し他人の物を自己の所有物と同様に（権利者排除意思）、その経済的用法に従いこれを利用し又は処分する意思（利用処分意思）をいうとしている（最判昭26.7.13）。本記述の場合、乙への嫌がらせで破壊するという目的は、権利者排除意思も利用処分意思も認められないので、乙方から陶磁器を持ち去った甲の行為には窃盗罪が成立しない。

ウ　○　判例により正しい。裁判例であるが、旅館内の脱衣所に置き忘れた腕時計を自分のものにしようとして持ち去った行為につき、旅館主の占有を侵害したものとして、窃盗罪が成立するとしている（札幌高判昭28.5.7）。したがって、甲には窃盗罪が成立する。

以上より、ア：正、イ：誤、ウ：正であり、正解は**1**となる。

刑法	窃盗罪	2020年度 専門 No.26

窃盗の罪に関する記述として最も妥当なものはどれか（争いのあるときは、判例の見解による。）。

1 他人の不動産を侵奪した場合についても、窃盗罪が成立する。

2 自らが所有する財物についても、他人が占有していた場合には窃盗罪が成立する。

3 他人から財産上の利益のみを不正に得た場合についても、窃盗罪が成立する。

4 窃盗罪においては、法律上、未遂犯の処罰が予定されていない。

5 覚せい剤等の法禁物を窃取した場合については、窃盗罪が成立しない。

解説　正解　2

TAC生の選択率 63%　TAC生の正答率 71%

1 × 「窃盗罪が成立する」という部分が妥当でない。他人の不動産を侵奪した場合は、不動産侵奪罪が成立する（235条の２）。不動産は窃盗罪（235条）の客体とはなりえない。

2 ○ 条文により妥当である。刑法242条は、自己の財物であっても、他人が占有するものであるときは、刑法第36章の罪（窃盗罪、不動産侵奪罪、強盗罪等）については、他人の財物とみなすと規定する。したがって、自らが所有する財物についても他人が占有していた場合には、その財物を窃取すると窃盗罪が成立する（235条、242条）。

3 × 「窃盗罪が成立する」という部分が妥当でない。窃盗罪は他人の「財物」を窃取した場合に成立するのであり（235条）、財産上不法の利益を得た場合についての強盗罪（236条２項）や詐欺罪（246条２項）のような規定は置かれていない。現行法上、利益窃盗は不可罰である。

4 × 全体が妥当でない。窃盗罪については未遂犯処罰規定が置かれている（235条、243条）。

5 × 「窃盗罪が成立しない」という部分が妥当でない。判例は、刑法における財物奪取罪の規定は、人の財物に対する事実上の所持を保護しようとするものであって、財物を所持する者が、法律上正当にこれを所持する権限を有するかどうかを問わず、たとえ刑法上その所持を禁じられている場合でも、現実にこれを所持している事実がある以上、社会の法的秩序を維持する必要上、物の所持という事実上の状態それ自体が保護され、みだりに不正手段によってこれを侵すことを許さぬものとしている（最判昭24.2.15）。したがって、法律上所持が禁止されている法禁物を窃取した場合は、窃盗罪が成立する（235条）。

刑法　強盗罪　2022年度 専門 No.28

強盗の罪に関する次のア～エの記述のうち、妥当なもののみを全て挙げているものはどれか（争いのあるときは、判例の見解による。）。

ア　金品を強奪するため、殺意をもって相手の腹部を包丁で刺した者が、相手を死亡させてから、金品を奪取したときには、強盗殺人罪のみが成立する。
イ　強盗に使用する目的で凶器を携えて百貨店内を徘徊していた者が、呼び止めてきた警備員に対し凶器を振り回しながら逃走し、同人を負傷させたときには、強盗致傷罪が成立する。
ウ　強盗罪を犯した者が強制性交等罪を犯したときのみならず、強制性交等罪を犯した者が強盗罪を犯したときでも、強盗・強制性交等罪が成立する。
エ　強盗罪と強制性交等罪が別個の機会に行われたときでも、強盗・強制性交等罪が成立する。

1　ア、イ

2　ア、ウ

3　イ、ウ

4　イ、エ

5　ウ、エ

解説　正解 2

TAC生の選択率 25%　TAC生の正答率 44%

ア　○　判例により妥当である。判例は、強盗が殺意をもって人を死に致した場合、刑法240条後段のみを適用すべきであり、さらに重ねて殺人罪（199条）を適用すべきではないとしている（大連判大11.12.22）。

イ　×「強盗致傷罪が成立する」という部分が妥当でない。強盗致死傷罪は、強盗の機会に致死傷などの残虐な結果が生じるのが刑事学的に顕著であることから、そのような事態の発生を防止するために構成要件化されたものである。とすれば、致死傷の結果は強盗の機会に生じたものであることを要する。しかし、警備員を負傷させたのは財物奪取の実行に着手する前であり、強盗の実行の着手がないので、強盗の機会に負傷の結果が生じたとはいえない。したがって、強盗致傷罪（240条前段）は成立しない。

ウ　○　条文により妥当である。強盗の罪（236条、238条、239条）を犯した者が強制性交等の罪（177条、178条２項）を犯したときも、強制性交等の罪を犯した者が強盗の罪を犯したときも、強盗・強制性交等罪が成立する（241条１項）。

エ　×「強盗・強制性交等罪が成立する」という部分が妥当でない。強盗・強制性交等罪は、強盗の機会に強制性交等が行われることや、強制性交等の機会に強盗が行われることが、いずれも刑事学的に多いことから、両罪を結合して独立の構成要件として処罰するものである。とすれば、強盗・強制性交等罪が成立するには、強盗の罪と強制性交等の罪とが同一の機会に行われることを要する。したがって、両罪が別個の機会に行われたときは、強盗・強制性交等罪が成立しない。

以上より、妥当なものはア、ウであり、正解は**2**となる。

刑法　事後強盗罪　2021年度 専門 No.30

事後強盗罪に関する次のア～エの記述のうち、妥当なもののみを全て挙げているものはどれか（争いのあるときは、判例の見解による。）。

ア　窃盗犯人が逮捕を免れるために目撃者に暴行を加えたとしても、その暴行が窃盗の機会の継続中に行われたものでなければ、事後強盗罪は成立しない。
イ　窃盗の実行に着手していなくとも、家主に見つかり、逮捕を免れる目的で家主に暴行を加えて逃走した場合には、事後強盗未遂罪が成立する。
ウ　窃盗犯人が、罪跡を隠滅するために目撃者に暴行を加えたときにも事後強盗罪が成立する。
エ　窃盗犯人が、逮捕を免れる目的で殺意をもって被害者に暴行を加え、その暴行によって被害者を死亡させた場合は、事後強盗罪と殺人罪が成立する。

1　ア、イ

2　ア、ウ

3　イ、ウ

4　イ、エ

5　ウ、エ

解説　正解 2

TAC生の選択率 32%　TAC生の正答率 51%

ア　○　判例により妥当である。判例は、暴行・脅迫が窃盗の機会の継続中に行われたものということができない場合には、事後強盗罪（238条）が成立しないとしている（最判平16.12.10）。

イ　×　「事後強盗未遂罪が成立する」という部分が妥当でない。判例は、事後強盗罪の既遂又は未遂は、窃盗の既遂又は未遂によって決定されるとしている（最判昭24.7.9）。したがって、事後強盗未遂罪（238条、243条）が成立するには、窃盗の実行に着手していることが必要で、窃盗の実行着手前に発見されて暴行に及んでも、事後強盗未遂罪は成立しない。

ウ　○　判例により妥当である。事後強盗罪における暴行・脅迫の対象は、窃盗の被害者に限らず、目撃者や警察官といった第三者でも構わない。例えば、窃盗犯人が他人の居宅で財物を窃取した後もその天井裏に潜み、犯行の約3時間後に駆け付けた警察官に対し、逮捕を免れるため暴行を加えた事案につき、事後強盗罪の成立を認めた判例がある（最決平14.2.14）。

エ　×　「事後強盗罪と殺人罪が成立する」という部分が妥当でない。判例は、窃盗犯人が、逮捕を免れるために暴行を加えて被害者を死亡させた場合には、強盗致死罪（240条後段）が成立するとしている（大判大15.2.23）。また、刑法240条後段の罪は、強盗犯人が殺意をもって人を死に至らしめた場合も含むとしている（大連判大11.12.22）。これらの判例から、窃盗犯人が逮捕を免れるためにした暴行が殺意による場合で、被害者がその暴行によって死亡したときは、強盗殺人罪（240条後段）が成立することになる。

以上より、妥当なものはア、ウであり、正解は**2**となる。

刑法　財産に対する罪　2020年度 専門 No.30

次のア～ウの記述の正誤の組合せとして最も妥当なものはどれか（争いのあるときは、判例の見解による。）。

ア　不動産は、横領罪の客体である「物」に含まれる。
イ　恐喝罪の成立には、相手方に暴行を加えることが必要である。
ウ　詐欺罪の成立には、故意のほかに不法領得の意思が必要である。

	ア	イ	ウ
1	正	誤	誤
2	誤	正	正
3	正	誤	正
4	誤	正	誤
5	正	正	誤

解説　正解　3

TAC生の選択率 63%　TAC生の正答率 52%

ア　○　条文により正しい。不動産も有体物なので、横領罪（252条１項）の客体である「物」に含まれる（民法85条参照）。例えば、委託を受けて他人の不動産を占有する者が、当該不動産についてほしいままに売却等の所有権移転行為を行いその旨の登記を了した場合、当該不動産の所有権移転行為について横領罪の成立を肯定した判例がある（最大判平15.4.23）。

イ　×「相手方に暴力を加えることが必要である」という部分が誤っている。恐喝罪（249条１項）は、害悪の及ぶべきことを通知して相手方を畏怖させることにより財物を交付させる犯罪であるから（最判昭24.9.29）、相手方に暴力を加えることを要しない。

ウ　○　判例により正しい。詐欺罪（246条１項）の成立要件として、故意の他に不法領得の意思を必要とするのが判例である。例えば、郵便配達員を欺いて交付を受けた支払督促正本等について、廃棄するだけで外に何らかの用途に利用、処分する意思がなかった場合には、支払督促正本等に対する不法領得の意思を認めることができず、詐欺罪が成立しないとした判例がある（最決平16.11.30）。

以上より、ア：正、イ：誤、ウ：正であり、正解は**3**となる。

刑法　詐欺罪　2023年度 専門 No.26

詐欺罪に関する次のア～ウの記述の正誤の組合せとして最も妥当なものはどれか（争いのあるときは、判例の見解による。）。

ア　飲食店で代金を支払う意思がないことを隠して、料理を注文して受け取った場合、明示的に虚偽を述べたものではないが、詐欺罪は成立する。
イ　詐欺罪の客体である「財物」には、不動産は含まれない。
ウ　相手方を欺罔する行為があったとしても、相手方が錯誤に陥らず、憐憫の情などから財物が交付された場合には、詐欺罪は成立しない。

	ア	イ	ウ
1	正	正	正
2	正	正	誤
3	正	誤	正
4	誤	正	誤
5	誤	誤	誤

解説　正解　3

TAC生の選択率 26%　TAC生の正答率 60%

ア　○　判例により正しい。判例は、飲食店又は旅館で注文者又は宿泊者が、支払いの意思がないのに、その事情を告げずに単純に注文又は宿泊する場合は、その注文又は宿泊行為自体が欺罔行為であるとしている（大判大9.5.8）。

イ　×　「不動産は含まれない」という部分が誤っている。判例は、詐欺罪（246条1項）の目的は、現実に物の所在を移転することなく達成できるものであるから、その目的物は必ずしも移転が可能なものである必要はなく、詐欺罪の客体である「財物」には、不動産も含まれるとしている（大判明36.6.1）。

ウ　○　判例により正しい。詐欺罪（246条）の成立には、①欺罔行為により、②被害者が錯誤に陥り、③処分行為を行い、④財物、財産上の利益を取得する、以上について因果関係があることが必要となる。判例は、被害者が錯誤に陥らずに、財物を交付したときは上記②を欠き、欺罔行為から財物の取得までの間に因果関係が認められないことから、詐欺罪の未遂（246条、250条）が成立するにとどまるとしている（大判大11.12.22）。

以上より、ア－正、イ－誤、ウ－正であり、正解は**3**となる。

詐欺罪

詐欺罪に関する次のア～ウの記述の正誤の組合せとして最も妥当なものはどれか（争いのあるときは、判例の見解による。）。

ア　詐欺罪の成立には、相手方が財産的処分行為をするための判断の基礎となる重要な事項を偽ることが必要である。
イ　不作為も詐欺罪の欺く行為に当たりうる。
ウ　詐欺罪の構成要件である「財物を交付させる」とは、相手方の錯誤に基づく財産的処分行為によって財物の占有を取得することをいう。

	ア	イ	ウ
1	正	正	正
2	誤	誤	正
3	正	誤	誤
4	誤	正	誤
5	正	正	誤

解説　正解　1

TAC生の選択率 63%　TAC生の正答率 69%

ア　○　判例により正しい。判例は、不法入国を企図している他人に譲渡して搭乗させる意図を秘して、航空会社から搭乗券の交付を受けた事案において、詐欺罪における人を欺く行為とは、相手方において、交付の判断の基礎となる重要な事項を偽ることをいうとして、搭乗券の交付を請求する者自身が航空機に搭乗するかどうかは、係員らにおいてその交付の判断の基礎となる重要事項であるから、搭乗券の交付を受けた行為が刑法246条１項の詐欺罪を構成することは明らかであるとしている（最決平22.7.29）。

イ　○　判例により正しい。詐欺罪（246条）の成立に必要とされる欺罔行為の手段・方法には条文上制限が設けられていない。積極的に詐言を用いるだけでなく、真実を告知すべき法律上の義務のある者がそれを怠ったというような不作為の場合（大判大6.11.29）等にも、欺罔行為が認められる。例えば、抵当権の設定登記済みである不動産を、相手方の不知に乗じてその旨を告げずに売却した場合（大判昭4.3.7）等が不作為の欺罔行為に当たる。

ウ　○　判例により正しい。判例は、詐欺罪（246条１項）の構成要件である財物を交付させるとは、相手方の錯誤に基づく財産的処分行為によって、財物を犯人自身又はその代理人若しくは第三者に交付させるか、あるいはこれらの者の自由な支配内に置かせることをいうとしている（最判昭26.12.14）。このように詐欺罪の成立には、欺罔行為によって相手方が錯誤に陥り、それに基づいて財産的処分行為をしたという因果関係の存在を要する。

以上より、ア：正、イ：正、ウ：正であり、正解は**1**となる。

刑法　横領罪

2022年度
専門 No.30

横領罪に関する次のア～ウの記述の正誤の組合せとして最も妥当なものはどれか（争いのあるときは、判例の見解による。）。

ア　金銭の所有と占有は一致するという民法上の原則にかかわらず、使途を限定されて金銭を寄託された受託者は、特別の事情がない限り、横領罪にいう「他人の物」を占有する者に当たる。
イ　横領罪における「占有」とは、物に対して事実上の支配力を有する状態のほか、物に対して法律上の支配力を有する状態も含む。
ウ　他人から預かり保管中の動産について、所有者の承諾なく第三者に売却する意思表示をしたものの、代金を受け取っていない時点においては、横領未遂罪が成立する。

	ア	イ	ウ
1	正	正	誤
2	正	正	正
3	正	誤	正
4	誤	正	正
5	誤	正	誤

解説　正解 1

TAC生の選択率 25%　TAC生の正答率 53%

ア　○　通説・判例により正しい。民法上は金銭の所有と占有が一致すると解されている（通説）。しかし、刑法上は必ずしも金銭の所有と占有が一致するわけではない。判例は、使途を限定されて寄託された金銭は、売買代金の如く単純な商取引の履行として授受されたものとはその性質を異にするのであって、特別の事情がない限り、受託者はその金銭について刑法252条1項にいう「他人の物」を占有する者と解すべきであるとしている（最判昭26.5.25）。

イ　○　判例により正しい。判例は、横領罪における「占有」の意義について、必ずしも物の握持のみでなく、事実上、法律上、物に対する支配力を有する状態をいうとしている（大判大4.4.9）。

ウ　×「横領未遂罪が成立する」という部分が誤っている。横領罪には未遂処罰規定がない。判例は、自己の占有する他人の動産の売却は、所有者の承諾なく第三者に売却する旨の意思表示をした時点で横領罪の既遂に達し、相手方の買取りの意思表示を待たずして同罪が成立するとしている（大判大2.6.12）。

以上より、ア－正、イ－正、ウ－誤であり、正解は**1**となる。

刑法　罪責

2023年度
専門 No.27

次の事案における甲の罪責について最も妥当なものはどれか（争いのあるときは、判例の見解による。）。

〈事案〉
甲と乙は、深夜の無人の駐車場で自動車から金品を持ち出すことを共謀し、深夜、２人で人気のない駐車場に赴き、無施錠のＶ所有の自動車からＶが車内に置いていた財布を持ち去ろうとしたところ、偶然通りがかったＶに呼び止められた。甲は、財布を持ったまま、その場から逃走することができたが、乙は、Ｖに捕まりそうになったので、甲とは共謀していなかったが乙自身の判断で、逮捕を免れるためＶに暴行を加えたところ、Ｖはバランスを崩して頭を地面に打ち付け、死亡した。

1　強盗致死罪の共同正犯

2　事後強盗罪の共同正犯

3　事後強盗未遂罪の共同正犯

4　窃盗罪の共同正犯

5　器物損壊罪の共同正犯

解説　正解　4

TAC生の選択率 26%　TAC生の正答率 49%

甲は、乙と自動車から金品を持ち出すことを共謀し、Ｖ所有の自動車からＶの財布を持ち去っているため、窃盗罪の共同正犯が成立する（235条、60条）。もっとも、Ｖに発見され捕まりそうになった乙が自身の判断でＶに暴行を加え、Ｖが死亡するという結果が発生していることから、甲についても強盗致死罪（240条後段）ないしは事後強盗罪（238条）の共同正犯が成立するか問題となる。

本問は、窃盗罪の共謀に対して、強盗致死罪ないしは事後強盗罪の結果が生じているので、共謀の内容とその共謀に基づいて行われた犯罪事実との間に不一致がある共同正犯内の錯誤のうち、異なる構成要件間の錯誤に当たる。判例によれば、異なる構成要件間の錯誤の場合は、構成要件が重なり合う限度で軽い罪につき共同正犯が成立するところ、窃盗罪と強盗致死罪ないしは事後強盗罪の構成要件間においては、窃盗罪の構成要件を限度として重なり合いが認められる。したがって、甲について、窃盗罪の限度で共同正犯が成立する。

以上より、甲の罪責は窃盗罪の共同正犯であり、正解は**4**となる。

刑法　罪責

2023年度
専門 No.30

次の事案における甲の罪責について最も妥当なものはどれか（争いのあるときは、判例の見解による。）。

〈事案〉
甲は、深夜、自宅付近の路上を歩いていたところ、乙とVが殴り合いの喧嘩をしている様子を目撃したので、その状況を注視していたところ、乙がナイフを取り出し、殺意をもってVを刺し殺した。甲は、乙が走り去った後、既に死亡していたVの上着のポケット内に入っていた現金入りの財布を持ち去った。

1　強盗罪

2　窃盗罪

3　占有離脱物横領罪

4　強盗殺人罪の共同正犯

5　殺人罪の幇助犯

解説　正解　3

TAC生の選択率 26%　TAC生の正答率 66%

甲は、乙がVを殺害する様子をただ注視していただけであるから、強盗罪（236条1項）、強盗殺人罪（240条後段）、殺人罪の幇助犯（199条、62条1項）は成立しない。では、甲が死亡したVの上着のポケット内から現金入りの財布を持ち去った行為について、窃盗罪（235条）と占有離脱物横領罪（254条）のいずれが成立するか。窃盗罪の成立には、被害者の占有が侵奪されることを要するため、財物について死者の占有が認められるか問題となる。

占有とは、事実上の支配を意味し、事実上の支配の有無は占有の意思や占有の事実等を基準に判断されるが、死者には占有の意思も占有の事実も認められないことから、死者の占有を認めることはできない。また、被害者を殺害した者が、殺害後に財物奪取の意思を生じて財物を持ち去った場合には、被害者の生前の占有が保護に値するとして、殺害者との関係において占有が認められるが（最判昭41.4.8）、甲はVの殺害に何ら関与していない。したがって、甲の持ち去った財布についてVの占有は認められないことから、甲には窃盗罪ではなく占有離脱物横領罪が成立する。

以上より、甲の罪責は占有離脱物横領罪であり、正解は**3**となる。

刑法　罪責　2022年度 専門 No.26

次の事案における甲の罪責について最も妥当なものはどれか（争いのあるときは、判例の見解による。）。

〈事案〉
甲は、乙から、乙が丙に対して貸していた100万円の回収を依頼され、実際に丙から現金100万円を回収し、乙のために保管していたが、乙に秘して、かかる100万円を自己の借金の返済のために費消した。その後、甲は、乙から100万円の返還を要求されたが、まだ丙から回収できていない旨嘘をつき、100万円の返還を免れた。

1　横領罪

2　一項詐欺罪

3　背任罪

4　横領罪及び一項詐欺罪

5　背任罪及び一項詐欺罪

解説　正解　1

TAC生の選択率 25%　TAC生の正答率 50%

まず、「乙に秘して、かかる100万円を自己の借金の返済のために費消した」行為について、甲は横領罪（252条1項）の罪責を負う。甲が費消した100万円は、その回収を依頼した乙のために受け取って保管している金銭であり、乙の所有に帰属するものである（大判昭8.9.11）。したがって、甲が乙所有の100万円を乙に秘して費消する行為は、自己が占有する他人の財物を不法に領得する行為であると認められるので、横領罪が成立する。

次に、乙から100万円の返還を要求された際、「まだ丙から回収できていない旨嘘をつき、100万円の返還を免れた」という行為について、甲は1項詐欺罪（246条1項）の罪責を負わない（大判明43.2.7）。保管を依頼された財物を領得後、詐欺的手段を使ってその財物を確保する行為は、乙から甲への財物の占有の移転を伴わないからである。

以上より、甲は横領罪の罪責を負うので、正解は**1**となる。

刑法　罪責　2022年度 専門 No.27

次の事案における甲の罪責について最も妥当なものはどれか（争いのあるときは、判例の見解による。）。

〈事案〉
甲は、代金を支払うつもりで、レストランに入店し、飲食物を注文して食事をした後、財布を家に忘れてきたことに気付いた。そこで、甲は、飲食代金を踏み倒そうと考え、店員乙の様子を窺っていたところ、たまたま乙がその場を離れたので、その隙に、代金を支払うことなく逃走した。

1　一項詐欺罪

2　二項詐欺罪

3　二項詐欺未遂罪

4　窃盗罪

5　犯罪は成立しない

解説　正解　5　TAC生の選択率 25%　TAC生の正答率 49%

まず、「代金を支払うつもりで、レストランに入店し、飲食物を注文して食事をした」行為について、甲に犯罪は成立しない。代金の支払意思がないのに、それがあるかのように装って、飲食物を注文して食事をする行為は、１項詐欺罪の既遂（246条１項）が成立する（最決昭30.7.7）。しかし、甲には注文時に代金の支払意思があるので、１項詐欺罪は成立しない。

次に、飲食代金を踏み倒すために店員乙の様子を窺っていたが、「たまたま乙がその場を離れたので、その隙に、代金を支払うことなく逃走した」行為についても、甲に犯罪は成立しない。当初は代金の支払意思があって食事をした者が、食事後に代金の支払意思を放棄して、店員の隙をみて逃走する行為は、店員の処分行為を欠くので２項詐欺罪（246条２項）は成立せず、利益窃盗になる。しかし、刑法は利益窃盗を処罰する規定を設けていないので、甲に犯罪は成立しない。

以上より、甲に犯罪は成立しないので、正解は**5**となる。

刑法　罪責　2021年度 専門 No.28

次の事案における甲の罪責について最も妥当なものはどれか（争いのあるときは、判例の見解による。）。

〈事案〉
甲は、乙を驚かす目的で、乙の数歩手前を狙い、石を投げつけたところ、誤って、乙の頭部に直接当ててしまい、乙は、頭部に出血を伴う怪我を負った。その後、乙は、失血死した。

1　暴行罪及び過失傷害罪

2　暴行罪及び過失致死罪

3　傷害罪

4　傷害致死罪

5　犯罪は成立しない

解説　正解　4

TAC生の選択率 32%　TAC生の正答率 60%

本問は東京高判昭25.6.10の事案に基づく出題である。裁判例の事案は傷害の結果にとどまっているが、本問の事案は傷害致死の結果が生じている。

まず、裁判例は、刑法208条にいう暴行とは、人の身辺に不法な物理的勢力を発揮することをいい、その物理的勢力が人の身体に接触することを必ずしも要しないとして、相手方の数歩前を狙って石を投げつける行為が暴行に当たるとしている。判例も、狭い四畳半の室内で被害者を脅かすために日本刀の抜き身を数回振り廻した行為が、被害者に対する暴行に当たるとしており（最決昭39.1.28）、物理的勢力が人の身体に接触することを必ずしも要しないことを前提にしていると解される。

次に、裁判例は、傷害罪の成立には、暴行により傷害の結果が発生することを必要とするが、結果に対する認識を必要としないとして、石を投げつけて相手方を負傷させた者には傷害罪（204条）が成立するとしている。判例も、傷害罪の成立には、傷害の原因たる暴行についての意思があれば足り、特に傷害の意思の存在を必要としないとしている（最判昭25.11.9）。これらは傷害罪が暴行罪との関係では結果的加重犯である旨を示したものである。

最後に、乙の失血死の結果については、傷害致死罪（205条）が傷害罪の結果的加重犯であることから、傷害致死罪の成否が問題となる。判例は、傷害致死罪の成立には、傷害と死亡との間の因果関係の存在を必要とするにとどまり、致死の結果についての予見は必要としないとしている（最判昭26.9.20）。本問の場合、甲の暴行により乙が失血死を招きやすい頭部出血の怪我を負っていることから、傷害と死亡との間に因果関係が認められると考えられるので、甲には傷害致死罪が成立する。

以上より、甲は傷害致死罪の罪責を負うので、正解は**4**となる。

マクロ経済学　国民経済計算

ある国の経済状況をあらわす統計資料として次のような資料があるとき、国内総生産に占める輸出の割合として、最も妥当なものはどれか。ただし、統計上の不突合はないものとする。

雇用者所得	310
営業余剰・混合所得	220
間接税	40
補助金	30
固定資本減耗	60
民間最終消費支出	290
政府最終消費支出	80
国内総固定資本形成	140
在庫品増加	10
輸入	10

1　10%

2　15%

3　20%

4　25%

5　30%

解説　**正解　2**　TAC生の選択率 68%　TAC生の正答率 70%

まず、国内総生産を求める。三面等価の原則を用いて、国内総生産と等価である国内総所得を求める。国内総所得は、

国内総所得＝雇用者所得＋営業余剰・混合所得＋固定資本減耗＋間接税－補助金

で表されることから、これに与件を代入すると、

国内総所得＝310＋220＋60＋40－30

＝600

と求められる。すなわち、国内総生産は600となる。

次に、輸出を求める。国内総支出は、

国内総支出＝民間最終消費支出＋政府最終消費出＋国内総固定資本形成
＋在庫品増加＋輸出－輸入

と表され、三面等価の原則より、国内総支出は国内総生産と等価であることから、与件を代入すると、

600＝290＋80＋140＋10＋輸出－10

∴　輸出＝90

と求められる。

したがって、国内総生産に占める輸出の割合は、

$$\frac{\text{輸出}}{\text{国内総生産}}=\frac{90}{600}$$

$$=0.15$$

となる。よって、正解は**2**となる。

マクロ経済学　ラスパイレス指数

2022年度
専門 No.31

　ある国のマクロ経済は自動車と小麦粉のみから成り立っている。2010年、2020年、及び2021年において、両財に対する消費量並びに価格は以下の表のとおりであった。基準年を2010年とするラスパイレス型物価指数を物価水準の指標として用いるとき、2020年から2021年にかけての物価水準の変化の大きさ（2021年の物価水準から2020年の物価水準を引いたもの）として、最も妥当なものはどれか。ただし、基準年における物価水準を100とする。

	自動車		小麦粉	
	消費量	価格	消費量	価格
2010年（基準年）	40台	200万円/台	200トン	10万円/トン
2020年	50台	150万円/台	200トン	8万円/トン
2021年	40台	175万円/台	150トン	12万円/トン

1　－14

2　－ 3

3　　3

4　18

5　25

解説　**正解　4**　TAC生の選択率 **75%**　TAC生の正答率 **64%**

ラスパイレス型物価指数は、基準年の数量（消費量）をウエイトとして算出される物価指数であり、一般に、

$$\text{比較年のラスパイレス型物価指数} = \frac{\Sigma(\text{比較年の価格} \times \text{基準年の数量})}{\Sigma(\text{基準年の価格} \times \text{基準年の数量})} \times \text{基準年の指数}$$

と表される。

ここで、2010年を基準年とした2020年の物価水準は、

$$\text{2020年のラスパイレス型物価指数} = \frac{(150 \times 40 + 8 \times 200)}{(200 \times 40 + 10 \times 200)} \times 100$$

$$= 76$$

となり、2010年を基準年とした2021年の物価水準は、

$$\text{2021年のラスパイレス型物価指数} = \frac{(175 \times 40 + 12 \times 200)}{(200 \times 40 + 10 \times 200)} \times 100$$

$$= 94$$

となる。よって、2020年から2021年にかけての物価水準の変化の大きさは、

$94 - 76 = 18$

と求められる。以上より、**4**が正解となる。

マクロ経済学　産業連関表

2023年度
専門 No.31

Ａ及びＢの２つの産業からなる産業連関表において投入係数の値が次のように与えられている。ここで各産業の産出総額が、Ａ産業では300、Ｂ産業では400であるとするとき、各産業の付加価値の組合せとして最も妥当なものはどれか。

投入＼産出	Ａ産業	Ｂ産業
Ａ産業	0.05	0.2
Ｂ産業	0.15	0.3

	Ａ産業	Ｂ産業
1	120	200
2	240	100
3	240	200
4	120	100
5	180	200

解説　正解　3　TAC生の選択率 74%　TAC生の正答率 62%

各産業について、中間投入額＋付加価値＝投入合計$_{(※)}$が成り立つから、付加価値を求めるには、投入合計から中間投入額を引けばよい。

ここで、投入合計と産出総額は一致し、また、各産業の中間投入額は投入係数に産出総額をかけた値に等しい。よって、A産業とB産業の付加価値をそれぞれx、yとして、上記の関係（※）を解けばよい。

［A産業］$0.05 \times 300 + 0.15 \times 300 + x = 300 \rightarrow x = 300(1 - 0.2) = 240$

［B産業］$0.2 \times 400 + 0.3 \times 400 + y = 400 \rightarrow y = 400(1 - 0.5) = 200$

投入	A産業	B産業
(1)　A産業	0.05×300	0.2×400
(2)　B産業	0.15×300	0.3×400
(3)　付加価値	x	y
投入合計＝(1)＋(2)＋(3)	300	400

マクロ経済学　45度線分析

2022年度
専門 No.32

ある国のマクロ経済モデルが以下のように与えられている。

$Y=C+I+G$

$C=200+0.5(Y-T)$

$I=50$

$G=T=50$

Y：国民所得、C：消費、I：投資（外生）、G：政府支出、T：税収

このとき、次の３つの政策

政策Ａ：税収を40に引き下げるとともに、政府支出を45に引き下げる

政策Ｂ：税収を60に引き上げ、その全額を用いて公共事業を実施する

政策Ｃ：税収を50のまま、政府支出を60に引き上げる

を、国民所得に与える影響の大きさの順に並べたものとして、最も妥当なものはどれか。

1　政策Ａ　＞　政策Ｂ　＞　政策Ｃ

2　政策Ａ　＞　政策Ｃ　＞　政策Ｂ

3　政策Ｂ　＞　政策Ａ　＞　政策Ｃ

4　政策Ｂ　＞　政策Ｃ　＞　政策Ａ

5　政策Ｃ　＞　政策Ｂ　＞　政策Ａ

解説　正解　5　TAC生の選択率 75%　TAC生の正答率 79%

まず、財市場における需給均衡条件式である題意の第一式に与件を代入して、国民所得Y、政府支出G、税収Tについて変化分を求めると、

$$Y=200+0.5(Y-T)+50+G$$

$$\rightarrow \Delta Y=0.5(\Delta Y-\Delta T)+\Delta G$$

$$\rightarrow \Delta Y=2\Delta G-\Delta T \quad \cdots\cdots(1)$$

を得る。この式に基づいて、3つの政策効果を明らかにする。

まず、政策Aを実施したときの国民所得の変化分をΔY_Aとすると、$\Delta T=-10$、$\Delta G=-5$を(1)式に代入することで、

政策A：$\Delta Y_A=2\times(-5)-(-10)=0$

を得る。次に、政策Bを実施したときの国民所得の変化分をΔY_Bとすると、$\Delta T=\Delta G=10$を(1)式に代入することで、

政策B：$\Delta Y_B=2\times10-10=10$

を得る。さらに、政策Cを実施したときの国民所得の変化分をΔY_Cとすると、$\Delta T=\pm0$、$\Delta G=10$を(1)式に代入することで、

政策C：$\Delta Y_C=2\times10-0=20$

を得る。

以上より、$\Delta Y_C>\Delta Y_B>\Delta Y_A$となることから、**5**が正解となる。

マクロ経済学 45度線分析

2021年度
専門 No.32

ある国の経済が次のようなモデルで表されている。

$Y=C+I+G$

$C=C_0+0.75(Y-T)$

Y：国民所得、C：消費、I：投資、G：政府支出、T：租税、 C_0：基礎消費

C_0、I、G、Tは定数である。また、均衡国民所得が500兆円、完全雇用国民所得が530兆円であることがわかっている。完全雇用国民所得を達成するために必要な減税額として、最も妥当なものはどれか。ただし、この国の課税はすべて直接税であり、所得の変動に左右されない一括課税であるとする。

1　5兆円

2　10兆円

3　15兆円

4　20兆円

5　25兆円

解説　正解　2　TAC生の選択率 68%　TAC生の正答率 91%

完全雇用国民所得を実現するための、減税の大きさを求める問題であるが、現下の均衡国民所得が指定されている問題である。まず、完全雇用国民所得が530兆円、現在の均衡国民所得が500兆円であるから、完全雇用国民所得を達成するには国民所得を30兆円増加させればよいと判断できる。

次に、財市場の需給均衡条件式に与式を代入して変化分をとり、$\Delta Y=30$[兆円]、および$\Delta C_0=\Delta I=\Delta G=0$を代入して整理すれば、完全雇用国民所得を実現するために必要な租税の増加分ΔTが、

$$Y=C_0+0.75(Y-T)+I+G$$

$$\rightarrow \Delta Y=\Delta C_0+0.75(\Delta Y-\Delta T)+\Delta I+\Delta G$$

$$\rightarrow 30=0.75(30-\Delta T)$$

$$\rightarrow \Delta T=-10[\text{兆円}]$$

と求められる。よって、正解は**2**となる。

[別　解]

乗数の公式を活用すれば容易に解くことができる。租税が一括課税（定額税、固定税）である場合、限界消費性向をcとしたときに、租税に関する乗数公式は、

$$\Delta Y=\frac{-c}{1-c}\Delta T$$

で表される。完全雇用国民所得が530兆円、現在の均衡国民所得が500兆円であるから、完全雇用を達成するには国民所得を30兆円増加させればよい。よって、上記の乗数公式に$c=0.75$、$\Delta Y=30$[兆円]を代入すれば、減税の大きさが10[兆円]と計算できる。

マクロ経済学 | 流動性選好説 | 2022年度 専門 No.33

ケインズの流動性選好説による貨幣需要に関する記述として、最も妥当なものはどれか。

1　投機的動機は、リスクを伴わない安全な資産として貨幣を保有しようとするものであり、利子率の減少関数である。

2　投機的動機は、予想外の状況に対応するためにあらかじめ貨幣を保有しようとするものであり、したがって国民所得の増加関数となる。

3　取引動機は、取引の決済手段として貨幣を必要とする動機であり、国民所得が増加するにつれて減少する傾向がある。

4　取引動機は、債券市場における取引の決済手段として貨幣を保有するものであり、国民貯蓄の減少関数とされる。

5　予備的動機は、収入を超える支出のために貨幣を保有しようとするものであり、国民所得が減少するにつれて増加する。

解説　正解　1

TAC生の選択率 75%　TAC生の正答率 58%

1　○

2　×　予想外の状況に対応するためにあらかじめ貨幣を保有しようとするものは、予備的動機であり、国民所得の増加関数となる。

3　×　取引の決済手段として貨幣を必要とする動機は、取引動機であり、国民所得が増加するにつれて増加する傾向がある。

4　×　**3**の解説参照。

5　×　収入を超える支出のために貨幣を保有しようとするものは、取引動機であり、国民所得が増加するにつれて増加する。

現金通貨をC、預金通貨をD、準備金をRとするとき、現金預金比率 $\left(\frac{C}{D}\right)$ が0.4、預金準備率 $\left(\frac{R}{D}\right)$ が0.1、ハイパワードマネーが450であるとする。

現金預金比率とハイパワードマネーを一定に保ったまま、預金準備率を0.05に引き下げたときに生じるマネーストックの増加分として、最も妥当なものはどれか。

1 100

2 140

3 200

4 280

5 320

解説 **正解 2** TAC生の選択率 74% TAC生の正答率 86%

マネーストックMは、信用乗数mとハイパワードマネーをかけたもので表される。与件から、信用乗数は、当初の

$$m=\frac{(C/D)+1}{(C/D)+(C/R)}=\frac{0.4+1}{0.4+0.1}=\frac{140}{50}$$

から、

$$m=\frac{0.4+1}{0.4+0.05}=\frac{140}{45}$$

に上昇する。ハイパワードマネーを450で一定として、当初のマネーストックは、

$$M=\frac{140}{50}\times 450=140\times 9$$

であり、変化後のマネーストックは、

$$M=\frac{140}{45}\times 450=140\times 10$$

である。したがって、マネーストックの増加分$\varDelta M$は、

$$\varDelta M=140\times 10-140\times 9=140\times(10-9)=140$$

となる。

マクロ経済学　貨幣乗数　2020年度 専門 No.34

ある国では貨幣乗数が2に等しい。この国の経済に関する次のア～エの記載のうち、妥当なもののみを全て挙げているものはどれか。

ア　預金準備率が上昇すれば、貨幣乗数は増加する。
イ　現金預金比率が上昇すれば、貨幣乗数は減少する。
ウ　現金預金比率を0.2に保ったまま、貨幣乗数を3にするには、預金準備率を0.1低下させる必要がある。
エ　この国で現金預金比率を変化させても、マネーサプライを増加させることはできない。

1　ア、イ

2　イ、ウ

3　ウ、エ

4　イ

5　エ

解説　正解　4

TAC生の選択率 37%　TAC生の正答率 80%

現金預金比率をc、預金準備率（支払準備率）をrとすると、貨幣乗数（信用乗数）mは、

$$m=\frac{c+1}{c+r} \quad \cdots\cdots(1)$$

と表される。これを踏まえ、記述ごとに当否を検討する。

ア　×　預金準備率rが上昇すれば、貨幣乗数の分母が増加することから、貨幣乗数mは減少する。

イ　○　貨幣乗数mは、次のように変形することができる。

$$m=\frac{c+1}{c+r}=\frac{c+r-r+1}{c+r}=1+\frac{1-r}{c+r}$$

ここで、現金預金比率cが上昇すれば、貨幣乗数の分母が増加することから、貨幣乗数mは減少する。

ウ　×　現金預金比率$c=0.2$と貨幣乗数$m=2$を(1)式に代入すれば、預金準備率は$r=0.4$と求められる。また、現金預金比率$c=0.2$と貨幣乗数$m=3$を(1)式に代入すれば、預金準備率は$r=0.2$と求められる。よって、現金預金比率を0.2に保ったまま、貨幣乗数を3にするには、預金準備率を0.4から0.2へ0.2だけ低下させる必要がある。

エ　×　現金預金比率を低下させれば、貨幣乗数が増加することで、マネーサプライを増加させることができる（記述イの解説を参照）。

よって、イのみが妥当な記述となることから、正解は**4**となる。

海外部門を除いたマクロ経済モデルが以下のように与えられているとする。

$Y=C+I+G$

$C=50+0.5(Y-T)$

$I=200-100r$

$G=30$

$T=30$

$0.1Y-200r=\dfrac{M}{P}$

$M=42$

$P=1$

Y：国民所得、C：消費、I：投資、G：政府支出、T：租税、r：利子率、　M：名目貨幣供給量、P：物価水準

この経済における均衡国民所得の大きさとして最も妥当なものはどれか。

1　490

2　520

3　550

4　580

5　610

解説　正解　2

TAC生の選択率 74%　TAC生の正答率 94%

貨幣市場の均衡条件（第６式）の利子率を国民所得で表して投資関数に代入する。第６式〜第８式を用いて、

$$0.1Y-200r=\frac{\overbrace{42}^{M}}{\underbrace{1}_{P}}\rightarrow 100r=0.05Y-21$$

であるから、投資関数に代入すると、

$$I=200-100r=200-(0.05Y-21)=221-0.05Y$$

と得る。この式と残りの与件を第１式（財市場の均衡条件）に代入して、均衡国民所得を求める（IS−LM均衡）。

$$Y=\overbrace{50+0.5(Y-30)}^{C}+\overbrace{221-0.05Y}^{I}+\overbrace{30}^{G}\rightarrow 0.55Y=286$$

$$\rightarrow Y=\frac{\overbrace{11\times 26}^{286}}{\underbrace{11\times\frac{5}{100}}_{0.55}}=26\times 20=520$$

マクロ経済学　IS-LM分析　2022年度 専門 No.34

ある国のマクロ経済モデルが以下のように与えられている。

$Y=C+I+G$

$C=60+0.8(Y-T)$

$I=200-100r$

$G=25$

$T=30$

$0.1Y-200r=\dfrac{M}{P}$

$M=130$

$P=1$

Y：国民所得、C：消費、I：投資、G：政府支出、T：税収、r：利子率、M：名目貨幣供給量、P：物価水準

政府が政府支出を25に保ったまま税収を30から25に引き下げたとき、均衡国民所得はどれだけ増加するか。

1　16

2　32

3　48

4　80

5　96

解説　正解　1

TAC生の選択率 75%　TAC生の正答率 91%

まず、財市場と貨幣市場の需給均衡条件式に与件を代入し、変化分をとって整理する。

IS曲線：$Y=60+0.8(Y-T)+200-100r+G$

→　$0.2\Delta Y=-0.8\Delta T+\Delta G-100\Delta r$

→　$\Delta Y=-4\Delta T+5\Delta G-500\Delta r$　(←×5)　……(1)

LM曲線：$0.1Y-200r=\dfrac{130}{1}$

→　$0.1\Delta Y-200\Delta r=0$

→　$\Delta Y=2000\Delta r$　(←×10)　……(2)

(1)式と(2)式を連立させて解くと、国民所得の増加分が、

$\Delta Y=4\Delta G-\dfrac{16}{5}\Delta T$

と求められ、$\Delta G=0$、$\Delta T=-5$を代入すれば、$\Delta Y=16$を得る。よって、**1**が正解となる。

ある国のマクロ経済モデルが次のように与えられているとする。

$Y=C+I+G$

$C=30+0.6Y$

$I=20-300r$

$G=10$

$\frac{M}{P}=L$

$L=0.7Y-500r$

$P=1$

Y：国民所得、C：消費、I：投資、G：政府支出、M：名目貨幣供給量、L：実質貨幣需要、r：国内利子率、P：物価水準

この経済において、政府が財政拡大政策を実施するために、全額を公債の中央銀行引受により、政府支出を20増加させたとき、結果として利子率が変わらなかったとする。このとき、名目貨幣供給量と国民所得の増加の組合せとして、妥当なものはどれか。

	名目貨幣供給量の増加	国民所得の増加
1	14	5
2	21	10
3	28	30
4	35	50
5	42	70

解説　正解　4

TAC生の選択率 37%　TAC生の正答率 92%

財市場と貨幣市場の需給均衡条件式に与件を代入し、変化分をとって整理する。

IS曲線：$Y=30+0.6Y+20-300r+G$

→ $\Delta Y=0.6\Delta Y-300\Delta r+\Delta G$ ……(1)

LM曲線：$\frac{M}{1}=0.7Y-500r$

→ $\Delta M=0.7\Delta Y-500\Delta r$ ……(2)

結果として利子率が変わらなかったことから、$\Delta r=0$と与件（$\Delta G=20$）を(1)式に代入すれば、$\Delta Y=50$が求められ、この結果を(2)式に代入すれば、$\Delta M=35$を得る。

よって、正解は**4**となる。

マクロ経済学　AD-AS分析　2021年度 専門 No.33

ある国の経済が次のようなモデルで表されている。このときの均衡国民所得の値として、最も妥当なものはどれか。ただし、労働市場におけるYはマクロ的生産関数、すなわち生産面からみた国民所得であり、企業部門は古典派の第一公準に従い利潤最大化行動をとることを前提とする。

財市場
$Y=C+I$
$C=0.8Y+1$
$I=-0.5i+3$
貨幣市場
$L=\dfrac{M}{P}$
$L=0.6+0.08Y-0.3i$
$M=66$
労働市場
$Y=\sqrt{N}$
$W=\dfrac{3}{4}$

Y：国民所得、C：消費、I：投資、i：利子率、L：実質貨幣需要量、M：名目貨幣供給量、P：物価水準、N：労働投入量、W：貨幣賃金率

1　20

2　24

3　36

4　40

5　52

解説　**正解 1**　TAC生の選択率 68%　TAC生の正答率 27%

財市場と貨幣市場の需給均衡条件式から総需要関数を求め、古典派の第一公準とマクロ的生産関数から総供給関数を求める問題である。

まず、財市場と貨幣市場の需給均衡条件式に与式を代入して整理する。

IS曲線：$Y=0.8Y+1-0.5i+3$

$\rightarrow 0.6Y+1.5i=12$　（←×3）　……(1)

LM曲線：$\dfrac{66}{P}=0.6+0.08Y-0.3i$

$\rightarrow 0.4Y-1.5i=\dfrac{330}{P}-3$　（←×5）　……(2)

(1)式、(2)式から利子率iを消去してYとPの関係式を求めれば総需要関数（総需要曲線）が、

総需要関数：$P=\dfrac{330}{Y-9}$　……(3)

と求められる。

次に、総供給関数を導出するために、古典派の第一公準を求める。古典派の第一公準は労働の限界生産力 $\left(\dfrac{\Delta Y}{\Delta N}\right)$＝実質賃金率 $\left(\dfrac{W}{P}\right)$ と表されることから、与件より、

古典派の第一公準：$\dfrac{1}{2}N^{-\frac{1}{2}}=\dfrac{\frac{3}{4}}{P}$

$\rightarrow N^{\frac{1}{2}}=\dfrac{2}{3}P$　……(4)

と求められ、(4)式をマクロ的生産関数に代入してYとPの関係式を求めれば総供給関数（総供給曲線）が、

総供給関数：$P=\dfrac{3}{2}Y$　……(5)

と求められる。

最後に、(3)式と(5)式を連立させれば、

$\dfrac{330}{Y-9}=\dfrac{3}{2}Y$

$\rightarrow Y(Y-9)=220$

となり、Yについて解けば、$Y=20$と求められる。よって、正解は**1**となる。

憲法　民法I　民法II　刑法　マクロ経済学　ミクロ経済学

マクロ経済学 フィリップス曲線

2020年度
専門 No.31

ある国の経済において単位労働コスト（ユニットレイバーコスト：ULC）とフィリップス曲線が以下のように与えられているとする。

$$ULC = \frac{WN}{Y}$$

ここでWは名目賃金、Nは労働投入量、Yは産出量をそれぞれ表している。また、フィリップス曲線が以下のようになっていると仮定する。

$$w = -(U - U^N)$$

ここでwは名目賃金上昇率、Uは失業率、U^Nは自然失業率をそれぞれ表している。

この経済において、単位労働コストは短期的に不変（$ULC = 80$）であり、自然失業率が３％だった場合、労働生産性$\left(\frac{Y}{N}\right)$の上昇率が２％で一定だとすると、失業率はいくらになるか。

1　1％

2　2％

3　3％

4　4％

5　5％

解説　**正解　1**　TAC生の選択率 **37%**　TAC生の正答率 **41%**

まず、労働生産性$\left(\dfrac{Y}{N}\right)$を$y$とすると、与件の単位労働コストは、

$$ULC=\frac{W}{y} \qquad \cdots\cdots(1)$$

と表せる。ここで、(1)式の変化率をとると、

$$\frac{\Delta ULC}{ULC}=\frac{\Delta W}{W}-\frac{\Delta y}{y} \qquad \cdots\cdots(2)$$

となるが、単位労働コストは短期的に不変であることから(2)式左辺はゼロとなり、(2)式右辺の第１項$\left(\dfrac{\Delta W}{W}\right)$が名目賃金上昇率$w$、第２項$\left(\dfrac{\Delta y}{y}\right)$が労働生産性の上昇率であることから、与式のフィリップス曲線と与件を代入すれば、

$$\frac{\Delta ULC}{ULC}=U^N-U-\frac{\Delta y}{y} \quad \rightarrow \quad 0=3-U-2$$

$$\therefore U=1\%$$

と求められる。よって、正解は**1**となる。

憲法　民法Ｉ　民法Ⅱ　刑法　マクロ経済学　ミクロ経済学

マクロ経済学 IAD-IAS分析 2023年度 専門 No.35

ある経済のインフレ需要関数とインフレ供給関数がそれぞれ以下のように与えられているとする。

$Y_t = Y_{t-1} + 0.5(m_t - \pi_t)$

$\pi_t = \pi^e_t + 0.5(Y_t - Y_F)$

Y_t：t期の国民所得、　m_t：t期のマネーサプライ増加率（%）、 π_t：t期の物価上昇率（%）、π^e_t：t期の期待物価上昇率（%）、 Y_F：完全雇用国民所得

この経済はt期まで長期均衡にあり、$Y_F = 400$、$m_t = 1$であったとする。また、期待物価上昇率は$\pi^e_t = \pi_{t-1}$によって決定されるものとする。

中央銀行が$t+1$期に$m_{t+1} = 2$としたとき、$t+1$期における物価上昇率として最も妥当なものはどれか。

1　1.0

2　1.2

3　1.4

4　1.6

5　1.8

解説　正解　2

TAC生の選択率 74%　TAC生の正答率 33%

初めに、t期までの長期均衡を示す。与式の添字tをsで置き換えて一般化すると、

$Y_s = Y_{s-1} + 0.5(m_s - \pi_s) \cdots (1)$

$\pi_s = \pi^e_s + 0.5(Y_s - Y_F) \cdots (2)$

と書ける。

与件より、$s = t$、$t-1$、$t-2$、…について、$\pi^e_s = \pi_s$（∵長期均衡の定義）が成立するので、(2)から、t期までのすべてのsについて、

$$\pi_s - \underbrace{\pi^e_s}_{\pi_s} = 0.5(Y_s - Y_F) \rightarrow \underbrace{\pi_s - \pi_s}_{0} = 0.5(Y_s - Y_F) \rightarrow Y_s = Y_F (= 400)$$

が成り立つ（最後のカッコ内の等号は与件）。つまり、$s = t$、$t-1$について、

$Y_t = Y_F$、$Y_{t-1} = Y_F \rightarrow Y_t = Y_{t-1} = Y_F \cdots (3)$

である。

(3)を(1)に適用すると、$s = t$として、

$$Y_t = \underbrace{Y_{t-1}}_{Y_t} + 0.5(m_t - \pi_t) \rightarrow \underbrace{Y_t - Y_t}_{0} = 0.5(m_t - \pi_t) \rightarrow \pi_t = m_t (= 1) \quad \cdots (4)$$

を得る（最後のカッコ内の等号は与件）。つまり、長期均衡にある間は常に、$Y_s = Y_F$、$\pi_s = 1$が成り立つ（π_sは、そのときのマネーサプライ増加率に一致する）。

次に、$s = t+1$とすると、(1)(2)は、

$$Y_{t+1} = Y_t + 0.5\ (m_{t+1} - \pi_{t+1})\ \cdots(5)$$

$$\pi_{t+1} = \pi_t + 0.5\ (Y_{t+1} - Y_F)\ \cdots(6)$$

と表せる。ただし、$\pi^e_{t+1} = \pi_t$とした（与件）。

(3)より、$Y_t = Y_F$だから、(5)を

$$Y_{t+1} - \underbrace{Y_F}_{Y_t} = 0.5(m_{t+1} - \pi_{t+1})$$

と変形して(6)に代入すると、

$$\pi_{t+1} = \pi_t + 0.5 \times 0.5(m_{t+1} - \pi_{t+1}) \rightarrow 5\pi_{t+1} = 4\pi_t + m_{t+1}$$

となる。

ここで、(4)より、$\pi_t = 1$、また、与件から$m_{t+1} = 2$だから、

$$5\pi_{t+1} = 4 \times 1 + 2 \rightarrow \pi_{t+1} = \frac{6}{5} = 1.2$$

である。

インフレ需要曲線、インフレ供給曲線をD_s、S_s（$s = t,\ t+1$）として図示すると、t期までの長期均衡は点Eで、新たな長期均衡は点Fで、$t+1$期の短期均衡は点Gで表される。

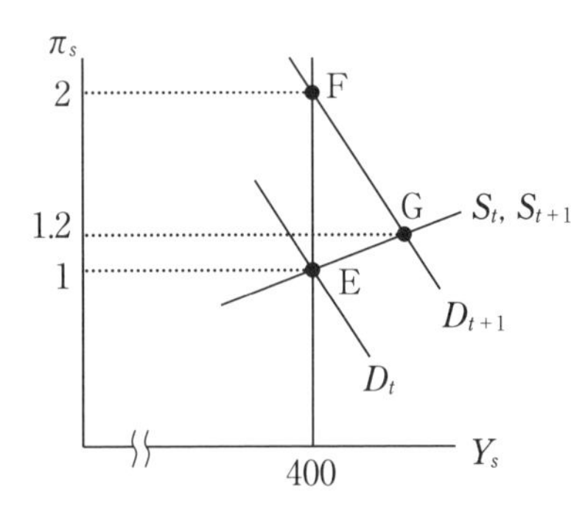

なお、点Gから縦軸に向かって降ろした垂線は、線分EF（長さ１）をインフレ供給曲線の傾きとインフレ需要曲線の傾き（絶対値）の比に分割する。前者は0.5、後者は２だから、線分EFを分割する比は、

0.5：2＝1：4

である。この比で長さ１の線分EFを分割するとき、短い方の長さは、

$$\frac{1}{5} \times \mathrm{EF} = \frac{1}{5} \times 1 = 0.2$$

になる。よって、t期までの物価上昇率１（点E）に0.2を足せばよい。

憲法 民法Ⅰ 民法Ⅱ 刑法 マクロ経済学 ミクロ経済学

マクロ経済学 45度線分析（開放経済） 2023年度 専門 No.33

ある国のマクロ経済モデルが以下のように与えられているとする。

$Y=C+I+G+X-M$

$C=60+0.6(Y-T)$

$I=100$

$G=25$

$T=25$

$X=60$

$M=0.1Y$

Y：国民所得、C：消費、I：投資、G：政府支出、T：租税、X：輸出、　M：輸入

この経済の完全雇用国民所得が510であるとき、完全雇用を財政支出によって達成するために必要なGの増加分として最も妥当なものはどれか。

1　5

2　10

3　15

4　20

5　25

解説　**正解　5**　TAC生の選択率 74%　TAC生の正答率 86%

政府支出を未定として、残りの与件を第１式（財市場の均衡条件）に代入する。ただし、国民所得には完全雇用国民所得510を用いる。

$$Y=\overbrace{60+0.6(Y-\underbrace{25}_{T})}^{C}+\overbrace{100}^{I}+G+\overbrace{60}^{X}-\overbrace{0.1Y}^{M}$$

$$\rightarrow\quad G=0.5\times\underbrace{510}_{Y}-205=50$$

よって、政府支出が50であれば、均衡国民所得が510になる。当初の政府支出は25だから、必要なGの増加分は25である。

あるいは、現状（$G=25$）のデフレ・ギャップを求め、それを必要な政府支出の増加分としてもよい。

与件から、第１式の右辺（総需要）を$Y=510$で計算すると、

$$\overbrace{60+0.6(Y-\underbrace{25}_{T})}^{C}+\overbrace{100}^{I}+\overbrace{25}^{G}+\overbrace{60}^{X}-\overbrace{0.1Y}^{M}=0.5\times\underbrace{510}_{Y}+230=485$$

となって、デフレ・ギャップが510－485＝25だけ発生しているから、この分だけ政府支出を増やせばよい。

マクロ経済学 ｜ マンデル＝フレミング・モデル ｜ 2021年度 専門 No.35

資本移動が完全に自由なマンデル＝フレミング・モデルに関する記述として、最も妥当なものはどれか。

1 固定相場制のもとで拡張的な財政政策がとられると、IS曲線が右にシフトし、国内の利子率は上昇する。その結果、資本が流出しマネーストックが減少するので、所得水準は減少する。

2 固定相場制のもとで拡張的な金融政策がとられると、LM曲線が右にシフトし、国内の利子率は低下する。その結果、資本が流入しIS曲線が右にシフトするので、所得水準は増加する。

3 固定相場制のもとで為替レートが切り下げられると、自国製品の国際競争力が低下するのでIS曲線が左にシフトし、国内の利子率は低下する。その結果、資本が流出し、LM曲線が左にシフトするので、所得水準は減少する。

4 変動相場制のもとで拡張的な財政政策がとられると、IS曲線が右にシフトし、国内の利子率は上昇する。その結果、資本が流入し自国通貨建て為替レートは下がり、マネーストックが増加するのでLM曲線が右にシフトし、所得水準は増加する。

5 変動相場制のもとで拡張的な金融政策がとられると、LM曲線が右にシフトし、国内の利子率は低下する。その結果、資本が流出し自国通貨建て為替レートは上がり、経常収支が増加してIS曲線は右にシフトし、所得水準は増加する。

解説　**正解　5**　TAC生の選択率 68%　TAC生の正答率 75%

資本移動が完全な固定相場制および変動相場制における政策の効果を問う問題である。以下、選択肢ごとに検討する。

1　×　固定相場制のもとで拡張的な財政政策がとられると、IS曲線が右にシフトして、国内の利子率は上昇し、資本が流入する。自国通貨建て為替レートが下がらない（自国通貨が増価しない）ようにするため、中央銀行が自国通貨売り・外国通貨買い介入を行うことでマネーストックが増加し、LM曲線が右シフトする。その結果、所得水準は増加する。

2　×　固定相場制のもとで拡張的な金融政策がとられると、LM曲線が右にシフトして、国内の利子率は低下し、資本が流出する。自国通貨建て為替レートが上がらない（自国通貨が減価しない）ようにするため、中央銀行が自国通貨買い・外国通貨売り介入を行うことでマネーストックが減少し、LM曲線が左シフトする。その結果、所得水準は元の水準に戻る。

3　×　固定相場制のもとで為替レートが切り下げられると、自国製品の国際競争力が上昇することで輸出が増加し、IS曲線が右にシフトして、国内の利子率は上昇し、資本が流入する。自国通貨建て為替レートが下がらない（自国通貨が増価しない）ようにするため、中央銀行が自国通貨売り・外国通貨買い介入を行うことでマネーストックが増加し、LM曲線が右シフトする。その結果、所得水準は増加する。

4　×　変動相場制のもとで拡張的な財政政策がとられると、IS曲線が右にシフトして、国内の利子率は上昇し、資本が流入する。その結果、自国通貨建て為替レートが下がり（自国通貨が増価し）、輸出が減少することでIS曲線が左シフトし、所得水準は元の水準に戻る。

5　○

マクロ経済学　新古典派成長理論

2021年度
専門 No.34

資本Kと労働Lを投入した場合に得られる産出量をYとしたマクロ的生産関数が次のように与えられている。

$Y=4K^{0.5}L^{0.5}$

また、貯蓄率をs、投資をI、資本の増加分をΔK、労働成長率を$\frac{\Delta L}{L}$としたとき、

$s=0.1$

$\Delta K=I$

$\frac{\Delta L}{L}=0.02$

が成り立つものとする。定常状態における労働者ひとりあたりの産出量$\left(\frac{Y}{L}\right)$として、最も妥当なものはどれか。

1　20

2　80

3　121

4　160

5　400

解説　**正解　2**　TAC生の選択率 68%　TAC生の正答率 37%

まず、題意のマクロ生産関数を労働Lで割ることで、

$$\frac{Y}{L}=\frac{4K^{0.5}L^{0.5}}{L}$$
$$=\frac{4K^{0.5}L^{0.5}}{L}=4K^{0.5}L^{0.5-1}=4K^{0.5}L^{-0.5}=\frac{4K^{0.5}}{L^{0.5}}$$
$$=4\left(\frac{K}{L}\right)^{0.5}$$

を得る。さらに、労働者一人当たりの産出量$\frac{Y}{L}$をy、労働者一人当たりの資本量$\frac{K}{L}$をkとすれば、労働者一人当たりの生産関数が、

$$y=4k^{0.5}\quad\cdots\cdots(1)$$

と求められる。

次に、資本係数$\frac{K}{Y}$をv、労働成長率$\frac{\Delta L}{L}$をnとすると、定常状態（均斉成長）においては、

$$\frac{s}{v}=n\quad\cdots\cdots(2)$$

が成立するが、資本係数は(1)式を用いることで、

$$v=\frac{1}{4}k^{0.5}$$

と求められる。この結果と与件（$s=0.1$、$n=0.02$）を(2)式に代入すれば、

$$\frac{0.1}{\frac{1}{4}k^{0.5}}=0.02$$
$$\rightarrow k^{0.5}=20$$

を得る。この結果を、(1)式に代入すれば、定常状態における労働者一人当たりの産出量yは、

$$y=80$$

と求められる。よって、正解は**2**となる。

マクロ経済学 | 経済成長理論 | 2022年度 専門 No.35

ある国のマクロ経済モデルが以下のように与えられている。

$Y = \min\{2K, L\}$

$Y = C + I + G$

$C = 0.7(Y - T)$

$G = T = tY$

$\varDelta K = I$

$\varDelta L = 0.3L$

Y：国民所得、K：資本量、L：労働量、C：消費、I：投資、G：政府支出、T：税収、t：税率、$\varDelta K$：資本量の増分、$\varDelta L$：労働量の増分

現時点において、資本の完全利用と労働の完全利用が達成されていたとする。

資本の完全利用と労働の完全利用が同時に維持される均衡成長を今後も実現するために必要な税率tの値として、最も妥当なものはどれか。

1 0.1

2 0.2

3 0.3

4 0.4

5 0.5

解説　正解　5　TAC生の選択率 75%　TAC生の正答率 14%

資本の完全利用と労働の完全利用が同時に維持される均衡成長状態においては、資本の完全利用を保証する保証成長率と、労働の完全利用を保証する自然成長率が一致していなければならない。

一般に自然成長率は、労働人口の増加率と労働生産性の上昇率（技術進歩率）の和によって表されるが、題意より、このマクロ経済モデルでは労働量の増加率に等しく、

$$\text{自然成長率} = \frac{\Delta L}{L} = 0.3 \quad \cdots\cdots(1)$$

と求められる。

一方、保証成長率は、資本量の増加率と財市場の均衡条件式から求められる。財市場の均衡条件は、貯蓄をSとすると、

$$(S - I) + (T - G) = 0$$

と表されるが、題意より、財政収支が均衡していることから、投資Iと貯蓄Sが一致すればよい。また、貯蓄の定義式に与件を代入すれば、

$$\begin{aligned} S &= Y - T - C \\ &= Y - tY - 0.7(Y - tY) \\ &= 0.3(1 - t)Y \quad \cdots\cdots(2) \end{aligned}$$

と求められる。さらに、題意のレオンチェフ型生産関数から、資本の完全利用が達成される下での国民所得Yと資本量Kとの間には、

$$Y = 2K$$

という関係が成り立つ。よって、資本係数vは、

$$v = \frac{K}{Y} = 0.5 \quad \cdots\cdots(3)$$

となる。以上から、資本量の増加率に(2)式と(3)式を代入すると、このマクロ経済モデルにおける保証成長率は、

$$\begin{aligned} \text{保証成長率} &= \frac{\Delta K}{K} \\ &= \frac{0.3(1 - t)Y}{K} \quad (\leftarrow \Delta K = I = S \text{として、(2)式を代入}) \\ &= \frac{0.3(1 - t)}{K/Y} \\ &= \frac{0.3(1 - t)}{0.5} \quad (\leftarrow \text{(3)式を代入}) \\ &= 0.6(1 - t) \quad \cdots\cdots(4) \end{aligned}$$

と求められる。

したがって、資本の完全利用と労働の完全利用が同時に維持される均衡成長を実現するためには、(4)式で示される保証成長率と、(1)式で示される自然成長率が一致するように税率tを決めなければならず、その値は、

$$0.3 = 0.6(1 - t)$$

$$\therefore \quad t = 0.5$$

と求められる。よって、**5**が正解となる。

ミクロ経済学 総費用

2022年度
専門 No.37

ある企業の総費用関数が次のように与えられているとする。

$TC(x)=x^3-2x^2+2x+8$

TC：総費用、x：財の生産量（$x>0$）

この企業の損益分岐点と操業停止点における価格の組合せとして、最も妥当なものはどれか。

	損益分岐点	操業停止点
1	2	1
2	4	1
3	4	2
4	6	1
5	6	2

解説　**正解 4**　TAC生の選択率 75%　TAC生の正答率 58%

まず、操業停止点における価格から求める。題意の総費用関数より、可変費用VCが、

$$VC = x^3 - 2x^2 + 2x$$

となり、平均可変費用AVCは、

$$AVC = \frac{VC}{x}$$
$$= x^2 - 2x + 2 \quad \cdots\cdots(1)$$

と求められるが、平均可変費用曲線の最低点が操業停止点であることから、(1)式を生産量xで微分して最小化を図ることにより、操業停止点における生産量が、

$$\frac{dAVC}{dx} = 0 \quad \rightarrow \quad 2x - 2 = 0$$
$$\therefore \quad x = 1$$

と求められる。これを(1)式に代入すれば、操業停止点における価格が1と求められる。

次に、損益分岐点における価格を求める。題意の総費用関数より、平均費用ACが、

$$AC = \frac{TC}{x}$$
$$= x^2 - 2x + 2 + \frac{8}{x}$$
$$= x^2 - 2x + 2 + 8x^{-1} \quad \cdots\cdots(2)$$

と求められるが、平均費用曲線の最低点が損益分岐点であることから、(2)式を生産量xで微分して最小化を図ると、

$$\frac{dAC}{dx} = 0 \quad \rightarrow \quad 2x - 2 - 8x^{-2} = 0 \quad \rightarrow \quad x^3 - x^2 - 4 = 0 \quad \rightarrow \quad x^2(x-1) = 4$$

となり、定数項4の約数（$x = 1, 2, 4$）を代入すれば、損益分岐点における生産量が、

$$x = 2$$

と求められる。これを(2)式に代入すれば、損益分岐点における価格が6と求められる。

以上より、**4**が正解となる。

ある企業の費用関数が次のように与えられている。

$C=\alpha+\beta Q+\gamma Q^3$

C：総費用、Q：財の生産量

この企業の操業停止価格は300であり、損益分岐価格は3000である。また、損益分岐価格のもとでの生産量は$Q=30$である。この企業の固定費用の大きさとして妥当なものはどれか。

1 14000

2 28000

3 32000

4 48000

5 54000

解 説　**正解　5**　TAC生の選択率 37%　TAC生の正答率 62%

題意の費用関数から、平均可変費用AVC、限界費用MC、平均費用ACを求めると、それぞれ、

$$AVC=\frac{C-a}{Q}=\beta+\gamma Q^2 \quad \cdots\cdots(1)$$

$$MC=\frac{dC}{dQ}=\beta+3\gamma Q^2 \quad \cdots\cdots(2)$$

$$AC=\frac{C}{Q}=\frac{a}{Q}+\beta+\gamma Q^2 \quad \cdots\cdots(3)$$

となり、これらを図示したものが右の図である。

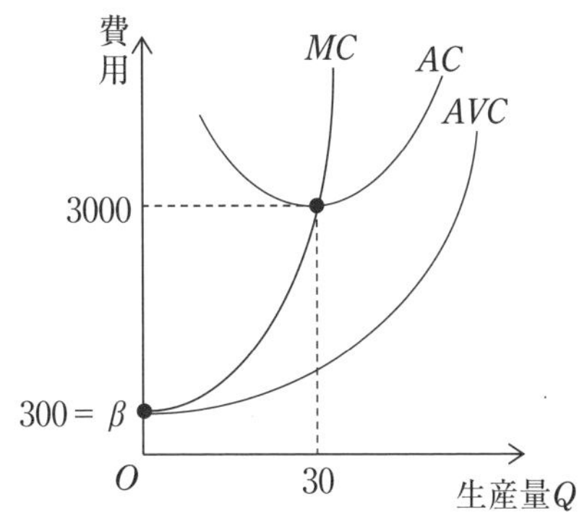

まず、平均可変費用AVCと限界費用MCは、生産量Qがゼロのときに最小値をとり、操業停止価格が300であることから、(1)式に$Q=0$を代入することで、$\beta=300$を得る。

次に、損益分岐価格が3000、損益分岐価格の下での生産量が$Q=30$であることから、$\beta=300$とともに(2)式に代入し、整理することで、$\gamma=1$を得る。

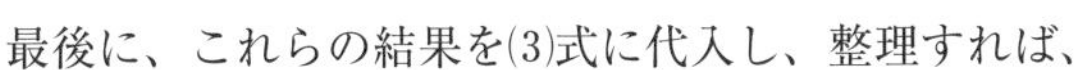

最後に、これらの結果を(3)式に代入し、整理すれば、

$$3000=\frac{a}{30}+300+1\times 30^2$$

$$\therefore a=54000$$

と求められる。よって、正解は**5**となる。

ミクロ経済学　利潤最大化

2023年度
専門 No.37

ある企業の短期費用関数が次のように与えられているとする。

$C(x) = x^3 - 12x^2 + 41x + 80$

C：生産費用、x：生産量

また、この企業は完全競争市場で生産物を販売しているとする。財の価格が20であるとき、この企業の利潤を最大化する生産量として最も妥当なものはどれか。

1　1

2　3

3　5

4　7

5　9

解説　**正解　4**　TAC生の選択率 74%　TAC生の正答率 83%

与えられた財の価格と限界費用MCを一致させる生産量を求めればよい（∵利潤最大化条件）。与式から、

$$MC=3x^2-24x+41$$

であり、価格20と一致するのは、

$$3x^2-24x+41=20 \rightarrow x^2-8x+7=0 \rightarrow (x-1)(x-7)=0 \rightarrow x=1,\ 7$$

のときである。

求める解は、２つの解の候補のうち大きい方である。本問の場合、平均可変費用AVCの最低点における生産量は、

$$AVC=x^2-12x+41 \rightarrow AVC'=0$$

を解いて、$x=6$だから、操業停止点における生産量６より小さいものは解として不適である。よって、$x=7$が解として相応しい。

一般に、生産量が正の範囲において、U字型の限界費用曲線と価格水準の交点が２つある場合、一つは限界費用曲線の右下がり部分にあり（$x=1$）、他方は右上がり部分にある（$x=7$）。限界費用曲線の右上り部分（操業停止点より右上）がこの企業の供給曲線だから、利潤最大化を前提として企業が操業を続ける場合、生産量が小さい方は常に不適となる。

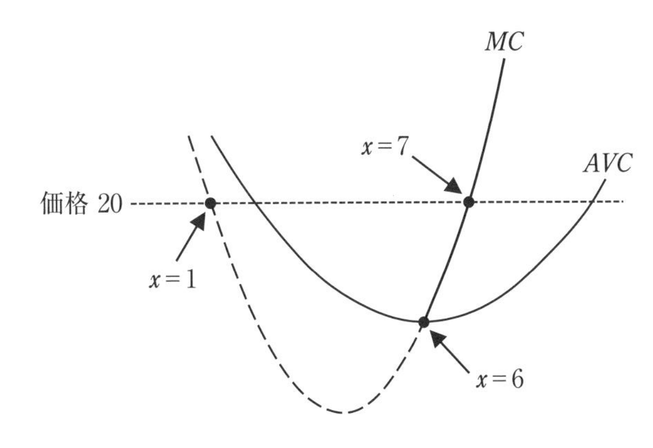

ミクロ経済学　効用最大化

2021年度
専門 No.40

２財ｘ、ｙを消費するある個人の効用関数が、

$U=x^{0.7}y^{0.3}$（U：効用水準、x：ｘ財の消費量、y：ｙ財の消費量）

で示されるとする。

ｘ財の価格が１、ｙ財の価格が３、所得が100であるとき、この個人のｘ財の消費量として、最も妥当なのはどれか。

1　10

2　20

3　50

4　70

5　90

解説　正解　4

TAC生の選択率 68%　TAC生の正答率 95%

コブ＝ダグラス型効用関数の計算公式を用いてｘ財の消費量を求めると、

$$x=\frac{0.7}{0.7+0.3}\times\frac{100}{1}$$

$$=70$$

を得る。よって、正解は**4**となる。

効用最大化

ある家計は、所得の全てをX財、Y財に支出している。この消費者の効用関数が次のように与えられているとする。

$U=x^{\frac{1}{3}}y^{\frac{2}{3}}$

x：X財の消費量、y：Y財の消費量

家計の所得がM、X財の価格が2、Y財の価格がpであるとき、この家計の消費量は$x=60$、$y=24$となった。このとき、pの値として正しいものはどれか。

1 5

2 10

3 15

4 20

5 25

解説 正解 **2** TAC生の選択率 37% TAC生の正答率 91%

まず、コブ=ダグラス型効用関数の計算公式を用いて、X財の消費量が$x=60$となるときの所得Mを求めると、

$$x=\frac{\frac{1}{3}}{\frac{1}{3}+\frac{2}{3}}\times\frac{M}{2}$$

$$=60$$

$$\therefore M=360$$

となる。

次に、同じく計算公式を用いて、Y財の消費量が$y=24$となるときのY財価格pを求めると、

$$y=\frac{\frac{2}{3}}{\frac{1}{3}+\frac{2}{3}}\times\frac{360}{p}$$

$$=24$$

$$\therefore p=10$$

を得る。よって、正解は**2**となる。

ミクロ経済学　需要の価格弾力性　2022年度 専門 No.36

ある家計は、所得の全てをX財、Y財に支出している。この消費者の効用関数が次のように与えられているとする。

$$U = x^{1/2}y^{1/2}$$

x：X財の消費量、y：Y財の消費量

家計の所得が800、X財の価格が200、Y財の価格が100であるとき、この家計のX財に対する需要の価格弾力性はいくらか。

1　0.25

2　0.5

3　0

4　1

5　2

解説　正解　4

TAC生の選択率 75%　TAC生の正答率 70%

効用関数がコブ＝ダグラス型で与えられていることから、需要の価格弾力性と需要の所得弾力性は、いずれも1となることが知られている。よって、**4**が正解となる。

需要の価格弾力性

2021年度
専門 No.37

X財の需要関数が、需要量をX、価格をPとしたとき、次のように表されている。

$$X=\frac{1}{\sqrt{P}}$$

価格が2のときの、この財の需要の価格弾力性として、最も妥当なものはどれか。

1 0.5

2 1

3 $\frac{\sqrt{2}}{2}$

4 $\sqrt{2}$

5 2

解説　正解　1

TAC生の選択率 68%　TAC生の正答率 34%

題意の需要関数を再掲すると、

$$X=P^{-\frac{1}{2}}$$

となる。

需要の価格弾力性eは、

$$e=-\frac{dX}{dP}\times\frac{P}{K} \quad \cdots\cdots(1)$$

で表されるが、$\frac{dX}{dP}$は需要量Xを価格Pで微分したものであるから、題意の需要関数をPで微分すれば、

$$\frac{dX}{dP}=-\frac{1}{2}P^{-\frac{3}{2}}$$

を得る。

この結果とともに与件を(1)式に代入して、整理すれば、

$$e=-\left(-\frac{1}{2}P^{-\frac{3}{2}}\right)\times\frac{P}{P^{-\frac{1}{2}}}$$

$$\therefore \quad e=\frac{1}{2}$$

と求められる。よって、正解は**1**となる。

ミクロ経済学　エンゲル曲線

2023年度
専門 No.36

ある家計は所得の全てをX財、Y財に支出している。この消費者のX財に対するエンゲル曲線が下図のように描かれるとき、以下の記述のうち最も妥当なものはどれか。

ただし、X財、Y財の価格は一定に保たれているものとする。

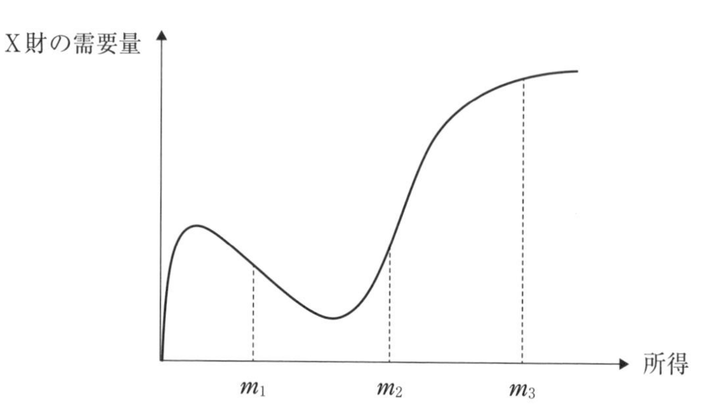

1　所得水準m_1ではX財は下級財である。また所得水準m_2ではX財は必需品である。

2　所得水準m_1ではX財は上級財である。また所得水準m_2ではX財は奢侈品である。

3　所得水準m_1ではX財は下級財である。また所得水準m_3ではX財は奢侈品である。

4　所得水準m_2ではX財は上級財である。また所得水準m_3ではX財は必需品である。

5　所得水準m_3ではX財は下級財である。また所得水準m_1ではX財は奢侈品である。

解説　正解　4　TAC生の選択率 74%　TAC生の正答率 64%

所得m_1のときエンゲル曲線は右下がりだから、X財は下級財であり、所得m_2、m_3についてはエンゲル曲線が右上がりであり、X財は上級財である。よって、**2**、**5**は誤りである。

所得m_2、m_3について、原点とエンゲル曲線上の点を通る直線（破線）をそれぞれα、βとする（X財の需要量xについては所得と同じ番号をつけて表す）。

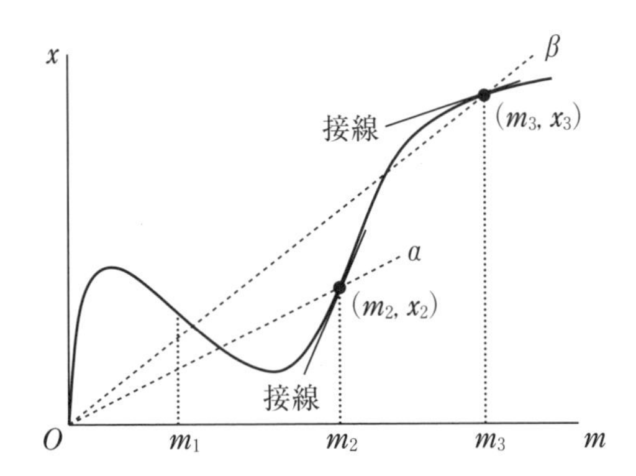

図から、点（m_2, x_2）において、エンゲル曲線の接線の傾き（$\Delta x/\Delta m$）と直線αの傾き（$x/m = x_2/m_2$）を比較して、

$$\frac{\Delta x}{\Delta m} > \frac{x}{m}(>0) \rightarrow \frac{\Delta x/x}{\Delta m/m} > 1$$

が成り立つ。左辺はX財に対する需要の所得弾力性を表すから、所得m_2のとき、X財は奢侈品である。よって、**1**は誤りである。

同様にして、点（m_3, x_3）において、エンゲル曲線の接線の傾き（$\Delta x/\Delta m$）と直線βの傾き（$x/m = x_3/m_3$）を比較して、

$$(0<)\frac{\Delta x}{\Delta m} < \frac{x}{m} \rightarrow 0 < \frac{\Delta x/x}{\Delta m/m} < 1$$

が成り立つから、所得m_3のとき、X財は必需品である。よって、**3**は誤りであり、**4**が正解となる。

ミクロ経済学　課税の効果

完全競争市場において、ある財の市場需要曲線と市場供給曲線がそれぞれ次のように与えられている。

$D = 1200 - 0.5P$

$S = 2P$

D：市場需要量、S：市場供給量、P：価格

生産者がこの財を１単位供給するごとに100の従量税が課される場合に、課税後の均衡における消費者と生産者の税負担の割合の組合せとして、最も妥当なものはどれか。

	消費者	生産者
1	0.2	0.8
2	0.4	0.6
3	0.5	0.5
4	0.6	0.4
5	0.8	0.2

解説　**正解　5**　TAC生の選択率 75%　TAC生の正答率 69%

まず、与式を連立させて解くことにより、課税前の均衡価格が（消費者価格かつ生産者価格）が480と求められる。

次に、生産者に対して財の供給１単位当たり100の従量税を課すことにより市場供給曲線は100だけ上方に平行シフトすることから、その方程式は、

$P=0.5S+100$

となる。これと題意の市場需要曲線を連立させることにより、課税後の均衡価格（消費者価格）が560と求められる。

よって、消費者の支払う価格は80だけ上昇するが、これは従量税100のうち、消費者が負担する額が80であることを意味する。すなわち、消費者の税負担の割合は$\frac{80}{100}=0.8$であり、生産者の税負担の割合は$\frac{20}{100}=0.2$であることから、**5**が正解となる。

[別　解]

租税の消費者負担額と生産者負担額の比は、需要曲線の傾き（絶対値）と供給曲線の傾きの比として表すことができるので、

消費者負担額：生産者負担額＝需要曲線の傾き（絶対値）：供給曲線の傾き

である。題意の市場需要曲線と市場供給曲線より、需要曲線の傾き（絶対値）は２、供給曲線の傾きは0.5と分かるので、

消費者負担額：生産者負担額＝２：0.5
＝４：１

となり、消費者の税負担の割合は0.8 $\left(=\frac{4}{5}\right)$、生産者の税負担の割合は0.2 $\left(=\frac{1}{5}\right)$ と求められる。

ミクロ経済学　二重価格制度

ある財の需要曲線DD'と供給曲線SS'が次の図のように示されている。いま、政府によって、この財は生産者からP_Sという価格で購入され、消費者にP_Dという価格で販売する政策がとられている。このときに生じる厚生損失を示す領域として、最も妥当なものはどれか。

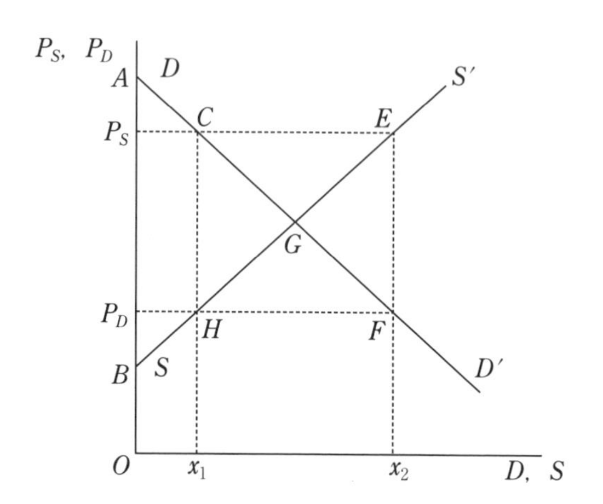

1　△CGE

2　△CGH

3　△EGF

4　△HGF

5　△P_DHB

解説　正解　3　TAC生の選択率 68%　TAC生の正答率 76%

政府が生産者からP_Sという価格で財を購入する場合、生産者の利潤最大化行動から、生産量はx_2となる。このとき、生産者余剰PSは、

$PS = \triangle P_S EB$

の大きさで表される。

また、政府が消費者に対してP_Dという価格で財を販売する場合、消費者の効用最大化行動から、消費量はx_2となる。このとき、消費者余剰CSは、

$CS = \triangle P_D FA$

の大きさで表される。

さらに、政府の余剰GSは、消費者からの収入から生産者への支出を差し引いた大きさとなるため、

$GS = -\square P_S EFP_D$

の大きさで表される。

よって、この政策を実施した場合の社会的総余剰TSは、

$TS = PS + CS + GS = \triangle P_S EB + \triangle P_D FA - \square P_S EFP_D = \triangle AGB - \triangle EGF$

となる。

一方、この財の市場が完全競争市場であった場合の社会的総余剰TS^*は、

$TS^* = \triangle AGB$

となることから、この政策を実施したことによって生じる厚生損失の大きさは、

厚生損失$= TS - TS^* = -\triangle EGF$

と求められる。よって、正解は**3**となる。

ミクロ経済学　エッジワース・ボックス　2023年度 専門 No.38

次の図は、2財（X、Y）2消費者（A、B）による純粋交換経済におけるエッジワースのボックス・ダイアグラムである。U_Aは消費者Aの無差別曲線、U_Bは消費者Bの無差別曲線、Cは契約曲線、Dは予算制約線、点Eは消費者の初期保有点を表している。この図に関する記述として最も妥当なものはどれか。

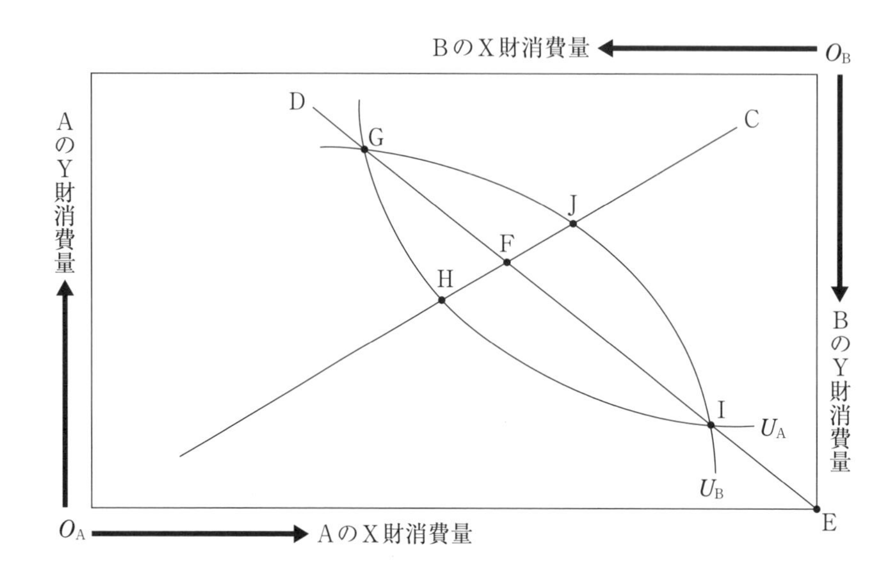

1　点Hの配分から点Jの配分への移行はパレート改善であるが、点Fの配分から点Iの配分への移行はパレート改善ではない。

2　点Gの配分では消費者AとBの限界代替率が等しいため、この点の配分は市場均衡として実現できる。

3　点Jの配分では消費者AとBの限界代替率が等しくないため、この点で市場均衡は実現しない。

4　点Fの配分は市場均衡であるが、点Jの配分のほうが消費者Aにとって望ましいため、パレート効率的ではない。

5　この市場ではX財のすべてを消費者Aが供給し、Y財のすべてを消費者Bが供給する。

解説　正解　5　TAC生の選択率 74%　TAC生の正答率 29%

1　×　点F、H、Jはすべてパレート効率的な配分だから、いずれの点からもパレート改善することはできない（∵パレート効率性の定義）。

2　×　点Gは2人の消費者の無差別曲線の交点だから、2人の限界代替率は一致しない。また、点Gは点Eに対するコア配分に属さないから、自由な交換の結果到達する競争均衡（市場均衡）になることはない。

3　×　契約曲線Cは、定義から2人の消費者の無差別曲線の接点の集合であり、この曲線上の任意の点において、2人の限界代替率は一致する。なお、点Hと点Jは、点Eに対するコア配分の内部に属するから、競争均衡として実現しうる配分である。

4　×　点Fは点Eに対するコア配分の内部に属するから競争均衡であり、パレート効率的である。パレート効率性の定義は、誰かの効用を増やそうとすると、別な誰かの効用が減ってしまうというものであり、一方の効用の変化だけでパレートの基準を判断することはない。

5　○　ボックスの横と縦の長さは、それぞれ、X財の供給量、Y財の供給量を表す。初期保有点Eの位置から、X財は消費者Aしか初期保有せず、これを供給するのは消費者Aだけであり、同様にY財を供給するのは消費者Bだけである。

ある独占企業の直面する需要関数と、この企業の費用関数が次のように与えられているとする。

$D=120-0.5p$

$C=2x^2$

D：市場需要量、 p：価格、 C：生産費用、 x：生産量

この企業の利潤が最大になる独占生産量及び独占による死荷重の組合せとして最も妥当なものはどれか。

	独占生産量	死荷重
1	30	300
2	20	100
3	40	300
4	30	100
5	40	200

解説　正解　1　TAC生の選択率 74%　TAC生の正答率 81%

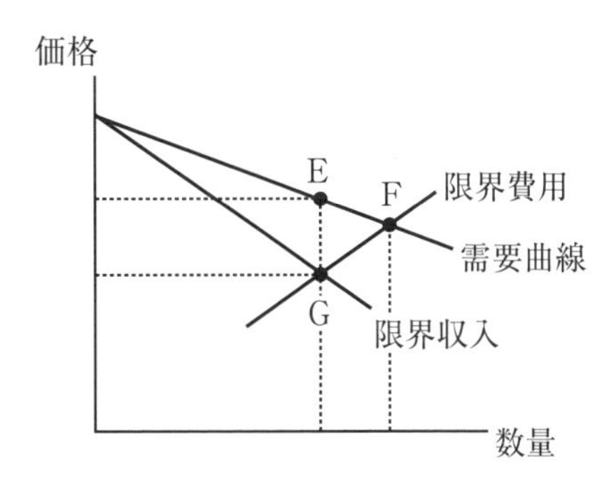

独占均衡は点Eで、死荷重は三角形EFGの面積で表される。初めに独占均衡を求める。需要関数について、$D=x$として、限界収入MRを求める。

$x=120-0.5p \rightarrow p=240-2x \rightarrow MR=240-4x$

また、与えられた費用関数より限界費用は$MC=4x$だから、$MR=MC$を満たす生産量を求めればよい（∵利潤最大化条件）。

$240-4x=4x \rightarrow x=30$（点G、E）

この値を需要関数と限界費用（または限界収入）に代入すると、

$p=240-2\times30=180$（点E）

$MC=4\times30=120$（点G）

となる。よって、線分EGの長さは60である。

点Fにおける生産量を需要曲線と限界費用曲線の交点として求めると、

$$\left.\begin{array}{l}p=240-2x\\MC=4x\end{array}\right\} \rightarrow 4x=240-2x \rightarrow x=40$$

となって、求める三角形は底辺が60（EG）、高さが10（点Fと点Eにおける生産量の差）である。

$60\times10\div2=300$

ミクロ経済学　独占市場　2021年度 専門 No.38

ある製品の需要は、

$D=-\frac{1}{2}P+40$（D：需要量、P：価格）

で示されている。また、この市場は、１社によって、独占的に財が供給されており、その費用関数は、

$C=\frac{1}{2}x^2+20$（C：総費用、x：生産量）

で示されている。独占の均衡点における生産者余剰の大きさとして、最も妥当なものはどれか。

1　480

2　560

3　640

4　720

5　800

解説　**正解 3**　TAC生の選択率 68%　TAC生の正答率 77%

まず、需給均衡条件（$D=x$）より、題意の需要曲線を次のように書き直す。

$P=-2x+80$　……(1)

この(1)式の傾きを2倍することにより、限界収入MRが、

$MR=-4x+80$

と求められる。

一方、限界費用MCは、題意の費用関数を生産量xで微分することにより、

$MC=x$

と求められる。

ここで、需要曲線、限界収入曲線および限界費用曲線を図示したものが下図である。この図において四角形EFGOが生産者余剰であるから、これを求める。

まず、独占企業の利潤最大化条件（限界収入MR＝限界費用MC）より独占均衡における生産量（点Eの横軸座標）を求める。

$-4x+80=x$

$\therefore\quad x=16$

次に、これを(1)式に代入すると、独占均衡における価格（点Fの縦軸座標）が48と求められる。

よって、四角形EFGOは、

$$\text{四角形EFGOの面積}=\{(48-16)+48\}\times16\times\frac{1}{2}$$

$$=640$$

と求められる。よって、正解は**3**である。

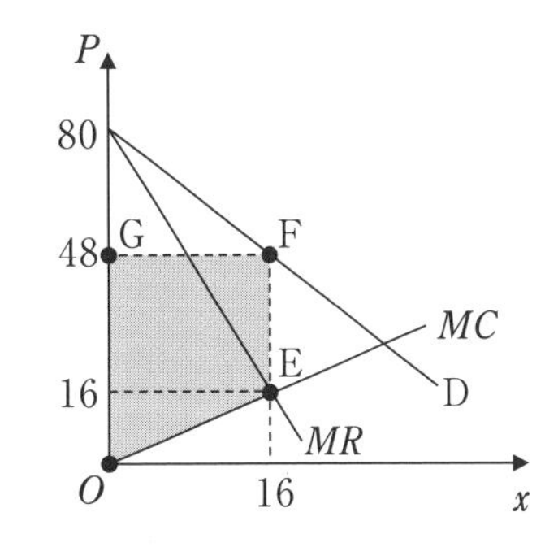

［別　解］

生産者余剰が企業の粗利潤（＝収入－可変費用）であることを使えば、容易に解くことができる。

独占均衡における生産量が16、価格が48と求められれば、題意の費用関数における可変費用が$\frac{1}{2}x^2$であることを用いて、

$$\text{生産者余剰}=16\times48-\left(\frac{1}{2}\times16\times16\right)$$

$$=640$$

と求めることができる。

ミクロ経済学　ゲーム理論

2022年度
専門 No.38

次の表は、企業A、B間のゲームにおいて、両企業がそれぞれ戦略X、Yを選択したときの利得の組合せを示したものである。各項の左の数が企業Aの利得、右の数が企業Bの利得である。両企業がともに戦略Xを選択することがナッシュ均衡のひとつとなるために、ア、イに当てはまる数字の組合せとして、最も妥当なものはどれか。

		企業B	
		戦略X	戦略Y
企業A	戦略X	ア，イ	1，2
	戦略Y	5，4	4，11

	ア	イ
1	1	8
2	7	3
3	3	10
4	11	1
5	6	0

解説　正解　2

TAC生の選択率 75%　TAC生の正答率 93%

題意の利得表における両企業の最適反応は、以下の通りである。

		企業B	
		戦略X	戦略Y
企業A	戦略X	㋐，㋑	1 ，2
	戦略Y	5 ，4	④，⑪

両企業がともに戦略Xを選択することがナッシュ均衡の一つとなるためには、企業Bが戦略Xのとき、企業Aが戦略Xを選択し、企業Aが戦略Xのとき、企業Bが戦略Xを選択すればよい。

企業Bが戦略Xのとき、企業Aが戦略Xを選択するには、

　企業Aにおける（戦略Xの利得ア>戦略Yの利得5）　…条件①

であればよい。また、企業Aが戦略Xのとき、企業Bが戦略Xを選択するには、

　企業Bにおける（戦略Xの利得イ>戦略Yの利得2）　…条件②

であればよい。

以上より、条件①と条件②を同時に満たすのは**2**の組合せ（ア＝7，イ＝3）であることから、**2**が正解となる。

ここで、企業Bが戦略Yのとき、企業Aは戦略Yを選択する。

　企業Aにおける（戦略Yの利得4>戦略Xの利得1）

また、企業Aが戦略Yのとき、企業Bは戦略Yを選択する。

　企業Bにおける（戦略Yの利得11>戦略Xの利得4）

以上より、両企業がともに戦略Yを選択することもナッシュ均衡の一つとなる。

２つの企業Ａ、Ｂが、同じ財を生産しているとする。企業Ａ、Ｂは労働者を訓練して生産するか、訓練しないで生産するかを選択する。訓練をしない場合に、相手企業が訓練を行っていたら、訓練後の労働者を引き抜いて生産する。訓練された労働者を投じると、企業の収益を増加させることができるものとする。

いま、このときの利得表が次のように表されている。ただし、この利得表の括弧内の数字は、（企業Ａの利得，企業Ｂの利得）を表している。たとえば、この利得表の２行１列目は（８，０）となっている。このとき、企業Ａは訓練をせず、企業Ｂから訓練された労働者を採用して生産を行っているために、企業Ａは生産費が削減され、企業Ｂよりも優位に立ち、高い収益を上げることができるが、企業Ｂは大きな損害を受けることを表している。この表から確実にいえることとして、最も妥当なものはどれか。ただし、両企業は相手企業の戦略を事前に知ることはできず、相手企業の行動を所与として最適な行動を選択することとする。

		企業Ｂの戦略	
		訓練する	訓練しない
企業Ａの戦略	訓練する	（５，５）	（０，８）
	訓練しない	（８，０）	（２，２）

1　両方の企業とも「訓練する」を選択し、その組合せはパレート最適となっている。

2　この戦略において、ナッシュ均衡は存在しない。

3　企業Ａが労働者を訓練することを所与としたとき、企業Ｂは「訓練しない」を選択し、企業Ａが労働者を訓練しないことを所与としたとき、企業Ｂは「訓練する」を選択する。

4　両方の企業とも「訓練する」がナッシュ均衡であり、かつ、パレート最適な組合せとなり、この状況は囚人のディレンマとよばれる。

5　両方の企業とも「訓練しない」を選択し、その組合せはパレート最適ではない。

解説　正解　5　TAC生の選択率 68%　TAC生の正答率 88%

純粋非ゼロ和ゲームにおけるナッシュ均衡について考える問題である。

まず、企業Aの最適戦略を考える。企業Bが「訓練する」を選択する場合、企業Aが「訓練する」を選択すると利得は5、「訓練しない」を選択すると利得は8となることから、最適戦略として「訓練しない」が選択される。また、企業Bが「訓練しない」を選択する場合、企業Aが「訓練する」を選択すると利得は0、「訓練しない」を選択すると利得は2となることから、最適戦略として「訓練しない」が選択される（「訓練しない」は企業Aの支配戦略となっている）。

次に、企業Bの最適戦略を考える。企業Aが「訓練する」を選択する場合、企業Bが「訓練する」を選択すると利得は5、「訓練しない」を選択すると利得は8となることから、最適戦略として「訓練しない」が選択される。また、企業Aが「訓練しない」を選択する場合、企業Bが「訓練する」を選択すると利得は0、「訓練しない」を選択すると利得は2となることから、最適戦略として「訓練しない」が選択される（「訓練しない」は企業Bの支配戦略となっている）。

以上より、相互に最適戦略を取り合っている状況を示すナッシュ均衡の組合せは、

{企業Aの戦略，企業Bの戦略} = {「訓練しない」，「訓練しない」}

となるが、{「訓練する」，「訓練する」} という組合せの下ならば、双方の企業はより高い利得を得ることができるため、このナッシュ均衡はパレート最適ではない。

以上より、正解は**5**となる。

ミクロ経済学　外部不経済　2022年度 専門 No.40

下の図は、ある財の完全競争市場において企業が負の外部性を発生させている状況を表したものである。縦軸は財の価格、横軸は数量、*D*はこの財に対する市場需要曲線、PMCは私的限界費用曲線、SMCは社会的限界費用曲線である。また、PMCとSMCはいずれも直線であり互いに平行であるとする。この場合の記述として、最も妥当なものはどれか。

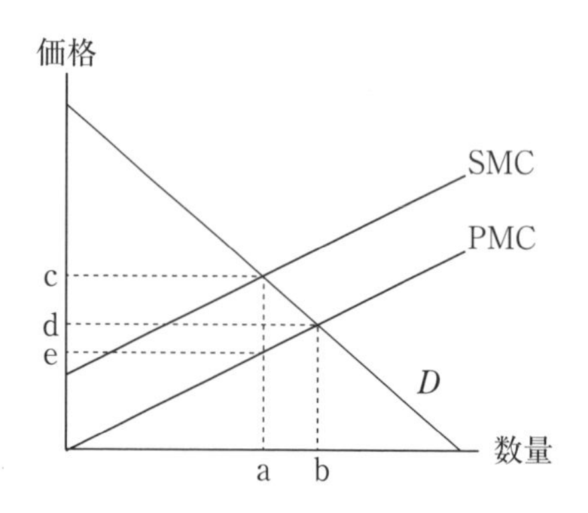

1　政府の介入がない場合の完全競争均衡における生産量はａである。政府はｃ、ｅの差に等しい額の従量税を企業に課すことにより、生産者余剰を増加させることができる。

2　政府の介入がない場合の完全競争均衡における生産量はｂである。政府はｃ、ｅの差に等しい額の従量税を企業に課すことにより、社会的余剰を増加させることができる。

3　政府の介入がない場合の完全競争均衡における価格はｃである。生産量をａからｂに引き上げる政策により、消費者余剰と社会的余剰をともに増加させることができる。

4　政府の介入がない場合の完全競争均衡における価格はｄである。政府はｃ、ｅの差に等しい額の従量補助金を企業に与えることにより、社会的余剰を増加させることができる。

5　政府の介入がない場合の完全競争均衡は*D*とPMCの交点である。完全競争均衡の性質により、図に示された市場に対するいかなる介入も社会的余剰を増加させることはできない。

解説　**正解　2**　TAC生の選択率 75%　TAC生の正答率 67%

1　×　政府の介入がない場合の完全競争均衡における生産量はｂである。政府はｃ、ｅの差に等しい額の従量税（ピグー税）を企業に課すことにより、社会的余剰を増加させることはできるが、生産量が減少することにより、生産者余剰は減少する。

2　○　**1**の解説参照。

3　×　政府の介入がない場合の完全競争均衡における価格はｄである。生産量をｂからａに引き下げる政策により、社会的余剰を増加させることはできるが、消費量が減少することにより、消費者余剰は減少する。

4　×　政府の介入がない場合の完全競争均衡における価格はｄである。政府はｃ、ｅの差に等しい額の従量税（ピグー税）を企業に課すか、ｃ、ｅの差に等しい額の減産従量補助金を企業に与えることにより、社会的余剰を増加させることができる。

5　×　政府の介入がない場合の完全競争均衡は*D*とPMCの交点である。（正または負の）外部性をともなう市場においては、市場の失敗が発生するため、市場に対する政府の適切な介入によって社会的余剰を増加させることができる。

ミクロ経済学　国際貿易

ある小国において、ある財に対する需要関数と国内生産者による供給関数がそれぞれ次のように与えられているとする。

$D=1200-p$

$S=4p$

D：需要量、 p：価格、 S：国内生産者による供給量

この財の国際価格は100である。政府が国内生産者を保護するために輸入1単位あたり50の関税を課すとき、発生する死荷重の大きさとして最も妥当なものはどれか。

1　1250

2　3750

3　4500

4　5250

5　6250

解説　**正解　5**　TAC生の選択率 74%　TAC生の正答率 71%

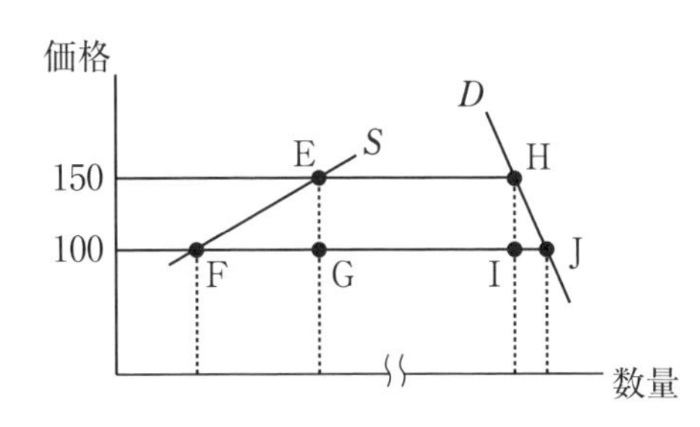

関税の賦課によって国内価格は100から150に上昇し、死荷重が三角形EFGとHIJの面積の分だけ発生する。これらの高さ（EG, HI）はともに輸入1単位あたりの関税50に等しいから、あとは底辺（FG, IJ）を求めて面積を計算すればよい。

需要曲線は線形だから、価格が変化したときの需要量の変化（増加分）は、

$D=1200-p \rightarrow \Delta D=-\Delta p$

で表される。関税の賦課によって、国内価格は$\Delta p=50$だけ上昇するから、需要量の変化は、

$\Delta D=-\Delta p=-50$

となる（$IJ=50$）。

同様に、国内生産者による供給量は、

$S=4p \rightarrow \Delta S=4\Delta p=4\times 50=200$

だけ増加する（$FG=200$）。

したがって、求める死荷重の大きさは、2つの三角形の面積を足して、

$$\text{三角形EFG}+\text{三角形HIJ}=\frac{200\times 50}{2}+\frac{50\times 50}{2}=6250$$

である。

なお、線分FGとIJの和は、関税賦課前の輸入量FJと関税賦課後の輸入量EHの差に等しい。このことに気がついたなら、次のようにしてFG＋IJを先に求めてしまってもよい。

輸入量は、需要関数と供給関数の差として、

$M=D(p)-S(p)=(1200-p)-4p=1200-5p$

で表すことができる。この式もまた線形だから、関税賦課によって、$\Delta p=50$のとき、

$\Delta M=-5\Delta p=-5\times 50=-250$

となり、FG＋IJの長さが250であることがわかる。したがって、2つの三角形の高さが50で共通であることを利用すれば、

$$\text{三角形EFG}+\text{三角形HIJ}=FG\times\frac{50}{2}+IJ\times\frac{50}{2}=\underbrace{(FG+IJ)}_{250}\times\frac{50}{2}=6250$$

と求めることができる。

ある小国において、ある財の国内市場の需要曲線と供給曲線がそれぞれ図のように示されている。また、この財の世界市場における価格は図中のp^*によって与えられている。この国が自由貿易を行った場合の記述として、最も妥当なものはどれか。

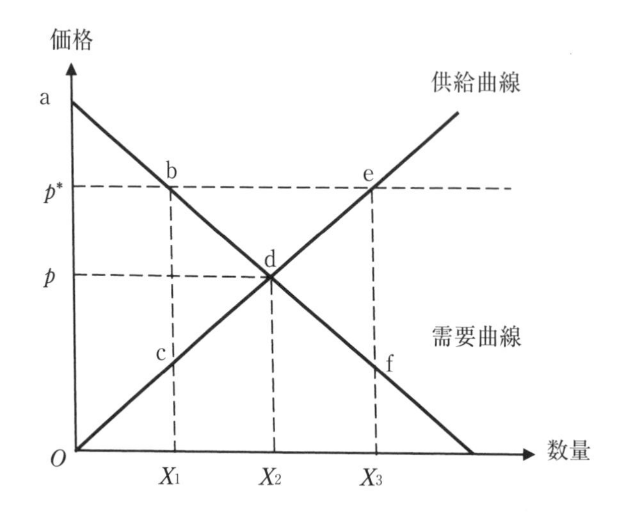

1　国内の家計は価格の高い輸入品を購入しないので、自由貿易の開始後における消費者余剰の大きさは三角形apdの面積に等しい。

2　貿易の自由化による家計の消費量の変化の大きさ（絶対値）はX_2-X_1に等しい。

3　貿易の自由化により消費者余剰が減少するが、それをちょうど補うだけ生産者余剰が上昇し、一国全体の余剰は三角形Oadの面積に等しいまま変化しない。

4　貿易の自由化がもたらす消費者余剰の変化分は、三角形bdeの面積に等しい。

5　企業による世界市場への輸出量の大きさ（絶対値）はX_3-X_2に等しく、企業は貿易によって三角形edfの面積に等しいだけの追加利潤を得る。

解説　**正解　2**　TAC生の選択率 37%　TAC生の正答率 50%

1 ×　国内の企業は価格の高い世界市場に財を輸出するため、国内の市場では超過需要が生じ、国内価格はp^*まで上昇する。その結果、自由貿易開始後の消費者余剰の大きさは三角形ap^*bの面積に等しくなる。

2 ○

3 ×　貿易の自由化により、消費者余剰の大きさは三角形ap^*bの面積に、生産者余剰の大きさはは三角形Op^*eの面積に等しくなることから、一国全体の（総）余剰は四角形Oabeの面積に増大する。

4 ×　貿易の自由化がもたらす一国全体の（総）余剰の変化分は、三角形bdeの面積に等しくなる。

5 ×　企業による世界市場への輸出量の大きさ（絶対値）はX_3-X_1に等しく、企業は貿易によって四角形pp^*edの面積に等しいだけの追加利潤を得る。

憲法　民法Ⅰ　民法Ⅱ　刑法　マクロ経済学　ミクロ経済学

裁判所（一般職／大卒程度）問題文の出典について

本書掲載の現代文・英文の問題文は、以下の著作物からの一部抜粋です。

■本　冊

p.2　梶谷 真司『考えるとはどういうことか 0歳から100歳までの哲学入門』幻冬舎新書

p.4　谷川 健一『わたしの民俗学』三一書房

p.6　山口 真美『正面を向いた鳥の絵が描けますか？』講談社＋α新書

p.8　村上 陽一郎『あらためて学問のすすめ 知るを学ぶ』河出書房新社

p.10　伊藤 亜紗『手の倫理』講談社選書メチエ

p.12　阿部 猛『歴史の見方考え方 教養の日本史』東京堂出版

p.14　川合 伸幸『ヒトの本性 なぜ殺し、なぜ助け合うのか』講談社現代新書

p.16　中本 真人『宮廷の御神楽 王朝びとの芸能』新典社新書

p.18　島田 雅彦『深読み日本文学』インターナショナル新書

p.20　加藤 尚武『「かたち」の哲学』岩波現代文庫

p.22　百川 敬仁『「物語」としての異界』砂子屋書房

p.24　猪木 武徳『自由の思想史 市場とデモクラシーは擁護できるか』新潮選書

p.26　奥野 克巳『ありがとうもごめんなさいもいらない森の民と暮らして人類学者が考えたこと』亜紀書房

p.28　茂木 健一郎『思考の補助線』ちくま新書

p.30　国立歴史民俗博物館、花王株式会社編『〈洗う〉文化史「きれい」とは何か』吉川弘文館

p.32　帚木 蓬生『ネガティブ・ケイパビリティ 答えの出ない事態に耐える力』朝日選書

p.34　柴野 京子「誰もすべての本を知らない」『本は、これから』岩波新書

p.36　Stuart Varnam-Atkin『Trad Japan Snapshots』NHK出版（原文）
TAC公務員講座（訳文）

p.38　Scott Galloway, *Adrift: America in 100 Charts*, Portfolio 1)（原文）
TAC公務員講座（訳文）

p.40　Tina Seelig, *What I Wish I Knew When I Was 20*, HarperOne 2)（原文）
TAC公務員講座（訳文）

p.44　Ernest Hemingway, “Cat in the Rain” *In Our Time*, Scribner（原文）
TAC公務員講座（訳文）

p.48　ニーナ・ウェグナー/高橋 早苗訳『アメリカ歳時記 American Important Holidays and Events』IBCパブリッシング（原文）
TAC公務員講座（訳文）

p.50　西海 コエン/マイケル・ブレーズ訳『地球の歴史 The History of the Earth』IBCパブリッシング（原文）
TAC公務員講座（訳文）

p.54　山本 素子『日本の伝統文化 Understanding Cultural Treasures of Japan』IBCパブリッシング（原文）
TAC公務員講座（訳文）

p.56　Jean Webster, ***Daddy-Long-Legs,*** Puffin Books（原文）
TAC公務員講座（訳文）

p.58　"Lack of Sleep Affects Physical and Mental Performance," *Voice of America*, 2009/10/30（原文）
TAC公務員講座（訳文）

p.60　David S. Kidder & Noah D. Oppenheim, *The Intellectual Devotional*, Rodale Books [3]（原文）
TAC公務員講座（訳文）

p.62　Yuval Noah Harari, ***21 Lessons for the 21st Century,*** Jonathan Cape [4]（原文）
ユヴァル・ノア・ハラリ/柴田 裕之訳『21 Lessons 21世紀の人類のための21の思考』河出書房新社（訳文）

p.64　ハミル・アキ『日本人のしぐさ　70 Japanese Gestures - No Language Communication』IBCパブリッシング（原文）
TAC公務員講座（訳文）

■別　冊

No.1　石川 幹人『だからフェイクにだまされる 進化心理学から読み解く』ちくま新書

No.2　菊地 暁『民俗学入門』岩波新書

No.3　阿古 真理『なぜ日本のフランスパンは世界一になったのか パンと日本人の150年』NHK出版新書

No.4　数土 直紀『理解できない他者と理解されない自己 寛容の社会理論』勁草書房

No.5　上野 千鶴子『情報生産者になる』ちくま新書

No.6　"India's diaspora is bigger and more influential than any in history," *The Economist*, 2023/06/12（原文）
TAC公務員講座（訳文）

No.7　Jessica Bruder, *Nomadland: Surviving America in the Twenty-first Century*, W W Norton & Co. Inc.（原文）
TAC公務員講座（訳文）

No.8　Jared Diamond, ***Guns, Germs, and Steel: The Fates of Human Societies,*** W W Norton & Co. Inc. [5]（原文）
TAC公務員講座（訳文）

No.9　Louise George Kittaka, "Pancreatic cancer," *The Japan Times Alpha*, 2023/11/10（原文）
TAC公務員講座（訳文）

Credit Line

著作権者の方へ

本書に掲載している現代文・英文の問題文について、弊社で調査した結果、著作権者が特定できないなどの理由により、承諾の可否を確認できていない問題があります。お手数をお掛けいたしますが、弊社出版部宛てにご連絡をいただけると幸いです。

読者特典 模範答案ダウンロードサービスのご案内

本書には択一試験の問題・解答解説を収めていますが、読者特典として記述式試験の問題と模範答案をダウンロードするサービスをご利用いただけます。

TAC出版書籍販売サイト「CYBER BOOK STORE」からダウンロードできますので、ぜひご利用ください（配信期限：2025年９月末日）。

ご利用の手順

① CYBER BOOK STORE（https://bookstore.tac-school.co.jp/）にアクセス

② 「書籍連動ダウンロードサービス」の「公務員 地方上級・国家一般職（大卒程度）」から、該当ページをご利用ください

⇒ この際、次のパスワードをご入力ください

202611427

公務員試験

2026年度版
裁判所 科目別・テーマ別過去問題集（一般職／大卒程度）

（2005年度版　2005年4月25日　初版 第1刷発行）
2024年10月25日　初　版　第1刷発行

編著者　TAC出版編集部
発行者　多田敏男
発行所　TAC株式会社　出版事業部
（TAC出版）
〒101-8383
東京都千代田区神田三崎町3-2-18
電話 03(5276)9492(営業)
FAX 03(5276)9674
https://shuppan.tac-school.co.jp

組版　株式会社グラフト
印刷　今家印刷株式会社
製本　東京美術紙工協業組合

ISBN 978-4-300-11427-8
N.D.C. 317

乱丁・落丁による交換，および正誤のお問合せ対応は，該当書籍の改訂版刊行月末日までといたします。なお，交換につきましては，書籍の在庫状況等により，お受けできない場合もございます。
また，各種本試験の実施の延期，中止を理由とした本書の返品はお受けいたしません。返金もいたしかねますので，あらかじめご了承くださいますようお願い申し上げます。

公務員講座のご案内

大卒レベルの公務員試験に強い!

2023年度 公務員試験

公務員講座生※1
最終合格者延べ人数※2

5,857名

※1 公務員講座生とは公務員試験対策講座において、目標年度に合格するために必要と考えられる、講義、演習、論文対策、面接対策等をパッケージ化したカリキュラムの受講生です。単科講座や公開模試のみの受講生は含まれておりません。
※2 同一の方が複数の試験種に合格している場合は、それぞれの試験種に最終合格者としてカウントしています。(実合格者数は3,093名です。)
＊2024年1月31日時点で、調査にご協力いただいた方の人数です。

国家公務員(大卒程度)		計2,897名
地方公務員(大卒程度)		計2,849名
国立大学法人等	大卒レベル試験	69名
独立行政法人	大卒レベル試験	15名
その他公務員		27名

TACの2023年度 合格実績 合格の声 詳しくは➡

2023年度 国家総合職試験

公務員講座生※1

最終合格者数 233名

法律区分	42名	経済区分	24名
政治・国際区分	71名	教養区分※2	54名
院卒/行政区分	19名	その他区分	23名

※1 公務員講座生とは公務員試験対策講座において、目標年度に合格するために必要と考えられる、講義、演習、論文対策、面接対策等をパッケージ化したカリキュラムの受講生です。単科講座や公開模試のみの受講生は含まれておりません。
※2 上記は2023年度目標の公務員講座最終合格者のほか、2024・2025年度目標公務員講座生の最終合格者54名が含まれています。
＊ 上記は2024年1月31日時点で調査にご協力いただいた方の人数です。

2023年度 外務省専門職試験

最終合格者総数60名のうち
50名がWセミナー講座生※1です。

合格者占有率※2 83.3%

外交官を目指すなら、実績のWセミナー

※1 Wセミナー講座生とは、公務員試験対策講座において、目標年度に合格するために必要と考えられる、講義、演習、論文対策、面接対策等をパッケージ化したカリキュラムの受講生です。各種オプション講座や公開模試など、単科講座のみの受講生は含まれておりません。また、Wセミナー講座生はそのボリュームから他校の講座生と掛け持ちすることは困難です。
※2 合格者占有率は「Wセミナー講座生(※1)最終合格者数」を、「外務省専門職員採用試験の最終合格者総数」で除して算出しています。
＊ 上記は2023年10月9日時点で調査にご協力いただいた方の人数です。

Wセミナーは TACのブランドです

公務員講座のご案内

無料体験入学のご案内

3つの方法でTACの講義が体験できる!

教室で体験

迫力の生講義に出席

予約不要! **最大3回連続出席OK!**

1. 校舎と日時を決めて、当日TACの校舎へ

TACでは各校舎で毎月体験入学の日程を設けています。

2. オリエンテーションに参加（体験入学1回目）

初回講義「オリエンテーション」にご参加ください。体験入学ご参加の際に個別にご相談をお受けいたします。

3. 講義に出席（体験入学2・3回目）

引き続き、各科目の講義をご受講いただけます。参加者には体験用テキストをプレゼントいたします。

- 最大3回連続無料体験講義の日程はTACホームページと公務員講座パンフレットでご覧いただけます。
- 体験入学はお申込み予定の校舎に限らず、お好きな校舎でご利用いただけます。
- 4回目の講義前までにご入会手続きをしていただければ、カリキュラム通りに受講することができます。

※地方上級・国家一般職以外の講座では、最大2回連続体験入学を実施しています。また、心理職・福祉職はTAC動画チャンネルで体験講義を配信しています。
※体験入学1回目や2回目の後でもご入会手続きは可能です。「TACで受講しよう！」と思われたお好きなタイミングで、ご入会いただけます。

ビデオで体験

校舎のビデオブースで体験視聴

全国のTAC校舎のビデオブースで、講義を無料でご視聴いただけます。（要予約）

TAC各校のビデオブースでお好きな講義を体験視聴できます。視聴前日までに視聴する校舎受付までお電話にてご予約をお願い致します。

ビデオブース利用時間 ※日曜日は④の時間帯はありません。

① 9：30 ～ 12：30　② 12：30 ～ 15：30
③ 15：30 ～ 18：30　④ 18：30 ～ 21：30

※受講可能な曜日・時間帯は一部校舎により異なります。
※年末年始・夏期休業・その他特別な休業以外は、通常平日・土日祝祭日にご覧いただけます。
※予約時にご希望日とご希望時間帯を合わせてお申込みください。
※基本講義の中からお好きな科目をご視聴いただけます。（視聴できる科目は時期により異なります）
※TAC提携校での体験視聴につきましては、提携校各校へお問合せください。

Webで体験

スマートフォン・パソコンで講義を体験視聴

TACホームページの「TAC動画チャンネル」で無料体験講義を配信しています。時期に応じて多彩な講義がご覧いただけます。

TAC ホームページ https://www.tac-school.co.jp/

※体験講義は教室講義の一部を抜粋したものになります。

(2024年2月現在)

書籍のご購入は

1 全国の書店、大学生協、ネット書店で

2 TAC各校の書籍コーナーで

資格の学校TACの校舎は全国に展開!
校舎のご確認はホームページにて

資格の学校TAC ホームページ
https://www.tac-school.co.jp

3 TAC出版書籍販売サイトで

TAC 出版 で 検索

24時間
ご注文
受付中

https://bookstore.tac-school.co.jp/

新刊情報をいち早くチェック!

たっぷり読める立ち読み機能

学習お役立ちの特設ページも充実!

TAC出版書籍販売サイト「サイバーブックストア」では、TAC出版および早稲田経営出版から刊行されている、すべての最新書籍をお取り扱いしています。
また、会員登録(無料)をしていただくことで、会員様限定キャンペーンのほか、送料無料サービス、メールマガジン配信サービス、マイページのご利用など、うれしい特典がたくさん受けられます。

サイバーブックストア会員は、特典がいっぱい!(一部抜粋)

通常、1万円(税込)未満のご注文につきましては、送料・手数料として500円(全国一律・税込)頂戴しておりますが、1冊から無料となります。

専用の「マイページ」は、「購入履歴・配送状況の確認」のほか、「ほしいものリスト」や「マイフォルダ」など、便利な機能が満載です。

メールマガジンでは、キャンペーンやおすすめ書籍、新刊情報のほか、「電子ブック版TACNEWS(ダイジェスト版)」をお届けします。

書籍の発売を、販売開始当日にメールにてお知らせします。これなら買い忘れの心配もありません。

公務員試験対策書籍のご案内

TAC出版の公務員試験対策書籍は、独学用、およびスクール学習の副教材として、各商品を取り揃えています。学習の各段階に対応していますので、あなたのステップに応じて、合格に向けてご活用ください！

INPUT

『みんなが欲しかった！
公務員 合格への
はじめの一歩』

A5判フルカラー

- 本気でやさしい入門書
- 公務員の"実際"をわかりやすく紹介したオリエンテーション
- 学習内容がざっくりわかる入門講義

・数的処理（数的推理・判断推理・空間把握・資料解釈）
・法律科目（憲法・民法・行政法）
・経済科目（ミクロ経済学・マクロ経済学）

『みんなが欲しかった！
公務員 教科書&問題集』

A5判

- 教科書と問題集が合体！
  でもセパレートできて学習に便利！
- 「教科書」部分はフルカラー！
  見やすく、わかりやすく、楽しく学習！

・判断推理
・数的推理
・憲法
・民法
・行政法

『新・まるごと講義生中継』

A5判
TAC公務員講座講師
郷原 豊茂 ほか

- TACのわかりやすい生講義を誌上で！
- 初学者の科目導入に最適！
- 豊富な図表で、理解度アップ！

・郷原豊茂の憲法
・郷原豊茂の民法Ⅰ
・郷原豊茂の民法Ⅱ
・新谷一郎の行政法

『まるごと講義生中継』

A5判
TAC公務員講座講師
渕元 哲 ほか

- TACのわかりやすい生講義を誌上で！
- 初学者の科目導入に最適！

・郷原豊茂の刑法
・渕元哲の政治学
・渕元哲の行政学
・ミクロ経済学
・マクロ経済学
・関野喬のパターンでわかる数的推理
・関野喬のパターンでわかる判断整理
・関野喬のパターンでわかる空間把握・資料解釈

要点まとめ

『一般知識
出るとこチェック』

四六判

- 知識のチェックや直前期の暗記に最適！
- 豊富な図表とチェックテストでスピード学習！

・政治・経済
・思想・文学・芸術
・日本史・世界史
・地理
・数学・物理・化学
・生物・地学

記述式対策

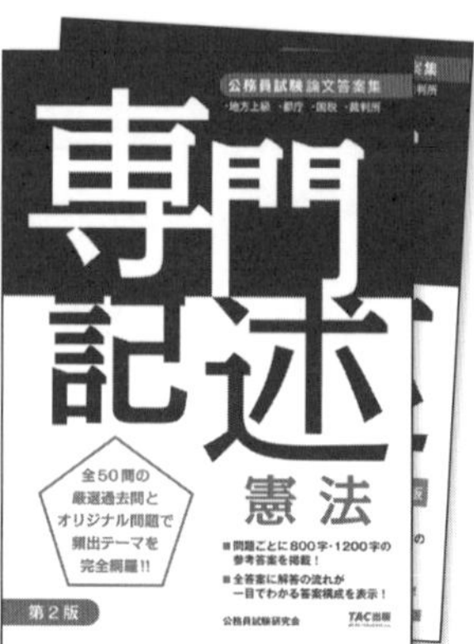

『公務員試験論文答案集
専門記述』

A5判
公務員試験研究会

- 公務員試験（地方上級ほか）の専門記述を攻略するための問題集
- 過去問と新作問題で出題が予想されるテーマを完全網羅！

・憲法〈第2版〉
・行政法

書籍の正誤に関するご確認とお問合せについて

書籍の記載内容に誤りではないかと思われる箇所がございましたら、以下の手順にてご確認とお問合せをしてくださいますよう、お願い申し上げます。

なお、正誤のお問合せ以外の**書籍内容に関する解説および受験指導などは、一切行っておりません。**
そのようなお問合せにつきましては、お答えいたしかねますので、あらかじめご了承ください。

1 「Cyber Book Store」にて正誤表を確認する

TAC出版書籍販売サイト「Cyber Book Store」の
トップページ内「正誤表」コーナーにて、正誤表をご確認ください。

CYBER BOOK STORE TAC出版書籍販売サイト

URL:https://bookstore.tac-school.co.jp/

2 1の正誤表がない、あるいは正誤表に該当箇所の記載がない ⇒ 下記①、②のどちらかの方法で文書にて問合せをする

★ご注意ください★

お電話でのお問合せは、お受けいたしません。
①、②のどちらの方法でも、お問合せの際には、「お名前」とともに、
「対象の書籍名(○級・第○回対策も含む)およびその版数(第○版・○○年度版など)」
「お問合せ該当箇所の頁数と行数」
「誤りと思われる記載」
「正しいとお考えになる記載とその根拠」
を明記してください。
なお、回答までに1週間前後を要する場合もございます。あらかじめご了承ください。

① ウェブページ「Cyber Book Store」内の「お問合せフォーム」より問合せをする

【お問合せフォームアドレス】

https://bookstore.tac-school.co.jp/inquiry/

② メールにより問合せをする

【メール宛先 TAC出版】

syuppan-h@tac-school.co.jp

※土日祝日はお問合せ対応をおこなっておりません。
※正誤のお問合せ対応は、該当書籍の改訂版刊行月末日までといたします。

乱丁・落丁による交換は、該当書籍の改訂版刊行月末日までといたします。なお、書籍の在庫状況等により、お受けできない場合もございます。
また、各種本試験の実施の延期、中止を理由とした本書の返品はお受けいたしません。返金もいたしかねますので、あらかじめご了承くださいますようお願い申し上げます。

TACにおける個人情報の取り扱いについて
■お預かりした個人情報は、TAC(株)で管理させていただき、お問合せへの対応、当社の記録保管にのみ利用いたします。お客様の同意なしに業務委託先以外の第三者に開示、提供することはございません(法令等により開示を求められた場合を除く)。その他、個人情報保護管理者、お預かりした個人情報の開示等及びTAC(株)への個人情報の提供の任意性については、当社ホームページ(https://www.tac-school.co.jp)をご覧いただくか、個人情報に関するお問い合わせ窓口(E-mail:privacy@tac-school.co.jp)までお問合せください。

(2022年7月現在)

2024年度　問題

〈冊子ご利用時の注意〉

この色紙を残したまま、ていねいに抜き取り、ご利用ください。

また、抜き取りの際の損傷についてのお取替えはご遠慮願います。

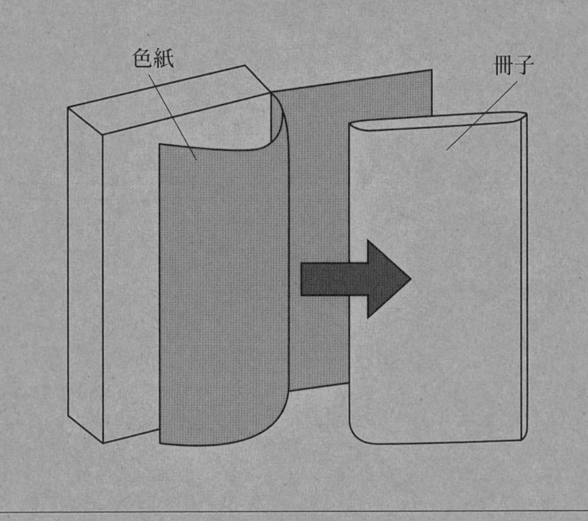

TAC出版

2024年度　基礎能力試験　問題

次の文章の内容に合致するものとして最も妥当なものはどれか。

近年のAI（人工知能）が大量データに依拠して高い性能を出せることは、よく知られている事実である。ところが、データに依拠しているがゆえに、AIの信頼性に優劣があることはあまり知られていない。

学生から「AIの知能は人類よりも賢くなるのでしょうか」という、怖れを伴った疑問が呈されたとき、私は「どのAIが」「どの性能において」人類よりも賢くなると懸念しているのかを問うことにしている。

まずは、身体能力で考えるとよい。オートバイは人間よりも速く走れるし、パワーショベルは穴掘りで、ドローンは空中散歩で人間よりも高性能である。機械の一部の性能が人間を凌駕しても、大きな懸念が表明されるわけでもない。機械は人間がコントロールするものだから、優秀ならば利用しようと思えるだけである。

次に知能であるが、AIの知能が人類よりも賢くなるのは、大量データがすでにあったり得られたりする分野である。大量のX線撮影画像からがんの兆候を見つけたり、将棋の対戦履歴データから効果的な指し手を見つけたりするAIは、すでに実用レベルにある。

しかし、考えてみると、大量のデータが偏りなく得られる分野はそう多くない。それにAIの開発にはそれなりに手間がかかるので、誰が開発の費用を負担するかの問題は大きい。企業が開発するのであれば、企業の思惑が働くだろう。企業に都合のよい確証データばかりが蓄えられたAIであれば、誤った根拠から「この商品の性能はよい」という判断結果を出すだろう。

つまり、今後AI技術が向上すれば、多様なAIが林立すると予想できる。同じ課題においても回答が異なるAIがさまざま存在するようになるだろう。そのとき判断のうえで重要となる観点が「誰が何のためにそのAIを開発したか」である。AIの頼りなさが理解できれば、人類が特定のAIに支配されるような事態にはなりにくいことがよくわかる。

とはいえ、科学における信頼性を推定するAIには期待がかかる。科学においては、経験的なデータから理論を構築して、その理論が予測する結果に対して、確証と反証の両面から実験や調査を行ってデータによる検証が進められている。分析の結果から理論の信頼性が高まったり、逆に低まって理論が変更されたりする。これらの過程の多くの部分は、研究論文によって公開されているので、論文データをAIに入れて整理すれば、一見科学的と見える理論の信頼性をそれぞれ的確に査定できるはずだ。

世界の科学者の知恵を結集して、こうしたAIが作成できれば、フェイク情報の一部は科学的な信頼性がかなり低い情報であると、市民が自ら確認できる時代が到来するだろう。

（石川幹人『だからフェイクにだまされる―進化心理学から読み解く』より）

1　AIが人類よりも賢くなるのではないかという思いは、機械は人間がコントロールするものであるため、全くの杞憂といえるものである。

2　AIの頼りなさが理解できれば人類が特定のAIに支配される可能性は低いが、頼りなさのあるAIであっても、フェイク情報の見極めには貢献できるであろう。

3　偏りのない大量データ入手の困難さ、また、開発には開発者の思惑が働くということを理解できれば、人類がAIに支配される事態に陥ることはない。

4　「どういったAIが」「どういった性能において」人類よりも賢いかという点をしっかり押さえておけば、「AIの知能が人類の知能を超えるか」という疑問は解消される。

5　多様なAIが生まれてくると予想できる中で、AIがその有効性を発揮できるのは、科学的と見える理論の信頼性の査定、つまり、フェイク情報の見極めに限られる。

次の文章の内容に合致するものとして最も妥当なものはどれか。

民俗学とは、人々の「せつなさ」と「しょうもなさ」に寄り添う学問ではないかと思っている。そういう物言いは、あまりに文学的に過ぎるだろうか。「せつなさ」とは、人々がそれぞれ生きる時代や地域や状況のなかで、ひたむきに忍耐と工夫を重ね、一生懸命に「日々の暮らし」を営んでいることへの感嘆と讃辞である。その一方、そうした人々が、しばしば心無い差別や抑圧や暴力の被害者となり、逆に加害者となり、あるいは無責任な傍観者となる。そして、その過ちに学ぶところなく、あるいは、学んでもすぐに忘れてしまい、また同じ過ちを繰り返す。そういった人々が抱え込む「しょうもなさ」も、残念なことに認めざるをえない私たちの世界の一面である。「せつなさ」と「しょうもなさ」は、人間世界にあざなえる縄のごとく立ち現れる。その厄介な混沌から目を背けることなく、一つ一つの因果関係を解きほぐし、「しょうもなさ」の克服に挑み続けること、そのための健全な認識力と実践力を育むことこそが、民俗学という学問の初志である。

私たちの日々の暮らしは、さまざまな営みが縦横無尽に交錯した膨大な累積である。私たちは、食べたり、着たり、住んだりしないわけにいかないし、そうした消費生活を実現するためには、働いてその成果を必需と交換すべく、さまざまな生産と流通の営みが必須となる。そしてそこには、小は家族から大は地球社会に至るまで、さまざまな規模と構造をもつ人間関係が不可避的に介在する。このような人々の生きる営みは、近代以降、「資本主義」という名のドラスティックかつグローバルな社会変容によって決定的に変質し、そしてそのプロセスは今なお続いている。私たちは、時に一抹の安息を覚えつつも、食べ物から仕事場から人間関係にいたるまで、ありとあらゆる局面をめぐって、漠然とした、あるいは歴然とした不安や不満に直面しつつ、日々の暮らしを営んでいる。

それがどのような経緯で「現在」へと至ったのか。そこから不安や不満を取り除くにはいかなる処方箋が有効なのか。この超難題に立ち向かうために民俗学が発見した糸口が、「民俗資料」という新たな資料である。それは何か。あらかじめ結論を述べると、それは「私（たち）」のことだ。「私（たち）」が、いま、ここで、このように生きている。そのこと自体が、どれほどささやかなものであるとしても、まぎれもなく人類の「歴史」の一部分である。であるならば、「私（たち）」に刻み込まれているはずの「歴史」を引きずり出し、その来歴と性質を明らかにすることも、原理的に不可能ではないはずだ。この「私（たち）が資料である」というコペルニクス的転回こそが、民俗学という学問による最大の方法論的貢献である（と筆者は思う）。

（菊地暁『民俗学入門』より）

1　「せつなさ」「しょうもなさ」という、人間の暮らしには切り離すことができないこの二つの感情の因果関係を解明することが民俗学の初心といえるであろう。

2　近代以降、私たちの日々の暮らしには、さまざまな規模と構造を持つ人間関係が不可避的に介在するようになった。

3　人々の営みは、これまで何度も変容、変質してきたが、その中でも「資本主義」は一番大きく人々の営みを変容、変質させたといえる。

4　人々が日々の暮らしの中で抱く漠然とした、あるいは歴然とした不安や不満がいかなるものかその性質を明確化するのが民俗学である。

5　人類の「歴史」の一部である「私（たち）」が、人々が持つ不安や不満の解決策の資料になることを発見したのが民俗学といえるであろう。

現代文	内容合致	2024年度 基礎能力 No.3

次の文章の内容に合致するものとして最も妥当なものはどれか。

維新前後はキナ臭い時代だった。西南の役で脚気（かっけ）患者が続出したことから一八七八（明治十一）年、原因を突き止めるため神田一ツ橋に国立脚気病院が設立された。西南の役ではドイツ人が経営する病院に重症患者を送り込んだ。すると、食事に出されたパンを食べて治った患者が次々と現れたことが、病院設立のきっかけとなったのである。

国立脚気病院では、東洋医学と西洋医学のどちらを採用するか決めるため、両方の医師を競わせた。東洋医は食事に白粥や梅干しなどを使い、西洋医はパンと牛乳を用いた。評価については諸説あったものの西洋医が採用され、このことでドイツ医学が公認の医学となった。

脚気は、江戸時代半ばからふえた病気である。脚がむくんだり体がだるく起き上がれなくなるなどの症状が出る。原因がわかっていなかった当時は難病で、第十三代将軍の徳川家定、第十四代将軍の徳川家茂なども脚気が原因で死亡している。「江戸患い」、「大坂腫れ」などと呼ばれたが、それは地方から都会へ出た者が多くかかる病気だったからである。

原因を突き止めたのは、東京帝国大学（現東京大学）農学部教授の鈴木梅太郎だ。自身も静岡県の郷里から東京に出た際、脚気にかかった経験があり、明治時代、軍隊で深刻な問題になっていた病の原因を突き止めるべく、日露戦争終結の年にドイツ留学から帰国後、研究に勤しんでいた。

軍隊では脚気による死亡者が続出していた。明治時代後半は対外戦争が続く。一八九四（明治二十七）年から翌年にかけて勃発した日清戦争、一九〇四（明治三十七）年から翌年にかけての日露戦争である。海軍軍医の高木兼寛（かねひろ）は食べものに原因があると確信し、麦飯やパンを主食とする洋食を摂り入れた兵食で患者を激減させた。一方、伝染病説を採る陸軍軍医の森林太郎（鷗外）は白米中心の兵食を替えず、大量の患者、死者を出した。

当時、地方の庶民の主食は麦飯やヒエなどの雑穀を混ぜたご飯やイモ類、うどんなどの粉もので、白米は特別なときにしか食べられなかった。江戸に出たり軍隊に入ると、白米が日常食になり、脚気にかかりやすくなる。それは、ぬかに含まれるビタミンB_1が不足するためであることを、鈴木梅太郎が発表したのは一九一一（明治四十四）年である。栄養のバランスがよい食事を摂ればかからない病気だが、栄養学も確立されていない当時、パンが脚気を治したり予防する食べものと考えられ、銀座木村屋のあんパンも日清・日露の戦争を経てよく売れるようになっていく。

ちなみに日本で脚気が肉などのパン以外の食べものにも含まれているビタミンB_1不足から起こることが、一般に認知され始めるのは大正時代半ばであり、脚気による死亡者数が年間一万人を切るのは、昭和三十年代以降である。

（阿古真理『なぜ日本のフランスパンは世界一になったのか　パンと日本人の150年』より）

1　鈴木梅太郎が脚気の原因を解明したことにより、パンがよく売れるようになっていった。

2　江戸時代において、脚気は都会に来た地方の者が地元にもどることで全国に広がった。

3　「江戸患い」、「大坂腫れ」と呼ばれていた病は、西南の役をきっかけに「脚気」と呼ばれるようになった。

4　続出する重症な脚気患者がドイツ人経営の病院で治ったことからドイツ医学が公認の医学となった。

5　脚気の原因が解明されたものの、その原因が一般に知られるようになるには時間がかかった。

次の文章中のA～Dの空欄に入る語句の組合せとして最も妥当なものはどれか。なお、同じ記号の箇所には同じ語句が入るものとする。

社会秩序を形成するために必要なことは、信頼を基盤にした協力であった。したがって、新しい社会秩序を構想するためには、「理解できない他者」との信頼関係がどのようにして形成されるのかを明らかにしなければならない。しかし、「理解できない」他者との間に成立する信頼とは、いったいどのような信頼なのだろうか。私たちは、「理解できない他者」とのコミュニケーションについて必ずしも豊かなイメージを持っているわけではない。そのため、そのような信頼のあり方を詳しく知っているわけでもない。

問題を次のように考える人たちがいるかもしれない。「『理解できない他者』といっても、その他者がいつまでも『理解できない他者』でいるわけではない。コミュニケーションする努力を重ねることで『理解できない他者』から『理解できなかった他者』に、すなわち『（　A　）他者』に変わるのだ」と。しかし、このような主張は、原則的には正しいとしても、おそらく現実的ではない。私たちの社会関係が地球規模で相互に結びついた場合には、社会が極端に複雑化かつ多様化するので、私が潜在的に関係しうる他者すべてを「理解できる他者」にすることなど端的に実現不可能なのである。そして、「理解できない他者」のすべてを「理解できなかった他者」あるいは「（　A　）他者」に変えることが不可能だとするならば、いたずらにそのような試みをするべきではない。むしろ、私たちは、「理解できない他者」がこの世界にいることを前提にして、そのような他者とも信頼に基づいた協力関係を構築できるような努力をすべきなのである。

しかし、「理解できない他者」の理解可能性を否定してしまうと、問題は一気に困難さを増すことになる。おそらく、「理解できない他者」との間にある信頼は、（　B　）にならざるをえないからである。

もし「理解できない他者」への信頼に何か根拠があるならば、私は他者が信頼できることをあらかじめ知っており、その限りで（　C　）いることになってしまう。しかし、これでは「理解できない他者」への信頼ということにはならない。確かに一見すると、「理解できない他者」への信頼は根拠を欠いた非合理的なもののようにみえるかもしれない。そして、このような根拠を欠いた（　D　）に依存せざるをえない限りにおいて、「理解できない他者」との間に成立する社会秩序など夢想のように思われる。しかし、本当にそうなのだろうか。今ここで問わなければならないことは、このことである。

もし「理解できない他者」を信頼することの合理性を明らかにし、そうした信頼による新しい秩序形成の可能性を示すことができたならば、透明性を欠き、そして私たちと対立する可能性を有した他者と共に生きることへの道が私たちの前に現れるのではないだろうか。

（数土直紀『理解できない他者と理解されない自己　寛容の社会理論』より）

	A	B	C	D
1	理解できた	根拠のない信頼	その他者の理解を拒否して	非合理的な信頼
2	理解できた	根拠のある信頼	その他者の理解を拒否して	根拠のない信頼
3	理解できた	根拠のない信頼	その他者を理解できて	非合理的な信頼
4	理解できる	根拠のない信頼	その他者を理解できて	根拠のない信頼
5	理解できる	根拠のある信頼	その他者を理解できて	非合理的な信頼

次の文章Aのあとに B～Hの文章を並べ替えてつなげると意味の通る文章となる。その順序として最も妥当なものはどれか。

A　研究とは、まだ誰も解いたことのない問いを立て、証拠を集め、論理を組み立てて、答えを示し、相手を説得するプロセスを指します。

B　そのうえ情報グルメ（美食家）や情報グルマン（大食漢）、情報コノスゥア（食通）までいます。情報の消費者には「通」から「野暮」までの幅があって、情報通で情報のクォリティにうるさい人を、情報ディレッタントと呼びます。

C　世の中にはたくさんの情報が流通しており、たくさんの情報消費者がいます。新聞やTVなどのマスメディアの情報を、聞きっかじりで訳知り顔にくりかえすだけの人もいますし、人の知らない情報源にアクセスして、レアな情報をゲットする情報オタクもいます。

D　わたしの大学での授業の目的は、いつも「情報生産者になる」ことでした。情報には、生産・流通（伝達）・消費の過程があります。メディアは情報伝達の媒体、多くのひとたちはそこから得られた情報を消費します。

E　なぜかって、生産者はいつでも消費者にまわることができますが、消費者はどれだけ「通」でも生産者にまわることができないからです。

F　もちろん質の高い消費者がいるからこそ、情報のクォリティも上がるのですが、情報も料理も、消費者より生産者のほうがえらい！　とわたしは断言します。料理だって、グルメの消費者より、料理をつくるひとのほうが、何倍もえらいんです。

G　もちろん学ぶことの基本は、「真似ぶ」こと。ですから他人の生産した情報を適切に消費することは、自らが情報生産者になるための前提です。

H　そのためには、すでにある情報だけに頼っていてはじゅうぶんではなく、自らが新しい情報の生産者にならなければなりません。

（上野千鶴子『情報生産者になる』より）

1　C→D→G→H→B→F→E

2　C→D→H→E→B→F→G

3　H→C→B→F→E→G→D

4　H→D→G→C→B→F→E

5　H→G→C→D→B→F→E

MEMO

英文	内容合致	2024年度 基礎能力 No.6

次の英文の内容に合致するものとして最も妥当なものはどれか。

Having just surpassed China as the world's most populous country, India contains more than 1.4bn people. What's more, its migrants are both more numerous and more successful than their Chinese peers. The Indian diaspora*1 has been the largest in the world since 2010, and is a powerful resource for India's government.

Of the 281m migrants spread around the globe today — generally defined as people who live outside the country where they were born — almost 18m are Indians, according to the latest UN estimates from 2020. Mexican migrants, who comprise the second-biggest group, number some 11.2m. Chinese abroad come to 10.5m.

Understanding how and why Indians have triumphed abroad, whereas Chinese have tended to sow suspicion, illuminates geopolitical faultlines*2. Comparing the two groups also reveals the extent of Indian achievement. The diaspora's wins both promote India's image and benefit its prime minister, Narendra Modi.

Migrants have stronger ties to their motherlands than their descendants born abroad, and so build vital links between their adopted homes and their birthplaces. In 2022 India's inward remittances*3 hit a record of almost $108bn, around 3% of GDP, more than in any other country. And overseas Indians with contacts, language skills and know-how boost cross-border trade and investment.

Huge numbers of second-, third- and fourth-generation Chinese live abroad, notably in South-East Asia, America and Canada. But in many rich countries, including America and Britain, the Indian-born population exceeds the Chinese-born.

Indian-born migrants are found across the world, with 2.7m living in America, more than 835,000 in Britain, 720,000 in Canada, and 579,000 in Australia. Young Indians flock to the Middle East, where low-skilled construction and hospitality jobs are better paid. There are 3.5m Indian migrants in the United Arab Emirates and 2.5m in Saudi Arabia (where the UN counts Indian citizens as a proxy*4 for the Indian-born population). Many more dwell in Africa and other parts of Asia and the Caribbean.

India has the essential ingredients*5 to be a leading exporter of talent: a mass of young people and first-class higher education. Indians' mastery of English, a legacy of British colonial rule, probably helps, too. Only 22% of Indian immigrants in America above the age of five say they have no more than a limited command of English, compared with 57% of Chinese immigrants, according to the Migration Policy Institute (MPI), an American think-tank.

("Making it as migrants", *The Economist*, June 17th, 2023より)

＊1…diaspora　移民　　＊2…geopolitical faultline　地政学的な断層線
＊3…remittance　送金　　＊4…proxy　代わり　　＊5…ingredient　要因

1　インド人の移民は、アメリカやイギリスよりも、中東のアラブ首長国連邦に多くいる。

2　世界の移民の数を国別で見ると、インドが一番多く、次に中国、３番目がメキシコとなる。

3　アメリカやイギリスでは、中国人の移民の数がインド人の移民の数を上回っている。

4　インド人の移民が世界で成功している要素としては、インドの経済発展とインド人の忍耐強さが挙げられる。

5　MPIの調査では、アメリカにいる５歳以上のインド系移民の半数以上が「英語があまりできない」と答えている。

次の英文の内容に合致するものとして最も妥当なものはどれか。

Linda May grips her steering wheel and watches the approaching mountains through bifocals with rose-colored frames. Her silver hair, which falls past her shoulders, is pulled back from her face in a plastic barrette. She turns off the Foothill Freeway onto Highway 330, also known as City Creek Road. For a couple miles the pavement runs flat and wide. Then it tapers*1 to a steep serpentine*2, with just one lane in either direction, starting the ascent into the San Bernardino National Forest.

The sixty-four-year-old grandmother is driving a Jeep Grand Cherokee Laredo, which was totaled and salvaged before she bought it off a tow lot. The "check engine" light is finicky — it has a habit of flashing on when nothing is actually wrong — and a close look reveals that the white paint on the hood, which was crumpled and replaced, is a half-shade off from the rest of the body. But after months of repairs the vehicle is finally roadworthy. A mechanic installed a new camshaft and lifters. Linda spruced up what she could, scrubbing the foggy headlights with an old T-shirt and insect repellant, a do-it-yourself trick. For the first time the Jeep is towing Linda's home: a tiny, pale yellow trailer she calls "the Squeeze Inn." (If visitors don't get the name on first mention, she puts it in a sentence — "Yeah, there's room, squeeze in!" — and smiles, revealing deep laugh lines.) The trailer is a molded fiberglass relic*3, a Hunter Compact II, built in 1974 and originally advertised as a "crowning achievement in travel for fun" that would "follow like a kitten on the open road, track like a tiger when the going gets rough." Four decades along, the Squeeze Inn feels like a charmingly retro life-support capsule: a box with rounded edges and sloped sides, geometrically reminiscent*4 of the Styrofoam*5 clamshell containers once used at hamburger joints. Inside it measures ten feet from end to end, roughly the same interior length as the covered wagon that carried Linda's own great-great-great-grandmother across the country more than a century ago. It has some distinctive 1970s' touches: quilted, cream-colored pleather*6 covering the walls and ceiling, linoleum with a mustard and avocado pattern on the floor. The roof is just high enough for Linda to stand. After buying the trailer at auction for $1,400, she described it on Facebook. "It's 5′3″ inside and I am 5′2″," she wrote. "Perfect fit."

Linda is hauling the Squeeze Inn up to Hanna Flat, a campground in the pine forest northwest of Big Bear Lake. It's May and she plans to stay there through September. But unlike the thousands of warm-weather visitors who travel for pleasure each year to the San Bernardino National Forest — a swath of wilderness*7 larger than the state of Rhode Island — Linda is making this journey for work. It's her third summer employed as a campground host: a seasonal gig that's equal parts janitor, cashier, groundskeeper, security guard, and welcoming committee. She's enthusiastic about starting the job and getting the annual raise for returning workers that will bump her hourly wage to $9.35, up 20 cents over the year before. (At the time, California's minimum wage was $9.00 an hour.) And though she and other campground hosts are hired "at will," according to the company's written employment policy — meaning they can be fired "at any time, with or without cause or notice" — she's been told to expect a full forty hours of work each week.

(Jessica Bruder, *Nomadland*より)

＊1…taper　次第に細くなる
＊2…serpentine　曲がりくねった坂道
＊3…relic　遺物
＊4…reminiscent　昔を思わせる
＊5…Styrofoam　発泡スチロール
＊6…pleather　人工皮革
＊7…a swath of wilderness　自然保護区

1 リンダは森林公園で夏季休暇をすごすために車を運転していた。

2 リンダは事故車を買い取り、上り坂でその試運転をしていた。

3 リンダは現在牽引している小型トレーラーを住居としている。

4 リンダはキャンプ場のスタッフとして、その施設に格安で宿泊している。

5 リンダは週に40時間、キャンプ場の正規職員として働いている。

英文	内容合致	2024年度 基礎能力 No.8

次の英文の内容に合致するものとして最も妥当なものはどれか。

THE LIMITED USES and users of early writing suggest why writing appeared so late in human evolution. All of the likely or possible independent inventions of writing (in Sumer, Mexico, China, and Egypt), and all of the early adaptations of those invented systems (for example, those in Crete, Iran, Turkey, the Indus Valley, and the Maya area), involved socially stratified societies with complex and centralized political institutions, whose necessary relation to food production we shall explore in a later chapter. Early writing served the needs of those political institutions (such as record keeping and royal propaganda), and the users were full-time bureaucrats nourished by stored food surpluses grown by food-producing peasants. Writing was never developed or even adopted by hunter-gatherer societies, because they lacked both the institutional uses of early writing and the social and agricultural mechanisms for generating the food surpluses required to feed scribes*1.

Thus, food production and thousands of years of societal evolution following its adoption were as essential for the evolution of writing as for the evolution of microbes*2 causing human epidemic diseases. Writing arose independently only in the Fertile Crescent, Mexico, and probably China precisely because those were the first areas where food production emerged in their respective hemispheres. Once writing had been invented by those few societies, it then spread, by trade and conquest and religion, to other societies with similar economies and political organizations.

While food production was thus a necessary condition for the evolution or early adoption of writing, it was not a sufficient condition. At the beginning of this chapter, I mentioned the failure of some food-producing societies with complex political organization to develop or adopt writing before modern times. Those cases, initially so puzzling to us moderns accustomed to viewing writing as indispensable to a complex society, included one of the world's largest empires as of A.D. 1520, the Inca Empire of South America. They also included Tonga's maritime proto-empire*3, the Hawaiian state emerging in the late 18th century, all of the states and chiefdoms*4 of subequatorial*5 Africa and sub-Saharan West Africa before the arrival of Islam, and the largest native North American societies, those of the Mississippi Valley and its tributaries. Why did all those societies fail to acquire writing, despite their sharing prerequisites with societies that did do so?

(Jared Diamond, *GUNS, GERMS, AND STEEL* より)

*1…scribe　書記
*2…microbe　病原菌
*3…maritime proto-empire　原始海洋帝国
*4…chiefdom　支配地域
*5…subequatorial　赤道直下の

1　狩猟採集の社会では、効率的な狩猟方法を仲間に伝えるために、文字が発明され、使われた。

2　狩猟採集の社会では、余剰食料を生み出す仕組みがないために、文字の読み書きを専門とする書記を養うゆとりがなかった。

3　食料生産を行なっていた地域、例えばメキシコでは、他の地域から文字を取り入れ使用した。

4　食料生産を行なっていた地域、例えばマヤ地方では、納税の記録を行うために、独自の文字を作り出した。

5　食料生産を行なっていた地域、例えばシュメールは、複雑で集権化された社会であったが、なぜか文字は持たなかった。

次の文章Aと文章Fの間に、B～Eの文章を並べ替えてつなげると意味の通る文章となる。その順序として最も妥当なものはどれか。

A Nov. 16 is World Pancreatic Cancer*[1] Day. It has a very personal meaning for me and my family: My husband was diagnosed with pancreatic cancer six years ago. Fortunately, his cancer was found early and he had surgery. He recovered well and continues to work, travel and play sports. This month, I want to shine a light on pancreatic cancer and why early detection is so important.

B Its "hidden" location makes it very hard to identify cancer of the pancreas.
C Moreover, many of the symptoms are quite vague.
D The pancreas, an organ sitting behind the stomach, makes enzymes*[2] that help digest food and hormones that help manage blood sugar.
E They include stomach or back pain, weight loss and changes in urine or bowel movements*[3].

F Jaundice*[4] — yellowing of the skin and eyes — may also be a sign of pancreatic cancer.

(Louise George Kittaka, "Pancreatic cancer", *The Japan Times Alpha*, Friday, November 10, 2023より)

＊1…Pancreatic Cancer　膵臓癌　＊2…enzyme　酵素
＊3…bowel movement　便通　＊4…Jaundice　黄疸

1 B→C→E→D

2 B→D→C→E

3 C→E→D→B

4 D→B→C→E

5 D→E→C→B

ある大学の就職活動について調べたところ、「A社を受けた学生は、C社を受けなかった」「B社を受けた学生は、D社は受けたがE社は受けなかった」ということがわかった。

その後、2つの情報が追加されたことにより、「A社を受けた学生とB社を受けた学生は同じ集団であった」ことがわかった。追加された2つの情報の組合せとして正しいものはどれか。

ア　A社を受けた学生は、D社を受けた。
イ　A社を受けなかった学生は、E社を受けた。
ウ　E社を受けた学生は、A社は受けなかった。
エ　B社を受けなかった学生は、C社を受けた。

1　アとイ

2　アとウ

3　アとエ

4　イとエ

5　ウとエ

A～Kの11人はサッカーチームの選手で、このうち１人がキーパーである。ある人が「だれがキーパーなのか」と尋ねたところ、次のような答えが返ってきた。

A 「ＢかＪです」
B 「私でもＦでもありません」
C 「ＢかＦです」
D 「Ｃです」
E 「Ｄの言っていることは本当です」
F 「Ｂはうそをついています」
G 「Ｃではありません」
H 「ＣかＩです」
I 「私でもＣでもありません」
J 「Ｉは本当のことを言っています」
K 「私でもＩでもありません」

このうち本当のことを言ったのは３人だけだったとすると、正しくいえるのは次のうちどれか。

1 キーパーはＢである。

2 キーパーはＣである。

3 キーパーはＩである。

4 キーパーは正しい発言をしている。

5 Ｋは正しい発言をしている。

Ａ、Ｂ、Ｃ、Ｄ、Ｅ、Ｆのプロ野球の球団の昨年と今年の順位について次のア～エのことがわかっている。

ア　ＡとＢはどちらも順位を１つ下げたが、ＢはＡよりも上位であった。
イ　Ｃは順位を２つ、Ｄは順位を４つ上げた。
ウ　Ｅは昨年と同じ順位だった。
エ　Ｆは最下位ではなかった。

各球団は１位から６位のいずれかの順位が付いており、同順位の球団はなかったとすると、今年の順位として確実にいえるのは次のうちどれか。

1　Ａは４位であった。

2　Ｂは３位であった。

3　Ｃは１位であった。

4　Ｄは２位であった。

5　Ｅは６位であった。

判断推理	発言	2024年度 基礎能力 No.13

Ａ、Ｂ、Ｃ、Ｄ、Ｅの５人がＡを先頭にこの順で縦一列に並んでいる。この５人に、赤の帽子４つ、白の帽子２つ、黄の帽子１つのうちから１つを選んで各人にかぶせた。５人は帽子の色の内訳は知っており、自分より前にいる者の帽子の色は見えるが、自分を含め、後ろにいる者の帽子の色はわからない。「自分の帽子の色はわかるか」と、まずＥに聞いたところ、Ｅは「わかった」と答えた。次にＣに聞いたところ、Ｃは「Ｅの発言を聞いてもわからない」と答えた。次にＢに聞いたところ、Ｂは「ＥとＣの発言を聞いてわかった」と答えた。

このとき、各人の帽子の色について確実にいえるのは次のうちどれか。

1　Ａの帽子は赤である。

2　Ｂの帽子は白である。

3　Ｃの帽子は黄である。

4　Ｄの帽子は赤である。

5　Ｅの帽子は白である。

A、B、C、D、E、Fの6つの工場で、ある製品をそれぞれ1000個ずつ作ったところ、1000個とも正規のものより3gだけ軽い不良品を作ってしまった工場があることがわかった。正規の製品1個の重量はわかっているが、不良品を作った工場は1つとは限らない。

いま、6つの工場で作られた製品の中から、工場によって異なる個数（A＜B＜C＜D＜E＜F）の製品をピックアップし、その総重量を量り、不良品を作った工場を特定することを考える。ピックアップする製品の個数は、その総重量を1回量るだけで不良品を作った工場を特定できるのに必要な最小個数とする。

この場合、ピックアップした製品の総重量が正規の総重量よりも18g軽ければ不良品はB工場とC工場で作られたとわかり、99g軽ければ不良品はA工場とF工場で作られたとわかる。

今回、ピックアップした製品の総重量を量ったところ、正規の総重量よりも135g軽かった。このとき、不良品を作った工場を全て挙げているものは次のうちどれか。

1　C工場とD工場とE工場

2　A工場とE工場とF工場

3　C工場とD工場とF工場

4　A工場とB工場とE工場とF工場

5　A工場とC工場とD工場とF工場

花びらの枚数、松ぼっくりのうろこ模様の列数、気管支や肝臓の血管の枝分かれの数など、自然界の動植物に多く見られる、ある規則性をアルファベットで表すと、次のようになる。

A，A，B，C，E，H，M，U，H，C，K，□，Y，　・・・・・

このとき、□に入るアルファベットとして正しいものはどれか。

1　N

2　P

3　R

4　S

5　U

ある大学は５つの附属校（Ｐ高校、Ｑ高校、Ｒ中学校、Ｓ中学校、Ｔ幼稚園）を設置しており、Ａ、Ｂ、Ｃ、Ｄ、Ｅの５人は、Ｐ～Ｔの５つの異なる附属校で事務職員として働いている。今年度、人事異動が行われた結果、昨年度と同じ附属校に配属された者はなく、また、２人の間の入れ替わりもなかった。

５人の異動に関して以下のア～オのことがわかっているとき、昨年度の所属または今年度の配属先について、正しくいえるものはどれか。

ア　今年度Ｑ高校に配属された者が昨年度所属していた附属校に、今年度配属されたのはＡである。Ａが今年度配属されたのはＲ中学校ではない。

イ　ある附属校に配属された者は、昨年度の人も今年度の人もゴルフが好きである。今年度その附属校に配属された者は、昨年度はＲ中学校に所属していた。

ウ　昨年度、ＤはＴ幼稚園に、ＥはＰ高校に所属していた。またＥが今年度配属されたのはＴ幼稚園ではない。

エ　ＡもＢもゴルフは好きでない。

オ　２年間続けて附属高校（Ｐ高校とＱ高校）に配属された者はいない。

1　Ａの昨年度の所属はＰ高校である。

2　Ｂの昨年度の所属はＳ中学校である。

3　Ｃの今年度の配属先はＰ高校である。

4　Ｄの今年度の配属先はＴ幼稚園である。

5　Ｅの今年度の配属先はＲ中学校である。

空間把握	折り紙	2024年度 基礎能力 No.17

正方形ABCDがあり、辺ABの中点を点P、辺CDの中点をQ、辺ADの中点をRとする。また、線分PQの中点をOとする。この正方形ABCDを線分PQで谷折りし、次に長方形APQDを線分ORで谷折りした。このときできた正方形APORの辺ARの中点をM、辺POの中点をNとする。

この正方形APORについて、点Oを頂点として含む線分で点Pが線分MN上に来るように折り、もとの辺AP上の折った点をSとすると三角形OPSができる。さらに点Oを頂点として、点Rが線分OS上に来るように折った（辺ORはOS上に重なる）。この図形上の2点P、Rを結ぶ直線で切ってできた三角形PROを開いたとき、できあがった図形として正しいものはどれか。

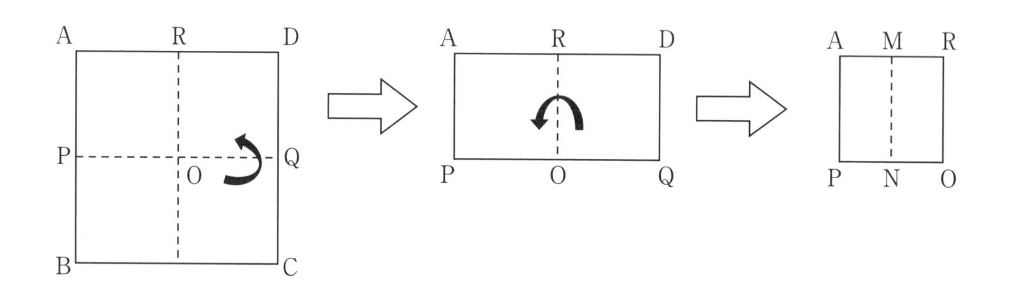

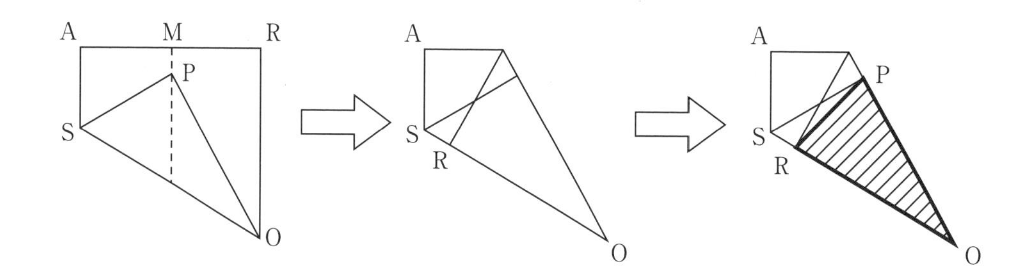

1 正六角形

2 正八角形

3 正十二角形

4 正三角形２枚のうち１枚を60度回転させて重ねた形（六芒星の輪郭）の十二角形

5 正方形２枚のうち１枚を45度回転させて重ねた形の十六角形

下の図のように、円Aと円B、円Bと円Cが接しており、それぞれの円の中心A、中心B、中心Cを結んでできる$\angle ABC = 90°$である。円Oが円A、B、Cの周囲を滑ることなく転がって1周するとき、中心Oが描く軌跡の長さとして正しいものはどれか。ただし、円はすべて同じ大きさで、半径は3である。

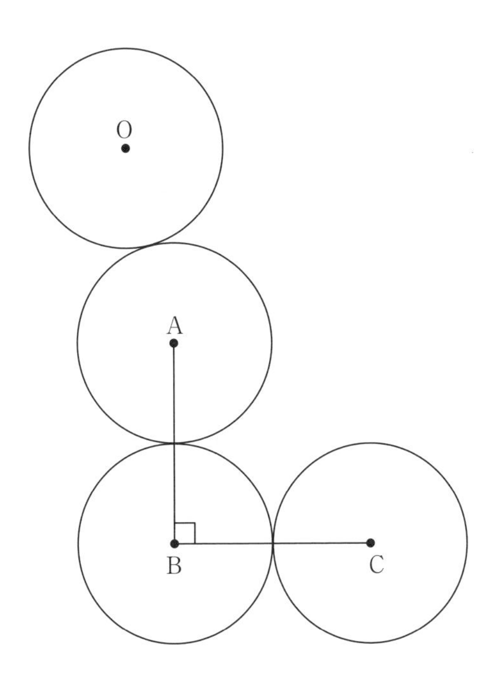

1 18π

2 19π

3 20π

4 21π

5 22π

８％の食塩水300gと６％の食塩水200gを混ぜて500gの食塩水を作り、この食塩水を火にかけて水を蒸発させたら、12％の食塩水になった。蒸発させた水は何gか。

1　200g

2　240g

3　250g

4　270g

5　280g

長さ180mの電車が全長900mの鉄橋を渡り始めてから渡り終えるまでに45秒かかった。この電車が全長1320mのトンネルを通るとき、電車がトンネルに完全に隠れている時間として正しいものはどれか。ただし、電車の進む速さは一定とする。

1 45.0秒

2 47.5秒

3 52.0秒

4 57.5秒

5 62.5秒

数的推理 | 場合の数 | 2024年度 基礎能力 No.21

白玉１個、赤玉２個、青玉４個の合計７個の玉をリング状につなげて首飾りを作る。並べ方は何通りあるか。なお、裏返したとき同一の配置になるものは、別の並べ方として数えないものとする。

1　３通り

2　６通り

3　９通り

4　12通り

5　15通り

数的推理	剰余	2024年度 基礎能力 No.22

4で割っても、5で割っても1余る正の整数のうち3桁のものは何個あるか。

1 45個

2 48個

3 50個

4 52個

5 55個

底面の半径6cm、高さ8cmの直円すいがある。この円すいに内接する球の体積として正しいものはどれか。

1 $12\pi\,\mathrm{cm}^3$

2 $24\pi\,\mathrm{cm}^3$

3 $32\pi\,\mathrm{cm}^3$

4 $36\pi\,\mathrm{cm}^3$

5 $39\pi\,\mathrm{cm}^3$

下の表は、各国の天然ガス国内消費量の推移と、2021年における自給率に関するデータ（抜粋）である。この表からいえることとして最も妥当なものはどれか。なお、世界計には、表中に記載のない国の量も含まれている。また、自給率は、消費量に対する生産量の割合を示している。

各国の天然ガス国内消費（単位　億m^3）

	1990年	2000年	2010年	2020年	2021年	
						自給率(%)
アメリカ合衆国	5,171	6,284	6,482	8,319	8,267	113.0
ロシア	4,142	3,662	4,239	4,235	4,746	147.8
中国	154	247	1,089	3,366	3,787	55.2
イラン	228	594	1,444	2,343	2,411	106.4
日本	503	757	999	1,041	1,036	2.2
ドイツ	637	829	881	871	905	5.0
世界計	19,481	23,994	31,589	38,456	40,375	

（公益財団法人矢野恒太記念会『日本国勢図会2023/24年版』より）

1　表中のいずれの年も、アメリカ合衆国の消費量は、世界計に占める割合が25%を超えている。

2　表中の国で、2000年と2020年を比較したとき、2020年の消費量が2000年の消費量の５倍を超えている国は２か国である。

3　2021年において、中国の天然ガスの生産量は、イランの天然ガスの生産量よりも少ない。

4　2021年において、ドイツの天然ガスの生産量は、日本の天然ガスの生産量の３倍を超えている。

5　表中の年のうち、ロシアの消費量が世界計に占める割合が最も低いのは2010年である。

日本の経済に関する次のA～Eの記述のうち、妥当なもののみを全て挙げているものはどれか。

A　国民負担率とは、租税負担率と社会保障負担率を合わせた、国民所得に対する国民の負担を表す比率のことである。財務省は、2024年度は2023年度よりも大幅に増加する見通しだと発表した。
B　日本はドイツやスウェーデンと比較して財政赤字対国民所得比が小さいため、潜在的国民負担率は常に欧米諸国よりも10ポイント以上下回っている。
C　外国為替相場で円の価値が外国通貨に対して上がることを円高といい、下がることを円安という。近年の日本は円安傾向にあり、2023年10月末には一時１ユーロが150円台、１ドルは15年ぶりに160円台となった。
D　財務省が発表した令和５年度上期中の国際収支状況（速報）によると、輸出から輸入を引いた貿易収支では赤字であったが、経常収支では黒字であった。
E　2024年には新技術を取り入れ、デザインを刷新した千円、５千円、１万円の紙幣が発行される運びとなったが、新紙幣の発行は前回から20年ぶりである。

1　A、C

2　A、D

3　B、C

4　B、E

5　D、E

政治	政治事情	2024年度 基礎能力 No.26

日本の政治に関する記述として最も妥当なものはどれか。

1　個人情報保護法で定める個人情報の定義によれば、本人の生年月日、住所、電話番号は個人情報であるが、氏名と会社名を組み合わせただけのメールアドレスは個人情報に該当しない。

2　2023年６月に発表された「ジェンダー・ギャップ指数2023」で、日本はG7のうち最下位であったことから、2024年以降の国政選挙においてはクオータ制が導入されることが決定している。

3　日本は四方を海に囲まれ、本土以外の島も多いことから、周辺国との領土問題を抱えており、中国との間では竹島問題が、韓国との間では尖閣諸島問題が、ロシアとの間では北方領土問題がある。

4　ふるさと納税は、2008年の地方税法等の改正によって始まった寄附金税額控除制度で、総務省は返礼品の基準を寄附額の３割以下の地場産品と定めている。多額の寄附が集まる自治体がある一方、大都市圏の自治体の中には、ふるさと納税による住民税の流出が問題となっている自治体もある。

5　ガソリン価格の高騰により、国民生活や企業活動に影響が出ているとして、2023年11月にはガソリン税を一時的に免除するトリガー条項が発動されたが、物価上昇へのブレーキとしては効果があまり見られなかった。

世界の状況に関する記述として最も妥当なものはどれか。

1 2023年８月に行われたBRICS首脳会議は、2024年からエジプトやイラン、タイ、バングラデシュなどを含む23か国が正式加盟するという内容を盛り込んだ「ヨハネスブルク宣言」を採択した。

2 近年存在感を増している「グローバル・サウス」は、明確な定義はないが、主に経済的な連携を目指す南半球の国々の総称で、オーストラリアは2023年のオンラインサミットで議長国を務めるなど、その盟主を自任している。

3 カンボジアでは、国軍が2021年２月に与党「国民民主連盟（NLD）」党首で国家顧問だったアウンサンスーチー氏らを拘束し、前年の総選挙での不正を名目にNLDから政権を奪ったが、2023年中も非常事態が収束しなかった。

4 2023年11月、アメリカのバイデン大統領は、ロシアが批准していないことを理由に、包括的核実験禁止条約（CTBT）の批准を撤回する法案に署名し、事実上CTBTを離脱した。

5 イタリアは、G7の中で唯一、中国の巨大経済圏構想「一帯一路」に参加していたが、経済効果が乏しいことなどを理由として、この構想から離脱することを2023年12月に正式に通知した。

社会	教育・文化	2024年度 基礎能力 No.28

教育・文化に関する次のA～Eの記述のうち、妥当なもののみを全て挙げているものはどれか。

A　2023年には、盆踊や念仏踊などの日本各地で伝承されてきた伝統行事「風流踊」が、「和食」と共にUNESCOの世界文化遺産に登録された。

B　「ハラール（ハラル）食」とは、イスラム教徒（ムスリム）が問題なく食べられる、必要な作法通りに調製された食品のことである。

C　2023年10月の奈良女子大と大阪市立自然史博物館の研究チームの発表によれば、奈良県桜井市の纒向遺跡で古墳時代前期の土層からカブトムシの体の一部が検出されたが、これはカブトムシの発見例としては世界最古となる可能性がある。

D　無断で映画を短く編集し、あらすじを紹介する「ファスト映画」については、これをネット上に投稿した者について著作権法違反の疑いがもたれているが、民事裁判により示談となった例はあるものの、刑事責任が認められた例はない。

E　デジタル教科書は、学校教育法の改正により紙の教科書に代えて使用できるようになっており、文部科学省は、2024年度にまず英語から全小中学校に本格導入することを決定した。

1　A、C

2　A、E

3　B、D

4　B、E

5　C、D

環境・科学に関する次のA～Dの記述のうち、妥当なもののみを全て挙げているものはどれか。

A　エルニーニョは、太平洋赤道域東部で海面水温が平年より高くなる現象で、一般的に日本では冷夏・暖冬になりやすいとされているが、2023年はその他の要因が重なって、異例の猛暑となった。

B　2023年10月から小笠原諸島の硫黄島から約1キロメートルの沖合で海底火山の噴火活動が始まり、新たな島が形成されたが、2024年2月には陸地部分がほぼ見られなくなった。

C　月面着陸を目指した日本の無人探査機「SLIM」は、2023年9月に種子島宇宙センターから打ち上げられ、2024年1月に月面への着陸に成功した。月面着陸は、これまでに旧ソビエトとアメリカの2か国しか成功していない。

D　理化学研究所が利用を開始した「叡（えい）」は国産量子コンピューターの第1号機であるが、量子コンピューターは一般に「富岳」などのスーパーコンピューターを超える高速計算能力をもち、エラーが少ないという特長がある。

1　A、B

2　A、C

3　A、D

4　B、C

5　C、D

社会　環境問題

環境問題に関する次のA～Dの記述のうち、妥当なもののみを全て挙げているものはどれか。

A　2023年12月の国連気候変動会議（COP28）で採択された合意文書には、初めて「化石燃料からの脱却を加速させる」という言葉が盛り込まれた。

B　2023年12月の国連気候変動会議（COP28）では、日本の呼びかけにより、世界の再生可能エネルギーの設備容量を2030年までに３倍にすることが提案され、100か国以上がこれに賛同した。

C　日本政府は2020年に、2050年までに温室効果ガスの排出を全体としてゼロにする「ゼロエミッション」を目指すことを宣言しているが、この「全体としてゼロ」とは温室効果ガスの「排出量」から、植林や森林管理などによる「吸収量」を差し引いたものをゼロにすることを指す。

D　脱炭素の実現に向け、経済産業省は再生可能エネルギーの普及に力を入れており、2024年度予算では日本発の新技術であるペロブスカイト太陽電池や、浮体式の洋上風力発電などの設備投資に予算が計上されている。

1　A、B

2　A、C

3　A、D

4　B、C

5　C、D

2024年度　専門試験　問題

外国人の人権に関する次のア～エの記述のうち、妥当なもののみを全て挙げているものはどれか(争いのあるときは、判例の見解による。)。

ア　外国人の政治活動の自由は、その政治活動が我が国の政治的意思決定に影響を及ぼすものであっても、憲法上保障される。

イ　憲法第22条第１項は、日本国内における居住・移転の自由を保障する旨を規定するにとどまり、外国人が我が国に入国することについては何ら規定していないことなどからすると、外国人が我が国に入国する自由は憲法上保障されていない。

ウ　居住する区域の地方公共団体と特段に緊密な関係を持つに至ったと認められる外国人については、その意思を日常生活に密接な関連を有する地方公共団体の公共的事務の処理に反映させる必要があるから、法律で外国人に対して一律に地方選挙権を付与しない措置を採ることは違憲である。

エ　租税を財源とする社会福祉としての性格を有する障害福祉年金の支給対象者から在留外国人を除外することも、立法府の裁量の範囲内である。

1　ア、イ

2　ア、エ

3　イ、ウ

4　イ、エ

5　ウ、エ

法の下の平等に関する次のア～エの記述の正誤の組合せとして最も妥当なものはどれか（争いのあるときは、判例の見解による。)。

ア　国民の租税負担を定めるに当たっては、国政全般からの総合的な政策判断と、極めて専門技術的な判断が必要となるので、租税法の分野における取扱いの区別については、その立法目的が正当であり、区別の態様が目的との関連で著しく不合理であることが明らかでない限り、憲法第14条第１項に違反しない。

イ　憲法第14条第１項後段は、人種、信条、性別等により差別されないと定めるが、これはここに列挙された事由による差別だけが憲法上禁止されるという趣旨である。

ウ　地方公共団体が憲法第94条の条例制定権に基づいて売春の取締りについて各別に条例を制定した結果、その取扱いに差異が生じた場合には、憲法第14条第１項に違反する。

エ　憲法第14条第１項は、選挙権に関しては、各選挙人の投票の価値の平等も要求するものであるが、各投票が選挙の結果に及ぼす影響力が数字的に完全に同一であることまでも要求するものではない。

	ア	イ	ウ	エ
1	正	正	誤	誤
2	正	誤	正	誤
3	正	誤	誤	正
4	誤	正	誤	正
5	誤	誤	正	正

憲法　表現の自由　2024年度 専門 No.3

「検閲」（憲法第21条第２項）に関する次のア～エの記述の正誤の組合せとして最も妥当なものはどれか（争いのあるときは、判例の見解による。）。

ア　税関検査の結果、輸入禁制品に該当すると認められれば、日本国内に表現物を適法に輸入することができなくなるため、税関検査は、「検閲」に該当する。
イ　有害図書であることを理由に発表済みの図書について自動販売機への収納を禁止することは、「検閲」に該当する。
ウ　裁判所が仮処分により名誉毀損表現の事前差止めを命ずることは、「検閲」に該当する。
エ　教科用図書の検定は、教科書としての出版を妨げるため、「検閲」に該当する。

	ア	イ	ウ	エ
1	正	正	誤	正
2	正	誤	正	誤
3	誤	正	誤	正
4	誤	正	正	正
5	誤	誤	誤	誤

憲法	集会・結社の自由	2024年度 専門 No.4

集会・結社の自由に関する次のア～エの記述の正誤の組合せとして最も妥当なものはどれか（争いのあるときは、判例の見解による。）。

ア　憲法第21条第１項の「集会」とは、多数の人間が共通の目的のために一時的に会合することをいい、葬儀も「集会」に該当する。
イ　普通地方公共団体の公の施設として、集会の用に供する施設が設けられている場合、管理者が正当な理由なくその利用を拒否するときは、集会の自由の不当な制限につながるおそれがある。
ウ　個人の結社の自由は、団体の結成、団体への加入及び団体の構成員であり続けることについて公権力の介入を受けない自由を意味し、個人が団体から脱退する自由を含まない。
エ　政党は、政治上の信条、意見等を共通にする者が任意に結成する政治結社であり、政党を結成する自由は、結社の自由により保障される。

	ア	イ	ウ	エ
1	正	正	誤	正
2	正	誤	正	誤
3	正	正	正	誤
4	誤	誤	正	誤
5	誤	正	誤	正

憲法	社会権	2024年度 専門 No.5

社会権に関する次のア～エの記述の正誤の組合せとして最も妥当なものはどれか（争いのあるときは、判例の見解による。）。

ア　生存権の保障は外国人にも及ぶから、社会保障上の施策において、外国人を日本国民と同等に取り扱わなければ、憲法第25条に反する。

イ　子どもに与えるべき教育の内容は、全面的に国の政治的意思決定手続によって決定すべきであると解するのが最高裁判所の判例の立場である。

ウ　義務教育の無償（憲法第26条第２項）は、授業料の無償を定めたものであり、教材費まで無償とすることを定めたものではない。

エ　勤労の権利（憲法第27条第１項）は、国に対して労働の機会の提供を要求できる具体的な権利である。

	ア	イ	ウ	エ
1	正	正	誤	正
2	正	誤	正	誤
3	誤	正	誤	正
4	誤	誤	正	誤
5	誤	正	正	正

違憲審査に関する次のア～ウの記述の正誤の組合せとして最も妥当なものはどれか（争いのあるときは、判例の見解による。）。

ア　裁判所は、具体的な争訟と関係なく、抽象的に法令の違憲審査を行うことができる。
イ　違憲審査権は、最高裁判所のみならず、下級裁判所も行使することができる。
ウ　国会が承認した条約は憲法に優越するので、裁判所による違憲審査の対象となる余地はない。

	ア	イ	ウ
1	正	正	誤
2	正	誤	正
3	誤	正	誤
4	誤	誤	正
5	誤	正	正

憲法　内閣　2024年度 専門 No.7

内閣に関する次のア～エの記述のうち、妥当なもののみを全て挙げているものはどれか。

ア　憲法は、国務大臣について、内閣総理大臣の同意がなければ、その在任中訴追されないことを定めている。

イ　最高裁判所の長たる裁判官は、内閣の指名に基づいて天皇が任命し、最高裁判所の長たる裁判官以外の最高裁判所の裁判官は、内閣が任命する。

ウ　内閣は、国会の指名した者の名簿によって、下級裁判所の裁判官を任命する。

エ　内閣総理大臣は、国務大臣を自由に任免することができ、内閣総理大臣その他の国務大臣は、その過半数が文民であれば足りる。

1　ア、イ

2　ア、エ

3　イ、ウ

4　イ、エ

5　ウ、エ

民法Ⅰ　錯誤　2024年度 専門 No.8

錯誤に関する記述として最も妥当なものはどれか（争いのあるときは、判例の見解による。）。

1　表意者が法律行為の基礎とした事情について、その認識が真実に反していた場合、その事情が法律行為の基礎とされていることが表示されていなくても、表意者は意思表示を取り消すことができる。

2　錯誤による意思表示の取消しは、取消し前に現れた第三者に対しても対抗できることがある。

3　錯誤が表意者の重大な過失によるものであった場合には、相手方の認識にかかわらず、意思表示の取消しをすることができない。

4　ＹがＸの代理人として意思表示をしたとき、Ｙに錯誤があったとしても、Ｘも同一の錯誤に陥っていなければ、Ｙの意思表示を取り消すことはできない。

5　表意者が意思表示に錯誤があったと主張する場合、相手方は表意者に対して、１か月以上の期間を定めて追認するかどうかを確答すべき旨の催告をすることができ、表意者がその期間内に確答を発しないときは、その意思表示を追認したものとみなされる。

民法Ⅰ　消滅時効　2024年度 専門 No.9

消滅時効に関する次のア～エの記述のうち、妥当なもののみを全て挙げているものはどれか（争いのあるときは、判例の見解による。)。

ア　債務者が、消滅時効の完成を知らないまま債務の一部を弁済したとしても、その後にこれを知ったときは、消滅時効を援用することができる。

イ　売買代金債権の消滅時効期間は５年であるが、同債権の存在が判決によって確定したとき、その時効期間は10年となる。

ウ　自らの有する土地につき、貸金債権を被担保債権とする抵当権を設定した物上保証人は、主債務者が被担保債権の消滅時効の利益を放棄したときには、被担保債権の消滅時効を援用して抵当権の実行を免れることは許されない。

エ　人の生命又は身体の侵害による損害賠償請求権は、債権者が権利を行使することができることを知った時から５年間行使しないときか、権利を行使することができる時から20年間行使しないときには、消滅時効が完成する。

1　ア、イ

2　ア、エ

3　イ、ウ

4　イ、エ

5　ウ、エ

民法Ⅰ　所有権　2024年度 専門 No.10

所有権に関する記述として最も妥当なものはどれか（争いのあるときは、判例の見解による。）。

1　Ｙから建物の建築を請け負ったＸが材料の全部を提供して、Ｙ所有の土地上に建物を建築した場合、建物の所有権は完成と同時にＹに帰属する。

2　Ｘが土地をＹに売却した後、Ｚにも売却した場合、同一の目的物について後からなされたＸとＺの間の売買契約は無効となる。

3　Ｘ所有の動産が、Ｙ所有の不動産に付合した場合、ＸはＹに対して、償金の支払を請求することができる。

4　ＹがＸ所有の土地を営林のため賃借し、樹木の苗木を植栽した場合、苗木の所有権はＸに帰属する。

5　Ｙ所有の土地に囲まれて公道に通じない土地を所有しているＸは、公道に至るためだとしても、Ｙ所有の土地を通行することはできない。

民法Ⅰ　留置権　2024年度 専門 No.11

留置権に関する記述として最も妥当なものはどれか（争いのあるときは、判例の見解による。）。

1　被担保債権が弁済期になくても、留置権を行使することができる。

2　留置権を行使していれば、被担保債権について消滅時効は完成しない。

3　Ｘは、不動産をＹに売却したが、Ｙが代金を支払わないため、不動産の占有を継続していた。Ｙが不動産をＺに転売した場合、Ｘは、Ｚに対しても留置権を主張することができる。

4　留置権者は、被担保債権の一部について弁済を受けた場合は、弁済を受けていない部分の割合に応じてしか、留置権を行使することができない。

5　留置権者は、債務者の承諾を得ることなく、留置物を賃貸することができる。

民法Ⅱ	債務不履行	2024年度 専門 No.12

債務不履行を理由とする損害賠償請求に関する次のア～エの記述の正誤の組合せとして最も妥当なものはどれか（争いのあるときは、判例の見解による。)。

ア　契約に基づく債務の履行がその契約の成立の時に不能であった場合、債権者は、債務者に対し、履行不能を理由として履行に代わる損害賠償の請求をすることはできない。

イ　債務不履行を理由として契約を解除する権利が債権者に発生した場合、債権者は、その契約を解除しなくても、債務者に対し、履行に代わる損害賠償の請求をすることができる。

ウ　債務者がその債務について遅滞の責任を負っている間にその債務の履行が不能となった場合、債権者は、その履行不能が債権者の責めに帰すべき事由によって生じたときであっても、債務者に対し、履行不能を理由として履行に代わる損害賠償の請求をすることができる。

エ　金銭を目的とする債務について債務者が遅滞の責任を負う場合、債権者は、約定利率又は法定利率によって算定された額を超える損害が生じたことを立証したとしても、債務者に対し、その損害の賠償を請求することはできない。

	ア	イ	ウ	エ
1	正	正	誤	正
2	正	誤	正	誤
3	誤	正	誤	誤
4	誤	正	誤	正
5	誤	誤	誤	正

民法Ⅱ	債権者代位権	2024年度 専門 No.13

債権者代位権に関する次のア～エの記述のうち、妥当なもののみを全て挙げているものはどれか(争いのあるときは、判例の見解による。)。

ア　代位債権者の被保全債権は、債権者代位権を行使する時点で有効に存在している必要はあるが、被代位権利よりも前に成立している必要はない。

イ　債務者が自ら権利を行使している場合には、その権利行使の方法又は結果の良否を問わず、債権者は、その権利を被代位権利として債権者代位権を行使できない。

ウ　債権者が被代位権利を行使した場合には、債務者は、被代位権利について、自ら取立てその他の処分をすることはできない。

エ　債権者は、金銭の支払を目的とする債権を代位行使する場合であっても、相手方に対し、その支払を自己に対してすることを求めることはできない。

1　ア、イ

2　ア、エ

3　イ、ウ

4　イ、エ

5　ウ、エ

民法Ⅱ	相殺	2024年度 専門 No.14

相殺に関する記述として最も妥当なものはどれか（争いのあるときは、判例の見解による。）。

1　自働債権が期限の定めのない債権であるときは、債権者は、催告をしなければ、これを相殺に供することはできない。

2　XがYに対して時計を売却したが、未だその引渡しをしていない場合であっても、Xは、Yに対する時計の売買代金債権を自働債権として相殺に供することができる。

3　Xが運転する自家用車とYが運転する自家用車が衝突し、XとYの双方が負傷した場合、この事故によって生じたXのYに対する損害賠償請求権とYのXに対する損害賠償請求権とは、相殺することはできない。

4　Yは、Xに対する甲債権をZに譲渡し、Xにその旨を通知した。その後、Xは、この通知よりも前の原因に基づきYに対する乙債権を取得した。Xは、Zに対し、甲債権と乙債権との相殺を主張できない。

5　Xは、Yに対する弁済期が令和5年10月1日の債権を有しており、Yは、Xに対する弁済期が同年11月1日の債権を有していたところ、Xは、同年12月1日、Yに対し、両債権を対当額で相殺するとの意思表示をした。この場合、両債権は、同年10月1日に遡って対当額で消滅する。

民法Ⅱ　保証

2024年度
専門 No.15

保証に関する次のア～エの記述のうち、妥当なもののみを全て挙げているものはどれか（争いのあるときは、判例の見解による。）。

ア　保証契約締結後に、主たる債務の債権者と債務者との間で、主たる債務の内容を軽減又は加重する合意が行われた場合であっても、保証債務の内容に影響はない。
イ　主たる債務を発生させる契約に解除原因が存在し、主たる債務者がその契約を解除することができる場合、保証人は、主たる債務者が解除権を行使しないときでも、その解除権を行使して、保証債務の履行を免れることができる。
ウ　主たる債務についての消滅時効が完成する前に、主たる債務者がその債務を承認したときは、主たる債務だけでなく、保証債務についても時効の更新の効力が生じる。
エ　主たる債務についての消滅時効が完成した後に、主たる債務者が時効の利益を放棄したときでも、保証人は、主たる債務についての消滅時効を援用できる。

1　ア、イ

2　ア、エ

3　イ、ウ

4　イ、エ

5　ウ、エ

催告による解除に関する記述として最も妥当なものはどれか（争いのあるときは、判例の見解による。）。

1　金銭債務の履行の催告においては、当該金銭債務の正確な金額を明示しなければならない。

2　催告期間内に履行しなければ契約を解除する旨の意思表示を一方当事者がしたときは、その催告期間内に履行がなければ、解除の効果が発生する。

3　賃貸借契約の終了を理由に目的物の返還を請求しつつ、予備的に賃貸借契約が存続していれば一定額の賃料を支払うべき旨の催告は無効である。

4　履行遅滞による契約の解除をするに先立ち、期間を定めて履行の催告をしたが、その期間が不相当に短かった場合は、催告から相当な期間が経過した後に解除をしたとしても、解除は無効である。

5　期限の定めのない債務につき履行遅滞に基づく解除をする場合、債務者を遅滞に陥れるための催告と解除の前提として履行を促すための催告は兼ねることができず、各別に行わなくてはならない。

民法Ⅱ	契約総論	2024年度 専門 No.17

次のア～エの記述のうち、それぞれ【　　】内の契約が有効に成立しているものを全て挙げているものはどれか（争いのあるときは、判例の見解による。）。

ア　XがYに対し「無償で自転車をあげる」と言い、Yは「自転車をもらう」と言った。【贈与】
イ　XとYは、XがYに対し５万円で自転車を売却する旨の契約書を作成したが、契約書の作成当時、Xは自転車を所有していなかった。【売買】
ウ　YがXに対し、「１か月後に必ず返すから、明日、10万円を貸してほしい」と言い、Xはそれを承諾したが、まだ10万円をYに手渡してはいない。【消費貸借】
エ　YがXに対し、「明日からDVDを無償で貸してほしい。１週間後に返す」と言い、Xはそれを承諾したが、まだDVDをYに手渡してはいない。【使用貸借】

1　ア、イ

2　イ、ウ

3　ア、イ、エ

4　ア、ウ、エ

5　ア、イ、ウ、エ

民法Ⅱ　賃貸借

2024年度
専門 No.18

賃貸借契約に関する記述として最も妥当なものはどれか（争いのあるときは、判例の見解による。）。

1　他人が所有する不動産を賃貸目的物とした賃貸借契約は、無効である。

2　建物の賃借人は、賃借権の登記をしない限り、当該建物の譲受人に対し、当該建物の賃借権を対抗することができない。

3　土地の賃借人が、当該土地上に自ら築造した建物を第三者に賃貸したとしても、賃借した土地を第三者に転貸したことにならない。

4　賃貸の目的物である建物が滅失した場合でも、賃貸借契約は当然には終了しない。

5　賃貸借契約が終了した場合、賃借人は、特段の合意がない限り、通常の使用及び収益によって生じた損耗も含めて、賃貸目的物を原状に復する義務を負う。

請負契約に関する次のア～エの記述の正誤の組合せとして最も妥当なものはどれか（争いのあるときは、判例の見解による。）。

ア　請負人の注文者に対する報酬請求権は、仕事を完成させた後でなければ第三者に譲渡することはできない。
イ　注文者は、請負人が仕事を完成しない間は、いつでも損害を賠償して契約を解除することができる。
ウ　請負人は、注文者の承諾を得ない限り、下請人を選ぶことはできない。
エ　注文者が死亡した場合、請負人は契約を解除することができる。

	ア	イ	ウ	エ
1	正	正	誤	正
2	正	誤	正	誤
3	誤	正	誤	正
4	誤	正	誤	誤
5	誤	誤	正	正

民法Ⅱ　不法行為

2024年度
専門 No.20

不法行為に関する記述として最も妥当なものはどれか（争いのあるときは、判例の見解による。）。

1　数人が共同の不法行為によって他人に損害を加えたときは、各自が連帯してその損害を賠償する責任を負う。

2　未成年者は、およそ不法行為責任を負わない。

3　不法行為の被害者に過失があった時は、裁判所は、損害賠償額を定めるにあたり、必ずその過失による影響を考慮しなければならない。

4　交通事故の被害者が、平均的な体格ないし通常の体質と異なる身体的特徴を有していたときは、それが疾患に当たらないものだったとしても、裁判所は、損害賠償の額の算定に当たり、必ずその身体的特徴による影響を考慮しなければならない。

5　悪意による不法行為に基づく損害賠償債務の債務者は、いつでもこれを受働債権とする相殺を主張できる。

刑法	未遂	2024年度 専門 No.21

未遂罪の成否に関する次のア～エの記述のうち、妥当なもののみを全て挙げているものはどれか(争いのあるときは、判例の見解による。)。

ア　被害者を殺害する目的で、致死量の毒薬を混入した食品を被害者方に郵送した場合、輸送中に食品が滅失したときでも、その発送の時に殺人の実行の着手が認められるから、殺人未遂罪が成立する。

イ　被害者を空気塞栓により殺害する目的で、静脈内に空気を注射した場合、その空気の量が一般的な致死量以下であるときには、被害者の身体的条件等によって死亡する危険があったか否かにかかわらず、不能犯として不可罰である。

ウ　金品を強取する目的で、通行人に対し暴行を加えた場合、通行人が金品を一切持っていなかったために金品を奪うことができなかったとしても、強盗未遂罪は成立する。

エ　金員を窃取する目的で、深夜、店舗に侵入し、金員が置いてあると思われるレジスターの方向に向かったが、レジスターに手を触れる前に他人に発見されたために逃げ帰ったという場合、窃盗の実行の着手があるから、窃盗未遂罪が成立する。

1　ア、イ

2　ア、エ

3　イ、ウ

4　イ、エ

5　ウ、エ

刑法　故意

2024年度
専門 No.22

故意に関する次のア～エの記述のうち、妥当なもののみを全て挙げているものはどれか（争いのあるときは、判例の見解による。）。

ア　甲が、目の前にいたＶをＡであると勘違いして、Ａを殺害する目的で、Ｖに対し、拳銃を１発発射して命中させ、Ｖを死亡させた場合、Ｖに対する殺人罪が成立する。

イ　甲が、Ｖを殺害する目的で、Ｖに対し、拳銃を１発発射して命中させ、さらに、その弾が通行中のＰにもたまたま命中し、ＶとＰの両名が死亡した場合、Ｖに対する殺人罪は成立するが、Ｐに対する殺人罪は成立しない。

ウ　甲が覚醒剤の入ったスーツケースを海外から日本国内に運び入れた場合において、スーツケース内の物が覚醒剤を含む何らかの違法有害な薬物であるかもしれないとは思っていたが、覚醒剤であるという断定まではできていなかったときは、覚醒剤輸入罪は成立しない。

エ　甲が、橋を損壊する目的で、ダイナマイトを使用して橋を損壊した場合、爆発物を使用して他人の財産を害する行為が爆発物取締罰則に違反することを知らなかったとしても、同法違反の罪が成立する。

1　ア、イ

2　ア、エ

3　イ、ウ

4　イ、エ

5　ウ、エ

被害者の承諾（同意）に関する次のア～ウの記述の正誤の組合せとして最も妥当なものはどれか(争いのあるときは、判例の見解による。)。

ア　甲は、Ｖの真意に基づく承諾を得て、Ｖを殺害した。甲がＶを殺害した行為は、Ｖの承諾により違法性が阻却される。

イ　甲は、強盗の目的を秘して、Ｖ宅の玄関で「こんばんは」と呼びかけ、来客と誤信したＶから「どうぞお入りください」と言われたので、Ｖ宅に入った。甲がＶ宅に侵入した行為は、Ｖの承諾により違法性が阻却される。

ウ　甲は、Ｖと共謀して、過失による事故を装い保険金を詐取しようと考え、Ｖの承諾を得て、甲の運転する自動車をＶに衝突させて、Ｖに傷害を負わせた。甲がＶを負傷させた行為は、Ｖの承諾により違法性が阻却される。

	ア	イ	ウ
1	正	正	誤
2	正	誤	正
3	誤	正	誤
4	誤	誤	誤
5	誤	正	正

刑法	正当防衛	2024年度 専門 No.24

正当防衛に関する次のア〜エの記述のうち、妥当なもののみを全て挙げているものはどれか（争いのあるときは、判例の見解による。）。

ア　防衛行為として相当性を欠く行為であっても、刑を減軽し、又は免除することができる。

イ　相当性を満たす防衛行為であれば、その防衛行為から生じた結果が侵害されようとした法益よりも大きい場合であっても、正当防衛が成立する。

ウ　互いに暴行し合ういわゆる喧嘩闘争は、双方が攻撃及び防御を繰り返す一連の連続的行為であるから、喧嘩闘争において正当防衛が成立する余地はない。

エ　急迫不正の侵害がないのに、それがあるものと誤信して反撃し、相手に傷害を負わせた場合でも、正当防衛が成立する。

1　ア、イ

2　ア、エ

3　イ、ウ

4　イ、エ

5　ウ、エ

刑法　共同正犯　2024年度 専門 No.25

共同正犯に関する次のア～エの記述のうち、妥当なもののみを全て挙げているものはどれか（争いのあるときは、判例の見解による。）。

ア　共同正犯における共謀は、黙示的な意思連絡でも成立する。
イ　過失犯の共同正犯が成立することはない。
ウ　二人以上の者が共に犯罪を行うことを計画しても、そのうち一人のみが犯罪を実行した場合、共同正犯は成立しない。
エ　共犯者間で異なる構成要件に該当する行為をした場合、それらの構成要件に同質的な重なり合いがあるときは、その重なり合いの範囲で共同正犯が成立する。

1　ア、イ

2　ア、エ

3　イ、ウ

4　イ、エ

5　ウ、エ

刑法	人の身体に対する罪	2024年度 専門 No.26

逮捕・監禁罪に関する次のア～エの記述のうち、妥当なもののみを全て挙げているものはどれか(争いのあるときは、判例の見解による。)。

ア　監禁する場所は囲まれた場所であることを要するから、原動機付自転車の荷台に人を乗せて疾走する場合には、監禁罪は成立しない。
イ　Ｖを監禁している甲が、Ｖの態度に腹を立て、その身体を殴打して傷害を負わせた場合には、この暴行が監禁とは別個の動機・原因に基づくものであったとしても、監禁の際に行われている以上、監禁致傷罪が成立する。
ウ　逮捕罪は、人の行動の自由を侵害する罪であるから、一瞬抱きすくめる行為については、逮捕罪は成立しない。
エ　物理的には脱出が可能な場所であっても、暴行や脅迫により、心理的にその場を立ち去ることを著しく困難にさせている場合には、監禁罪が成立する。

1　ア、イ

2　ア、エ

3　イ、ウ

4　イ、エ

5　ウ、エ

刑法	私生活の平穏に対する罪	2024年度 専門 No.27

住居侵入等の罪に関する次のア～エの記述のうち、妥当なもののみを全て挙げているものはどれか(争いのあるときは、判例の見解による。)。

ア　住居への立入り行為が住居権者の意思に反するものである場合、たとえ外形上平穏に行われたとしても、住居侵入罪は成立し得る。
イ　甲が、現金自動預払機（ATM）を利用する者の口座暗証番号を盗撮する目的で、営業中のV銀行の無人出張所に立ち入った場合、一般に開放されている場所であるから、建造物侵入罪は成立しない。
ウ　賃貸人である甲が、賃貸借契約終了後も住居を占拠している賃借人Vに立ち退きを要求するため、Vの許可なくVの住居に立ち入った場合、住居侵入罪は成立しない。
エ　甲が、窃盗の目的で、門塀に囲まれた学校の敷地内に警備員の目を盗んで立ち入った場合、校舎に入る前に発見されて逃げ出したとしても、建造物侵入罪が成立し得る。

1　ア、イ

2　ア、エ

3　イ、ウ

4　イ、エ

5　ウ、エ

刑法	窃盗罪	2024年度 専門 No.28

窃盗罪に関する次のア～エの記述のうち、妥当なもののみを全て挙げているものはどれか（争いのあるときは、判例の見解による。）。

ア　窃盗罪が成立するための主観的要件は、窃取する物が他人の事実上所持する物であることを知っていること（窃盗の故意）のみである。

イ　占有者を欺いてその注意を他にそらし、その隙に品物を持ち去る場合には、窃盗罪は成立しない。

ウ　自己が所有する財物であっても、他人が占有している場合には他人の財物とみなされる。

エ　腕時計を窃取し、それを損壊した場合、窃盗罪に吸収されて、器物損壊罪は別罪を構成しない。

1　ア、イ

2　ア、エ

3　イ、ウ

4　イ、エ

5　ウ、エ

刑法　盗品等に関する罪

2024年度
専門 No.29

盗品等に関する罪に関する次のア～ウの記述の正誤の組合せとして最も妥当なものはどれか（争いのあるときは、判例の見解による。)。

ア　盗品等に関する罪は故意犯であるから、その物が盗品等であることに加え、その盗品等が誰により、どのような罪によって取得されたかということを知っていなければ犯罪とならない。
イ　盗品等を無償で譲り受けた場合も、盗品等に関する罪が成立する。
ウ　同居の親族との間で盗品等に関する罪を犯した者は、その刑が免除される。

	ア	イ	ウ
1	正	正	誤
2	正	誤	正
3	誤	正	誤
4	誤	誤	誤
5	誤	正	正

刑法　罪責　2024年度 専門 No.30

次の事案における甲の罪責（住居侵入罪は除く。）について最も妥当なものはどれか（争いのあるときは、判例の見解による。）。

〈事案〉
甲は、窃盗の目的でV宅に侵入し、金庫を開けたところをVに発見されたので、金庫内の財物を奪取する目的で、Vを羽交い絞めにしてVを抵抗することのできない状態にした上で、現金をバッグに入れて逃げた。

1 窃盗罪

2 窃盗罪と暴行罪

3 事後強盗罪

4 窃盗罪と強盗未遂罪

5 強盗罪

マクロ経済学	45度線分析	2024年度 専門 No.31

海外部門を除いたマクロ経済モデルが以下のように与えられているとする。

$Y = C + I + G$

$C = 220 + 0.5(Y - T)$

$I = 80$

$G = 50$

$T = 40$

Y：国民所得、C：消費、I：投資、G：政府支出、T：租税

この経済のデフレ・ギャップが20であるとき、現在の均衡国民所得は完全雇用国民所得をどれだけ下回っているか。

1 10

2 20

3 30

4 40

5 50

マクロ経済学 | 貨幣理論 | 2024年度 専門 No.32

貨幣理論に関する記述として、最も妥当なものはどれか。

1　ケンブリッジの残高方程式におけるマーシャルのkは、インフレーション時には上昇するものと考えられる。

2　マーシャルのkは、フィッシャーの交換方程式における貨幣の流通速度に等しい大きさになる。

3　フィッシャーの交換方程式においては、マネーサプライと貨幣の流通速度の積は財の取引総額に等しくなる。

4　ケンブリッジの残高方程式においては、名目国民所得とマネーサプライの積が定数になるとされている。

5　フィッシャーの交換方程式において、利子率の上昇は貨幣需要の減少をもたらすものとされている。

海外部門を除いたマクロ経済モデルが以下のように与えられているとする。

$Y=C+I+G$

$C=250+0.7(Y-T)$

$I=120-10r$

$\frac{M}{P}=0.4Y+40-20r$

Y：国民所得、C：消費、I：投資、G：政府支出、T：租税
M：名目貨幣供給、P：物価水準、r：利子率

均衡財政を保ちつつ政府支出Gを40増加させたときの国民所得の増加分はいくらか。ただし、物価水準は$P=1$、名目貨幣供給は$M=200$であるとする。

1 12

2 24

3 48

4 96

5 120

海外部門を除いたマクロ経済モデルが以下のように与えられているとする。

$Y_t = 4\sqrt{K_t L_t}$

$L_{t+1} = 1.2L_t$

$K_{t+1} = 0.8K_t + 0.6Y_t$

Y_t：t期の国民所得、K_t：t期の資本ストック、L_t：t期の労働人口

この経済の定常状態における労働者一人当たりの国民所得の大きさとして妥当なものはどれか。ただし、初期時点$t=0$における資本ストックの量は正であるとする。

1 24

2 36

3 48

4 60

5 72

マクロ経済学 | 45度線分析（開放経済） | 2024年度 専門 No.35

ある国のマクロ経済モデルが以下のように与えられているとする。

$Y = C + I + G + X - M$

$C = 50 + 0.5(Y - T)$

$I = 15$

$G = T = 10$

$X = 20$

$M = 10 + 0.1Y$

Y：国民所得、C：消費、I：投資、G：政府支出、T：租税 X：輸出、M：輸入

輸出Xが12増加したときの貿易収支の増加分はいくらか。

1　2

2　4

3　6

4　8

5　10

余剰分析

完全競争市場において、需要関数と供給関数が以下のように与えられているとする。

$D=120-2p$

$S=3p$

D：需要量、S：供給量、p：価格

この市場に政府が介入し、上限価格を20に設定したときに生じる死荷重（厚生損失）の大きさとして妥当なものはどれか。

1　60

2　90

3　120

4　150

5　180

ある財の需要関数が次によって与えられているとする。

$D = 180 - 2p$

D：需要量、p：価格

また、この財を生産する企業１と企業２の費用関数は次のとおりである。

$C_1 = 2(x_1)^2$

$C_2 = 2(x_2)^2$

C_1：企業１の総費用、C_2：企業２の総費用、 x_1：企業１の生産量、x_2：企業２の生産量

この２つの企業が協力して、利潤の合計が最大になるようにそれぞれの生産量を決定したとき、均衡における財の価格はどれか。

1　50

2　75

3　100

4　125

5　150

ミクロ経済学　効用最大化　2024年度 専門 No.38

次の図は、ある家計による財１と財２の消費を表している。グラフの横軸に示されたx_1は財１の消費量を、縦軸に示されたx_2は財２の消費量を意味する。この家計の無差別曲線をU_1、U_2とし、予算線をE_1、E_2、E_3とする。またU_1がE_1に接する点をＡ、U_1がE_2に接する点をＢ、U_2がE_3に接する点をＣとする。とくにE_2とE_3は並行であり、点Ａにおけるx_1の値は点Ｃにおけるx_1の値に等しいものとする。財の価格の変化により予算線E_1がE_3に変化し、家計の消費点がＡからＣへと移動した場合の記述として、最も妥当なものはどれか。

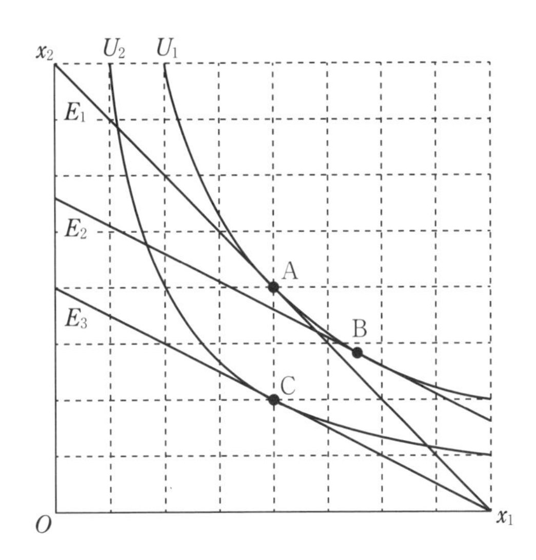

1　家計の所得水準と財２の価格は一定のまま財１の価格が上昇することにより、家計の予算線はE_1からE_3へと変化する。

2　財１は上級財であるが、財１に対する正の所得効果と負の代替効果が釣り合うことにより財１の需要量は変化していない。

3　財１は下級財であるが、財１に対する正の所得効果と負の代替効果が釣り合うことにより財１の需要量は変化していない。

4　財１は上級財であるが、財１に対する負の所得効果と正の代替効果が釣り合うことにより財１の需要量は変化していない。

5　財１は下級財であるが、財１に対する負の所得効果と正の代替効果が釣り合うことにより財１の需要量は変化していない。

ミクロ経済学　情報の非対称性　2024年度 専門 No.39

情報の不完全性に関する記述として、最も妥当なものはどれか。

1　健康保険料を引き上げた結果として人々が健康な生活を心がけ保険の購入を避けるようになった場合、これは逆選択の一例であると考えられる。

2　中古車市場において売り手と買い手のあいだに情報の格差が存在し、結果として質の悪い自動車ばかりが流通する現象を道徳的危険という。

3　シグナリング理論によれば、労働市場において学歴によって企業が採用を決定した場合、結果として生産性の低い労働者を採用する可能性が高まる。

4　国民全体の所得水準が低下すると窃盗や詐欺などの犯罪行為が増加するため、道徳的危険の問題が生じる。

5　高額な火災保険に加入した結果として防火設備の点検や火元の確認がおろそかになった場合、道徳的危険が生じているという。

ミクロ経済学 | 最適労働供給 | 2024年度 専門 No.40

個人の効用関数が次のように与えられているとする。

$u=(24-L)^2x$

u：効用水準、x：X財の消費量、L：労働時間

この個人は、労働により得た賃金所得のすべてをX財の購入に充て、賃金所得以外に所得はないものとする。また、1日（24時間）を労働時間か余暇時間のいずれかに充てるものとする。X財の価格をp、1時間あたりの賃金をwとするとき、この個人のX財の需要関数として妥当なものはどれか。

1 $x=24-\frac{12p}{w}$

2 $x=12-\frac{8w}{p}$

3 $x=8$

4 $x=\frac{8w}{p}$

5 $x=\frac{12p}{w}$

2024年度　解答解説

〈冊子ご利用時の注意〉

この色紙を残したまま、ていねいに抜き取り、ご利用ください。

また、抜き取りの際の損傷についてのお取替えはご遠慮願います。

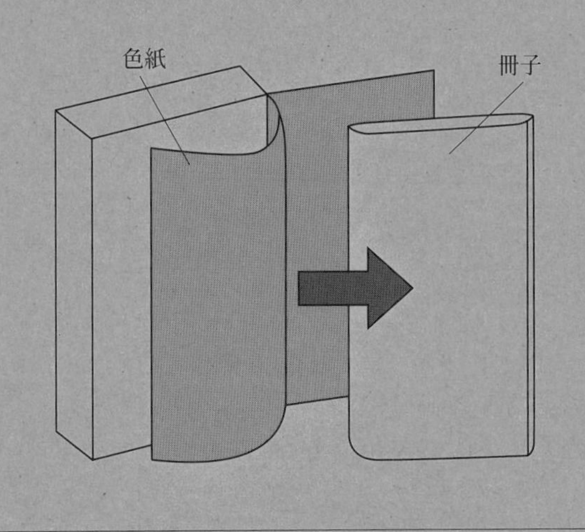

TAC出版

2024年度　基礎能力試験　解答解説

No.1　正解　2　TAC生の正答率 44%

1　×　「全くの杞憂」という点が誤り。第４段落で「AIの知能が人類よりも賢くなるのは」という記述があり、特定の分野においてはAIが人類より賢くなるといえるため、選択肢のように「全くの杞憂」とはいえない。

2　○　選択肢前半は第６段落末尾と合致する。「頼りなさのあるAIであっても」の部分は最終段落の「こうしたAIが作成できれば」の説明とややずれるものの、選択肢後半は最終段落末尾と合致する。

3　×　選択肢前半は第５段落の内容と合致するが、後半の「支配される事態に陥ることはない」が誤り。第６段落末尾では「支配されるような事態にはなりにくい」と述べられている。

4　×　似ている内容は第２段落にあるが、本文では「『どのAIが』『どの性能において』人類よりも賢くなると懸念しているのかを問うことにしている」と述べているだけで、選択肢のように「疑問は解消される」とは述べていない。

5　×　「フェイク情報の見極めに限られる」という点が誤り。フェイク情報以外にも、すでに実用レベルにあるAIの活用例が第４段落で述べられている。

No.2　正解　5　TAC生の正答率 71%

1　×　「二つの感情の因果関係を解明することが民俗学の初心」という点が明らかに誤り。第１段落末尾は「一つ一つの因果関係を解きほぐし、『しょうもなさ』の克服に挑み続けること、そのための健全な認識力と実践力を育むことこそが、民俗学という学問の初志」と述べているだけである。

2　×　「近代以降」という点が明らかに誤り。第２段落「そしてそこには…」で、選択肢の内容が述べられているが、近代以降、それは変質したと本文では述べている。

3　×　「一番大きく…変質させた」が明らかに誤り。第２段落で「近代以降、『資本主義』という名のドラスティックかつグローバルな社会変容によって決定的に変質し」とは述べているものの、それが一番大きかったとは述べていない。

4　×　「不安や不満がいかなるものかその性質を明確化する」という点が明らかに誤り。第３段落冒頭で「不安や不満を取り除くにはいかなる処方箋が有効なのか」とは述べているが、「明確化する」とは述べていない。

5　○　最終段落の内容と合致している。

No.3　正解　5　TAC生の正答率 82%

1　×　因果関係がおかしい選択肢。第６段落末尾で木村屋のあんパンがよく売れるようになったことは述べられているものの、脚気の原因が解明されたからだという理由は述べられていない。

2　×　選択肢後半が誤り。第３段落末尾では「地方から都会へ出た者が多くかかる病気」と述べられているだけで、地方にもどった後のことは述べられていない。

3 **×** 選択肢後半が誤り。第1段落では「西南の役ではドイツ人が経営する病院に重症患者を送り込んだ」と述べられているだけで「西南の役をきっかけに『脚気』と呼ばれるようになった」ことは述べていない。

4 **×** 選択肢後半が誤り。第1段落でドイツ人が経営する病院について述べられているが、パンを食べて脚気が治ったと述べているだけであり、そのことによって「ドイツ医学が公認の医学となった」とは述べていない。

5 **○** 最終段落の内容と合致する。

No.4 正解 3 TAC生の正答率 60%

A 「理解できた」が当てはまる。直前には「コミュニケーションする努力を重ねることで」、「『理解できない他者』から『理解できなかった他者』に」と変化が述べられているので、コミュニケーションし続けたらどうなるか考えるとよい。なお「理解できる」を当てはめても意味は通じるため、他の記号に当てはまるものを考えた方がよいだろう。

B 「根拠のない信頼」が当てはまる。空欄の段落にある「『理解できない他者』の理解可能性を否定してしまうと…」がヒントになる。理解可能性を否定すれば「理解できない他者」との関係に根拠が持てなくなる。そのため「根拠のない信頼」が妥当である。

C 「その他者を理解できて」が当てはまる。Bに続けて考えてみるとよい。Cの直前は「『理解できない他者』への信頼に何か根拠があるならば、私は他者が信頼できることをあらかじめ知っており」と述べられている。「あらかじめ知って」いるのであれば、それは理解できているということになるため「その他者を理解できて」を当てはめるのが妥当である。

D 「非合理的な信頼」が当てはまる。空欄の一文で「このような根拠を欠いた」と述べられており、その直前に「根拠を欠いた非合理的なもの」と述べられている。その内容を捉えれば、空欄には前の文の内容を反映させた「非合理的な信頼」を当てはめるのが妥当である。

No.5 正解 4 TAC生の正答率 77%

ペアになるものを探すのに、まずEに注目するとよい。Eは生産者が消費者より優位な存在である理由を述べている。その内容に繋がるのがF「消費者より生産者のほうがえらい！」である。Fの意見に対する理由がEなので、F→Eとなる。

次にB「そのうえ」に注目するとよい。Bは情報の消費者には幅があることを示している。同様のことを述べているものを探すと、Cが「たくさんの情報消費者」について述べていることがわかるので、C→Bとなる。

この段階で正解を**3**と**4**に絞り込めるが、**3**は「情報の生産者」の話をしているHの直後に「情報の消費者」の話をしているCが続き、話が繋がらない。よって、**4**が妥当である。A「研究とは相手を説得するプロセス」→H「そのためには新しい情報生産者になる必要がある」→D「情報の生産と消費について」→G「他人の生産した情報の適切な消費は、情報生産者になるための前提」→C「世の中にはたくさんの情報消費者がいる」→B「そのうえ、消費者には幅がある」→F「もちろん質の高い消費者がいれば情報のクォリティも上がるが、消費者より生産者の方がえらい」→E「消費者は生産者にはなれないから」の順に読んでもスムーズに繋がる。

No.6　正解　1　TAC生の正答率 66%

1 **○**　第６段落の内容と合致する。

2 **×**　２番目は中国でなくメキシコ、３番目がメキシコでなく中国である。第２段落末尾に順位が述べられている。

3 **×**　第５段落では、アメリカやイギリスにいるインド人移民の数が中国人移民を上回っていることが述べられている。

4 **×**　「経済発展」や「忍耐強さ」については本文で述べられていない。インド人移民が成功している要因は、若者が多いこと、高等教育を受けていること、英語ができることであると最終段落で説明されている。

5 **×**　半数以上が「英語があまりできない」と答えたのはインド系移民でなく中国系移民であると最終段落で説明されている。

［訳　文］

中国を抜いて世界で最も人口の多い国となったインドの人口は14億人以上である。さらに、インド人の移民は中国人の移民よりも多く、成功している。インドの移民は2010年以来世界最大であり、インド政府にとって強力な資源となっている。

2020年の最新の国連推計によれば、現在世界中に広がっている２億8,100万人の移民（一般に、生まれた国以外に住む人々と定義される）のうち、約1,800万人がインド人である。２番目に多いメキシコからの移民は約1,120万人である。海外にいる中国人は1,050万人である。

中国人が疑わしさを誘発する傾向にある一方で、インド人が海外で成功を収めている理由と方法を理解することは、地政学的な断層線を明らかにすることになる。２つのグループを比較すると、インド人の功績の程度も明らかになる。移民の勝利はインドのイメージを高めることと、ナレンドラ・モディ首相に利益をもたらすことになる。

移民は海外で生まれた子孫よりも母国との結びつきが強いため、移住先と出生地の間に重要なつながりを築く。2022年、インドの国内送金額は過去最高の約1,080億ドルに達し、GDPの約３％を占め、他のどの国よりも高かった。また、人脈、語学力、ノウハウを持つ海外在住のインド人は、国境を越えた貿易と投資を促進する。

膨大な数の２世、３世、４世中国人は、特に東南アジア、アメリカ、カナダなどの海外に住んでいる。しかし、アメリカやイギリスを含む多くの豊かな国では、インド生まれの移民人口が中国生まれの移民人口を上回っている。

インド生まれの移民は世界中におり、アメリカには270万人、イギリスには83万5,000人以上、カナダには72万人、オーストラリアには57万9,000人がいる。若いインド人は中東に集まっており、そこでは低技能の建設業や接客業の給料が高い。アラブ首長国連邦には350万人、サウジアラビアには250万人のインド人移民がいる（それらの国々では国連はインド国民をインド生まれの人口の代理として数えている）。アフリカやアジア、カリブ海諸国にはさらに多くの移民が住んでいる。

インドには優秀な人材を輸出する主要国となる不可欠な要因がある。多くの若者と一流の高等教育である。イギリスの植民地支配の遺産である英語をマスターしていることも、おそらく助けになっている。アメリカのシンクタンクである移民政策研究所（MPI）によれば、アメリカに移住した5歳以上のインド系移民のうち、英語があまりできないと答えた人は、中国系移民が57％なのに対して22％にすぎない。

［語　句］
surpass：上回る　sow：明かす　triumph：成功　descendants：子孫

No.7　正解　3　TAC生の正答率　51％

1　×「夏季休暇をすごすために」が明らかに誤り。第3段落では、国有林で働くためにやってきたことが述べられている。

2　×「試運転をしていた」が明らかに誤り。運転している記述は本文前半にあるものの、試運転をしていたという記述はない。

3　○　第2段落のスクイーズ・インについて述べられている部分から選択肢の内容が読み取れる。

4　×「施設に格安で宿泊している」が明らかに誤り。施設に宿泊することに関しては本文で述べられていない。トレーラーを牽引してきているため、それに宿泊することがわかる。

5　×　本文末尾「"at will,"」以降からは、正規雇用ではなく、いつでも解雇される可能性のある任意の自由契約であることが読み取れる。

［訳　文］
リンダ・メイはハンドルを握り、バラ色のフレームの遠近両用眼鏡で近づいてくる山々を眺めている。肩にかかる彼女の銀髪は、プラスチックのバレッタで顔から後ろにまとめられている。彼女はフットヒル・フリーウェイを降り、シティ・クリーク・ロードとして知られるハイウェイ330号線に入る。数マイルの間、舗装道路は平坦で広い。その後、道は次第に細くなり、片側1車線の急勾配の曲がりくねった坂道となり、サン・バーナーディーノ国有林への上り坂が始まる。
その64歳の祖母が運転しているジープ・グランドチェロキー・ラレードは、彼女がレッカー車場で購入する前に全損し、修理されたものだった。「チェック・エンジン」ランプは気難しく、実際には何も問題はないのに点滅する癖がある。よく見ると、つぶれた後に交換されたボンネットの白い塗装は、ボディの他の部分とは半分色合いが違っている。しかし、数か月にわたる修理の後、ようやく走行可能になった。整備士は新しいカムシャフトとリフターを取り付けた。リンダはできる限りの手入れをし、曇ったヘッドライトを古いTシャツと防虫剤でこすった。ジープは初めてリンダの家、彼女が「スクイーズ・イン」と呼ぶ淡い黄色の小さなトレーラーを牽引した（もし訪問者が最初にその名前を知った時にピンと来なければ、それを文章にして「ええ！　そこにスペースがあります、そこに押し込んで（スクイーズ・イン）！」と深い笑い皺を浮かべて微笑む）。トレーラーは成形ファイバーグラスの遺物、1974年に製造されたハンター・コンパクトⅡで、当初は「楽しい旅行のための最高傑作」として「広い道路では子猫のようについていき、困難な路面では虎のように追跡する」ものとして宣伝されていた。40年経ったスクイーズ・インは、魅力的でレトロな生命維持カプセルのように感じられる。角が丸く傾斜した側面を持つ箱は、ハンバーガー店でかつて使われていた発泡スチロール製の幾何学的な二枚貝のようなコンテナを思わせる。内部は端から端まで10フィートで、1世紀以上前にリンダ自身の高祖母の母を乗せて国を横断した幌馬車とほぼ同じ長さである。1970年代独特のタッチがいくつかあり、壁と天井にはキルト加工されたクリーム色の人工皮革が使われていて、床はマスタードとアボカドの模様が入ったリノリウムである。屋根はリンダが立つのに十分な高さである。オークションでトレーラーを1,400ドルで購入した後、彼女はフェイスブックでそのトレーラーの説明をした。「内部が5フィート3インチで、私は5フィート2インチです」「ぴったりです」と書いた。

リンダはスクイーズ・インをビッグ・ベア湖の北西にある松林の中のキャンプ場、ハンナフラットまで運んでいる。今は5月で、彼女は9月までそこに滞在する予定だ。しかし、(ロードアイランド州よりも広い自然保護区である) サン・バーナーディーノ国有林を毎年楽しみに旅する何千人もの温暖な気候の時期の旅行者とは異なり、リンダは仕事のためにこの旅をしている。キャンプ場のホストとして働くのは今年で3度目の夏である。キャンプ場の管理人、レジ係、公園の管理人、警備員、そして歓迎委員を兼任する季節労働である。彼女はこの仕事を始めること、復職者向けの昇給で時給が前年より20セント上がる9.35ドルになることを心待ちにしている (当時、カリフォルニア州の最低賃金は時給9ドルだった)。そして、彼女やキャンプ場の他のホストは、会社の雇用規定によれば「任意で」雇用されているが (つまり「理由や通知の有無にかかわらず、いつでも」解雇される可能性があるということ)、毎週40時間フルに労働するように言われている。

[語　句]

crowning：最高の栄誉　capsule：カプセル　clamshell：二枚貝　gig：一時的な仕事

No.8　正解　2　TAC生の正答率　45%

1　×　第1段落の末尾で、狩猟採集の社会では文字が発達しなかったことが述べられている。

2　○　第1段落後半の内容と合致する。

3　×　本文冒頭で文字が独自に発明された可能性のある地域として、メキシコが示されている。そのため、選択肢の記述にある「メキシコでは、他の地域から文字を取り入れ使用した」が明らかに誤り。

4　×　「納税の記録を行うために」が明らかに誤り。第1段落で、マヤは発明された文字体系を初期に適応させた地域だと述べられているが、納税の記録については本文で述べていない。

5　×　**3**のメキシコ同様、シュメールも文字が独自に発明された可能性のある地域だと冒頭で述べられている。そのため、選択肢の記述にある「なぜか文字は持たなかった」が明らかに誤り。

[訳　文]

初期の文字の限られた用途と使用者は、なぜ文字が人類進化のかなり後期に出現したかを示唆している。独自に発明された可能性のある書法すべて (シュメール、メキシコ、中国、エジプトにおいて) や、それらの発明された文字体系を初期に適応させたもの (クレタ、イラン、トルコ、インダス渓谷、マヤなどにおけるそれら) はすべて、複雑で中央集権的な政治制度を持つ階層社会に影響を与えた。その政治制度の食糧生産との必然的な関連性については、後の章で検討する。初期の文字は、それらの政治制度の必要性 (記録の保存や王室の宣伝など) に応えるものであり、使用者は食糧生産農民が栽培した備蓄された余剰食糧で養われた専任の官僚だった。狩猟採集社会では、初期の文字の制度的な使用と、書記を養うために必要な余剰食糧を生み出す社会的、そして農業的メカニズムの両方が欠如していたため、文字が発達することはなく、採用されることさえなかった。

このように、食糧生産とその実行に続く数千年にわたる社会の進化が、人間に伝染病を引き起こす微生物の進化と同様に、文字の進化にとって不可欠であった。文字が独自に発生したのは、肥沃な三日月地帯、メキシコ、そしておそらく中国だけであり、それはまさに、これらがそれぞれの半球で食糧生産が始まった最初の地域だったからである。文字がこれらの少数の社会で発明されると、貿易や征服、宗教によって、同じような経済や政治組織を持つ他の社会に広まった。

このように、食糧生産は文字の進化や早期普及の必要条件ではあったが、十分条件ではなかった。この章の冒頭で、複雑な政治組織を持つ食糧生産社会の中には、近代以前に文字を発達させたり採用したりできなかったものもあったと私は述べた。複雑な社会には文字が不可欠であると考えることに慣れている我々現代人にとって、当初は非常に不可解だったこれらの事例には、西暦1520年時点で世界最大の帝国の一つだった南米のインカ帝国が含まれていた。その中にはトンガの原始海洋帝国、18世紀後半に出現したハワイ、イスラム教が到来する以前の赤道直下のアフリカとサハラ以南の西アフリカの全ての国家と支配地域、そして北米最大の先住民社会であるミシシッピ渓谷とその支流の社会が含まれていた。文字を獲得した社会と前提条件を共有していたにも関わらず、なぜこれらの社会は文字を獲得できなかったのだろうか。

[語　句]
precisely：まさに　respective：それぞれの　hemisphere：地球の半球

No.9　正解　4　　TAC生の正答率 56%

冒頭Aの末尾で、膵臓癌となぜ早期発見が非常に重要なのかについて説明すると述べられているため、膵臓癌の内容について並べ替えるものとして考えていけばよい。

まず、C「Moreover（さらに）」と述べられている。Cは症状の多くは非常に曖昧だと述べているので、似たような内容を探していくとよい。そうすると、B「膵臓癌を特定するのは非常に困難」と述べているBの後に加えてCと説明していることがわかる。B→Cとなる。

また、Eでは症状について説明している。Eで説明される症状は膵臓癌特有のものではない。その点からCで説明されている「非常に曖昧」な症状の内容がEであると判断できる。C→Eとなる。

これらの組合せを含む選択肢は**1**と**4**であり、**1**と**4**で異なるのはDの位置である。B→C→Eは膵臓癌の具体的な症状について説明しており、最後に並ぶFは黄疸という別の具体的な症状の話をしていることがわかる。Dは膵臓がどのような臓器かを説明しており、これを**1**のようにB→C→EとFの間に挟むのは不自然である。よって、**4**が妥当である。

[訳　文]
A　11月16日は世界膵臓癌デーである。この日は、私と私の家族にとって非常に個人的な意味を持っている。私の夫は6年前に膵臓癌と診断された。幸いなことに、癌は早期に発見され、手術をした。彼は順調に回復し、仕事、旅行やスポーツを続けている。今月は、膵臓癌となぜ早期発見が非常に重要なのかについて、光を当てたいと思う。
D　膵臓は胃の後ろにある臓器で、食物の消化を助ける酵素や血糖値を管理するホルモンを作る。
B　それは「隠れた」場所にあり、膵臓癌を特定するのは非常に困難である。
C　さらに、症状の多くは非常に曖昧である。
E　それらは胃や背中の痛み、体重減少、尿や便通の変化などを含む。
F　黄疸（皮膚や目が黄色くなること）も膵臓癌のサインである可能性がある。

［語　句］
surgery：手術　organ：臓器　digest：消化する

No.10　正解　4　TAC生の正答率 41%

X社を受けたことを「X」、受けなかったことを「$\overline{X}$」とすると、問題の命題および対偶は次の①～⑥のように表せる。なお、２つ目の命題は並列化している。

		命題	対偶
1つ目		A→$\overline{C}$…①	C→$\overline{A}$…④
2つ目		B→D∧$\overline{E}$	
	並列化	B→D…②	$\overline{D}$→$\overline{B}$…⑤
		B→$\overline{E}$…③	E→$\overline{B}$…⑥

「A社を受けた学生とB社を受けた学生は同じ集団であった」ということは、AとBは同値であり、「A＝B」となる。「A＝B」が成立する条件は、「A→B」及び「B→A」がともに成り立つことである。ア～エについても同様に命題および対偶を記号化すると、次の❶～❽のように表せる。

	命題	対偶
ア	A→D…❶	$\overline{D}$→$\overline{A}$…❺
イ	$\overline{A}$→E…❷	$\overline{E}$→A…❻
ウ	E→$\overline{A}$…❸	A→$\overline{E}$…❼
エ	$\overline{B}$→C…❹	$\overline{C}$→B…❽

これらをもとに、「A→B」及び「B→A」が成り立つのに必要なものを考える。①、❽より「A→$\overline{C}$→B」となるので、「A→B」が成り立つ。また、③、❻より「B→$\overline{E}$→A」となるので、「B→A」が成り立つ。

よって、追加された情報は❻と❽のイとエとなるので、正解は**4**である。

No.11　正解　3　TAC生の正答率 72%

A～Kの11人のうちキーパーが１人であるので、キーパーである人を１人仮定して場合分けして考えていく。各仮定において、本当の発言は「○」、うその発言は「×」で表す。

Aの発言は、BかJがキーパーであると仮定した場合は本当であるが、それ以外の仮定はうそである。

Bの発言は、BかFがキーパーであると仮定した場合はうそであるが、それ以外の仮定は本当である。

Cの発言は、BかFがキーパーであると仮定した場合は本当であるが、それ以外の仮定はうそである。

Dの発言は、Cがキーパーであると仮定した場合は本当であるが、それ以外の仮定はうそである。

Eの発言より、Eの発言とDの発言の真偽は同じになる。

Fの発言より、Fの発言とBの発言の真偽は逆になる。

Gの発言は、Cがキーパーであると仮定した場合はうそであるが、それ以外の仮定は本当である。

Hの発言は、CかIがキーパーであると仮定した場合は本当であるが、それ以外の仮定はうそである。
Ｉの発言は、ＩかＣがキーパーであると仮定した場合はうそであるが、それ以外の仮定は本当である。
Ｊの発言より、Ｊの発言とＩの発言の真偽は同じになる。
Ｋの発言は、ＫかＩがキーパーであると仮定した場合はうそであるが、それ以外の仮定は本当である。

キーパー	A	B	C	D	E	F	G	H	I	J	K	○の数
A	×	○	×	×	×	×	○	×	○	○	○	5
B	○	×	○	×	×	○	○	×	○	○	○	7
C	×	○	×	○	○	×	×	○	×	×	○	5
D	×	○	×	×	×	×	○	×	○	○	○	5
E	×	○	×	×	×	×	○	×	○	○	○	5
F	×	×	○	×	×	○	○	×	○	○	○	6
G	×	○	×	×	×	×	○	×	○	○	○	5
H	×	○	×	×	×	×	○	×	○	○	○	5
I	×	○	×	×	×	×	○	○	×	×	×	3
J	○	○	×	×	×	×	○	×	○	○	○	6
K	×	○	×	×	×	×	○	×	○	○	×	4

本当のことを言ったのは３人だけであるので、表より、○の数が３個の場合が題意を満たす。
よって、キーパーはＩであるので、正解は**3**である。

［別　解］
Ｄ、Ｇの発言の「Ｃである」と「Ｃではない」は一方が本当で、他方はうそになる。また、Ｂ、Ｃの発言の「Ｂ、Ｆではない」と「ＢかＦである」は一方が本当で、他方はうそになる。さらに、Ｈ、Ｉの発言の「ＣかＩである」と「ＣでもＩでもない」は一方が本当で、他方はうそになる。本当のことを言ったのは３人であるから、①ＤまたはＧ、②ＢまたはＣ、③ＨまたはＩ、の３人で、これら以外はうそをついたことになる。
Ｅの発言の「Ｄの発言は本当である」はうそであるから、①ではＧが本当のことを言っている。
Ｆの発言の「Ｂはうそをついている」はうそであるから、②ではＢが本当のことを言っている。
Ｊの発言の「Ｉの発言は本当である」はうそであるから、③ではＨが本当のことを言っている。
以上より、本当のことを言ったのはＢ、Ｇ、Ｈの３人で、Ｇ、Ｈの発言より、キーパーはＩであることがわかる。
よって、正解は**3**である。

No.12　正解　2　TAC生の正答率 65%

６球団の昨年と今年の順位変動について、順位を下げた場合を＋、順位を上げた場合を－として表すと、６球団の順位変動の合計は０になる。ＡとＢは＋１、Ｃは－２、Ｄは－４、Ｅは±０で、Ｆ以外の５球団の合計が（＋1）＋（＋1）＋（－2）＋（－4）＋0＝（－4）となるから、Ｆの順位変動は＋４となる。この順位変動は「１位→５位」または「２位→６位」であるが、条件エより「１位→５位」となる。

なお、条件エが昨年のものか今年のものかの言及がないが、条件ア～ウがすべて今年を主体とした述べ方であるので、条件エも今年についての言及として考える。

条件イの後半よりDは「5位→1位」または「6位→2位」となるので、ここで場合分けをする。

(i) Dが「5位→1位」の場合

表1のようになる。残る部分で順位を1つ下げたことになるのは「2位→3位」と「3位→4位」で、BはAより上位であるから「2位→3位」、Aが「3位→4位」となり、Eが「6位→6位」でCが「4位→2位」となる（表2）。

表1	1	2	3	4	5	6
昨年	F				D	
今年	D				F	

表2	1	2	3	4	5	6
昨年	F	B	A	C	D	E
今年	D	C	B	A	F	E

(ii) Dが「6位→2位」の場合

表3のようになる。残りのうち、順位を1つ下げたことになるのは「2位→3位」、「3位→4位」、「5位→6位」であるが、「3位→4位」の場合、条件ウに反する。よって、BはAより上位であるから「2位→3位」、Aが「5位→6位」となり、Eが「4位→4位」でCが「3位→1位」となる（表4）。

表3	1	2	3	4	5	6
昨年	F					D
今年		D			F	

表4	1	2	3	4	5	6
昨年	F	B	C	E	A	D
今年	C	D	B	E	F	A

よって、表2、表4より正解は**2**である。

No.13　正解　2

TAC生の正答率　68%

問題の条件で「わかった」と答えるのは、自分の帽子の色について、3色のうち2色の可能性がなくなり、残り1色に限られる場合である。そして、残り1色に限られるのは、他の2色の帽子がすべて見えた場合である。

EはA～Dの4人の帽子が見え、「わかった」と答えている。この状況では、白の帽子2つと黄の帽子1つが見えた場合のみに、2色の可能性がなくなり、自分が赤の帽子であることがわかる。このことにより、A～Dの帽子の色の内訳は赤の帽子1つ、白の帽子2つ、黄の帽子1つで、これはEの発言を聞いた者も推測できる。

CはA、Bの2人の帽子が見え、「わからない」と答えている。仮に、赤の帽子1つと黄の帽子1つが見えた場合なら、2色の可能性がなくなり、自分が白の帽子であることがわかる。しかし、Cは「わからない」のであるから、Cから見えたのは（白・白）、（白・赤）、（白・黄）のいずれかで、これはE及びCの発言を聞いた者も推測できる。

BはAの帽子が見え、「わかった」と答えている。BはE、Cの発言からA、Bの帽子の色の組合せが（白・白）、（白・赤）、（白・黄）のいずれかであると推測でき、この状況で白の帽子が見えた場合、自分の帽子が（白・白）の白、（白・赤）の赤、（白・黄）の黄のどれであるかは判断がつかない。しかし、赤の帽子が見えた場合は（白・赤）の白、黄の帽子が見えた場合は（白・黄）の白であると推測できる。

どちらであってもBの帽子が白であるのは確実であるので、正解は**2**である。

No.14　正解　5　TAC生の正答率 25%

A～Fの6つの工場の製品がそれぞれ「正規」が「不良品」かの組合せは$2^6=64$[通り]あり、これを一度で判別すればいいことになる。

2通りの情報を持つものが6種類あるので、これは数値を0か1の2通りで表す二進法で6桁の値をつくるとよい。6桁の二進法（左端の位が0であることも認めるとする）で表せるのは000000～111111の64通りで、それぞれが十進法の0～63に対応する。あとは、6種類の工場をそれぞれ各位に割り当て、その位の数だけ製品をピックアップする。ピックアップする個数はA＜B＜C＜D＜E＜Fであるから、$A=2^0=1$、$B=2^1=2$、$C=2^2=4$、$D=2^3=8$、$E=2^4=16$、$F=2^5=32$で、それぞれその個数分だけピックアップすれば、どの工場の製品が不良品であっても、すべて異なる数値を示すことになる（二進法で表記した場合、6桁の位がそれぞれＦＥＤＣＢＡと割り当てられていることになる）。

本文の条件と合わせると、18ｇ軽かった場合は18÷3=6[個]の不良品があることになり、十進法の6は二進法では000110であるから、1で示されているＢとＣの工場の製品が不良品で、99g軽かった場合は99÷3＝33[個]の不良品があることになり、十進法の33は二進法では100001であるから、1で示されているＡとＦの工場の製品が不良品であったことになる。

設問は135g軽かったので135÷3＝45[個]の不良品があることになり、十進法の45は二進法では101101であるから、1で示されているＡ、Ｃ、Ｄ、Ｆの工場の製品が不良品であったことになる。

よって、正解は**5**である。

No.15　正解　1　TAC生の正答率 54%

花びらの枚数、松ぼっくりのうろこ模様の列数、気管支や肝臓の血管の枝分かれの数など、自然界の動植物に多く見られる規則性は「フィボナッチ数列」である。なお、この知識がなくとも、規則性の多くは数値の並びであり、アルファベットの数値変換で最も基本的なものとしてＡからアルファベット順に1、2、…と対応させる方法であるので、問題の初めの8つのアルファベットをそのように数値変換しても確認できる。数値変換すると「1，1，2，3，5，8，13，21」となり、前2項の和を次項の値とするフィボナッチ数列になっていることがわかる。

「1，1，2，3，5，8，13，21」以降の項の値は「34，55，89，144，233」…①であるが、アルファベットは「Ｈ，Ｃ，Ｋ，□，Ｙ」で数値変換すると「8，3，11，？，25」…②である、①と②の関係性について、34と8の差が26、55と3の差が52、89と11の差が78でいずれも26の倍数である。34は34＝26＋8、55は55＝26×2＋3、89は26×3＋11と表せ、言い換えると26を超えた値は26で割った余りの数値をアルファベットで表していると推測できる。□はフィボナッチ数列では144で、144÷26＝5あまり14より、14に対応するアルファベットが入ることになる。

アルファベット順の14番目はＮであるから、正解は**1**である。

No.16　正解　3　TAC生の正答率 45%

5人において、5つの附属校の交換であるから、「プレゼント交換」型の問題である。矢印を用いた図で異動を表す。なお、人を固定化して附属校を矢印で表す方法と、附属校を固定化して人を矢印で表す方法があるが、後者で表すこととする。

要素が5つの場合、図Ⅰと図Ⅱの2パターンの可能性があるが、「2人の間の入れ替わりもなかった」という条件より、図Ⅱの可能性はなく、図Ⅰとなる。

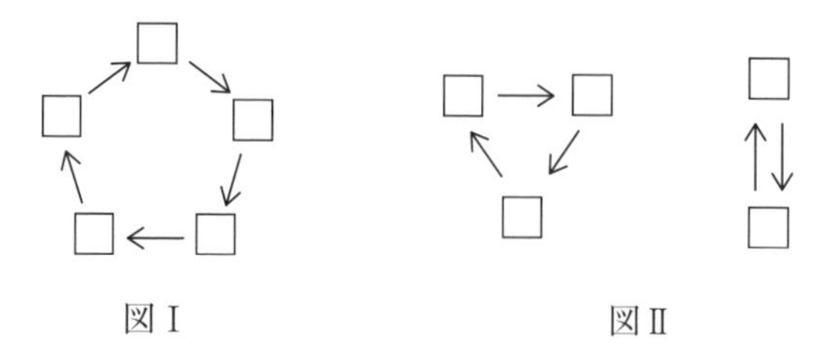
図Ⅰ　　　図Ⅱ

条件ア～オを図にすると、次のようになる。なお、事務職員Xが昨年度はY、今年度はZに配属されたことを図Ⅲのように表す。

Y —X→ Z

図Ⅲ

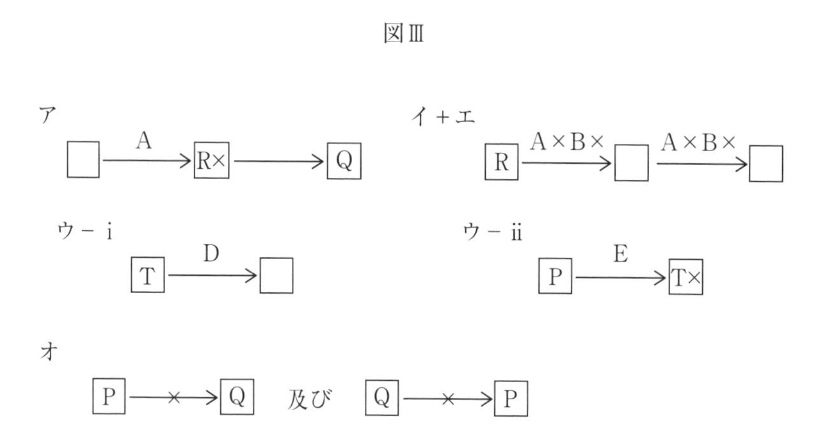

図Ⅰに条件アを入れ、ここから考察していく（図１）。Rの入る位置を考えると、条件アより❹ではなく、条件イ＋エと図１のAの位置より❷、❸でもないから、Rは❶となる（図２）。

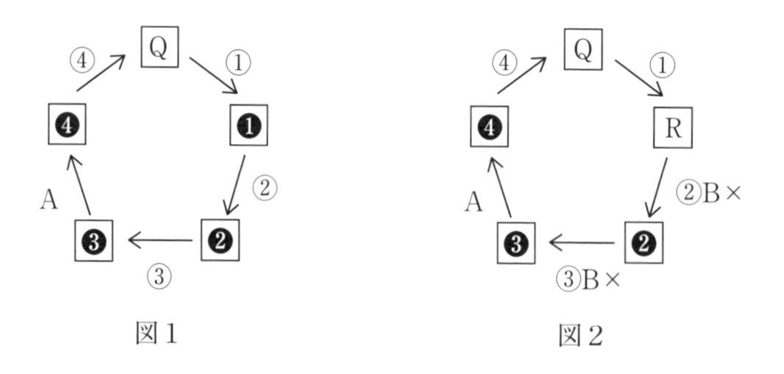

図１　　　図２

Pの位置を考えると、条件オより❹ではなく、条件ウ－ⅱとAの位置より❸でもないから、Pは❷となる。さらに、Tの位置は、条件ウ－ⅰとAの位置より❸でないから❹であり、残るSが❸となる（図３）。BとCについて、②は条件イ＋エよりBではないからCで、Bは残る①となる（図４）。

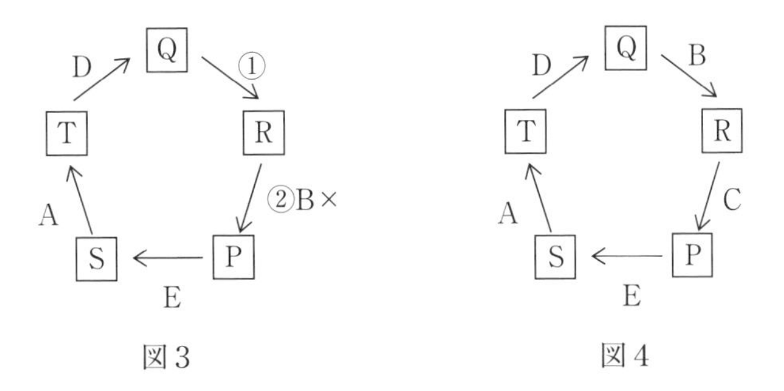

図3　　　　図4

よって、図4より正解は**3**である。

No.17　正解　3　TAC生の正答率 51%

途中の正方形APORから考える。もとの図の左下にあったときをP_1、MN上に来るように折って移動した位置をP_2とすると（図1）、$\triangle P_2P_1O$は、P_2NがP_1Oの垂直二等分線であるからP_2を頂角とする二等辺三角形で、かつ、$P_1O=P_2O$であるから、正三角形となる。よって、$\angle P_2OR=30°$で、$\triangle SP_1O$と$\triangle SP_2O$は合同であるから、$\angle SOP_1=\angle SOP_2=(90-30)\div 2=30°$である。したがって、RがOS上に来るように折ったとき、折り目はP_2Oであり、問題図の△PROを開いたとき、図2の太線のように残る。

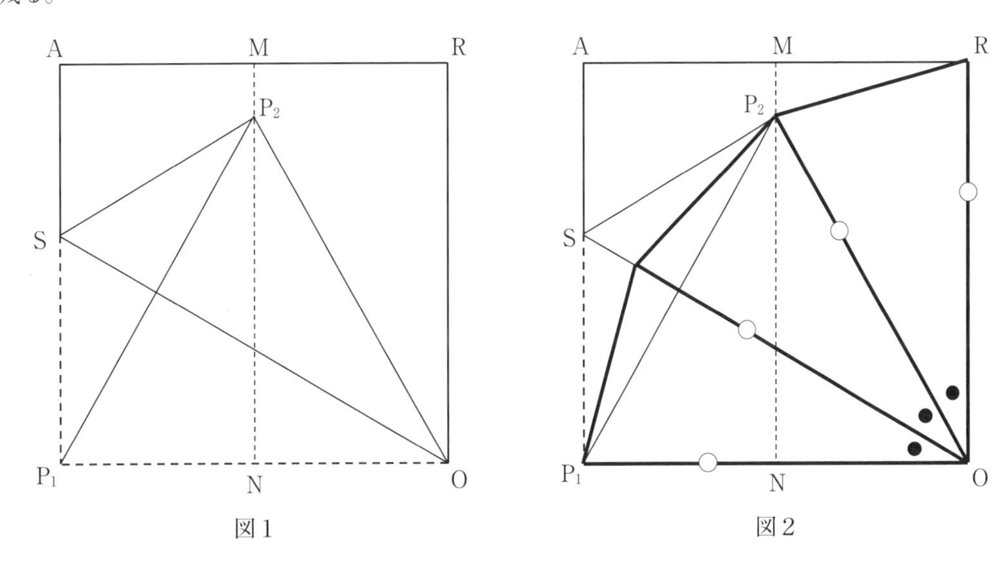

図1　　　　図2

ここから正方形ABCDまで開いていくと、図2の太線部分が左右対称と上下対称に合計4つできることになる。●は30°で、○の長さは等しいから、Oを中心として、半径が$OP_1=OR$の円周上を十二等分した点を結んだ図形となり、それはすなわち正十二角形である。

よって、正解は**3**である。

No.18　正解　2　TAC生の正答率 30%

1周させた様子を図にすると、次のようになる。

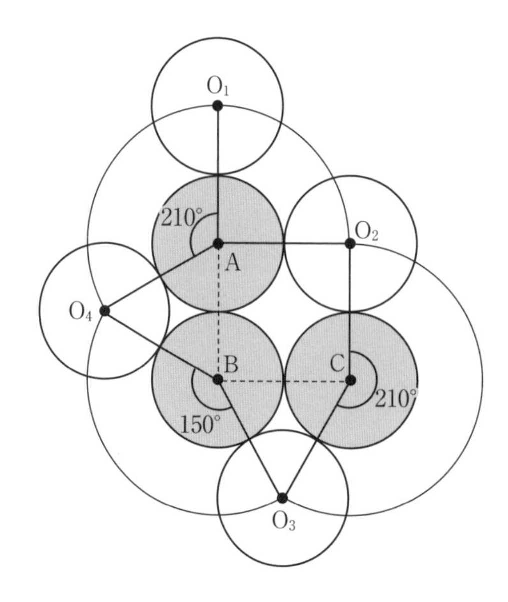

円Oは、O_1からO_2までは円Aと接し、O_2からO_3までは円Cと接し、O_3からO_4までは円Bと接し、O_4からO_1までは円Aと再び接して1周する。それぞれの部分の軌跡はいずれも円弧であり、おうぎ形部分の半径は2つの円の半径の和と等しいから$3+3=6$である。回転角度は、O_2からO_3までが$360-(90+60)=210°$、O_3からO_4までが$360-(90+60+60)=150°$、O_4からO_2までが$360-(90+60)=210°$である。したがって、円弧の長さの合計は、$6\times2\times\pi\times\frac{210}{360}+6\times2\times\pi\times\frac{150}{360}+6\times2\times\pi\times\frac{210}{360}=6\times2\times\pi\times\frac{570}{360}=19\pi$となる。

よって、正解は**2**である。

No.19　正解　1　　TAC生の正答率 85%

食塩の量に着目して立式をする。8％の食塩水300gに含まれる食塩の量は$\frac{8}{100}\times300$[g]、6％の食塩水200gに含まれる食塩の量は$\frac{6}{100}\times200$[g]である。蒸発させた水の量をx[g]とおくと12%の食塩水は$500-x$[g]であり、これに含まれる食塩の量は$\frac{12}{100}\times(500-x)$[g]となる。食塩の量は変わらないので、$\frac{8}{100}\times300+\frac{6}{100}\times200=\frac{12}{100}\times(500-x)$が成り立つ。整理すると$2400+1200=6000-12x$で、解くと$x=200$[g]となる。

よって、正解は**1**である。

No.20　正解　2　　TAC生の正答率 76%

電車が鉄橋を渡り始めてから渡り終えるまでに移動する距離は「鉄橋の長さ＋電車の長さ」となるから（図1）、この電車の速さは$\frac{900+180}{45}=24$[m/秒]となる。

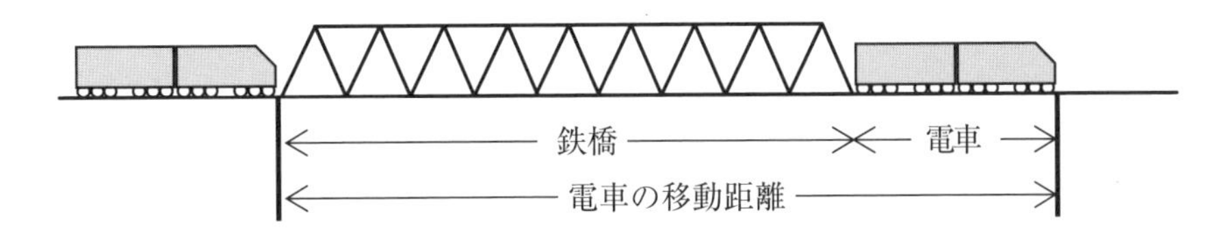

図1

次に、電車がトンネルに完全に隠れながら移動する距離は「トンネルの長さ－電車の長さ」となるから（図2）、トンネルに完全に隠れている時間は$\frac{1320-180}{24}=47.5$[秒]となる。

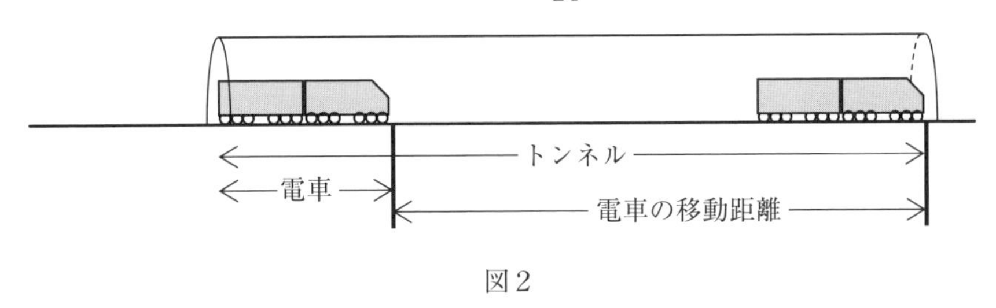

図2

よって、正解は**2**である。

No.21　正解　3　TAC生の正答率 24%

円順列として場合の数を求めると、白玉1個を固定し、残りの6個の赤玉2個、青玉4個の並べ方の総数は$\frac{6!}{2!\times4!}=\frac{6\times5\times4\times3\times2\times1}{(2\times1)\times(4\times3\times2\times1)}=15$[通り]となる。このうち、裏返したときに同一の配置になるものを考える。

すべて異なる色の場合、裏返して同じになる並べ方がそれぞれ1つ存在し、2通りのペアで1通りと数えるので、(円順列の並べ方の総数)÷2で求められる。ただし、並べ方において左右対称となるような並べ方の場合、裏返しても自身と同じ並び方になるので、ペアが存在しない。白玉1個、赤玉2個、青玉4個を左右対称に並べる並べ方は、次図の①どうし、②どうし、③どうしが同じ色であればよいので、左側の①、②、③に赤玉1個と青玉2個を並べる並べ方の総数と同じ3通りである。この3通り以外の15－3＝12[通り]は、裏返して同じになる並べ方がそれぞれ1つ存在し、2通りのペアで1通りと数える。

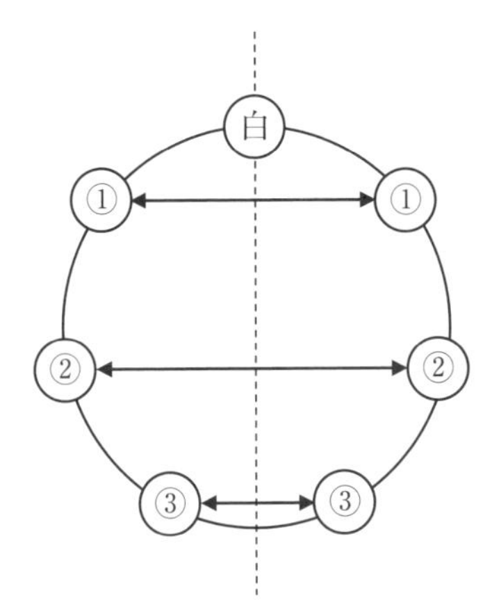

よって、並べ方の総数は$3+12\div2=9$[通り]となるので、正解は**3**である。

No.22　正解　1　TAC生の正答率　80%

条件を満たす自然数をxとすると、$x=$（4の倍数）$+1 \Leftrightarrow x-1=$（4の倍数）、$x=$（5の倍数）$+1 \Leftrightarrow x-1=$（5の倍数）と表せる。よって、$x-1$は4、5の最小公倍数である20の倍数で、$x-1=$（20の倍数）$\Leftrightarrow x=$（20の倍数）$+1$より、$x=20n+1$（nは0以上の整数）と表せる。このうち、xが3桁の整数であるものは$100\leqq20n+1\leqq999$を満たし、整理すると$4.95\leqq n\leqq49.9$となるから、これを満たす整数nは5から49までの45個ある。

よって、正解は**1**である。

No.23　正解　4　TAC生の正答率　52%

内接球の半径を求めるため、正面から見た図で考える。直円すいを正面から見ると二等辺三角形、球を正面から見ると円に見え、球が直円すいに内接しているから、次図のようになる。内接球の半径は次図の内接円の半径を求めることと同じである。

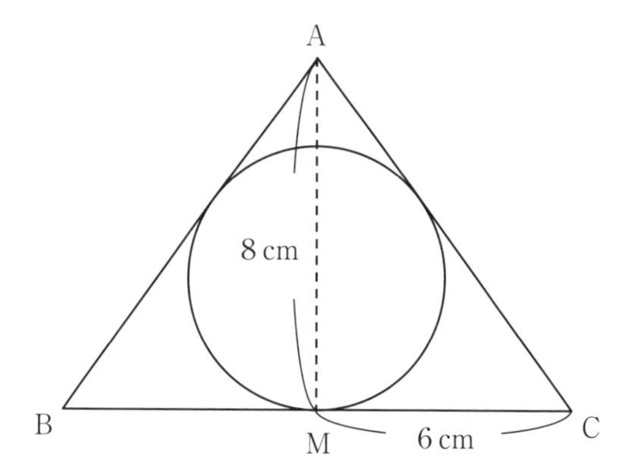

△AMCで三平方の定理を用いると、$AC^2=8^2+6^2$より、AC＝10cmとなる。内接円半径の面積公式である「三角形の面積$=\frac{1}{2}\times$内接円半径×三角形の周の長さ」より、内接円の半径をrとすると、$\frac{1}{2}\times12\times8=\frac{1}{2}\times r\times(10+10+12)$が成り立ち、これを解くと$r=3$となる。

よって、内接球の体積は、球の体積公式「$\frac{4}{3}\times\pi\times(\text{半径})^3$」より、$\frac{4}{3}\times\pi\times3^3=36\pi$ [cm^3]となるので、正解は**4**である。

No.24　正解　3　TAC生の正答率　87%

自給率$=\frac{\text{生産量}}{\text{消費量}}$であるから、生産量＝（消費量）×（自給率）となる。

1　×　2021年の消費量の世界計は40,375億m^3で、40,000の25％が$40{,}000\times\frac{1}{4}=10{,}000$であるから、世界計の25％は10,000億$m^3$より大きい。2021年のアメリカ合衆国の消費量は8,267億m^3であるから、2021年は世界計の25％を超えていない。

2 × アメリカ合衆国は、2000年の消費量が6,284億m^3で、6,000億m^3としてもその5倍は6,000×5＝30,000［億m^3］だから、2020年の8,319億m^3は2000年の消費量の5倍を超えていない。ロシアは、2000年の消費量が3,662億m^3で、3,000億m^3だとしてもその5倍は3,000×5＝15,000［億m^3］だから、2020年の4,235億m^3は2000年の消費量の5倍を超えていない。中国は、2000年の消費量が247億m^3で、300億m^3としてもその5倍は300×5＝1,500［億m^3］だから、2020年の3,366億m^3は2000年の消費量の5倍を超えている。イランは、2000年の消費量が594億m^3で、500億m^3としてもその5倍は500×5＝2,500［億m^3］だから、2020年の2,343億m^3は2000年の消費量の5倍を超えていない。日本は、2000年の消費量が757億m^3で、700億m^3としてもその5倍は700×5＝3,500［億m^3］だから、2020年の1,041億m^3は2000年の消費量の5倍を超えていない。ドイツは、2000年の消費量が829億m^3で、800億m^3としてもその5倍は800×5＝4,000［億m^3］だから、2020年の871億m^3は2000年の消費量の5倍を超えていない。以上より、5倍を超えているのは中国1か国のみで、2か国ではない。

3 ○ 2021年の中国の生産量は3,787［億m^3］×55.2％で、イランの生産量は2,411［億m^3］×106.4％である。3,787×55.2％＜4,000×55.2％＝2,208より、中国の生産量は2,208億m^3より少ない。一方、イランの生産量は、2,411×106.4％＞2,411×100％＝2,411より、イランの生産量は2,411億m^3より多い。以上より、2021年の中国の生産量はイランの生産量よりも少ない。

4 × 2021年のドイツの生産量は905［億m^3］×5.0％で、日本の生産量の3倍は1,036［億m^3］×2.2％×3＝1,036［億m^3］×6.6％である。905＜1,036、5.5＜6.6より、905［億m^3］×5.0％＜1,036［億m^3］×6.6％となるから、2021年のドイツの生産量は日本の生産量の3倍を超えていない。

5 × 2010年の世界計に占めるロシアの消費量の割合は$\frac{4,239}{31,589}$である。2020年を見ると、割合は$\frac{4,235}{38,456}$で、$\frac{4,239}{31,589}$と$\frac{4,235}{38,456}$では$\frac{4,235}{38,456}$の方が、分母が大きく、分子が小さいから、分数の値は小さい。よって、割合が最も低いのは2010年ではない。

No.25 正解 5 TAC生の正答率 36％

A × 税制改正で大幅な税収の増加や社会保険料の大幅な増額が行われていないことから、2024年度の国民負担率が、2023年度よりも大幅に増加するという根拠がないので誤りのある記述と判断しよう。

B × ドイツやスウェーデンは財政状況がよい国であると判断できれば、財政状況の悪い日本の財政赤字対国民所得比がそれらの国より低いはずがないと判断できる。

C × 近年（円安傾向が始まった2021年頃から記述にある2023年10月まで）のドル円相場で1ドル160円を超える円安を記録していないと常識的に判断できるであろう。

D ○ 消去法で残ればよい。

E ○ 消去法で残ればよい。

No.26 正解 4 TAC生の正答率 67％

1 × 後段が誤り。メールアドレスのユーザー名及びドメイン名から特定の個人を識別することができる場合、当該メールアドレスは、それ自体が単独で個人情報に該当する。

2 × 本試験の実施時点で、クオータ制の導入は決定されていない。ここで、狭義の政治分野におけるクオータ制とは、議会における男女間格差を是正することを目的として、性別を基準に女性または両性の議席比率を割り当てる制度である。ただし、2018年に制定された政治分野における男女共同参画の推進に関する法律は、男女の候補者の数をできる限り均等にする努力義務を定めているだけであり、狭義のクオータ制とはいえない。

3 × 韓国と中国が逆である。韓国との間では竹島問題が、中国との間では尖閣諸島問題がある。

4 ○ 東京都は、ふるさと納税には様々な問題があるとして参加しておらず、国へ制度の抜本的な見直しを求めている。

5 × 2023年中にトリガー条項は発動されていない。ここで、ガソリン税におけるトリガー条項とは、ガソリンの平均小売価格が一定額を上回った際にガソリン税の特例部分の徴収をストップするという条項であり、2010年度の税制改正で導入された。ただし、2011年に発生した東日本大震災の復興財源確保のために発動が凍結されており、現在に至っている。

No.27　正解　5　　TAC生の正答率　27%

1 × 2023年８月のBRICS首脳会議にて採択された「ヨハネスブルク宣言」で、2024年からBRICSに新規加盟するとされたのは、アラブ首長国連邦（UAE)、サウジアラビア、イラン、エチオピア、エジプト、アルゼンチンの６か国である。ただしアルゼンチンは、この首脳会議後の2023年12月に就任したミレイ大統領が方針を転換し、加盟を見送った。

2 × 2023年のグローバル・サウス・サミットの議長国はインドである。また、グローバル・サウスの盟主を自任しているとされているのもインドである。

3 × 選択肢の記述はカンボジアではなくミャンマーの内容である。カンボジアをミャンマーに置き換えれば妥当な内容になる。

4 × 選択肢にある時期に包括的核実験禁止条約（CTBT）の批准を撤回する法律を施行し、CTBTから離脱したのはロシアである。ロシアは2000年にCTBTを批准していた。また、アメリカはCTBTを署名はしているが、批准したことはない。そのため、CTBTから離脱することもあり得ない。

5 ○ なお、イタリアは（本問が出題された2024年５月時点で）アジアインフラ投資銀行（AIIB）からは脱退していない。

No.28　正解　4　　TAC生の正答率　55%

A **×** 「風流踊」（2022年登録）と「和食」（2013年登録）は、いずれも世界文化遺産ではなく無形文化遺産に登録されている。また、2023年中に日本で世界文化遺産に登録されたものはなかった。

B **○** ハラールとはイスラム法で「許されたもの」を指し、食品ではイスラム法上で食べることが許されている食材や料理のことをいう（イスラム教では豚やアルコールを含む食品・調味料を食することは禁止されている)。

C ✕ 纏向遺跡で見つかったのは、カブトムシではなくチャバネゴキブリの身体の一部である。

D ✕ 「ファスト映画」について、2021年11月に仙台地方裁判所は刑事責任を認め、著作権法違反の有罪判決(刑事罰)を言い渡している。

E ○ ただし、学校教育法上、あくまで主たる教材は紙の教科書であり、「必要に応じて学習者用デジタル教科書を併用することができる」という位置づけなので(障害者向けを除き、デジタル教科書への全面移行は原則として認めていないため)、「代えて使用できる」というのは微妙な表現である。

以上の組合せにより、**4**が正解となる。

No.29 正解 1 TAC生の正答率 28%

A ○ 世界気象機関(WMO)は、2023年の世界の平均気温は観測史上最も高かったと発表している。

B ○ 火山活動が落ち着いたことで新島の浸食が進み、陸地部分がほぼ見られなくなった。

C ✕ 月面軟着陸は、すでに旧ソビエト(1966年)、アメリカ(1966年)、中国(2013年)、インド(2023年)が成功しており、日本は5か国目の成功となった。

D ✕ 量子コンピューターはノイズに弱く、計算中にエラーを起こしやすいという特徴がある。

以上の組合せにより、**1**が正解となる。

No.30 正解 3 TAC生の正答率 18%

A ○ ささやかではあるがCOP28の成果の一つとされる。

B ✕ 記述にある提案を呼びかけたのは、COP28の議長国であるアラブ首長国連邦(UAE)と欧州連合(EU)である。

C ✕ ゼロエミッション(zero emission)とは排出物や廃棄物をできる限りゼロに近づけることである。つまり、温室効果ガスをそもそも出さないようにするということである。記述にあるような、温室効果ガス「排出量」から植林・森林管理などによる「吸収量」を差し引いて「全体としてゼロ」にすることは、カーボンニュートラルと呼ばれる。

D ○ 日本の再生可能エネルギー政策の一つとして妥当な内容である。

以上により、AとDが正しい記述となり、**3**が正解である。

2024年度　専門試験　解答解説

No.1　正解　**4**　TAC生の正答率 88%

ア　×「我が国の政治的意思決定に影響を及ぼすものであっても、憲法上保障される」という部分が妥当でない。判例は、憲法第３章の諸規定による基本的人権の保障は、権利の性質上日本国民のみをその対象としていると解されるものを除き、わが国に在留する外国人に対しても等しく及ぶとする。そして、外国人の政治活動の自由については、わが国の政治的意思決定又はその実施に影響を及ぼす活動等外国人の地位にかんがみこれを認めることが相当でないと解されるものを除き、その保障が及ぶとしている（最大判昭53.10.4、マクリーン事件）。

イ　○　判例により妥当である。判例は、憲法22条１項は、日本国内における居住・移転の自由を保障する旨を規定するにとどまり、外国人がわが国に入国することについてはなんら規定していないものであり、このことは、国際慣習法上、国家は外国人を受け入れる義務を負うものではなく、特別の条約がない限り、外国人を自国内に受け入れるかどうか、また、これを受け入れる場合にいかなる条件を付するかを、当該国家が自由に決定することができるものとされていることと、その考えを同じくするものと解されるとして、憲法上、外国人は、わが国に入国する自由を保障されているものでないとしている（最大判昭53.10.4、マクリーン事件）。

ウ　×　全体が妥当でない。判例は、憲法93条２項の「住民」に外国人は含まれず、地方公共団体における選挙の権利は外国人には保障されないとする。そのうえで、地方自治に関する憲法の規定の趣旨に照らして、我が国に在留する外国人のうちでも永住者等であってその居住する区域の地方公共団体と特段に緊密な関係を持つに至ったと認められるものについて、その意思を日常生活に密接な関連を有する地方公共団体の公共的事務の処理に反映させるべく、法律をもって、地方公共団体の長、その議会の議員等に対する選挙権を付与する措置を講ずることは、憲法上禁止されているものではないとしている（最判平7.2.28）。

エ　○　判例により妥当である。判例は、社会保障上の施策において在留外国人をどのように処遇するかについては、国は、特別の条約の存しない限り、当該外国人の属する国との外交関係、変動する国際情勢、国内の政治・経済・社会的諸事情等に照らしながら、その政治的判断によりこれを決定することができるのであり、その限られた財源の下で福祉的給付を行うに当たり、自国民を在留外国人より優先的に扱うことも許されるとして、障害福祉年金の支給対象者から在留外国人を除外することは、立法府の裁量の範囲に属する事柄と見るべきであるとしている（最判平1.3.2、塩見訴訟）。

以上より、妥当なものはイ、エであり、正解は**4**となる。

No.2　正解　**3**　TAC生の正答率 96%

ア　○　判例により正しい。判例は、国民の租税負担を定めるには、財政・経済・社会政策等の国政全般からの総合的な政策判断に加え、課税要件等を定めるについて極めて専門技術的な判断を必要とするとした上で、租税法の分野における取扱いの区別について、立法目的が正当で、区別の態様が目的との関連で著しく不合理でない限り、当該取扱いの合理性を否定することができず、憲法14条１項に違反しないとしている（最大判昭60.3.27、サラリーマン税金訴訟）。

イ　×「ここに列挙された事由による差別だけが憲法上禁止されるという趣旨である」という部分

が誤っている。憲法14条1項後段は、差別禁止事由として「人種、信条、性別、社会的身分又は門地」を列挙している。この列挙事由について、判例は、憲法14条1項は、国民に対し法の下の平等を保障したものであり、同条に列挙された事由は例示的なものであって、必ずしもそれに限るものではないと解するのが相当であるとしている（最大判昭39.5.27）。

ウ　×　「憲法第14条第1項に違反する」という部分が誤っている。判例は、憲法が各地方公共団体の条例制定権を認める以上、地域によって差別を生ずることは当然に予期され、かかる差別は憲法自ら容認するところであるとし、地方公共団体が売春取締りにつき各別に条例を制定する結果、その取扱いに差別を生じても、地域差の故をもって違憲とはいえないとしている（最大判昭33.10.15、売春取締条例事件）。

エ　○　判例により正しい。判例は、憲法14条1項に定める法の下の平等は、選挙権に関しては、国民はすべて政治的価値において平等であるべきであるとする徹底した平等化を志向するものであり、選挙権の内容、すなわち各選挙人の投票の価値の平等もまた、憲法の要求するところであるとする。しかしながら、投票価値の平等は、各投票が選挙の結果に及ぼす影響力が数字的に完全に同一であることまでも要求するものと考えることはできないとしている（最大判昭51.4.14）。その理由として、投票価値は、選挙制度の仕組みと密接に関連し、その仕組みのいかんにより、結果的に投票の影響力に何程かの差異を生ずることがあるのを免れない点を挙げている。

以上より、ア－正、イ－誤、ウ－誤、エ－正であり、正解は**3**となる。

No.3　正解　5　　TAC生の正答率 95%

ア　×　「『検閲』に該当する」という部分が誤っている。判例は、①税関検査により輸入が禁止される表現物は、一般に国外で発表済みのものであって、その輸入を禁止したからといって当該表現物につき事前に発表そのものを一切禁止するものではないこと、②当該表現物は輸入が禁止されるだけであって、税関により没収、廃棄されるわけではなく、発表の機会が全面的に奪われてしまうものではないこと、③税関検査は、関税徴収手続の一環として、これに付随して行われるもので、思想内容等それ自体を網羅的に審査し規制することを目的とするものではないこと、④思想内容等の表現物につき税関長の通知がされたときは司法審査の機会が与えられているのであって、行政権の判断が最終的なものとされるわけではないこと、を総合して考察すると税関検査は「検閲」に当たらないとしている（最大判昭59.12.12、税関検査事件）。

イ　×　「『検閲』に該当する」という部分が誤っている。判例は、青少年の健全な育成を阻害するおそれがある図書を、知事が有害図書に指定し、指定された有害図書を青少年へ販売・配布・貸付することや、自動販売機へ収納することを禁止する条例につき、当該条例による有害図書の指定は「検閲」に当たらないとしている（最判平1.9.19、岐阜県青少年保護育成条例事件）。

ウ　×　「『検閲』に該当する」という部分が誤っている。判例は、仮処分による事前差止めは、表現物の内容の網羅的一般的な審査に基づく事前規制が行政機関によりそれ自体を目的として行われる場合とは異なり、個別的な私人間の紛争について、司法裁判所により、当事者の申請に基づき差止請求権等の私法上の被保全権利の存否、保全の必要性の有無を審理判断して発せられるものであることを理由として、「検閲」には当たらないとしている（最大判昭61.6.11、北方ジャーナル事件）。

エ　×　「『検閲』に該当する」という部分が誤っている。判例は、教科書検定は、不合格とした図書を一般図書として発行することを何ら妨げるものではなく、発表禁止目的や発表前の審査等の特質を有していないので「検閲」に当たらないとしている（最判平5.3.16、第一次家永教科書訴訟）。

以上より、ア－誤、イ－誤、ウ－誤、エ－誤であり、正解は**5**となる。

No.4　正解　1

TAC生の正答率　60%

ア　○　通説・判例により正しい。憲法21条１項が保障する「集会」とは、多数人が、共通（共同）の目的のために、一時的に集団を形成して会合（活動）することをいう。葬儀については、多数人が、故人の追悼（＝共通の目的）のために、葬儀場に集まり（＝一時的に集団を形成して）、通夜や告別式を執り行う（＝会合する）ので、憲法21条１項にいう「集会」に該当する。判例も、葬儀が「集会」に当たることを前提とした判示をしている（最判平8.3.15、上尾市福祉会館事件）。

イ　○　判例により正しい。判例は、地方自治法244条にいう普通地方公共団体の公の施設として、市民会館のように集会の用に供する施設が設けられている場合、住民は、その施設の設置目的に反しない限りその利用を原則的に認められることになるので、管理者が正当な理由なくその利用を拒否するときは、憲法の保障する集会の自由の不当な制限につながるおそれが生ずることになるとしている（最判平7.3.7、泉佐野市民会館事件）。

ウ　×　「個人が団体から脱退する自由を含まない」という部分が誤っている。結社の自由（21条１項）の保障内容の一つとして、団体を結成するか結成しないか、団体に加入するか加入しないか、団体の構成員としてとどまるか脱退するかについて、公権力の干渉を受けない自由であることが挙げられる。したがって、個人が団体から脱退する自由も結社の自由に含まれる。

エ　○　通説により正しい。政党が議会制民主主義を支えるのに不可欠の要素であることから、明文の規定はないものの、政党を結成する自由は、結社の自由（21条１項）によって保障されると解されている。

以上より、ア－正、イ－正、ウ－誤、エ－正であり、正解は**1**となる。

No.5　正解　4

TAC生の正答率　86%

ア　×　全体が誤っている。憲法上、外国人に生存権は保障されないと一般に解されている。また、判例は、社会保障上の施策において在留外国人をどのように処遇するかについては、国は、特別の条約の存しない限り、当該外国人の属する国との外交関係、変動する国際情勢、国内の政治・経済・社会的諸事情等に照らしながら、その政治的判断によりこれを決定することができるのであり、その限られた財源の下で福祉的給付を行うに当たり、自国民を在留外国人より優先的に扱うことも許されるとしている（最判平1.3.2、塩見訴訟）。

イ　×　全体が誤っている。子どもの教育内容の決定権（教育権）の所在について、国家が教育内容を決定するとの見解（国家教育権説）と、親を中心とする国民全体が決定するとの見解（国民教育権説）がある。判例は、国家教育権説と国民教育権説は、いずれも極端かつ一方的であり、そのいずれをも全面的に採用することはできないとしたうえで、国政の一部として広く適切な教育政策を樹立・実施する必要があることなどから、国は、必要かつ相当と認められる範囲において、教育内容を決定する権限を有するものと解すべきとしている（最大判昭51.5.21、旭川学力テスト事件）。

ウ　○　判例により正しい。判例は、憲法26条２項後段の無償とは授業料不徴収の意味と解するのが相当であるから、憲法の義務教育は無償とするとの規定は、授業料のほかに、教科書、学用品その他教育に必要な一切の費用まで無償としなければならないことを定めたものと解することはできないとしている（最大判昭39.2.26）。

エ　×　全体が誤っている。勤労の権利は、国民に対して労働の機会を保障する政治的・道義的義務を国家に課したものであり、個々の国民に対して就労を保障する具体的権利（請求権）を認めたものではないと一般に解されている。

以上より、アー誤、イー誤、ウー正、エー誤であり、正解は**4**となる。

No.6　正解　3　TAC生の正答率 94%

ア　×　全体が誤っている。判例は、現行の制度の下においては、特定の者の具体的な法律関係につき紛争の存する場合においてのみ裁判所にその判断を求めることができるのであり、裁判所が具体的事件を離れて抽象的に法律命令等の合憲性を判断する権限を有するとの見解には、憲法上及び法令上何等の根拠も存しないとしている（最大判昭27.10.8、警察予備隊違憲訴訟）。

イ　○　判例により正しい。判例は、裁判官が、具体的訴訟事件に法令を適用して裁判するに当り、その法令が憲法に適合するか否かを判断することは、憲法によって裁判官に課せられた職務と職権であって、このことは最高裁判所の裁判官であると下級裁判所の裁判官であるとを問わないとして、下級裁判所にも違憲審査権を認めている（最大判昭25.2.1）。

ウ　×　全体が誤っている。条約が憲法に優越するか、条約一般が違憲審査の対象になるか、という点に言及した判例はない。もっとも、日米安全保障条約の違憲審査について、判例は、日米安全保障条約のような主権国家としての我が国の存立の基礎に重大な関係を持つ高度の政治性を有するものが、違憲であるか否かの判断は、純司法的機能を使命とする司法裁判所の審査に原則としてなじまない性質のものであり、一見極めて明白に違憲無効と認められない限りは、裁判所の司法審査権の範囲外のものであるとしている（最大判昭34.12.16、砂川事件）。したがって、条約が裁判所による違憲審査の対象となる余地がある。

以上より、アー誤、イー正、ウー誤であり、正解は**3**となる。

No.7　正解　1　TAC生の正答率 86%

ア　○　条文により妥当である。国務大臣は、その在任中、内閣総理大臣の同意がなければ、訴追されない（75条本文）。国務大臣が訴追されることによって、内閣の一体的な職務遂行に支障をきたすことを防止する趣旨である。

イ　○　条文により妥当である。最高裁判所の長たる裁判官（最高裁判所長官）は、内閣の指名に基づいて、天皇が任命する（６条２項）。また、最高裁判所の長たる裁判官以外の裁判官（最高裁判所判事）は、内閣が任命して、天皇が認証する（79条１項、７条５号）。

ウ　×　「国会の指名した者の名簿によって」という部分が妥当でない。下級裁判所の裁判官は、最高裁判所の指名した者の名簿によって、内閣でこれを任命する（80条１項前段）。

エ　×　「その過半数が文民であれば足りる」という部分が妥当でない。内閣総理大臣その他の国務大臣は、文民でなければならない（66条２項）。したがって、過半数にとどまらず、国務大臣の全員が文民でなければならない。なお、内閣総理大臣は、国務大臣を任命し、任意に罷免する権限を有するので（68条）、内閣総理大臣は、国務大臣を自由に任免することができるとの点は妥当である。

以上より、妥当なものはア、イであり、正解は**1**となる。

No.8　正解　2　TAC生の正答率　66%

1　×　「その事情が法律行為の基礎とされていることが表示されていなくても」という部分が妥当でない。表意者が法律行為の基礎とした事情についてのその認識が真実に反する錯誤（95条１項２号、基礎事情の錯誤）があった場合、その事情が法律行為の基礎とされていることが表示されていたときに限り、表意者は意思表示を取り消すことができる（95条２項）。

2　○　条文により妥当である。錯誤による意思表示の取消しは、善意でかつ過失がない第三者に対抗することができない（95条４項）。この規定にいう「第三者」が取消し前に現れた第三者のことを指すので、表意者は、取消し前に現れた第三者が悪意又は有過失であれば、その第三者に対して錯誤による取消しを対抗することができる。

3　×　「相手方の認識にかかわらず」という部分が妥当でない。錯誤が表意者の重過失によるものであった場合には、①相手方が表意者の錯誤について悪意又は重過失であったとき、又は、②相手方が表意者と同一の錯誤に陥っていたときを除き、意思表示の取消しをすることができない（95条３項）。したがって、相手方の認識によっては、錯誤による意思表示の取消しをすることができる場合がある。

4　×　「Ｘも同一の錯誤に陥っていなければ、Ｙの意思表示を取り消すことはできない」という部分が妥当でない。代理人が相手方に対してした意思表示の効力が錯誤によって影響を受けるべき場合には、その事実の有無は代理人について決する（101条１項、代理行為の瑕疵）。したがって、錯誤による意思表示の取消しができるか否かは、代理人Ｙがその要件を満たすか否かによって決まるから、本人ＸがＹと同一の錯誤に陥っている必要はない。

5　×　全体が妥当でない。錯誤による意思表示をした表意者の相手方には、本記述のような催告権が認められていない（催告権を認める規定が存在しない）。その催告権が認められているのは、制限行為能力者の相手方である（20条）。

No.9　正解　4　TAC生の正答率　55%

ア　×　「消滅時効を援用することができる」という部分が妥当でない。判例は、債務者が消滅時効完成後に債権者に対し債務の承認をした場合には、時効完成の事実を債務者が知らなかったときでも、その後その時効の援用をすることは許されないとしている（最大判昭41.4.20、援用権の喪失）。時効の完成後、債務者が債務の承認（例えば、債務の一部弁済、債務の弁済猶予の求め）をすることは、時効による債務消滅の主張と矛盾する行為であり、相手方も債務者が時効の援用をしない趣旨であると考えるので、その後は債務者に時効の援用を認めないと解するのが信義則に照らし相当だからである。

イ　○　条文により妥当である。一般の債権の消滅時効期間は、①債権者が権利を行使することができることを知った時（主観的起算点）から５年間、又は②権利を行使することができる時（客観的起算点）から10年間である（166条１項）。もっとも、確定判決又は確定判決と同一の効力を有するものによって確定した権利（確定の時に弁済期が未到来の債権を除く）については、10年より短い時効期間の定めがあるものであっても、その時効期間は10年となる（169条）。したがって、売買代金債権の消滅時効期間は、債権者が権利を行使できることを知った時から５年間であるが、当該債権が確定判決によって確定したときは（確定の時に弁済期が未到来でなければ）、その時効期間は10年となる。

ウ　×「被担保債権の消滅時効を援用して抵当権の実行を免れることは許されない」という部分が妥当でない。時効利益の放棄の効果は、時効の効果と同様に相対効だと解されている。判例も、時効利益の放棄の効果は相対的であるから、主債務者が被担保債権の消滅時効完成の利益を放棄しても、その効果は物上保証人に対して影響を及ぼすものではないとしている（最判昭42.10.27）。したがって、自らの有する土地について、貸金債権を被担保債権とする抵当権を設定した物上保証人は、主債務者が被担保債権の消滅時効の利益を放棄した場合であっても、被担保債権の消滅時効を援用することができる（145条かっこ書）。

エ　○　条文により妥当である。損害賠償請求権（債務不履行に基づく損害賠償請求権など）の消滅時効期間も、一般の債権と同じく主観的起算点から５年間、又は客観的起算点から10年間である（166条１項、記述イの解説参照）。もっとも、人の生命又は身体の侵害による損害賠償請求権の消滅時効期間については、主観的起算点から５年間、又は客観的起算点から20年間となり（167条）、客観的起算点からの時効期間が延長されている。これは、人の生命・身体を害した不法行為による損害賠償請求権の消滅時効期間（724条）との均衡を図ったものである。

以上より、妥当なものはイ、エであり、正解は**4**となる。

No.10　正解　3　　TAC生の正答率　66%

1　×「建物の所有権は完成と同時にＹに帰属する」という部分が妥当でない。判例は、請負人が材料の全部又は主要部分を提供した場合には、完成した建物の所有権は原始的に請負人に帰属し、引渡しによって注文者に移転するとしている（大判明37.6.22）。したがって、請負人Ｘが材料の全部を提供しているから、建物の所有権は完成と同時にＸに帰属する。

2　×「ＸとＺの間の売買契約は無効となる」という部分が妥当でない。ＸはＹとＺに対して土地を二重譲渡しているが、二重譲渡に係る双方の売買契約はともに有効である。したがって、ＸとＺの間の売買契約は有効となる。なお、ＹとＺのうち土地の所有権を取得することができるのは、原則として先に登記を経由した方となる（177条）。

3　○　条文により妥当である。不動産の所有者は、その不動産に従として付合した物の所有権を取得する（242条本文、不動産の付合）。もっとも、不動産の付合によって損失を受けた者は、不当利得の規定（703条、704条）に従い、その償金を請求することができる（248条）。したがって、Ｘ所有の動産がＹ所有の不動産に付合すると、Ｙが動産の所有権を取得するが、これによってＸが動産の所有権を失うという損失を受けるから、ＸがＹに対して償金の支払いを請求することができる。

4 × 「苗木の所有権はXに帰属する」という部分が妥当でない。不動産の所有者は、その不動産に従として付合した物の所有権を取得するが（242条本文）、権原によってその物を附属させた他人の権利を妨げない（242条ただし書）。したがって、Yは、X所有の土地の賃借権（＝権原）によって、その土地に樹木の苗木を植栽した（＝その物を附属させた）から、苗木の所有権はYに帰属する（＝他人の権利を妨げない）。

5 × 「Y所有の土地を通行することはできない」という部分が妥当でない。他の土地に囲まれて公道に通じない土地の所有者は、公道に至るため、その土地を囲んでいる他の土地を通行することができる（210条1項）。したがって、Xは、公道に至るためであれば、Y所有の土地を通行することができる。

No.11 正解 3

TAC生の正答率 71%

1 × 「留置権を行使することができる」という部分が妥当でない。他人の物の占有者は、その物に関して生じた債権を有するときは、その債権の弁済を受けるまで、その物を留置することができる（295条1項本文）。ただし、その債権が弁済期にないときは、留置することができない（295条1項ただし書）。留置権は、物を留置することによって弁済を促す権利であるが、弁済期にない債権の履行を強制することは公平とはいえないからである。

2 × 「被担保債権について消滅時効は完成しない」という部分が妥当でない。留置権の行使は、債権の消滅時効の進行を妨げない（300条）。留置権を行使することは、被担保債権を行使しているとはいえないからである。

3 ○ 判例により妥当である。留置権の成立要件の一つとして「債権がその物に関して生じたこと」（物と債権の牽連性）が挙げられる（295条1項本文）。判例は、代金債権が土地の明渡請求権と同一の売買契約によって生じた債権であることを理由に、土地と代金債権の牽連性を認めている。さらに、留置権が物権であることから、売主は、買主の譲受人からの土地の引渡請求に対しても、その土地の未払代金債権を被担保債権として留置権の抗弁を主張することができるとしている（最判昭47.11.16）。したがって、Xは、Zに対しても留置権を主張することができる。

4 × 「弁済を受けていない部分の割合に応じてしか、留置権を行使することができない」という部分が妥当でない。留置権者は、債権の全部の弁済を受けるまでは、留置物の全部についてその権利を行使することができる（296条、不可分性）。

5 × 全体が妥当でない。留置権者は、債務者の承諾を得なければ、留置物を使用し、賃貸し、又は担保に供することができない（298条2項本文）。留置権者は、債権を担保する目的で留置物を占有しているからである。

No.12 正解 4

TAC生の正答率 30%

ア × 「履行に代わる損害賠償の請求をすることはできない」という部分が誤っている。契約に基づく債務の履行がその契約の成立の時に不能であったことは、民法415条の規定（債務不履行による損害賠償）によりその履行の不能によって生じた損害の賠償を請求することを妨げない（412条の2第2項）。

イ ○ 条文により正しい。民法415条１項の規定により損害賠償の請求をすることができる場合において、債権者は、①債務の履行が不能であるとき、②債務者がその債務の履行を拒絶する意思を明確に表示したとき、③債務が契約によって生じたものである場合において、その契約が解除され、又は債務の不履行による契約の解除権が発生したとき、のいずれかの場合に、債務の履行に代わる損害賠償の請求をすることができる（415条２項）。したがって、債務不履行による契約の解除権が発生すれば、債務の履行に代わる損害賠償の請求をすることができるので、損害賠償請求にあたって契約を解除する必要はない。

ウ × 「履行に代わる損害賠償の請求をすることができる」という部分が誤っている。債務者がその債務について遅滞の責任を負っている間に「当事者双方の責めに帰することができない事由によって」その債務の履行が不能となったときは、その履行の不能は、債務者の責めに帰すべき事由（帰責事由）によるものとみなす（413条の２第１項）。この規定により、履行不能が債権者の帰責事由によって生じたときは、債務者の帰責事由によるものとはみなされない。そうすると、債務者の責めに帰することができない事由によって履行不能が生じたことになるから、債権者は、債務者に対し、履行不能を理由とする損害賠償請求をすることはできない（415条１項ただし書）。

エ ○ 判例により正しい。金銭の給付を目的とする債務（金銭債務）の不履行による損害賠償の額は、債務者が遅滞の責任を負った最初の時点における法定利率（約定利率が法定利率を超えるときは約定利率）により計算され、債権者は損害の証明をすることを要しない（419条１項、２項）。そして、判例は、民法419条の反面として、債権者が約定利率又は法定利率以上の損害が生じたことを立証しても、損害の賠償を請求することはできないとしている（最判昭48.10.11）。

以上より、ア－誤、イ－正、ウ－誤、エ－正であり、正解は**4**となる。

No.13 正解 1

TAC生の正答率 79%

ア ○ 判例により妥当である。判例は、債権者代位権の被保全債権は、代位行使の時点で有効に存在している必要はあるが、代位行使の対象となる権利よりも前に成立したことは必要ではないとしている（最判昭33.7.15）。債権者代位権で問題となるのは債務者の権利不行使による責任財産の減少であるところ、被保全債権が被代位権利の後に発生したとしても、債務者の権利不行使による責任財産減少という事態が生じ得るためである。

イ ○ 判例により妥当である。判例は、債権者代位権は、債務者がすでに権利を行使している場合には、行使方法や結果の良否にかかわらず、行使することができないとしている（最判昭28.12.14）。債務者自身が権利行使をしている場合に代位行使を認めることは、債務者の財産権行使への不当な干渉になるからである。

ウ × 「自ら取立てその他の処分をすることはできない」という部分が妥当でない。債権者が被代位権利を行使した場合であっても、債務者は、被代位権利について、自ら取立てその他の処分をすることを妨げられない（423条の５前段）。債権者代位権は、債務者が権利行使しない場合にその責任財産を保全するための制度であって、債務者自身の権利行使までも阻止することは、債務者の財産管理に対する過剰な介入となるからである。

エ × 「その支払を自己に対してすることを求めることはできない」という部分が妥当でない。債権者は、被代位権利を行使する場合において、被代位権利が金銭の支払又は動産の引渡しを目的とするものであるときは、相手方に対し、その支払又は引渡しを自己に対してすることを求めることができる（423条の３前段）。被代位権利が金銭の支払又は動産の引渡しを目的とする場合、債務者が受取りを拒むことも考えられるため、債権者代位権の実効性確保のため認められたものである。

以上より、妥当なものはア、イであり、正解は**1**となる。

No.14　正解　3

TAC生の正答率　27%

1　×　「催告をしなければ、これを相殺に供することはできない」という部分が妥当でない。判例は、期限の定めのない債権（弁済期の定めのない債権）は弁済期にあるから、当該債権について催告をしておらず、債務者が履行遅滞に陥っていないとしても、当該債権を自働債権として相殺することができるとしている（大判昭17.11.19）。

2　×　「Ｙに対する時計の売買代金債権を自働債権として相殺に供することができる」という部分が妥当でない。判例は、自働債権に同時履行の抗弁権が付着しているときは相殺することができないとしている（大判昭13.3.1）。相手方の抗弁権を一方的に奪ってしまうからである。したがって、ＸがＹに未だ時計を引き渡しておらず、ＸのＹに対する時計の売買代金債権には同時履行の抗弁権が付着しているから、当該売買代金債権を自働債権として相殺に供することはできない。

3　○　条文により妥当である。人の生命又は身体の侵害による損害賠償の債務を受働債権とする相殺は許されない（509条２号）。本件ではＸとＹのいずれが相殺をしようとしても、人の身体の傷害による損害賠償の債務を受働債権とする相殺になってしまう。したがって、ＸからもＹからも相殺することができない。

4　×　「甲債権と乙債権との相殺を主張できない」という部分が妥当でない。債務者が、債権譲渡の対抗要件具備後に取得した譲渡人に対する債権であっても、当該債権が対抗要件具備時より前の原因に基づいて生じたものであるときは、債務者は当該債権による相殺をもって譲渡人に対抗することができる（469条２項１号）。債務者Ｘが乙債権を取得したのは、譲渡人Ｙからの債権譲渡の通知（対抗要件具備）の後であるが、乙債権は債権譲渡の通知より前の原因に基づいて生じたものなので、Ｘは譲受人Ｚに対して、甲債権と乙債権の相殺を主張することができる。

5　×　「同年10月１日に遡って」という部分が妥当でない。相殺の意思表示は、双方の債務が互いに相殺に適するようになった時（双方の債権が相殺適状になった時）にさかのぼってその効力を生ずる（506条２項）。したがって、Ｘの債権とＹの債権は、令和５年11月１日に相殺適状になっているから、Ｘによる相殺の意思表示により、同日にさかのぼって双方の債権が対当額で消滅する。

No.15　正解　5

TAC生の正答率　42%

ア　×　「軽減又は」という部分が妥当でない。保証人の負担が債務の目的又は態様において主たる債務より重いときは、これを主たる債務の限度に減縮する（448条１項）。また、主たる債務の目的又は態様が保証契約の時に加重されたときであっても、保証人の負担は加重されない（448条２項）。これらの規定は、保証債務は主たる債務より重くならないという、保証債務の内容における付従性を明らかにしたものである。したがって、保証契約締結後に主たる債務の内容が加重された場合は、保証債務の内容に影響はないが、主たる債務が軽減された場合には、保証債務の内容に影響がある（主たる債務の限度に減縮される）。

イ　×「その解除権を行使して、保証債務の履行を免れることができる」という部分が妥当でない。主たる債務者が債権者に対して、相殺権、取消権又は解除権を有するときは、これらの権利の行使によって主たる債務者がその債務を免れるべき限度において、保証人は、債権者に対して債務の履行を拒むことができる（457条３項）。したがって、保証人は債務の履行を拒絶できるにとどまり、主たる債務者の解除権を行使して、保証債務の履行を免れることはできない。

ウ　○　条文により妥当である。債務の承認は、時効の更新事由であるが（152条１項）、主たる債務者に対する履行の請求その他の事由による時効の完成猶予及び更新は、保証人に対しても、その効力を生じる（457条１項、保証債務の付従性）。時効によって保証債務のみが消滅することを防止して、債権担保を維持する趣旨である。

エ　○　判例により妥当である。時効利益の放棄の効果は、時効の効果と同様に相対効だと解されている。判例も、主たる債務者が時効の利益を放棄したときであっても、保証人に対してその効力を生じることはなく、保証人は主たる債務の消滅時効を援用することができるとしている（大判大5.12.25）。

以上より、妥当なものはウ、エであり、正解は**5**となる。

No.16　正解　2

TAC生の正答率　60%

1　×「当該金銭債務の正確な金額を明示しなければならない」という部分が妥当でない。判例は、民法541条所定の催告は、債権者が履行を求める債務の内容を債務者に知らしめる程度のものであれば足り、給付の目的が金銭である場合でも、その金額のごときは必ずしも明示することを要しないとしている（最判昭35.10.14）。したがって、金銭債務の履行の催告において、必ずしも当該金銭債務の正確な金額の明示は要求されていないことになる。

2　○　判例により妥当である。解除に条件を付けることは一般的に許されない（通説）。相手方の地位を不安定にするからである。これに対して、判例は、本記述のように相手方の行為を停止条件とすること、すなわち、催告と停止条件付契約解除の意思表示（相当の期間内に履行しないことが停止条件となる）を同時に行うことは、相手方に特別に不利益とならないから有効であるとしている（大判明43.12.9）。したがって、一方当事者が催告期間内に履行しなければ契約を解除する旨の意思表示をした場合、その催告期間内に履行がなければ、停止条件が成就して解除の効果が発生する。

3　×「無効である」という部分が妥当でない。判例は、賃貸借終了を原因とする賃貸物件明渡等の請求をする書面に、予備的に、当該賃貸借が存続しているとすれば所定の期限までに賃料の支払を催告する趣旨が含まれている場合、当該催告は、これに応じて債務者が賃料を提供しても債権者において受領する意思が認められないような特段の事情のない限り、有効であるとしている（最判昭40.3.9）。

4　×「解除は無効である」という部分が妥当でない。判例は、債務者が履行の催告に応じない場合に、債権者が催告の時から相当期間を経過した後にした解除の意思表示は、催告期間が相当であったかどうかにかかわりなく有効であるとしている（最判昭31.12.6）。したがって、催告期間が不相当に短かったとしても、催告から相当期間が経過した後にした解除は有効となる。

5 × 「兼ねることができず、各別に行わなくてはならない」という部分が妥当でない。判例は、期限の定めのない債務については、債権者は、債務者に対して１回催告をすれば、債務者を遅滞に陥れることができるだけでなく、民法541条による催告（解除の前提として履行を促すための催告）も兼ねることができるとしている（大判大6.6.27）。

No.17　正解　3　TAC生の正答率 32%

ア ○ 契約は有効に成立している。贈与契約は、当事者の一方（贈与者）がある財産を無償で相手方（受贈者）に与える意思を表示し、相手方が受諾をすることによってその効力が生じる契約であり（549条）、贈与者と受贈者の合意のみで有効に成立する諾成契約である（書面の作成は不要）。本記述では、ＸがＹに対し「無償で自転車をあげる」と言い、Ｙは「自転車をもらう」と言っている（ＸとＹの合意がある）ので、XY間に贈与契約が有効に成立している。

イ ○ 契約は有効に成立している。売買契約は、当事者の一方（売主）がある財産権を相手方（買主）に移転することを約束し、相手方がこれに対してその代金を支払うことを約束することによってその効力を生じる契約であり（555条）、売主と買主の合意のみで有効に成立する諾成契約である。売買の目的物が売主の所有であることは売買契約の成立・効力要件ではなく、目的物が他人の物であるいわゆる他人物売買であっても契約は有効に成立する（561条参照）。本記述では、ＸがＹに対し５万円で自転車を売却する旨の契約書を作成している（ＸとＹの合意がある）ので、自転車がX所有でなくてもXY間に売買契約が有効に成立している。

ウ × 契約は有効に成立していない。消費貸借契約は、書面によらない消費貸借契約（587条）と書面でする消費貸借契約（587条の２）に分けられ、両者は成立要件が異なる。書面によらない消費貸借契約は、当事者の一方（借主）が種類・品質・数量の同じ物をもって返還することを約束し、相手方（貸主）から金銭その他の物を受け取ることによってその効力を生じる契約であり（587条）、貸主と借主の合意に加えて、目的物の引渡しがあってはじめて成立する要物契約である。本記述では、ＸとＹは口頭で消費貸借の合意をしているから書面によらない消費貸借契約にあたるが、Ｙに対して目的物である10万円が引き渡されていないため、XY間に消費貸借契約は有効に成立していない。

エ ○ 契約は有効に成立している。使用貸借契約は、当事者の一方（貸主）がある物を引き渡すことを約束し、相手方（借主）がその受け取った物について無償で使用・収益をして契約が終了したときに返還をすることを約束することによってその効力を生じる契約であり（593条）、貸主と借主の合意のみで成立する諾成契約である。本記述では、ＸはDVDをＹに引き渡していないが、XY間にはＸが無償でDVDをＹに貸与し、Ｙはこれを１週間後に返還するという合意があるので、XY間に使用貸借契約が有効に成立している。

以上より、契約が有効に成立しているものはア、イ、エであり、正解は**3**となる。

No.18　正解　3　TAC生の正答率 45%

1 × 「無効である」という部分が妥当でない。他人の所有物を賃貸目的物とした賃貸借契約のことを他人物賃貸借という。他人物賃貸借は賃貸借契約として有効であるが、賃貸人は、賃貸目的物の権利（賃貸目的物の所有権などの賃貸権限）を取得して、その使用及び収益を賃借人にさせる義務を負う（601条、559条、561条）。

2 × 全体が妥当でない。建物の賃借人は、当該建物の譲受人よりも先に、賃借権の登記を受けるか（605条）、又は当該建物の引渡しを受ける（借地借家法31条）ことによって、譲受人に対して当該建物の賃借権を対抗することができる。したがって、賃借権の登記をしなくても、建物の賃借権を対抗することができる場合がある。

3 ○ 判例により妥当である。判例は、土地賃借人は、建物を第三者に賃貸しても、未だ建物の所有権が土地賃借人に帰属している以上、土地賃借人が自ら借り受けた土地を自ら使用及び収益しているといえるから、借地上の建物を第三者に賃貸しても、賃借した土地を第三者に転貸したことにはならないとしている（大判昭8.12.11）。

4 × 「賃貸借契約は当然には終了しない」という部分が妥当でない。賃借物の全部が滅失その他の事由により使用及び収益をすることができなくなった場合には、賃貸借は、これによって終了する（616条の２）。したがって、賃貸目的物が滅失した場合、賃貸借契約は当然に終了する。

5 × 「通常の使用及び収益によって生じた損耗も含めて」という部分が妥当でない。賃借人は、賃借物を受け取った後にこれに生じた損傷（通常の使用及び収益によって生じた賃借物の損耗並びに賃借物の経年変化を除く）がある場合において、賃貸借が終了したときは、その損傷を原状に復する義務を負う（621条本文、原状回復義務）。したがって、通常の使用及び収益によって生じた賃貸目的物の損耗については、特段の合意がない限り、原状に復する義務を負わない。

No.19 正解 4

TAC生の正答率 18%

ア × 「仕事を完成させた後でなければ第三者に譲渡することはできない」という部分が誤っている。判例は、請負人の報酬債権は、請負契約の成立によって生じるとしている（大判昭5.10.28）。したがって、請負人は仕事完成前であっても、第三者に報酬請求権を譲渡することができる。

イ ○ 条文により正しい。請負人が仕事を完成しない間は、注文者は、いつでも損害を賠償して契約を解除することができる（641条）。注文者が仕事の完成を必要としなくなった場合にまで、請負人の仕事を継続させることは注文者にとっても社会経済的にも無意味であるし、請負人としても損害が賠償されるならば不利益はないからである。

ウ × 全体が誤っている。請負人が仕事を完成させる手段について、民法上特別の制限は設けられていない。したがって、請負人は、注文者の承諾を得ることなく自由に下請人を選ぶことができる。なお、注文者と請負人との間の特約で下請負を禁止することは可能である。

エ × 「請負人は契約を解除することができる」という部分が誤っている。委任と異なり、民法上注文者が死亡した場合に請負人の解除権を認める規定はない。なお、請負人が仕事を完成する前に注文者が破産手続開始決定を受けた場合は、請負人は契約を解除することができる（642条１項）。

以上より、ア－誤、イ－正、ウ－誤、エ－誤であり、正解は**4**となる。

No.20 正解 1

TAC生の正答率 81%

1 ○ 条文により妥当である。数人が共同の不法行為によって他人に損害を加えたときは、各自が連帯してその損害を賠償する責任を負う（719条１項前段）。これを共同不法行為という。なお、共同行為者のうちいずれの者がその損害を加えたかを知ることができないときも、同様に各自が連帯してその損害を賠償する責任を負う（719条１項後段）。

2 × 「およそ不法行為責任を負わない」という部分が妥当でない。未成年者は、他人に損害を加えた場合において、自己の行為の責任を弁識するに足りる知能を備えていなかったときは、その行為について賠償の責任を負わない（712条）。したがって、自己の行為の責任を弁識するに足りる知能を備えている未成年者は、不法行為責任を負うことがある。なお、自己の行為の責任を弁識するに足りる知能があるかどうかは、おおむね、小学校卒業程度（11歳～12歳）の精神能力が基準になるとされている。

3 × 「必ずその過失による影響を考慮しなければならない」という部分が妥当でない。被害者に過失があったときは、裁判所は、これを考慮して、損害賠償の額を定めることができる（722条２項）。したがって、被害者の過失を考慮するかどうかは裁判所の裁量による。

4 × 「必ずその身体的特徴による影響を考慮しなければならない」という部分が妥当でない。判例は、不法行為により傷害を被った被害者が平均的な体格ないし通常の体質と異なる身体的特徴を有しており、これが加害行為と競合して傷害を発生させ、又は損害の拡大に寄与したとしても、当該身体的特徴が疾患に当たらないときは、特段の事情がない限り、これを損害賠償の額を定めるに当たり斟酌（考慮）することはできないとしている（最判平8.10.29）。

5 × 「いつでもこれを受働債権とする相殺を主張できる」という部分が妥当でない。悪意による不法行為に基づく損害賠償債務の債務者は、相殺をもって債権者に対抗する（これを受働債権とする相殺を主張する）ことができない（509条本文１号）。ただし、その債権者がその債務に係る債権を他人から譲り受けたときは、この限りでない（509条ただし書）。したがって、悪意による不法行為に基づく損害賠償債務の債務者は、いつでもこれを受働債権とする相殺を主張できるわけではない。

No.21 正解 5

TAC生の選択率 26%　TAC生の正答率 75%

ア × 「その発送の時に殺人の実行の着手が認められるから、殺人未遂罪が成立する」という部分が妥当でない。判例は、殺人の目的で、毒物を送付した場合、相手方がこれを受領した時に毒殺行為の着手（殺人の実行行為の着手）があったということができるとしている（大判大7.11.16）。

イ × 「被害者の身体的条件等によって死亡する危険があったか否かにかかわらず、不能犯として不可罰である」という部分が妥当でない。判例は、人を殺す目的で空気を静脈内に注射したのであれば、実際に注射された空気の量が致死量以下であったとしても、被注射者の身体的条件その他の事情のいかんによっては死の結果発生の危険が絶対にないとはいえないから、殺人未遂罪（199条、203条）が成立するとしている（最判昭37.3.23）。

ウ ○ 判例により妥当である。判例は、通行人が懐中物（ポケットに入れている財物）を所持することは普通予測できる事実であるから、これを奪取しようとする行為は、実害を生じる危険があるとして、行為当時たまたま被害者が懐中物を所持していなかったとしても、強盗未遂罪（236条1項、243条）が成立するとしている（大判大3.7.24）。

エ　○　判例により妥当である。判例は、店舗内の金銭を窃取しようとした事案について、現金レジスターのある煙草売場へ行こうとした時点で窃盗の実行の着手を認めている（最決昭40.3.9）。金銭が存在する方に行きかけるということで、金銭窃取の具体的危険性が認められるからである。本記述では、レジスターに手を触れてはいないが、レジスターの方へ向かった時点で窃盗の実行の着手が認められるから、窃盗未遂罪（235条、243条）が成立する。

以上より、妥当なものはウ、エであり、正解は**5**となる。

No.22　正解　2

TAC生の選択率　26%　TAC生の正答率　87%

ア　○　判例により妥当である。本記述は具体的事実の錯誤（同一構成要件内の錯誤）のうち客体の錯誤の事例である。判例は、犯罪の故意があるとするには、罪となるべき事実の認識を必要とするが、犯人が認識した罪となるべき事実と現実に発生した事実とが必ずしも具体的に一致することを要するものではなく、両者が法定の範囲内において一致することをもって足りるとしている（最判昭53.7.28、法定的符合説）。したがって、Aの殺害（甲が認識した事実）とVの殺害（現実に発生した事実）とが殺人罪（199条）の範囲内において一致するから、甲には故意が認められ、Vに対する殺人罪が成立する。

イ　×　「Pに対する殺人罪は成立しない」という部分が妥当でない。本記述は具体的事実の錯誤のうち方法の錯誤の事例である。判例は、「人を殺す意思のもとに殺害行為に出た以上、犯人の認識しなかつた人に対してその結果が発生した場合にも、右の結果について殺人の故意があるものというべきである」（最判昭53.7.28）として、認識内容と同一の客体（V）に加え、認識内容と異なる客体（P）にも犯罪結果が生じた場合、生じた犯罪結果の数だけ故意犯が成立することを認めている（数故意犯説）。したがって、甲には、Vに対する殺人罪だけでなく、Pに対する殺人罪も成立する。なお、数故意犯説に立つ場合、成立する各罪は観念的競合（54条1項前段）になると解されている。

ウ　×　「覚醒剤輸入罪は成立しない」という部分が妥当でない。判例は、覚醒剤を輸入した際に、覚醒剤を含む身体に有害で違法な薬物類であるとの認識があったのであれば、覚醒剤かもしれないし、その他の身体に有害で違法な薬物かもしれないとの認識はあったといえることから、覚醒剤輸入罪の故意に欠けることはないとしている（最決平2.2.9）。したがって、甲には覚醒剤輸入罪が成立する。

エ　○　条文により妥当である。法律を知らなかったとしても、そのことによって、罪を犯す意思がなかったとすることはできない（38条3項本文）。したがって、爆発物を使用して他人の財産を害する行為が、爆発物取締罰則に違反することを知らなかった（爆発物取締罰則への違反を意識していなかった）としても、同法違反の罪が成立する（同法違反の故意犯として処罰される）ことになる。

以上より、妥当なものはア、エであり、正解は**2**となる。

No.23 正解 4 TAC生の選択率 26% TAC生の正答率 80%

ア ×「Vの承諾により違法性が阻却される」という部分が誤っている。殺害行為について被害者が承諾している場合、同意殺人罪（202条後段）が成立する。被害者の承諾に関する類型のうち、承諾が構成要件要素となっている場合にあたり（違法性が減少する）、違法性は阻却されない。

イ ×「Vの承諾により違法性が阻却される」という部分が誤っている。判例は、外見上家人の承諾があったように見えても、真実においてはその承諾を欠くものであり（Vは甲を来客と勘違いして発言している）、住居侵入罪（130条前段）が成立するとしている（最大判昭24.7.22）。

ウ ×「Vの承諾により違法性が阻却される」という部分が誤っている。判例は、被害者が身体傷害を承諾した場合に傷害罪（204条）が成立するか否かは、単に承諾が存在するという事実だけでなく、当該承諾を得た動機、目的、身体傷害の手段、方法、損傷の部位、程度などの諸般の事情を照らし合わせて決すべきものであるとし、当該承諾は、保険金を騙取するという違法な目的に利用するために得られた違法なものであって、これによって当該傷害行為の違法性を阻却するものではないとしている（最決昭55.11.13）。

以上より、ア－誤、イ－誤、ウ－誤であり、正解は**4**となる。

No.24 正解 1 TAC生の選択率 26% TAC生の正答率 55%

ア ○ 条文により妥当である。防衛の程度を超えた行為（防衛行為として相当性を欠く行為）は、情状により、その刑を減軽し、又は免除することができる（36条２項）。

イ ○ 判例により妥当である。判例は、刑法36条１項にいう「やむを得ずにした行為」とは、反撃行為が急迫不正の侵害に対する防衛手段として相当性を有することを意味し、右行為によって生じた結果がたまたま侵害されようとした法益より大であっても、正当防衛行為でなくなるものではないとしている（最判昭44.12.4）。

ウ ×「喧嘩闘争において正当防衛が成立する余地はない」という部分が妥当でない。判例は、喧嘩闘争は闘争者双方が攻撃及び防御を繰り返す一連の闘争行為であることを理由に、この場合においてもなお正当防衛が成立する場合があり得るとしている（最判昭32.1.22）。

エ ×「正当防衛が成立する」という部分が妥当でない。急迫不正の侵害がないのにあると誤信して、防衛の意思で反撃行為を行った場合を誤想防衛という。誤想防衛は、正当防衛の要件（36条１項）を具備しておらず、違法性が阻却されないことが明らかであるから、正当防衛は成立しない。

以上より、妥当なものはア、イであり、正解は**1**となる。

No.25 正解 2 TAC生の選択率 26% TAC生の正答率 86%

ア ○ 判例により妥当である。判例は、暴力団の組長を警護するためにボディガードらがけん銃を所持していた事案において、暴力団の組長による直接指示がない場合でも、ボディガードらが自発的に組長を警護するためにけん銃等を所持していることを確定的に認識しながら、それを当然のこととして受け入れて認容していたのであれば、ボディガードらとの間にけん銃等の所持につき黙示的に意思の連絡があったといえるとして、組長にはけん銃等の所持につきボディガードらとの間に共謀共同正犯が成立するとしている（最決平15.5.1、スワット事件）。

イ　×　全体が妥当でない。判例は、飲食店の共同経営者らが出所不確かな「ウィスキー」と称するメタノールを含有する液体を、不注意で何らの検査もせずに顧客に販売し、顧客がメタノール中毒で死傷した事案において、過失犯の共同正犯を肯定している（最判昭28.1.23）。

ウ　×　「共同正犯は成立しない」という部分が妥当でない。判例は、２人以上の者が、特定の犯罪を行うため、共同意思の下に一体となって互いに他人の行為を利用し、各自の意思を実行に移すことを内容とする謀議をなし、よって犯罪を実行した事実が認められる場合には、現場に赴かず、実行行為に関与しない者にも共謀共同正犯が成立するとしている（最大判昭33.5.28、練馬事件）。

エ　○　判例により妥当である。判例は、暴行・傷害を共謀した数人中１名が未必の故意をもって殺人罪を犯した事案において、殺人罪と傷害致死罪は、殺意の有無という主観的な面に差異があるだけで、その余の犯罪構成要件要素はいずれも同一であるから、殺意のなかった者については、殺人罪の共同正犯（199条、60条）と傷害致死罪の共同正犯（204条、60条）の構成要件が重なり合う限度で軽い傷害致死罪の共同正犯が成立するとしている（最決昭54.4.13）。

以上より、妥当なものはア、エであり、正解は**2**となる。

No.26　正解　5　TAC生の選択率 26%　TAC生の正答率 24%

ア　×　全体が妥当でない。判例は、女性を姦淫する企図の下に、自己の運転する第二種原動機付自転車荷台に当該女性を乗車させて、1,000mに余る道路を疾走した場合は、監禁罪（220条）が成立するとしている（最決昭38.4.18）。したがって、監禁する場所は必ずしも囲まれた場所であることを要するわけではない。

イ　×　「監禁致傷罪が成立する」という部分が妥当でない。判例は、暴行が監禁中になされたものであっても、その手段としてなされたものでなく、別個の動機、原因からなされた場合において、当該暴行の結果被害者に傷害を負わせたときは、監禁致傷罪（221条）ではなく、監禁罪（220条）と傷害罪（204条）が成立するとしている（最決昭42.12.21）。したがって、甲には監禁罪と傷害罪が成立する。

ウ　○　判例により妥当である。判例は、逮捕罪（220条）が成立するためには、多少の時間継続して不法に行動の自由を束縛（拘束）することが必要であるとしている（大判昭7.2.29）。したがって、一瞬抱きすくめる行為については、逮捕罪が成立しないことになる。

エ　○　判例により妥当である。判例は、物理的には脱出が可能な場所であっても、後難をおそれて脱出できなくさせた場合（心理的にその場を立ち去ることを著しく困難にさせた場合）に、監禁罪の成立を認めている（最決昭34.7.3は、このように判示をした高松高裁昭32.3.8を支持した。）。

以上より、妥当なものはウ、エであり、正解は**5**となる。

No.27　正解　2　TAC生の選択率 26%　TAC生の正答率 70%

ア　○　判例により妥当である。判例は、刑法130条前段の「侵入し」とは、他人の看守する建造物等に管理権者の意思に反して立ち入ることをいうとしている（最判昭58.4.8）。この判例によれば、住居への立入り行為が住居権者の意思に反するものであれば、行為が外形上平穏に行われたとしても、住居侵入罪（130条前段）は成立し得る。

イ　×「建造物侵入罪は成立しない」という部分が妥当でない。判例は、現金自動預払機（ATM）利用客のカードの暗証番号等を盗撮する目的で、ATMが設置された銀行支店出張所に営業中に立ち入った行為について、立入りは出張所の管理権者である銀行支店長の意思に反するものであることは明らかであるとして、建造物侵入罪（130条前段）が成立するとしている（最決平19.7.2）。したがって、甲に建造物侵入罪が成立する。

ウ　×「住居侵入罪は成立しない」という部分が妥当でない。判例は、家賃を支払わない賃借人を追い出すために賃貸人が住居に立ち入った事案において、住居侵入罪（130条前段）は故なく人の住居又は人の看守する邸宅、建造物等に侵入することによって成立するのであり、その居住者又は看守者が法律上正当の権限を以て居住し又は看守するか否かは犯罪の成立を左右するものではないとして、住居侵入罪が成立するとしている（最決昭28.5.14）。したがって、甲に住居侵入罪が成立する。

エ　○　判例により妥当である。判例は、建造物侵入罪（130条前段）の客体である「建造物」には、建物に接してその周辺に存在し、かつ、管理者が門塀などを設置することにより、建物利用のために供されるものであることが明示されている当該建物の付属地は含まれるとしている（最判昭51.3.4、東大地震研事件）。したがって、門塀に囲まれた学校の敷地は、建物利用のために供されるものであることが明示されている建物の付属地といえるから、甲に建造物侵入罪が成立し得る。

以上より、妥当なものはア、エであり、正解は**2**となる。

No.28　正解　5　TAC生の選択率 26%　TAC生の正答率 65%

ア　×「のみである」という部分が妥当でない。判例は、窃盗罪（235条）が成立するための主観的要件として、窃盗の故意及び不法領得の意思（権利者を排除して他人の物を自己の所有物として経済的用法に従い利用処分する意思）を挙げている（大判大4.5.21）。

イ　×「窃盗罪は成立しない」という部分が妥当でない。判例は、旅館の宿泊客が、その宿泊料の支払ができないため、「ちょっと手紙を出してくる」と言って、その旅館の提供したその所有の丹前、浴衣、帯、下駄を着用したまま旅館から立ち去る行為は、窃盗罪にあたるとしている（最決昭31.1.19）。本判例によれば、占有者を欺いてその注意を他にそらし、その隙に品物を持ち去る行為については、窃盗罪が成立することになる。

ウ　○　条文により妥当である。自己の財物であっても、他人が占有するものは、窃盗罪においては他人の財物とみなされる（242条）。

エ　○　通説により妥当である。窃盗罪が成立した後の財物損壊行為は、不可罰的事後行為として別罪を構成しないと解されている。

以上より、妥当なものはウ、エであり、正解は**5**となる。

No.29　正解　5　TAC生の選択率 26%　TAC生の正答率 48%

ア　×「その盗品等が誰により、どのような罪によって取得されたかということを知っていなければ犯罪とならない」という部分が誤っている。判例は、盗品等に関する罪（256条）の成立に必要な盗品等であることの知情は、財産罪により不法に領得された物であることを認識すれば足りるのであって、その物が何人のいかなる犯行によって不法に領得されたかの具体的事実までをも認識することを要するものではないとしている（最大判昭24.10.5）。

イ　○　条文により正しい。盗品等に関する罪に当たる行為は、無償譲り受け（256条1項）、運搬、保管、有償譲り受け、有償処分のあっせん（256条2項）である。したがって、盗品等と認識していれば、無償で譲り受けた場合も盗品等に関する罪が成立する。

ウ　○　条文により正しい。配偶者との間又は直系血族、同居の親族もしくはこれらの者の配偶者との間で盗品等に関する罪を犯した者は、その刑を免除する（257条1項）。

以上より、ア－誤、イ－正、ウ－正であり、正解は**5**となる。

No.30　正解　5　TAC生の選択率 26%　TAC生の正答率 64%

金庫内の財物を奪取する目的で、Vを羽交い絞めにして、Vを抵抗不能の状態にした上で、金庫にある現金をバッグに入れた甲の行為については、強盗罪（236条1項）が成立することになる。金庫を開けた時点では窃盗罪（235条）の故意しかなかったものの、Vに発見されてからは、Vを羽交い絞めにして金庫内の財物を奪取するという強盗罪の故意が生じ、結局財物取得以前の暴行によって財物の占有が移転したといえるからである。なお、事後強盗罪（238条）は、窃盗犯人が財物を取り返されることを防ぐ等の目的で暴行・脅迫をすることで成立するところ、甲は財物を奪取するために暴行を行っているので（取り返されることを防ぐ等が目的ではない）、事後強盗罪は成立しない。

No.31　正解　4　TAC生の選択率 74%　TAC生の正答率 71%

現在発生しているデフレ・ギャップ20を、例えば政府支出の増加で解消するとき、国民所得の増加分は、

$$\Delta Y = \frac{1}{1-c}\Delta G = \frac{1}{1-0.5}\cdot 20 = 40$$

となる（c：限界消費性向）。したがって、現在の均衡国民所得は、40だけ完全雇用国民所得を下回っている。

No.32　正解　3　TAC生の選択率 74%　TAC生の正答率 34%

1　×　ケンブリッジの（現金）残高方程式におけるマーシャルのkは一定である。

2　×　これらは互いに逆数の関係にある。

3　○　フィッシャーの交換方程式は、$MV=PY$で表され、左辺がマネーサプライMと貨幣の流通速度Vの積、右辺は財の取引総額（P：物価水準、Y：取引量）である。

4 × ケンブリッジの（現金）残高方程式について、

$$M=kPY \rightarrow k=\frac{M}{PY}$$

より、マーシャルのkは一定だから、マネーサプライと名目国民所得の比率が定数となる。

5 × 貨幣数量説において貨幣需要は利子率に依存しない。流動性選好説において貨幣需要が利子率の減少関数であるとしたのはケインズである。

No.33 正解 2　TAC生の選択率 74%　TAC生の正答率 84%

貨幣市場では物価水準と名目貨幣供給は一定だから、政府支出が増加したとき、

$$0.4\varDelta Y-20\varDelta r=0 \rightarrow 10\varDelta r=0.2\varDelta Y$$

が成り立つ。よって、財市場における投資の増加分は、

$$\varDelta I=-10\varDelta r=-0.2Y$$

で表せる。これを用いて、政府支出と租税がそれぞれ40増加した場合を考慮すると、

$$\left.\begin{array}{l}\varDelta Y=\varDelta C+\varDelta I+\varDelta G\\ \varDelta C=0.7(\varDelta Y-\varDelta T)\\ \varDelta I=-0.2\varDelta Y\\ \varDelta T=\varDelta G=40\end{array}\right\} \rightarrow \varDelta Y=0.7(\varDelta Y-40)-0.2\varDelta Y+40$$

$$\rightarrow \varDelta Y=\frac{0.3\times 40}{0.5}=24$$

No.34 正解 1　TAC生の選択率 74%　TAC生の正答率 13%

資本（資本蓄積）について、資本減耗率をd、t期の投資をI_t、貯蓄率をsとすると、

$$K_{t+1}=(1-d)K_t+I_t$$

$$I_t=sY_t$$

が成り立つ。したがって、

$$K_{t+1}=(1-d)K_t+sY_t$$

であるから、与件より、$d=0.2$、$s=0.6$である。以下、定常状態を想定するため、時間を明示しない。

ソロー方程式または均斉成長の条件より、定常状態における労働者一人当たりの資本ストックは、

$$k^*=\left(\frac{sA}{n+d}\right)^2$$

に等しい。与件から、全要素生産性$A=4$、労働人口増加率$n=0.2$だから、

$$k^*=\left(\frac{0.6\times 4}{0.2+0.2}\right)^2=6^2$$

労働者一人当たりの国民所得（産出量）は、生産関数より、

$$Y=4\sqrt{KL} \rightarrow y\left(=\frac{Y}{L}\right)=4\sqrt{k}\ \left(\because k=\frac{K}{L}\right)$$

で表される。よって、定常状態において、

$$y(k^*)=4\sqrt{k^*}=24$$

No.35 正解 5　TAC生の選択率 74%　TAC生の正答率 68%

貿易収支の増加分は、$\varDelta(X-M)=\varDelta X-\varDelta M$で表されるが、輸入の増加分は国民所得の増加分に依

存する。

輸出が12増加するとき、国民所得の増加分を求めると、

$$\left.\begin{array}{l}\Delta Y=\Delta C+\Delta X-\Delta M\\ \Delta C=\underbrace{0.5}_{c}\Delta Y\\ \Delta X=12\\ \Delta M=\underbrace{0.1}_{m}\Delta Y\end{array}\right\}\rightarrow\ \Delta Y=\underbrace{0.5}_{c}\Delta Y+\overbrace{12}^{\Delta X}-\underbrace{0.1}_{m}\Delta Y\ \rightarrow\ \Delta Y=\frac{1}{1-c+m}\Delta X=\frac{12}{0.6}=20$$

ただし、cは限界消費性向、mは限界輸入性向である。よって、輸入の増加分は、$\Delta M=0.1\Delta Y=2$だから、貿易収支の増加分は、

$$\Delta X-\Delta M=12-2=10$$

No.36 正解 1

TAC生の選択率 74% TAC生の正答率 68%

通常、超過需要が発生する場合、市場メカニズムにより価格は上昇するが、上限価格が設定されると超過需要は解消されない。

与えられた価格について、

$$\left.\begin{array}{l}D=120-2p\\ S=3p\\ p=20\end{array}\right\}\rightarrow\ D=80>S=60$$

より、価格に上限が設けられるとこれ以上価格が上昇しないため、生産者は60しか供給しない。よって、消費者も60までしか需要できない。

したがって、政府介入後の総余剰は図の台形OA′ABの面積に等しく、三角形ABCの面積に等しい死荷重が発生する。

点Aにおける価格は、需要関数から、

$$\left.\begin{array}{l}D=120-2p\\ D=60\end{array}\right\}\rightarrow\ p=30$$

であり、また、点Cにおける数量は、需要と供給の一致（政府の介入前の均衡）より、

$$\left.\begin{array}{l}D=120-2p\\ S=3p\\ D=S\end{array}\right\}\rightarrow\ 120-2p=3p\ \rightarrow\ p=24\ \rightarrow\ S=72(=D)$$

以上より、三角形ABCの面積は、底辺ABが30－20＝10、高さが72－60＝12だから、

$$10\times12\div2=60$$

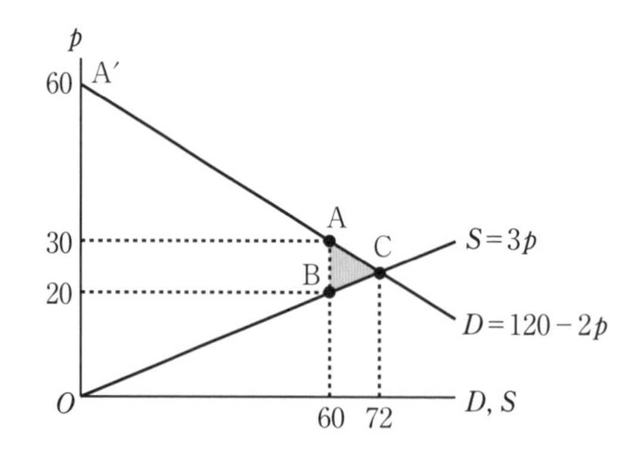

No.37 正解 2 TAC生の選択率 74% TAC生の正答率 67%

この二企業のみによって財が市場に供給されているものとして解答する。このとき、$D=x_1+x_2$が成り立つ。

$$D=180-2p \rightarrow p=90-\frac{1}{2}(x_1+x_2)$$

また、各企業が利潤の合計をそれぞれの生産量について最大化するとき、

$$90-(x_1+x_2)=MC_i \quad (i=1, 2)$$

が成り立つ。与件より、$MC_i=4x_i$だから、

$$90-(x_1+x_2)=4x_1$$

$$90-(x_1+x_2)=4x_2$$

である。これらを足し合わせて、

$$2(90-(x_1+x_2))=4(x_1+x_2) \rightarrow x_1+x_2=30(=D)$$

したがって、均衡における財の価格は、

$$p=90-\frac{1}{2}(x_1+x_2)=75$$

No.38 正解 4 TAC生の選択率 74% TAC生の正答率 52%

問題文の「並行」を「平行」として解答する。

予算線の縦軸切片は所得と財２の価格の比率であり、横軸切片は所得と財１の価格の比率だから、与件「財の価格の変化により予算線E_1がE_3に変化し」より、所得と財１の価格を一定として、財２の価格が上昇したと判断できる。よって、**1**は妥当でない。

したがって、財１について、代替効果（ＡからＢ）によって需要量は増加する（正の代替効果）。よって、**2**、**3**は妥当でない。一方、所得効果（ＢからＣ）によって需要量は減少するが（負の所得効果）、点ＡとＣにおける財１の需要量は等しいから（与件）、代替効果と所得効果はちょうど打ち消し合う（釣り合う）。

最後に、所得と他の財の価格を一定として、一方の財の価格上昇は実質的な所得の減少（効用水準の低下）をもたらし、このとき財１の所得効果は負だから、この財は上級財である。よって、**5**は妥当でない。

以上より、正解は**4**である。

No.39　正解　5

TAC生の選択率 74%　TAC生の正答率 52%

1　×　逆選択（レモンの原理）は、情報の不完全性（情報の非対称性）により、質の悪いもの（レモン）ばかりになってしまうことを指し、質が良くなることを意味しない。

2　×　この現象は、道徳的危険ではなく、逆選択である。

3　×　シグナリング理論によれば、学歴（教育）はシグナルとして十分に機能するため、企業は学歴で労働者を見分けることができる。よって、逆選択の可能性は低くなる（結果的に生産性の低い労働者ばかりが採用される事態を回避できる）。

4　×　日常会話における道徳心（モラル）の低下と、情報の不完全性が取り扱う道徳的危険は内容が異なる。犯罪行為増加の原因に情報の不完全性が関係していない限り、これを道徳的危険と呼ばない。

5　○　保険加入と道徳的危険の発生は典型的な例で、保険会社が（費用がかかりすぎるため）保険加入者を24時間観察できないということが前提となっている。火災が保険加入者の怠慢によるものかどうか断定できないため、保険加入者には（保険に入っていないときに比べ）注意を怠って過ごすインセンティブが存在する。

No.40　正解　4

TAC生の選択率 74%　TAC生の正答率 49%

余暇を$0 \leq y \leq 24$とすると、与件より、$y=24-L$または$L=24-y$が成り立つ。効用関数を

$$u=(24-L)^2x=xy^2$$

として、予算制約

$$px=wL=w(24-y) \rightarrow x+\frac{w}{p}y=\frac{24w}{p}$$

の下で最大化すると、X財の最適消費量は、

$$x=\frac{1}{3}\cdot\frac{24w}{p}=\frac{8w}{p}$$

となる。これはX財の需要関数を表す（価格pと最適消費量の関係）。